部首ときあかし辞典

円満字二郎 著

研究社

この辞典を手にとってくださった方へ

「言べん」「門がまえ」「竹かんむり」「疒（やまいだれ）」……。

部首については、だれでも、小学校の国語の授業で習ったことがあるでしょう。でも、その後、部首の知識が何に役立ったかを考えると、ちょっと心もとなくなりませんか？ せいぜい、たとえば「納」という漢字を説明するときに、「〝糸へん〟に〝内〟を書く〝おさめる〟です」のように活用する程度ではないでしょうか。

しかし、実は、部首とはとてもおもしろくて、役に立つものです。

部首にはそれぞれ、意味があります。それを知ると、一つ一つの漢字の意味や成り立ちがより深く理解できます。そして、部首は、ばらばらになっている漢字の知識をまとめあげる役割も果たしてくれますし、ときには、漢字の背景にあって、私たちが知らず知らずのうちに影響を受けている〝ものの見方〟さえ、教えてくれるのです。

本書は、そんな〝部首〟にスポットライトを当てた初めての辞典です。二八六の部首を、意味をもとにした五つの部と番外編に分けて収録しました。一つ一つの部首について、漢字の例を示しながら詳しくていねいに説明していきますので、部首の表す意味がよくわかると同時に、さまざまな漢字の基本的な意味も理解できるようになっています。漢字の例は五〇〇〇字以上ありますから、ふだんはあまり見かけない漢字との新しい出会いもあることでしょう。

また、巻頭に「部首画数索引」、巻末に「部首名称索引」を設けましたので、調べたい部首を簡単に検索することができます。一方、巻末には、本文中で例に挙げた漢字の音訓索引も付けておきました。ある漢字の部首について知りたい場合には、こちらをお使いいただくと便利です。

漢字の世界は、奥深く広がる森のようなものです。さまざまな生き物が暮らしていて魅力的ですが、複雑にできあがっているので、道に迷ってしまう危険もつきまといます。部首は、そんな複雑で魅力的な漢字の森を整理して、楽しみやすくしてくれます。みなさんが漢字の世界を散歩する際、本書がそのガイドマップとなれば幸いです。

なお、前著『漢字ときあかし辞典』に続いて、本書の出版に際しては、研究社編集部の高橋麻古さんにたいへんお世話になりました。デザイン面では、これまた前著と同じく、金子泰明さんにお力添えをいただきました。そのほか、印刷・製本・宣伝・流通・販売などなど、本書が読者の手元に届くまでにお世話になるすべての方に、心からお礼を申し上げます。

二〇一三年四月

円満字　二郎

部首ときあかし辞典――目次

この辞書を手にとってくださった方へ　1
目次　3
部首画数索引　6
部首に関する基礎知識――本文をお読みになる前に　8

第1部　人と生活に関する部首……13
人　間　14
衣服と模様　39
食　事　57
住居と町　69

第2部 交通と道具に関する部首……85
交通 86
刃物 100
容器 116
家具と雑具 127
第3部 体に関する部首……141
顔と頭 142
手 172
足 192
肉体 205
第4部 動植物に関する部首……223
動物 224
動物の体 251
植物 260

部首画数索引

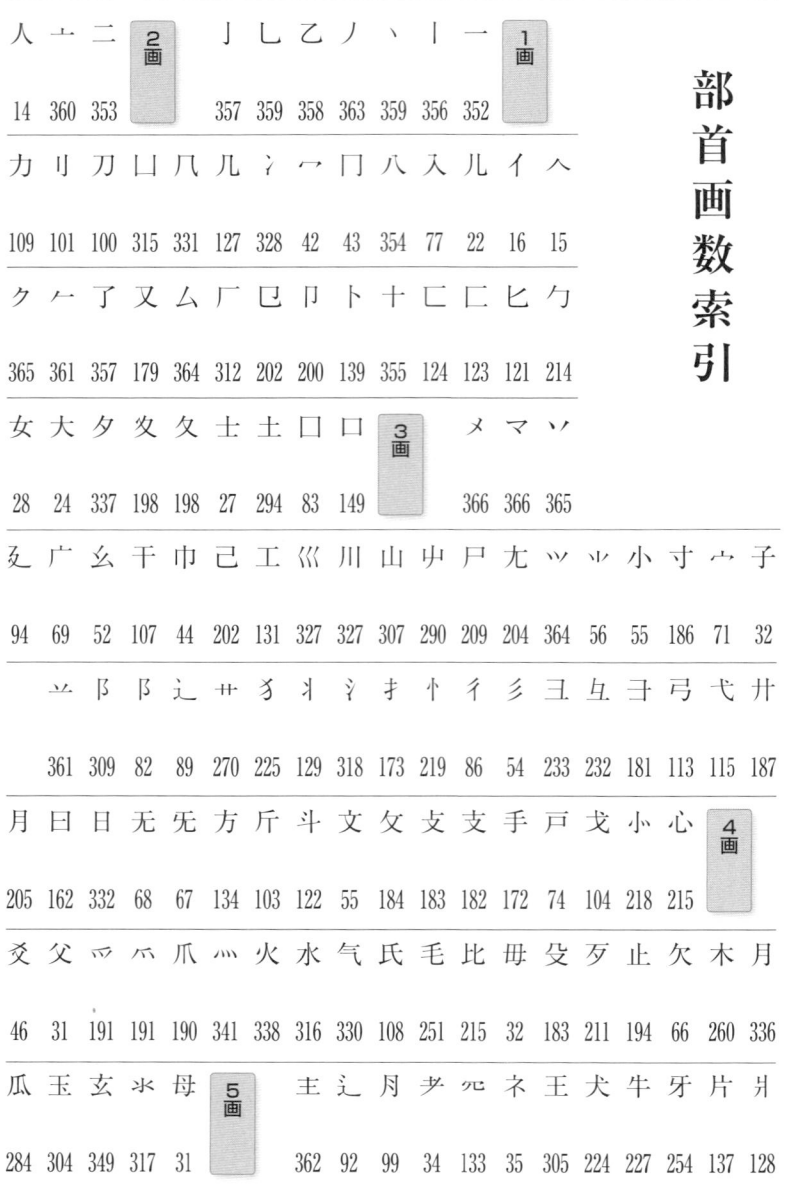

示	石	矢	矛	罒	目	罒	皿	皮	白	癶	疒	𤴔	疋	田	用	生	甘	瓦
37	298	112	106	144	142	133	116	252	346	200	129	197	197	79	138	290	60	118
羽	羽	𦍌	羊	网	缶	糸	米	竹	6画		𡗗	正	衤	罒	立	穴	禾	内
256	255	231	230	132	117	47	280	285			362	196	40	132	25	314	277	258
行	血	虫	虍	艸	色	艮	舟	舛	舌	臼	至	自	肉	聿	耳	耒	而	老
86	213	246	234	269	350	145	98	199	164	120	114	148	205	136	148	109	168	33
足	走	赤	貝	豸	豕	豆	谷	言	角	見	臣	7画		光	西	覀	襾	衣
192	196	343	242	236	232	283	313	157	255	146	145			343	126	126	125	39
長	金	8画		卵	男	麦	镸	臼	里	釆	酉	邑	辵	辰	辛	車	身	𧾷
167	300			260	27	281	167	188	78	258	62	81	89	111	61	95	209	193
頁	音	韭	韋	革	面	9画		幸	斉	飠	非	靑	青	雨	隹	隶	阜	門
169	162	284	254	252	171			190	291	58	257	346	345	329	239	259	309	75
11画		竜	鬼	鬲	鬯	鬥	髟	高	骨	馬	10画		香	首	飠	食	飛	風
		249	34	120	64	189	166	74	212	228			65	168	59	57	257	330
13画		歯	黹	黑	黍	黄	12画		亀	黒	黄	麻	麻	麥	鹿	鹵	鳥	魚
		165	53	348	283	344			245	347	344	289	288	282	235	62	237	240
	龠	17画		龜	龍	16画		齒	15画		齊	鼻	14画		鼠	鼓	鼎	黽
	140			245	250			165			291	147			236	139	119	249

部首に関する基礎知識

——本文をお読みになる前に

本書の本文では、一つ一つの部首について、くわしくていねいに解説をしています。ここでは、それを読む前に知っておいていただくと役に立つ、部首全体についての基礎知識を説明しておきます。

❶部首は何のためにあるのですか？

ほとんどの漢字は、二つ以上の形に分解することができます。そこで、共通する形を含む漢字を集めてみると、意味の上でも似通う点があることに気づくでしょう。たとえば、「頭《あたま》」「顔《かお》」「額《ひたい》」「頬《ほほ》」「顎《あご》」のように「頁（おおがい）」を含む漢字は、人間の体のうち、〝あたま〟に関係している、といった具合です。

紀元後一世紀の末ごろに中国で活躍した学者、許慎《きょしん》は、ここに着目して、形と意味によって漢字を分類した『説文《せつもん》解字《かいじ》』という辞書を作りました。そして、その一つ一つのグループを「部」と呼んだのです。そこから、それぞれのグループの最初に置かれた代表的な漢字は、「部首」といわれるようになりました。これが、部首の始まりです。

つまり、部首とは、そもそもは〝形と意味によって漢字を分類する目印〟なのです。

その後、部首によって漢字を分類するという方法は、漢字の辞書の定番となります。〝形〟を目印にして漢字を分類してある辞書は、読み方がわからない漢字を調べる際にはとても便利だったからです。そこで、現在では、部首が持つ〝意味〟の側面は薄れ、〝形によって漢字を分類する目印〟という性格が強くなっています。

◆本書では、部首が本来持っている〝意味〟をていねいにときあかすことに重点を置いています。執筆にあたっては、専門用語を使わず、平易な説明になるよう、心がけました。なお、わかりやすくするために、部首は《 》に入れて示し、それぞれの部首に分類されている漢字の例は【 】でくくって区別しました。

2 部首はいくつあるのですか?

『説文解字』では、部首の数は五四〇もあります。辞書で漢字を探す際の目印としては、これは、数が多すぎます。そこで、後の辞書では、部首の数を減らす努力がなされました。たとえば、『説文解字』には「男(おとこ)」という部首がありますが、そこに分類されているのは、「男《おとこ》」「舅《しゅうと》」「甥《おい》」の三文字だけです。そこで、「男」の部首は「力」、「舅」は「臼(うす)」、「甥」は「生(いきる)」とすれば、部首「男」を廃止することができるわけです。

一方で、目印としてはもっと便利な形を、部首として新設する試みもありました。たとえば、『説文解字』では、「交(こう)」「亥(いのしし)」「亢(こう)」「亦(また)」は、それぞれ独立した部首です。これらの代わりに、形の上から漢字を分類するためだけに、便宜的に「亠(なべぶた)」という部首を新設すれば、一挙に部首の数を三つ減らすことができるわけです。

一七世紀の初めに梅膺祚《ばいようそ》という学者が作った漢字の辞書『字彙《じい》』では、部首の数は二一四にまで減っています。それは、一八世紀の初めに皇帝の命令で作られた『康熙字典《こうきじてん》』という権威ある辞書にも引き継がれて、部首のスタンダードとなりました。

ただし、『康熙字典』の部首にはわかりにくい点もあります。たとえば、「氵(さんずい)」はもともとは「水」が変形して生まれた部首なので、『康熙字典』では部首「水」の中に「氵」を含めて扱っています。これだと、そのことを知らない読者は、「氵」の漢字を見つけることができません。そこで、「水」と「氵」を別扱いにする辞書も、最近では増えてきています。

現在、日本で出版されている漢和辞典では、『康熙字典』の部首をベースに、それぞれが独自に多少のアレンジを加えて、二二〇〜二三〇程度の部首を設定しています。

◆本書では、現在、出版されている漢和辞典の部首を幅広く参照した上で、形の異なるものは原則として別扱いにして説明しました。また、「男」のように、復活させると便利そうな部首も、適宜、取り上げました。その結果、二八六項目の部首を収録しています。

3 部首はどうやって決められるのですか？

部首とは、本来は〝形と意味によって漢字を分類する目印〟です。そこで、ある漢字の部首を決めるときには、その漢字を構成している形のうち、意味の上で最も重要なものを選ぶのが基本です。たとえば、「桜《さくら》」は樹木の名前ですから、部首は「木」となります。この漢字には「女」という形も含まれていますが、これは「桜」の意味とは直接の関係はないので、部首にはならないのです。

ただし、中には判断が難しいものもあります。「酒《さけ》」は液体なので、〝水〟を表す部首「氵」に分類してもよさそうです。しかし、「酉《ゆう》」はもともと〝お酒を入れるつぼ〟から生まれた漢字で、「酒」ととても深い関連があります。そこで、「酒」の部首は「酉（とり）」とするのが一般的です。

また、ちょっと困ったケースもあります。「輝《き》」は〝光を発する〟という意味なので、「光」を部首としたいところです。しかし、『康熙字典』の二一四の部首の中には、「光」はありません。そこで、純粋に〝形〟だけから、便宜的に部首「車」に分類されているのです。

このように、部首にはイレギュラーなものもあります。とはいえ、それは、漢字全体から見ればごくわずかな数にすぎません。たいていの漢字では、部首は意味との関係で決められる、ただし、時には例外がある。――という程度に考えるのが、ちょうどよいでしょう。

◆本書では、例として掲げた漢字の部首は『康熙字典』に拠ることを原則としました。なお、日本で作られた漢字など『康熙字典』に載っていないものについては、もっとも一般的な部首を採用してあります。

4 辞書によって部首が違うことがあるのは、どうしてですか？

『康熙字典』の部首分類には、〝意味〟という観点から見ると納得がいかないものもあります。たとえば、「到達」の「到《とう》」は〝ある地点に着く〟という意味ですから、「至る」と訓読みする「至《し》」ととても近い意味を持っています。そこで、部首「至」に分類したいところですが、『康熙字典』ではこれを〝刃物〟を表す部首「刂（りっとう）」に分類しています。

このような場合に、漢和辞典によっては、独自の判断で部首を決め直すこともあります。辞書によって部首の分類が異なることがあるのは、そのためです。

◆本書では、『康熙字典』の部首分類に疑問がある漢字については、適宜、解説を加えました。辞書によっては違う部首に分類することがある場合には、そのことも説明してあります。

5 昔と今とで部首が違うことがあるって、本当ですか？

現在、文部科学省では、「一般の社会生活において、現代の国語を書き表す場合の漢字使用の目安」として、『常用漢字表』を定めています。また、名づけに使用できる漢字を法務省が定めた、いわゆる「人名用漢字」もあります。

常用漢字と人名用漢字の中には、主に『康熙字典』に載せられている漢字を中心とする伝統的な漢字の形ではなく、簡略化された形が採用されているものがあります。この伝統的な漢字の形を「旧字体」、簡略化された形を「新字体」と呼んでいます。

たとえば、旧字体では「佛《ほとけ》」と書いた漢字は、新字体では「仏《ほとけ》」と書きます。この場合、「佛」の部首「亻（にんべん）」は「仏」にも適用できるので、部首に変化はありません。

しかし、たとえば旧字体の「圓《えん》」が新字体の「円《えん》」になった、というような例だと、部首に影響が及びます。「圓」の部首「囗（くにがまえ）」は、「円」の形には含まれていないからです。そこで、「円」は部首「冂（けいがまえ）」に分類するのがふつうです。旧字体と新字体では部首が違う漢字があるのは、このような事情によるものです。

◆本書では、常用漢字や人名用漢字のすべてを含む五〇一五の漢字を収録しています。そのうち、旧字体がある場合には、「以前は○○と書くのが正式」というような形で説明しました。なお、新字体と旧字体の違いがごくわずかなものについては、旧字体に触れなかった場合もあります。

6 大昔の絵文字のような漢字にも、部首はありますか？

現在、漢字の最も古い形だと考えられているのは、紀元前一四世紀ごろに使われた「甲骨文字《こうこつもじ》」です。その少し後には「金文《きんぶん》」あるいは「金石文《きんせきぶん》」と呼ばれる文字が現れ、さらに紀元前三世紀ごろには、現在でもハンコに使われている「篆書《てんしょ》」を用いるのが公式とされていました。

図は、すべて「犬」の古代文字で、右から順に、甲骨文字、金文、篆書です。いわゆる〝絵文字〟から、だんだんと〝漢字〟らしくなっていくようすが、よくわかります。

『説文解字』は、篆書に基づいて漢字を分類しています。ただ、現在、私たちが日常的に使っている楷書《かいしょ》は、篆書とは形が異なるので、篆書の部首がそのまま楷書の部首とはならないものもありま

す。さらには、金石文や甲骨文字にまでさかのぼると、楷書とはまったく違う形をしている漢字もあります。

そういった漢字も、現在の漢和辞典では、楷書の形に基づいて部首を分類しています。その結果、〝意味〟とは関係のない、形の上からの便宜的な部首になってしまっているケースもたくさんあるのです。

◆本書では、適宜、甲骨文字や金石文、篆書などを掲げて説明を進めました。ただし、繁雑になるのを避けるため、本文では甲骨文字、金石文、篆書の区別はせず、すべて「古代文字」として記述してあります。

7 部首の名前は、どのようにつけられるのですか？

『説文解字』や『康熙字典』を見ても、部首には特に名前は付いていません。「扌」を「手《て》へん」と呼んだり、「雨」を「雨《あめ》かんむり」といったりするのは、日本人が付けたニックネームのようなものです。中国では、中国人なりにやはり名前を付けて呼んでいるようです。

部首の名前はニックネームですから、特に決まりはありません。たとえば、「煮」に見られる「灬」は「れっか」とも「れんが」とも呼ばれ、どちらが正式、というようなことはないのです。平安時代ごろから、いろいろな人がいろいろな名前で呼んでいたものが、明治時代以降になってなんとなく定着していった、というのが実際のところのようです。

なお、「へん」とか「つくり」というのは、部首を漢字のどの部分に現れるかで区別した呼び名です。

へん（偏）	左側
つくり（旁）	右側
かんむり（冠）	上部
かしら（頭）	「かんむり」と同じ
あし（脚）	下部
たれ（垂れ）	上部から左側にかけて
にょう（繞）	左側から下部にかけて
かまえ（構え）	三方あるいは四方を取り囲む形

ただし、「にょう」については、「乚」のような形で終わるものや、右払いで終わる形を指すこともあります。また、漢字の上部から右側にかけて現れる部首や、漢字の両側に分かれて現れる部首を「かまえ」と呼ぶ例もあります。

◆本書では、現在、出版されている漢和辞典に載っている部首の名称を広く調べて、収録してあります。

第1部

人と生活に関する部首

人間／衣服と模様／食事／住居と町

人間

人間

人間がいなければ文字はない。部首《人》は、変形して《イ(にんべん)》となり、多くの漢字を生み出す。また、《女》を部首とする漢字は多いのに、部首《男》は現在では存在しない。さらには、〝人間を超えた存在〟を表す《鬼》や《示》といった部首もある。部首をめぐって、漢字を生んだ人びとが〝人間〟をどのようにとらえていたのかを考えるのも、おもしろそうである。

人

［名称］ひと
［意味］①人間　②その他

直立歩行はたいへんだ…

【人《ひと》】は、〝人間〟の姿の絵から生まれた漢字。〝両手両足を広げた人間〟の絵から生まれた「大《だい》」が正面から見た〝人間〟の姿なのに対して、「人」は横から見た〝人間〟の姿だと考えられている。古代文字では図のような形。猫背で腕を少し前に垂らした姿は、時代は違うが北京原人はさもありなん、というくらいにリアルである。

部首としてはほとんどの場合、漢字の左側、いわゆる「へん」の位置に置かれて《イ(にんべん)》(次々項)の形となる。また、漢字の上部に現れる場合には、微妙に変形して《𠆢(ひとがしら)》(次項)となる。漢和辞典では、《𠆢》《イ》は《人》に含めて扱われるのがふつうである。

というわけで、《人》をそのままの形で含む漢字は少ない。

【以《い》】は古代文字では図のような形で、〝人間が道具を手に持っている形〟かと思われる。〝何かを使う〟ところから意味がさまざまに発展して、現在では「以上《いじょう》」「以下《いか》」のように用いられる。

【从《じゅう》】は、〝人の後ろに人が付いていく〟ところから、〝従う〟ことを表す。現代の中国語では、「従《じゅう》」の代わりに用いられている。また、「仄《ほの》か」と訓読みする【仄《そく》】は、本来は〝人が体を傾ける〟こと。〝片方に寄る〟ところから、転じて〝なんとなく〟〝かすかに〟という意味で使われる。

このほか、【俎《まないた》】の部首も《人》だが、この漢字に見られる二つ重ねられた《人》は、〝肉片〟の形だといわれ、〝人間〟とは関係がない。また、「来《らい》」の以前の正式な書き方【來《らい》】も、形の上から便宜的に部首《人》に分類されるが、成り立ちとしては部首《麦(むぎ)》(p282)と関係が深い。ちなみに、「来」

は、これまた形の上から便宜的に、《木》(p260)を部首とするのがふつうである。

𠆢

[名称]ひとがしら、ひとやね
[意味]①人間 ②ふた、上からかぶせる ③その他

エビやカニには残っています

《人》(前項)が漢字の上部に置かれて、ほんの少し変形したもの。漢和辞典では、部首《人》の中に含めて扱われる。漢字の頭の部分に来るところから「ひとがしら」と呼ばれ、また、「人」の形をした屋根に見えるので「ひとやね」ともいわれる。

「介入《かいにゅう》」「介護《かいご》」の【介《かい》】は、現在では〝間に入る〟〝助ける〟という意味が強いが、本来は〝よろいを身に付けた人間〟の形。古代文字では図のような形で、「人」の古代文字「𠆢」の両側にくっついているいささか頼りない線が、〝よろい〟だという。この意味を残すのが「魚介類《ぎょかいるい》」で、「介」は〝貝やエビ、カニなど〟を指す。

また、「企《くわだ》てる」と訓読みする【企《き》】は、成り立ちとしては〝つま先立っている人〟を表し、〝これから何かをしようとする〟という意味となった。

現在の日本ではまず使われないが、〝人が多く集まる〟ことをいう【众《しゅう》】という漢字もある。現代中国では、これを「衆《しゅう》」の略字として使っている。ちなみに、【仌《ひょう》】も部首としては《𠆢》に分類されるが、これは〝氷の中に見える模様〟の絵だといわれ、〝氷〟を表す部首《冫(にすい)》(p328)の元の形である。

小道具がいっぱい！

《𠆢》を部首とする漢字には、意味の上では〝人間〟とは関係がないものの、便宜的に分類されているものも多い。

その中でもまとまった勢力を成しているのが、【倉《くら》】のように「亼」という形を含む漢字。これは〝ふた〟を表す形で、「倉」では〝くら〟の〝屋根〟を表す。ちなみに、「食《しょく》」も似た成り立ちの漢字だが、《食》(p57)そのものが部首となる。

「亼」を含む漢字には、【今《いま》】もある。これは、本来は〝上からかぶせる〟ことに関係する漢字だったが、大昔の中国語では〝現在〟を指すことばと発音が似ていたので、当て字的に用いられて意味が変化したと考えられている。

また、【令《れい》】は古代文字では図のように書き、〝ひざまずいた人の上に何かをかぶせた〟形。「命令《めいれい》」のような〝言いつける〟という意味合いが、よく現れている。

【会《かい》】は、以前は「會《かい》」と書くのが正式で、部首も《曰(いわく)》(p162)。ここにも「亼」が含まれ、本来は〝ふたがぴったり合う〟ことを表す漢字だという。「合《ごう》」も似たような成り立ちだが、部首はふつう《口》(p149)に分類される。

このほか、〝人間〟にも〝ふた〟にも関係がないものもある。

【余】《よ》の古代文字は図のような形で、〝スコップ〟のような農具を表すとか、ある種の〝針〟だとかの説がある。「余《あま》る」と訓読みして使うのは、〝食べ物にゆとりがある〟という意味の「餘《よ》」の略字として使われたもの。

また、【傘】《かさ》はご覧の通り、雨具の〝かさ〟の絵から生まれた漢字。中の四つの「人」は〝かさの骨〟で、四人が入れるほど大きいわけではない。そのせいかどうか、この漢字は省略して【仐】《かさ》と書かれることもある。

「全体」《ぜんたい》の【全】《ぜん》は、以前は厳密には「𠆢」を「入」にした「全」《ぜん》と書くのが正式で、部首は《入》(p77)。「校舎」《こうしゃ》の【舎】《しゃ》は、以前は「土」の部分を「干」にした「舍」《しゃ》と書くのが正式。「舎」の部首は、形の上からいささか強引に《舌》(p164)に分類される。成り立ちとしては「余」の下に「口」を加えた形だと考えられているが、本来の意味には諸説がある。

「店舗」《てんぽ》の【舗】《ほ》の部首も《𠆢》だが、これも以前は「土」を「干」にした「舖」《ほ》と書くのが正式。「舗」は、「舎」に「甫」を組み合わせた漢字で、やはり部首は《舌》。現在でも部首《舌》に分類される「舘」《かん》「舒」《じょ》という漢字もあるので、「舎／舍」という部首を作った方がすっきりするかもしれない。

以上、基本的な意味は〝人間〟だが、〝ふた〟だの〝スコップ〟だの〝針〟だの〝雨具〟だの、なぜだかちょっとした道具箱のような部首となっている。

亻

［名称］にんべん
［意味］①人間 ②人間の行動・状態 ③複数の人間の関係 ④単なる記号 ⑤その他

お人形さんまで含まれます

部首《人》(前々項)が漢字の左側、いわゆる「へん」の位置に現れた場合の形。「人」の「へん」だというわけで、「にんべん」と呼ばれる。漢和辞典では、部首《人》に含めて扱われる。

意味としては、もちろん〝人間〟を表すのが基本。本来は〝召し使い〟をいう【僕】《ぼく》、〝自分〟を指す【俺】《おれ》などが代表的な例。現代中国語のあいさつ「你好」《ニイハオ》の【你】《ニイ》は、〝あなた〟を指す。【個】《こ》は、本来は〝他人と区別されたある人〟のこと。【伴】《はん》【侶】《りょ》は、どちらも〝一緒にいる人〟という意味。なお、「伴」は、以前は【伴】《はん》と書くのが正式であった。

《亻》の世界には、さまざまな〝人間〟がいる。「同僚」《どうりょう》の【僚】《りょう》は〝仕事をする人〟。「儒教」《じゅきょう》の【儒】《じゅ》は〝学者〟。「俳優」《はいゆう》の【俳】《はい》【優】《ゆう》は、もともとは両方とも〝役者〟を指す。

「歌舞伎」《かぶき》の【伎】《き》は、〝熟練した技を持つ人〟やその〝技〟。「仙人」の【仙】《せん》や、〝お坊さん〟を指す【僧】《そう》、〝ほとけ様〟を表す【仏】《ぶつ》などは、俗世間を離れた人びと。なお、以前は、「僧」は【僧】《そう》と、「仏」は【佛】《ぶつ》と書くのが正式であった。

また、「伯爵」《はくしゃく》の【伯】《はく》は、本来は〝一番年上のお兄さん〟のこと。【僑】《きょう》は〝故郷を離れた人〟を指し、〝外国に住む中国系の人〟のことを「華僑《かきょう》」という。さらには、〝敵につかまった人〟を表す【俘《ふ》】という漢字もあり、「俘虜《ふりょ》」のように用いられる。

〝人間〟そのものではないが、【体《からだ》】は、〝人間の本《もと》となる部分〟。ただし、以前は「體《たい》」と書くのが正式で、部首も《骨》(p212)。【仮《か》】は、以前は【假《か》】と書くのが正式。「仮面《かめん》」がもともとの意味に近く、〝人間が着けるかぶりもの〟を指す。

【偶《ぐう》】は、本来は〝人形〟のことで、歴史で出てくる「土偶《どぐう》」がその例。「偶然《ぐうぜん》」「偶数《ぐうすう》」のような使い方が生まれた経緯には、諸説がある。〝人形〟を表す漢字はほかにもあり、「傀《かい》儡政権《らいせいけん》」のように使う【傀《かい》】【儡《らい》】は、どちらも〝操り人形〟のことである。

なお、「儲《もう》ける」と訓読みする【儲《ちょ》】は、本来は〝君主の後継ぎ〟を指す漢字。〝利益を得る〟ことを表すのは、〝後継ぎを決める〟ことを「もうける」といったところから変化した、日本語独自の用法。また、昔、中国から見て〝日本〟を指して使われた【倭《わ》】は、本来は〝なよなよした人〟〝背の低い人〟という意味だったという。

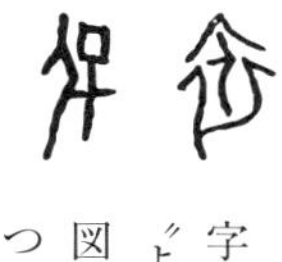

《イ》にほかの要素を絵画的に組み合わせた漢字も多い。【休《きゅう》】は〝人が木のそばにいる形〟。

〝よりかかる〟ことを表す【依《い》】は、古代文字では図の右側のように書き、〝人に衣服がまとわりつく形〟。図の左側は【保《ほ》】の古代文字で、もともとは〝人が子どもを背負っている姿〟だという。「保育《ほいく》」がその意味をよく表している。このほか、〝刃物の一種〟を指す「戈《ほこ》」を「人」に突きつけて〝人をやっつける〟ことを表す、「征伐《せいばつ》」の【伐《ばつ》】のようなおっかない漢字もある。

なお、「伏《ふ》せる」と訓読みする【伏《ふく》】は、〝人間のそばに犬が腹ばいになっている〟姿だという。とすれば、本来は〝犬がふせる〟ことだから、部首も《犬》(p224)とした方がいいのかもしれない。

善いも悪いもとりまぜて…

〝人間〟からやや変化して、〝人間の行動・状態〟を表す漢字も多い。

「偉大《いだい》」の【偉《い》】や「健康《けんこう》」の【健《けん》】、「豪傑《ごうけつ》」の【傑《けつ》】、〝才能がある〟ことを意味する【俊《しゅん》】、本来は〝外見が洗練された人〟を指す【佳《か》】などは、いい意味の例。「仁侠《にんきょう》」の【侠《きょう》】は〝男《おとこ》気《ぎ》がある〟こと。「倹約《けんやく》」の【倹《けん》】は、以前は【儉《けん》】と書くのが正式で、〝むだ遣いをしない〟こと。【伶《れい》】【俐《り》】はどちらも〝頭がいい〟という意味で、「伶俐《れいり》」という熟語で使われる。

なお、【偈《げ》】は、本来は〝体格がよい〟という意味。現在では〝仏教の詩の一種〟を指して使われるが、これは、古代インド語に対する当て字として用いられたものである。

人間の世界は、よいことばかりではない。「傲慢《ごうまん》」の【傲《ごう》】や「俗《ぞく》っぽい」の【俗《ぞく》】など、よくない意味を表す漢字もある。【佻《ちょう》】は〝思慮が浅い〟ことで、「軽佻浮薄《けいちょうふはく》」という四字熟語で使われる。

「倦怠期《けんたいき》」の【倦《けん》】は、〝何かをするのがいやになる〟こと。

〝不正な手段で何かを手に入れる〟という意味の【偸《ちゅう》】という漢字もあり、訓読みでは「利《り》を偸《ぬす》む」のように用いられる。また、「偽《にせ》」「偽《いつわ》る」と訓読みする【偽《ぎ》】は、以前は【僞《ぎ》】と書くのが正式。本来は〝人間がする〟ことだという。

なお、「侃々諤々《かんかんがくがく》」という四字熟語で使われる【侃《かん》】は、〝性格が強い〟こと。日本語では「侘《わ》びしい」と訓読みして用いる【侘《た》】は、本来は〝気分が落ち込む〟という意味である。

「作《つく》る」と訓読みする【作《さく》】、「住《す》む」と訓読みする【住《じゅう》】、「使《つか》う」と訓読みする【使《し》】のように、いい意味でも悪い意味でもない例も、もちろんある。「開催《かいさい》」の【催《さい》】、「促進《そくしん》」の【促《そく》】、「準備《じゅんび》」の【備《び》】、「佇《たたず》む」と訓読みする【佇《ちょ》】なども同じ。「便利《べんり》」の【便《べん》】の本来の意味には、〝人間にとって都合のいいようにする〟とか〝都合のいいように人をこき使う〟などの説がある。

現在ではほとんど使われないが、〝待つ〟ことを表す【俟《し》】も、〝人間の行動・状態〟を表す例。この漢字を変形させて日本で独自に生まれたのが【俣《また》】だという。「また」という読み方は「俟」の訓読み「まつ」が変化したものらしいが、「俣」の意味は〝分岐点〟で、〝待つ〟とは関係がない。

このほか、【佃《つくだ》】は、本来は〝田畑を耕す〟という意味。訓読み「つくだ」の語源は、「作《つく》り田《だ》」だと考えられている。

なお、【何《なに》】は、もともとは〝人が荷物を背負う〟ことを表す漢字。疑問詞として使うのは、大昔の中国語では疑問を表すことばと発音が似ていたことから、当て字的に使われたものだと考えられている。「但《ただ》し」と訓読みして使う【但《たん》】も、本来は〝片肌を脱ぐ〟という意味だったが、当て字的に使われて現在のような意味になったという。

だれかさんとだれかさんが…

人は一人では生きていけない。そこで、部首《イ》も必然的に、〝複数の人間の関係〟をも表すことになる。【代《だい》】は〝別の人に代《か》わる〟こと、【任《にん》】は〝別の人に任《まか》せる〟こと。【伝《でん》】は、以前は【傳《でん》】と書くのが正式で、〝別の人に伝《つた》える〟こと。「信頼《しんらい》」の【信《しん》】や「借用《しゃくよう》」の【借《しゃく》】なども、この例だといえる。

「仕《つか》える」と訓読みする【仕《し》】は、〝だれかのために働く〟こと。「伺《うかが》う」と訓読みする【伺《し》】は、〝だれかのそばで様子を見る〟こと。【傭《よう》】は〝だれかを雇う〟こと。「雇傭《こよう》」という熟語があるが、現在では「雇用《こよう》」と書くことが多い。また、〝だれかに何かを勧める〟ことを意味する【侑《ゆう》】という漢字もあり、人名などで用いられる。

「不倶戴天《ふぐたいてん》」という四字熟語で使われる【倶《ぐ》】は、〝一緒に〟という意味。【偕《かい》】も〝一緒に〟という意味で、「偕老同穴《かいろうどうけつ》」とは〝夫婦が一緒に年を取って同じお墓に入る〟ことをいう。

さらには、〝人間関係の決まり〟を表す、「倫理《りんり》」の【倫《りん》】という漢字もある。一方で、〝他人の領域に勝手に入る〟ことをいう【侵《しん》】という漢字もあって、ここでも、人間のよくない一面がすぐに顔を出す。「侮辱《ぶじょく》」の【侮《ぶ》】は、以前は正式には【侮《ぶ》】と書き、〝他人を馬鹿にする〟こと。【佞《ねい》】は〝他人におべっかを使う〟ことで、「佞弁《ねいべん》」という熟語がある。

このほか、【俵《ひょう》】は、本来は〝人々に分け与える〟ことを表す漢字。日本語では独自に、お米や炭を分け与えるときに使う〝たわら〟を指して用いる。

ついでながら、ちょっとおもしろいのは、《イ》には数を表す漢字と組み合わさることが多い、ということ。【仁《じん》】はもともとは〝二人の親しい関係〟を表し、【伍《ご》】は〝五人一組の軍隊〟を指す。ただし、「仇討《あだう》ち」のように使う【仇《きゅう》】の「九」には、数としての意味はない。

【什《じゅう》】も本来は〝一〇人一組の軍隊〟を表したが、現在では「什器《じゅうき》」のように〝日常で使うさまざまなもの〟という意味で用いられる。さらには、【佰《はく》】【仟《せん》】は、ご想像通り、それぞれ〝百人一組の軍隊〟〝千人一組の軍隊〟をいう。

ちなみに、【仨《さ》】【佡《き》】【仈《はつ》】という漢字もないではないが、中国のある地域の方言を書き表すためなどに使う、特殊な文字。「イ」に「二」「六」「七」を組み合わせた漢字は、残念ながら存在しないようである。

こじつけるのも
しんどいなあ…

一方、《イ》の漢字の中には、〝人間〟と結びつけるにはちょっと無理があるものも存在する。たとえば、【件《けん》】はもともとは〝人間の数〟を数える漢字だったという説もあるが、本来の意味ははっきりしないと考える学者もいる。また、「僅《わず》か」と訓読みする【僅《きん》】については、もともとは〝人間の才能が乏しい〟ことだとか〝めったにいないほど才能のある人〟だとかの説があって、とんち比べのようになっている。

成り立ちの上では明らかに〝人間〟とは無関係だ、と考えられている漢字もある。たとえば、【値《ち》】。「直《ちょく》」には〝まっすぐに当たる〟という意味がある。そこで、「値」は〝あるものの程度をぴったりと示すもの〟を表すために「直」から派生して生まれた漢字だと考えられる。

【伸《しん》】も似たような例で、「申《しん》」に本来、〝のびる〟という意味がある。そこで、「申」が〝ものを言う〟という意味で使われるようになって、改めて「伸」が作られたと考えられている。また、【傾《けい》】の場合も、「頃《けい》」にもともとは〝かたむく〟という意味があり、それが〝だいたいの時間〟を指すように転用された結果、新たに「傾」が生まれたという。

これらの《イ》は、〝人間〟と関係しているというよりは、もとの漢字と区別するための単なる記号だと考える方がわかりやすい。

「併合《へいごう》」の【併《へい》】は、以前は【倂《へい》】と書くのが正式で、「幷《へい》」だけでも〝あわせる〟という意味がある。「偏西風《へんせいふう》」の【偏《へん》】も、〝かたよる〟ことを表す「扁《へん》」が少し変形したものに、《イ》を組み合せた漢字。また、「物価《ぶっか》」の【価《か》】は、以前は【價《か》】と書くのが正式で、「賈《か》」にもともと〝値段〟という意味がある。

「補佐《ほさ》」の【佐《さ》】は〝助ける〟という意味だが、本来は「左《さ》」が〝助ける〟という意味でも使われていた。それが〝ひだり〟という意味で用いられることが多くなった結果、〝助ける〟ことを表すために、新たに「佐」が作られたと考えられる。ちなみに、「右《ゆう》」も〝助ける〟という意味を表すことがあり、同様の事情で【佑《ゆう》】という漢字が生まれた。「天佑《てんゆう》」とは〝天の助け〟をいう。

このタイプの《イ》の漢字は意外と多い。《イ》を外した漢字と意味を比較してみると、そのことがよくわかる。

【例《れい》】は、〝並べる〟という意味の「列《れつ》」から派生したものだと思われる。「儀式《ぎしき》」の【儀《ぎ》】は、「義理《ぎり》」の「義《ぎ》」から派生したもの。「年俸《ねんぽう》」の【俸《ほう》】はいわゆる〝お給料〟のことで、〝うやうやしく持ち上げる〟ことを表す「奉《ほう》」から生まれたと考えると、わかりやすい。

「仔細《しさい》」の【仔《し》】は〝小さい〟という意味で、「子《し》」に区別のために《イ》を付け加えたもの。〝思いがけない幸せ〟という意味の【倖《こう》】も、同様に「幸《こう》」から生まれたもの。「僻地《へきち》」の【僻《へき》】は〝中心から離れている〟ことだが、「辟《へき》」に〝かたよる〟という意味がある。「我《わ》が儘《まま》」のように使う【儘《じん》】の右側「盡《じん》」は、「尽《じん》」の以前の書き方。「尽／盡」にも〝思い通りにさせる〟という意味がある。

〝すぐ近く〟を指す【側《そく》】【傍《ぼう》】も、同じ意味を表す「則《そく》」「旁《ぼう》」から派生した漢字だと考えられている。「探偵《たんてい》」の【偵《てい》】も、「貞《てい》」に本来は〝行動を決めるために様子を探る〟という意味がある。「模倣《もほう》」の【倣《ほう》】についても、「放《ほう》」だけで〝まねをする〟ことを表すことがある。また、「咅《ほう》」には〝二つに割れる〟という意味があると思われ、そこから変化して生まれたのが【倍《ばい》】である。

「債務《さいむ》」の【債《さい》】はちょっと変わった例で、〝何かをするように求める〟ことをいう「責《せき》」に《イ》を付け加えて、〝お金を返すように求める〟ことを表す。【償《しょう》】も似たような例で、〝ほめて金品を与える〟ことを指す「賞《しょう》」に《イ》を組み合わせて、〝おわびとして金品を与える〟という意味になった。

また、〝ものがたくさんある〟ことを表す「多《た》」に《イ》を付け加えた【侈《し》】は、〝ぜいたくな〟という意味。「奢侈品《しゃしひん》」とは〝ぜいたくな品物〟のことをいう。

なお、【億《おく》】は、本来は「意《い》」から派生した〝思う〟という意味の漢字。数の位取りの一つとして使うのは、当て字的に用いられた結果だと考える説が有力である。「俄《にわ》かに」と訓読みする【俄《が》】も、「我《が》」が当て字的に〝急に〟という意味でも用いられるようになった結果、区別のために《イ》を付け加えて新しく独立させた漢字だと思われる。

微妙なやつもいっぱいいますよ

ただし、部首《イ》のどれが〝人間〟と関連する意味を持ち、どれが単なる記号なのかは、判断がむずかしい。【像《ぞう》】は「映像《えいぞう》」のように人間以外についても使うし、「象《ぞう》」にもともと〝かたち〟という意味がある。【位《い》】は〝人間が存在している場所〟を指すが、「位置《いち》」のようにこれまた人間以外に対しても用いる。【傷《しょう》】だって「柱の傷《きず》」のような使い方もするし、【付《ふ》】は圧倒的に多くの場合、モノに対して用いられる。また、【他《た》】は〝ほかの人〟だけでなく〝ほかのモノ〟をも指す。【低《てい》】は〝人間の背丈があまりない〟こと、【似《じ》】は〝人間がそっくりである〟こと、【倒《とう》】は〝人間がひっくり返る〟ことだと説明してもいいが、しいて〝人間〟と関連づけなくてもかまわない。「仰向《あおむ》く」という形で用いる【仰《ぎょう》】、「俯《うつむ》く」と訓読みする【俯《ふ》】なども同様。「停止《ていし》」の【停《てい》】に至っては、現在では〝機械や組織などが止まる〟場合に使う方がふつうだろう。これらの漢字は、もともとは〝人間〟に関係する意味だったものが広がったのかもしれないし、そもそも〝人間〟にはこだわらない意味を持つ漢字だったのかもしれない。

以上のように考えると、《イ》については、〝人間〟という意味を重く見過ぎない方がよいと思われる。むしろ、軽い意味合いで《イ》をくっつけて新しい漢字が次々に生み出される点に、文字とは人間の創り出したものだ、という事実を改めて感じ取るべきなのだろう。

日本人は正直なので…

ところが、日本人は昔から、《イ》の意味を重く見る傾向があったらしい。たとえば、【供《きょう》】は「提供《ていきょう》」「お供《そな》え」のように使うのが本来の意味だが、日本語では「お供《とも》」のように〝一緒にいる人間〟という意味でも用いる。【係《けい》】はもともと、「関係《かんけい》」のように〝つながる〟ことを表す漢字だが、日本語では「かかり」と訓読みして〝何かを担当する人間〟を指しても使う。本来は〝身分の高い人のそばで仕える〟という意味の【侍《じ》】が、「さむらい」と訓読みされて〝武士〟という意味で用いられるのも、《イ》のイメージと無縁ではないだろう。

また、【仲《ちゅう》】の本来の意味は〝上から二番目のお兄さん〟だが、日本語では「親《した》しい仲《なか》」のように〝人と人との間柄〟を表す。【偲《し》】を〝ある人を思う〟という意味で「偲《しの》ぶ」と訓読みするのも、日本語独自の用法。〝人生は夢のようだ〟といわんばかりに、【儚《ぼう》】を「儚《はかな》い」と訓読みして使うのも、いかにも日本人らしい。【伽《か》】も、〝人に加える〟ところから、日本では独自に〝だれかの退屈しのぎの相手をする〟という意味で用いる。「お伽話《とぎばなし》」がその例である。

さらには、〝人が動く〟ところから「働《はたら》く」と訓読みする【働《どう》】を作ったり、〝人力車〟を表す【俥《くるま》】を作ったりなど、日本語独自の漢字を生み出してもいる。【俤《おもかげ》】も日本オリジナルの漢字で、弟は兄と容姿が似通っているところから生まれたものだという。

一般に、中国語では、漢字を単に発音を表す記号として、時には当て字的に柔軟に使う傾向があるのに対して、日本語では、漢字の形と意味にこだわって用いることが多い。《イ》は、そんな違いがよく現れている部首である。

簡単には済まない世界

以上のほか、見た目につられて部首を《イ》とする漢字もある。「修理《しゅうり》」の【修《しゅう》】の本来の意味は、〝見た目をよくする〟こと。成り立ちとしては「攸《ゆう》」と「彡《さん》」の組み合わせで、意味の上では〝模様〟を表す《彡（さんづくり）》（p54）を部首とする方がふさわしい。ちなみに、似た形の「脩《しゅう》」の部首は《月（にくづき）》（p205）、「條《じょう》」の部首は《木》（p260）とするのがふつうである。

「侯爵《こうしゃく》」の【侯《こう》】の部首《イ》も、実は〝人間〟とは関係がない。古代文字では図のように書き、「矢」の古代文字「」を含んでいる。もともとは矢の〝的〟を表す漢字だと考えられている。

ちなみに、その「侯」に、〝人間の行動・状態〟を表す《イ》をさらに付け加えた形がやや省略されたのが、「天候《てんこう》」の【候《こう》】。〝的をねらう〟ところから〝ようすを見る〟という意味となり、さらに変化して〝ようす〟一般を指すようになった。

なお、【伊《い》】は、大昔の中国語で〝これ〟とか〝あれ〟を指すことばを表していた漢字。部首《イ》が付いている理由は、よくわからない。

以上、《イ》は《人》が変形した部首である、と言ってしまえば簡単だが、実際には、まことにさまざまな漢字が含まれているのである。

ついでながら、「化」の部首は、ふつうは《匕（さじのひ）》（p121）とされる。だが、古代文字では「」で、左側は「人」、右側はそれを上下逆さまにした形。そこで、最近では「化」を部首《イ》に分類する辞書もある。

儿

［名称］ひとあし、にんにょう
［意味］①人間 ②動物の脚 ③その他

《人》と起源は同じで、〝人間〟を表す部首。ほとんどの場合、漢字の下部、いわゆる「あし」の部分に現れるので「ひとあし」と呼ばれる。また、「にんにょう」という名前もある。この場合の「にょう」とは、「乚」のような形で終わる部首を指す。

頭に対してこだわりがある

漢字の下部に置かれるということは、上に載せたもの、つまり〝頭〟にこだわりがある部首だといえる。【元《げん／がん》】は、〝頭〟の部分に線を引いて強調した人間の姿から生まれた漢字だと考えられていて、「元首《げんしゅ》」「元祖《がんそ》」「元旦《がんたん》」のように〝一番重要なもの〟を表すのがもともとの意味。【兄《あに》】の成り立ちには諸説あるが、〝頭〟に特に注意することで〝年長者〟を示していることは間違いない。

「まこと」などと訓読みして人名に使われる【允《いん》】は、昔の〝ある種の役人〟を指すが、これまた本来は〝頭〟を強調した人間の姿だという。〝髪の毛がない〟ことをいう「禿《とく》」も〝頭〟に関係があるが、何を気にしているのか、この字は部首《禾（のぎ）》（p277）に分類するのがふつうである。

【児《じ》】は、以前は【兒《じ》】と書くのが正式で、古代文字で書くと図のような形。大昔の中国には子どもの髪を二本の角のように結い上げる習慣があったという。

【兜《かぶと》】は、〝頭に防具をかぶった人間〟の形。〝打ち勝つ〟という意味の【克《こく》】の成り立ちには諸説あるが、同じく〝頭に防具をかぶった人間〟の形だと考える説が根強い。「戦々《せんせん》兢々《きょうきょう》」の【兢《きょう》】については、「克」を二つ並べて、〝防具を着けた人が争う〟ことを意味するらしい。

また、【光《こう》】は大昔は【灮《こう》】と書かれ、〝人の頭上に火をかかげた形〟。ちなみに、「見《けん》」も〝目〟を強調した人間の姿だが、こちらは《見》（p146）そのものが部首となっている。

【尭《ぎょう》】は、〝土が積み上げられて高い〟ことを表す漢字。以前は「堯《ぎょう》」と書くのが正式で、部首も《土》（p294）であった。

とはいえ、古代文字では図のような形で、〝肩に荷物をかついだ人間の姿〟だと考える説には説得力がある。

〝頭〟にこだわらないものとしては、「充実《じゅうじつ》」の【充《じゅう》】がある。成り立ちには諸説あり、「育《いく》」と関係が深く〝人間がしっかり育つ〟ことを表すとか、〝腹のふくれた人間〟の形だとかいう。また、「さき」と訓読みする【先《せん》】は、本来は〝他人より前を進む〟ことを表す。

【兇《きょう》】は、〝悪い人〟を指す漢字。転じて〝人を傷つける〟という意味となり、「兇器《きょうき》」「兇悪《きょうあく》」のように使われるが、現在では「凶器《きょうき》」「凶悪《きょうあく》」と書くことが多い。

なお、人名でよく見かける「亮《りょう》」は、そもそもは〝背の高い人〟を表すという。ただし、部首は《亠（なべぶた）》（p360）とするのが、漢和辞典の習慣となっている。

以上のほか、〝人間〟とは関係ないが、形の上から便宜的に部首《儿》に分類されている漢字もある。

動物の脚 骨のひび割れ

【兎《うさぎ》】は、古代文字では図のように書き、ウサギの絵から生まれた漢字。これが九〇度回転して、変形して「兎」になったので、《儿》の部分はウサギの脚を表すことになる。

「免除《めんじょ》」の【免《めん》】の成り立ちははっきりしないが、以前は微妙に異なる【兔《めん》】と書くのが正式で、「兎」と関係があると考える説もある。ついでながら、「虎《とら》」の「儿」もトラの脚を表していると考えられるが、部首としては《虍（とらかんむり）》（p234）に分類される。

ところで、大昔の中国では、亀の甲羅や動物の骨などを火であぶり、そこに現れる割れ目の形で将来を占う風習があった。その形がそのまま漢字となったのが【兆《ちょう》】で、「事《じ》件《けん》の前兆《ぜんちょう》」のように使うのが、本来の意味。数の位取りとして用いるのは、後に生じた用法である。

なお、【党《とう》】や【売《ばい》】も、漢和辞典では便宜的に部首《儿》に分類することが多い。「党」は以前は「黨《とう》」と書くのが正式で、部首は《黒》（p348）。「売」は以前は「賣《ばい》」と書くのが正式で、部首は《貝》（p242）。ただし、「売」の部首を《士》（p27）に分類する漢和辞典もある。

大

［名称］だい
［意味］①人間 ②大きい ③その他

不思議なことがあるんです…

「大の字になって寝ころぶ」という表現があるが、【大《だい》】はまさしく〝両手両足を広げた人間〟の絵から生まれた漢字。そこで、部首《大》は〝人間〟を表すのが基本となる。部首としては、音読みに基づいて単に「だい」とだけ呼ばれるのがふつうである。

【天《てん》】は、〝人間〟の頭の部分に横棒を加えて〝一番高い所〟を表す。【夫《ふ》】は、〝かんざしを挿した人〟の姿で、大昔の中国の男性の正装だという。【央《おう》】は、古代文字では図の右側のように書き、〝首かせを付けられた人〟の姿。首は体の真ん中にあることから〝真ん中〟を指すようになったと考えられている。

図の左側は、〝若くして亡くなる〟ことをいう「夭折《ようせつ》」の【夭《よう》】の古代文字。〝まだ体がしっかりしていない若い人〟の姿だという。〝異民族〟を指す【夷《い》】の成り立ちには諸説あるが、これも〝人間〟を指す例の一つである。

「怪奇《かいき》」の【奇《き》】は、本来は〝ふつうとは異なった人〟を表し、「奔走《ほんそう》」の【奔《ほん》】は〝人が走る〟ことを表す、と考えられている。「契約《けいやく》」の【契《けい》】についても、そもそもは〝人間の体に入れ墨などをして約束の印とする〟ことだ、という説がある。

人名で使われることがある【奎《けい》】は、さかのぼれば、〝大きく股を開く〟という〝人間〟に関係する意味を持つ。【夾《きょう》】は〝二人の人間が、ある人を両側から挟んでいる形〟で、〝挟む〟という意味。これに部首《扌（てへん）》（p173）を付け加えたのが「挾《きょう》」で、「挟《きょう》」の以前の正式な書き方である。

ところで、部首《大》が〝大きい〟ことを意味することはあまりない。しいて例を挙げるとすると、「外套《がいとう》」の【套《とう》】は、〝大きくて長いカバー〟のことだという。「奢《おご》る」と訓読みする【奢《しゃ》】は、本来は〝たくさんある〟ことを表す。

また、〝おおう〟という意味の【奄《えん》】では、《大》は〝大きなものがかぶさる〟ことを表すというが、異説もある。「気息奄々《きそくえんえん》」とは、〝何かにおおわれたように、息ができなくなる〟こと。なお、「美《び》」は、成り立ちとしては〝羊が大きい〟ことだともいうが、部首としては《羊》（p230）に分類される。

このほか、現在ではほとんど使われないが、【⿱大亘《けん》】は、〝とても大きい〟ことを意味する念の入った漢字。〝上が大きく下が小さい〟ことを表すという【夵《えん》】という漢字もある。ちなみに、この上下関係をひっくり返した「尖《せん》」は、「尖《とが》る」と訓読みする漢字で、部首《小》（p55）に分類されている。

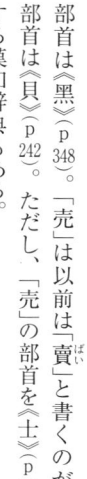

みんな両手と関係してます！

これらに対して、便宜的に《大》に分類されている漢字も多い。たとえば、【失】《しつ》の古代文字は図のような形で、「手」の古代文字「手」と関係が深い。そもそもは〝手からものがなくなる〟ことを意味するという。

また、図は【奥】《おく》の古代文字で、《大》の部分は〝両手を使う〟ことを表す《廾（にじゅう）》（p187）の古代文字「𠬞」。〝両手で奥の方を探る〟という意味合いを含む。なお、「奥」は、以前は「米」の部分が「釆」になった【奧】《おく》と書くのが正式であった。

「交換」《こうかん》の「換」《かん》に含まれる【奐】《かん》は、本来はこれだけでも〝取り換える〟ことを表す漢字。古代文字では図のような形で、やはり《廾》の古代文字「𠬞」を含んでいる。ちなみに、〝ばくち〟のことを「博奕」《ばくえき》ということがあるが、この【奕】《えき》は、本来は《大》を《廾》とした「弈」《えき》（p188）と書くべき漢字である。

【太】《たい》は、《大》に点を打ってできたものではなく、〝ゆったりしている〟という意味の「泰」《たい》の略字だと考えられている。その「泰」と同じ「𡗗」という形を含む漢字には、「奉《たてまつ》る」と訓読みする【奉】《ほう》や、「演奏」《えんそう》の【奏】《そう》がある。これらの部首も《大》だというのはちょっとびっくりだが、古代文字を右から順に並べたのが図で、それぞれにやはり「𠬞」が含まれている。ただし、「泰」そのものや「春」《はる》「秦」《しん》は、それぞれ《氺（したみず）》（p317）《日》（p332）《禾（のぎ）》（p277）という部首に分類されている。このあたり、部首の分類は融通無碍である。

「奈良」《なら》の【奈】《な》は、昔は「柰」《な》と書かれ、本来は果樹の一種を指していた。「推奨」《すいしょう》の【奨】《しょう》は、以前は【獎】《しょう》と書くのが正式。部首は《大》だが、この《大》は本来は「犬」で、そもそもの意味については、〝犬をけしかける〟とか〝犠牲の犬を捧げて神様にお願いをする〟といった説がある。

最後に、「奪回」《だっかい》の【奪】《だつ》や「興奮」《こうふん》の【奮】《ふん》は、もともとは〝鳥が逃げる〟〝鳥がはばたく〟という意味だと考えられるので、〝鳥〟を表す部首《隹（ふるとり）》（p239）に分類する方がふさわしそう。《大》を部首とするのは、形の上から便宜的に分類されたものである。

立

［名称］たつ、たつへん
［意味］①立つ ②入れ墨を入れるのに使う針 ③リットル ④その他

二本の足に力をこめて！

【立】《りつ》は、古代文字では図のような形。サーフィンでもしていそうだが、〝地面の上に立っている人間〟の姿を表す。部首としても〝立つ〟という意味となる。代表的な漢字は【端】《たん》で、本来は〝立ち姿がきちんとしている〟こと。

「端正《たんせい》」は、その意味合いが残る熟語である。

また、「竣工《しゅんこう》」の【竣《しゅん》】は、〝工事が終わって建物がきちんと立つ〟こと。「立《た》ち竦《すく》む」のように訓読みする【竦《しょう》】という漢字もある。訓読みでは「竪穴式住居《たてあなしきじゅうきょ》」のように使う【竪《じゅ》】は、やや転じて〝垂直である〟ことを表す。

このほか、【站《たん》】は、交通の要衝などに〝しっかり立てられた施設〟を指す漢字。「兵站《へいたん》」とは、〝戦争に必要な物資を、中継基地を通じて前線に送り届ける〟ことをいう。

ちなみに、「やすし」「やす」などと訓読みして人名で使われる「靖《せい》」も、意味としては〝安定して立つ／安定して立たせる〟こと。ただし、なぜだか部首は《青》（ｐ345）に分類されている、ちょっと困った例である。

なお、【竝《へい》】は、「並《なら》ぶ」と訓読みする「並《へい》」の以前の正式な書き方。本来は〝二人がならんで立っている〟ことを表す。

一方、「紋章《もんしょう》」「勲章《くんしょう》」の【章《しょう》】は、現在では〝ひとまとまりの図柄〟をいうが、古代文字では図のように書き、本来は〝入れ墨を入れるのに使う大きな針〟を表す、と考えられている。

「児童《じどう》」の【童《どう》】は、本来は〝入れ墨をされて働かされる男性〟、つまりは〝奴隷〟のこと。その女性版が「妾《しょう》」だが、この漢字は部首《女》（ｐ28）に分類される。これらの漢字は、〝入れ墨を入れるのに使う針〟を表す《辛》（ｐ61）と関係が深い。

このほか、「リットル」に昔は「立突」と当て字したため、「立」を〝リットル〟という意味で使うことがある。そこから、【竕《デシリットル》】【竓《ミリリットル》】【竏《キロリットル》】といった具合に、日本語オリジナルの漢字が作られた。これらもすべて、部首《立》に分類されている。

以上とは別に、形の上から便宜的にこの部首に分類されている漢字もある。「競争《きょうそう》」の【競《きょう》】は、もともとは〝言い争いをする二人の人間〟を表す漢字。

古代文字には図のように「言」の古代文字「」を含むものがある。《立》とは関係がないことから、部首を《儿（ひとあし）》（ｐ22）とする辞書もある。

「畢竟《ひっきょう》」という熟語で使われる【竟《きょう》】は、〝おしまい〟という意味。成り立ちには、〝音楽が終わる〟〝音を神にささげる〟などの説がある。これも、《立》よりも《音》（ｐ162）に関係が深いと考えられる。

なお、「竜《りゅう》」をこの部首に分類することもあるが、以前は「龍《りゅう》」と書くのが正式だったので、現在では、《竜》そのものを部首として、部首《龍》（ｐ250）の中に含めて扱うのが一般的。また、「颯爽《さっそう》」の「颯《さつ》」は、意味の上から部首《風》（ｐ330）に分類される。

部首としては、訓読みに基づいて「たつ」と呼ばれるのがふつう。また、漢字の左側の「へん」と呼ばれる位置に現れた場合には、「たつへん」ともいう。

士

立派だけれど仲間は少ない？

[名称]さむらい
[意味]①成人男性 ②つぼのふた ③その他

日本語では「武士《ぶし》」の印象が強いが、【士《し》】は本来、〝成人男性〟一般を表す漢字。部首としても〝成人男性〟を意味する。ただし、部首の名前としては「さむらい」と呼ばれている。

代表的な例は「壮年《そうねん》」の【壮《そう》】で、以前は【壯《そう》】と書くのが正式。また、【壻《むこ》】は、「婿《むこ》」の以前の正式な書き方。「へん」の部分は《士（さむらい）》で、《土（つちへん）》（p294）ではない。

勇ましそうな部首だが、《士》を部首とする漢字の例はあまり多くはない。「吉《きち》」が含まれそうだが、この漢字は部首《口》（p149）に分類するのがふつうである。

部首《士》には、形の上から便宜的に分類された漢字が多い。たとえば、【壺《つぼ》】は古代文字では図のように書き、《士》の部分は〝つぼのふた〟。また、「一」の代わりに使われることがある【壱《いち》】も、本来は〝つぼ〟の一種を指していたと考えられている。以前は【壹《いち》】と書くのが正式であった。

実際に使われることはまずないが、【壴《しゅ》】は、古代文字では図のような形で、〝脚の付いた太鼓〟の絵から生まれた漢字だと考えられている。

ここから派生した漢字が「太鼓《たいこ》」の「鼓《こ》」だが、《鼓》は独立した部首として扱われるのがふつうである。

のし袋などで見かける【壽《じゅ》】は、「寿命《じゅみょう》」の「寿《じゅ》」の以前の正式な書き方で、〝長生きする〟という意味。古代文字では図のような形で、成り立ちの上では《士》とは関係がない。

また、「甲乙丙丁《こうおつへいてい》…」と続く十干《じっかん》の九番目〝みずのえ〟を指す【壬《じん》】は、古代文字では図のような形で、本来は〝糸巻き〟の絵から生まれた漢字。大昔の中国語では〝みずのえ〟を意味することばと発音が似ていたことから、当て字的に用いられて現在のような用法が生じたと考えられている。

このほか、【声《こえ》】の部首も便宜的に《士》とされるが、以前は「聲《こえ》」と書くのが正式で、部首は《耳》（p148）。また、「売《ばい》」の部首は《儿（ひとあし）》（p22）とする辞書が多いが、《士》に分類されることもある。ただし、以前は「賣《ばい》」と書くのが正式で、部首は《貝》（p242）であった。

男

いつの間にか居場所がない…

[名前]おとこ
（現在では存在しない部首）

「娘《むすめ》」や、「妊娠《にんしん》」の「妊《にん》」、「姿《すがた》」、「娯楽《ごらく》」の「娯《ご》」などなど、《女》（次項）を部首とする漢字は多い。ところが、《男》という部首は、現在の漢和辞典には存在しない。漢字「男《おとこ》」は、部首《田》(p79)に分類するのがふつうである。

そこで、「甥《おい》」「舅《しゅうと》」も、それぞれ《生》(p290)《臼》(p120)を部首とするのが、漢和辞典の伝統。とはいえ、一世紀の終わりごろに書かれ、部首による分類を最初に考え出した『説文解字《せつもんかいじ》』という辞書には、きちんと《男》という部首があって、「甥」「舅」もそこに分類されている。

それがなぜなくなったのかはよくわからないが、仮に部首《男》を立てるとしても、「男」「甥」「舅」以外にこの部首に分類されそうな漢字はあまりない。「勇敢《ゆうかん》」の「勇《ゆう》」や、「捕《ほ》虜《りょ》」の「虜《りょ》」は、成り立ちからすると「力」とそれ以外の部分に分かれる漢字なので、部首は《力》(p109)とするのが妥当なところ。「男」には、「女」ほどの発展性はないようである。

女

[名称]おんな、おんなへん

[意味]①女性 ②女性の状態 ③出産 ④結婚・家族 ⑤心理状態 ⑥女性に対する行動 ⑦その他

比べてみれば一目瞭然!

【女《おんな》】は、古代文字では図のように書き、〝女性がひざまずいて、両手をそろえて前についている姿〟の絵から生まれた漢字。その格好に〝男性に従属させられた女性〟を見る説もあれば、これは〝神に祈りをささげる女性〟だとする説もある。

部首としては、漢字の左側「へん」の位置に置かれることが多く、その場合には「おんなへん」と呼ぶ。それ以外の場所に現れた場合には、単に「おんな」という。現在では部首としては消えてしまった《男》(前項)と比べて、非常に多くの漢字を生み出すメジャーな部首の一つである。

【姉《あね》】や【妹《いもうと》】、【妻《つま》】や【娘《むすめ》】、そして【姑《しゅうとめ》】【姪《めい》】や「お婆《ばあ》さん」の【婆《ばあ》】など、さまざまな〝女性〟を表すのが基本。【妃《きさき》】は〝王族や皇族の妻〟、【姫《ひめ》】は、以前は【姫《ひめ》】と書くのが正式で、本来は〝身分の高い女性〟を指す。現在ではあまり使われないが、〝年老いた女性〟を指す【姥《ぼ》】という漢字もあり、訓読みでは「姥捨山《うばすてやま》」のように使われる。

「お嬢《じょう》さん」の【嬢《じょう》】は、以前は正式には【嬢《じょう》】と書き、「むすめ」と訓読みする「娘《じょう》」と、読み方も意味も同じ漢字。「娘」は元はといえば「嬢」の略字だったが、現在の日本語では、「むすめ」と訓読みする場合は「娘」、「じょう」と音読みする場合は「嬢」を使うのが一般的になっている。

部首《女》は、家族の中での女性を指すことが多いのが特徴。【婦《ふ》】も、「主婦《しゅふ》」のように〝家庭内のことを取りしきる女性〟という意味で使うのが、本来の用法。【姐《あね》】には「姐《あね》御《ご》」のような〝年上の頼りになる女性〟というイメージがあるが、これも本来は「姉」と同じ意味である。

ただし、〝美しくて才能がある女性〟を意味する【媛《えん》】や、

「芸妓《げいぎ》」のように使われる【妓《ぎ》】など、家族を離れて〝女性〟を指す例もある。【娼《しょう》】は、〝お客の相手をして楽しませる女性〟。なお、「媛」は、以前は「爫」を「爪」とした【媛《えん》】と書くのが正式であった。

このほか、「奴隷《どれい》」の【奴《ど／ぬ》】は、本来は〝他人のために働かされる女性〟を指していたと思われる。【婢《ひ》】も、似たような意味。ただ、「奴婢《ぬひ》」とは〝男女の奴隷〟のことなので、この場合の「奴」は、〝男性の奴隷〟を指すことになる。

また、【妾《しょう》】は、もともとは「童《どう》」（p26）の女性版で、〝入れ墨をされて働かされる女性〟のこと。この漢字の「立」は〝入れ墨をするための大きな針〟を表していて、意味の上では《辛》（p61）と関係が深い。

魅力的だね　きれいだねえ…

転じて、〝女性の状態〟をも表す。代表的な例は【妖《よう》】で、「妖艶《ようえん》」のように〝女性として人を惑わせるほどの魅力がある〟ことをいう。「愛嬌《あいきょう》」の【嬌《きょう》】も、本来は〝女性としての魅力がある〟こと。

【妙《みょう》】は、もともとは〝女性の美しさ〟を指していたと思われる。そこから変化したのが「絶妙《ぜつみょう》」のような使い方で、「奇妙《きみょう》」はさらに転じたもの。「婉曲《えんきょく》」の【婉《えん》】は、本来は〝女性が優雅で上品である〟という意味である。

現在ではあまり使われないが、【妍《けん》】も〝女性が美しい〟ことで、「妍麗《けんれい》」という熟語がある。固有名詞では見かけることがある【娃《あい》】も、〝女性が美しい〟こと。このあたり、女性にとっては誉めことばのオンパレードに近い。

ただし、「委任《いにん》」の【委《い》】は、ややマイナスの評価だと感じられるかもしれない。本来は〝女性がなよなよしている〟ことを表し、転じて〝他人に何かをしてもらう〟という意味になった、と考えられている。

このほか、【姿《すがた》】の本来の意味については、〝女性がくつろいでいるようす〟〝女性がお化粧をしているようす〟〝女性が嘆き悲しんでいるようす〟などの説がある。

ところで、女性だけができることといえば、やはり〝出産〟。【妊《にん》】【娠《しん》】は、《女》がこの意味を表す代表的な例。「分娩《ぶんべん》」の【娩《べん》】もそうだし、「嬰児《えいじ》」という熟語で使われて〝生まれたばかりの子ども〟を指す【嬰《えい》】も、この仲間だと考えられる。さらには、〝ミルク〟を意味する【奶《だい》】という漢字もあって、現在でも中国語ではよく使われる。

部首《子》（p32）にも〝妊娠〟に関係する漢字はあるが、現在、一般的に使われるものは部首《女》の方が多い。出産は子どもの行為ではなく、母親の行為なのである。

転じて、「結婚《けっこん》」の【婚《こん》】や「婚姻《こんいん》」の【姻《いん》】のように、〝結婚〟に関する漢字も多い。【嫁《よめ》】【婿《むこ》】はもちろん、「媒酌人《ばいしゃくにん》」の【媒《ばい》】、「娶《めと》る」と訓読みする【娶《しゅ》】などがその例である。

また、〝家族全体の呼び名〟をいう【姓《せい》】や、〝一家の正式な後継ぎ〟を指す【嫡《ちゃく》】のように、〝家族〟に関連する意味を持つ漢字も含まれる。この点については、はるか昔の中国は母系社会であったからだ、と考える説もある。

感情的になるのはお互いさまです

以上とは別に、部首《女》には、〝心理状態〟を表すと考えられるひとまとまりの漢字が存在する。「好《す》き」と訓読みする【好《こう》】、「嫌《きら》い」と訓読みする【嫌《けん》】がその代表。「嫌」は、微妙な違いだが、以前は正式には【嫌《けん》】と書いた。

また、【娯《ご》】は、〝楽しむ〟という意味。「嬉《うれ》しい」と訓読みする【嬉《き》】や、「妄想《もうそう》」の【妄《もう》】なども、〝心理状態〟を表す例。「媚《こ》びる」と訓読みする【媚《び》】は、〝相手に気に入られたいと思う〟ことをいう。

《女》が〝心理状態〟を表す理由については、女性の方が感情的になりやすいから、という意見もある。が、それは〝男ごころ〟を知らぬというものだろう。より広く〝心理状態〟を表す部首としては、《心》（p215）がある。さらに、「嫉妬《しっと》」の形で使われる【嫉《しっ》】【妬《と》】のような例を考え合わせると、同性よりは異性の間で生じやすい〝心理状態〟を表す場合に、それを男性から見て《女》が使われたのかと思われる。

男女の社会的な関係という観点から、部首《女》をどのように評価するかは、なかなかむずかしい。男尊女卑的な考え方が色濃いと考える向きもあれば、古代社会で女性が果たしていた〝巫女《みこ》〟としての役割を重視すべきだとする意見もある。

ただ、男性を中心に漢字の世界が作られていることは否めない。それは、部首《女》には〝女性に対する行動〟を表す漢字が含まれることにも、現れている。

「威《おど》す」と訓読みする【威《い》】は、《女》に〝大きな刃物〟を表す「戌《じゅつ》」を組み合わせた漢字で、本来は〝女性に武器を突きつける〟こと。「妥協《だきょう》」の【妥《だ》】も、もともとは〝女性をなだめる〟ことだという。「妨害《ぼうがい》」の【妨《ぼう》】は、ふつうは〝女性が何かの障害となる〟ことだと説明されるが、あるいは〝女性に何かをさせない〟ことかもしれない。

〝道徳に反する行動をする〟という意味の【姦《かん》】は、成り立ちとしては、〝多くの女性と関係を持つ〟ことかと思われる。【奸《かん》】も、「姦」とほぼ同じ意味で用いる漢字である。

なお、漢字マニアの間では有名な【嬲《じょう》】は、日本語では「嬲《なぶ》る」と訓読みして使うが、本来は意味合いが少し違い、〝しつこくつきまとう〟ことを表す漢字。男女を問わず使われるので、この《女》は〝心理状態〟を表す例かもしれない。ちなみに、【嫐《どう》】という漢字もあって、意味は「嬲」と同じだという。

このほか、【始《し》】の成り立ちには諸説あるが、部首を〝肉体〟を表す《月（にくづき）》（p205）に置き換えると「胎児《たいじ》」の「胎《たい》」になることから、〝妊娠・出産〟と関係があると考える点では一致している。【如《じょ》】は、「春《はる》の夜《よ》の夢《ゆめ》の如《ごと》し」のように訓読みして使われ、〝〇〇のようだ〟という意味を表す漢字。これも成り立ちには諸説あって、よくわからない。

また、【娑《しゃ》】は、ある種の擬音語や古代インドのことばをそのまま書き表すために使われる、当て字のような漢字。「娑婆《しゃば》」という熟語の形で使うのが本来の用法。部首《女》が付いているのは、やはり当て字的に用いられた「婆」に合わせて、形を整えたものかと思われる。〝女性〟とはまったく関係がないのに部首《女》を含む、珍しい例である。

最後に、「要《よう》」は、古代文字では「」と書き、〝腰に手を当てて立っている人〟の絵から生まれた漢字。《女》とは関係がなく、形の上から便宜的に、部首《襾（かなめのかしら）》（p126）に分類されている。

父

〔名称〕ちち
〔意味〕父親

強いけれども広がりがない…

【父《ちち》】は、古代文字では図のように書く。「又」の古代文字で〝右手〟を表す「」の先に、縦棒が加わった形。この縦棒は〝斧《おの》〟や〝鞭《むち》〟で、一家を統率していく力の象徴だ、と解釈されている。

漢字「父」が見せる父権の強さには感心するが、部首としての発展性には乏しい。事実、一世紀の終わりごろに作られ、部首による漢字分類を初めて採用した辞書『説文解字《せつもんかいじ》』には、部首《父》は存在せず、漢字「父」は部首《又》（p179）に収められている。その後、部首として独立を果たすものの、よく使われる漢字の例としては、「お爺《じい》さん」の【爺《じい》】があるくらい。これも本来は〝父親〟を表す漢字である。

また、【爸《は》】【爹《た》】も〝父親〟のことで、中国語では現在も使われている。父親は、いろいろな呼ばれ方をするらしい。

ちなみに、「斧《おの》」は〝おの〟を表すので部首《斤（おの）》（p103）に、「釜《かま》」は金属でできているので部首《金》（p300）に分類される。また、部首としては、単に「ちち」と呼ばれるのがふつうである。

母

〔名称〕はは
〔意味〕母親・女性

でしゃばらないのがいいところ

漢字【母《はは》】は、古代文字では図のように書き、「女」の古代文字「」の乳房を強調した形。部首の一つになるが、漢和辞典ではふつう、形が似ていることから、部首《毋（なかれ）》（次項）に含めて扱う。「母」は5画だが、漢和辞典の部首配列では4画の部首《毋》のところに含まれているので、注意が必要である。

《母》を部首とする漢字は、ほかには、「毎《まい》」の以前の正式な書き方【毎《まい》】くらいしかない。《母》が含まれるところから、さかのぼれば〝母親〟や〝女性〟に関する意味を持っていたと思われるが、大昔の中国語では〝○○するごとに〟という意味を表すことばと発音が似ていたことから、当て字的に使われて現在のような意味となったらしい。

ただし、部首《毋》に含まれる「毋《ぶ》」「毒《どく》」も、成り立ちからすると、《母》と関係が深い。本来的には、《母》を正式な部首として、その中に漢字「毋」を合わせて扱う方が筋が通るような気もする。「毋」とはおくゆかしいもののようである。

毋

みんな巣立っていくようです

［名称］なかれ、ははのかん
［意味］①母親・女性 ②その他

【毋《ぶ》】は、昔の中国語で〝○○してはいけない〟という禁止の意味を表す漢字。漢文では「○○する毋《な》かれ」と訓読みするところから、部首としては「なかれ」という。また、「母《はは》」や、〝貫く〟という意味の「毌《かん》」もこの部首に分類されるところから、「ははのかん」という一風変わった名称で呼ばれることもある。

「母」は、古代文字では「」と書き、〝乳房を強調した女性の姿〟だと考えられている。一方、「毋《ぶ》」も古代文字では図のような形をしていて、とてもよく似ている。そこで、大昔の中国語では禁止を表すことばと発音が似ていたことから、「母《ぼ》」を当て字的に禁止の意味で使うようになり、そこから「毋《ぶ》」が派生した、と考える説が有力である。

また、【毎《まい》】は、以前は「毎《まい》」と書くのが正式。本来は〝母親〟や〝女性〟に関する意味を持っていたが、これも当て字的に使われて〝○○するごとに〟という意味となったという。

さらに、【毒《どく》】の古代文字は図のように書かれ、「母」の古代文字の一つ「」を含んでいる。そこで、やはり大昔は〝母親・女性〟に関連する意味を持っていた、と推測されている。ただし、それが現在のような意味となった経緯については、諸説があってよくわからない。「母」から派生した漢字は、なぜだか意味が大きく変化する運命にあったようである。

なお、〝貫く〟という意味の【毌《かん》】については、意味・成り立ちの上で「母」との関係はない。ちなみに、この字に部首《貝》（p242）を加えたのが、「貫《かん》」である。

子

あのころとは変わっちまった…

［名称］こ、こども、こへん、こどもへん
［意味］①子ども ②子どもの行動・状態 ③妊娠・誕生 ④その他

「子《こ》ども」の【子《こ》】の古代文字は図のような形で、〝幼児〟の絵から生まれた漢字。

頭が比較的大きいところに、〝幼児〟であることがよく現れている。部首としては、「こ」「こども」と呼ばれる。「こへん」「こどもへん」という名称もあるが、部首《子》が漢字の左側「へん」の位置に現れる例は、実際にはそんなに多くはない。

部首としては、もちろん〝子ども〟を表すのが基本で、【孫《まご》】が代表的な例。ただし、そのほかの漢字では、現在では意味が変化してしまっていることが多い。

たとえば、「孤独《こどく》」の【孤《こ》】は、本来は〝両親を失った子ども〟のこと。「季節《きせつ》」の【季《き》】は、もともとは〝末っ子〟を指す。春夏秋冬を三か月ごとと考えた場合に、その三か月の最後の月を「季」と呼んだことから、現在のような使い方が生まれた。また、その最初の月を表す漢字が【孟《もう》】で、本来は〝最も年上の子ども〟を指す。現在では、人名などで使われる。

〝子ども〟という意味を比較的よく残しているのは、〝子どもの行動・状態〟に関係する漢字。「学校《がっこう》」の【学《がく》】は、以前は【學《がく》】と書くのが正式で、本来の意味は、〝子どもが先生に習って勉強する〟こと。「孝行《こうこう》」の【孝《こう》】は〝子どもが親や祖先を大切にする〟こと。ただし、部首を《耂（おいかんむり）》（次々項）とする辞書もある。また、「生存《せいぞん》」の【存《ぞん》】は、もともとは〝子どもが無事でいる〟ことを表すという。

〝子ども〟に関係するところから、〝妊娠〟や〝誕生〟を意味する場合もあるが、その数は少ない。【孕《よう》】は「孕《はら》む」と訓読みして、〝妊娠する〟こと。「卵《たまご》の孵《ふ》化《か》」のように使う【孵《ふ》】は、〝卵からかえる〟こと。現在では《卵》（p260）という部首は存在しないので、《子》に分類する。

なお、【字《じ》】の部首も、ふつうは《子》とする。新しい文字がどんどん生まれて増えていったから、というのがその理由だが、アルファベット文化圏の人々には、とうてい実感できない分類だろう。そのせいかどうかは知らないが、「字」の部首を《宀（うかんむり）》（p71）とする辞書もある。

このほか、「孜《し》々《し》として励《はげ》む」のように使い〝休まず活動する〟ことを表す【孜《し》】では、《子》は発音を表しているだけ。意味の上からは、《攵（のぶん）》（p184）を部首とする方がふさわしい。また、〝穴〟を意味する【孔《こう》】の成り立ちについてはよくわからないが、本来の意味には〝乳が出る穴〟〝子どもの頭を剃《そ》る古代の儀式〟〝子どもを授けてくれる鳥〟などの説がある。複数の漢和辞典を読み比べて、学者たちの想像力の競演を楽しみたい。

老

［名称］おい、おいかんむり、おいがしら

［意味］年を取る

髪型が独特ですね！

「老《お》いる」と訓読みする【老《ろう》】は、古代文字では図のように書き、〝腰が曲がって杖をついている人〟の絵から生まれた漢字だという。言われてみれば、確かにそのように見えなくもない。ヤンキーのお兄さんみたいに髪の毛が前に垂れているのは、長髪であることを示して

いるらしい。大昔の中国には、年を取った人特有の髪型が、あったのかもしれない。

「おい」という名前は、訓読みに由来するもの。漢字の上の部分「かんむり／かしら」の位置に置かれるので、「おいかんむり」「おいがしら」とも呼ぶ。この場合には、省略されて《耂》(次項)の形になることもある。漢和辞典では、《耂》も部首《老》に含めて扱うのがふつうである。

部首としても〝年を取る〟ことを表すが、その例は少ない。「耄碌《もうろく》」の【耄《もう》】が、代表的なもの。鳥取県西部の古い呼び方「伯耆《ほうき》」で使われている【耆《き》】も、本来は〝経験を積んだ人〟を指す。このほか、〝年を取った人〟のことをいう【耋《てつ》】という漢字もある。

耂

長生きすれば頭も使うさ！

［名称］おいかんむり、おいがしら
［意味］①年を取る ②その他

部首《老》(前項)が省略された形。漢字の上の部分、いわゆる「かんむり」「かしら」の位置に現れるので、「おいかんむり」「おいがしら」という。漢和辞典では、部首《老》の中に含めて扱うのがふつう。《耂》は4画だが、漢和辞典の部首配列では6画の《老》のところに一緒になっているので、注意が必要である。

代表的な漢字は、「考《かんが》える」と訓読みする【考《こう》】。本来は〝長生きする〟ことや〝亡くなった父親〟を指す漢字だったが、大昔の中国語では〝かんがえる〟ことを表すことばと発音が似ていたことから、当て字的に用いられるようになった。また、「孝《こう》」はふつうは《子》(前々項)を部首とするが、《耂》を部首とする辞書もある。〝孝行〟をする側を重視するか、される側を重視するか、という違いである。

なお、【者《しゃ》】は、以前は点を一つ付け加えた【者《しゃ》】と書くのが正式。古代文字で書くと図のような形で、成り立ちの上では《耂》とは関係がない。本来の意味には諸説あるが、〝もの〟という意味で使うのは、これも当て字的に生まれた用法である。

鬼

並べてみるとカッコイイぞ！

［名称］おに、きにょう
［意味］①超自然的な存在 ②不思議な心理作用 ③丸くて大きい

【鬼《き》】は、日本語では「おに」と訓読みして〝角が生えた怪物〟というイメージが強い。しかし、本来は〝霊〟を表す漢字。〝幽霊〟と〝生《い》き霊《りょう》〟の両方を指し、また、人間だけでなく動植物や山や川など、さまざまなものの〝霊〟をも表すことがある。

古代文字では図のような形で、「人」の古代文字「」の上に、〝丸くて大きな頭〟が載っている形。漢字を発明した人々にとっては、〝霊〟と

はこんな姿をしていたらしい。桃太郎が退治した〝おに〟とはだいぶ違うようである。

部首としては「おに」と呼ぶのが一般的。「鬼」のように漢字の左側から下側にかけてを取り巻く「にょう」の形になる場合には、音読み「き」をかぶせて「きにょう」という。

部首《鬼》は、〝超自然的な存在〟を広く表すのが基本。【魂《たましい》】や、「魔物《まもの》」の【魔《ま》】などが代表例。【魑《ち》】【魅《み》】【魍《もう》】【魎《りょう》】はどれも、〝自然界のあちこちに存在するさまざまな霊〟を指す漢字で、「魑魅魍魎《ちみもうりょう》」という四字熟語の形で使われる。ゴレンジャーには一人及ばないが、部首《鬼》が四つ、ずらっと並ぶさまは、壮観である。

また、〝ひでり〟を指す「旱魃《かんばつ》」という熟語で使われる【魃《ばつ》】は、本来は〝ひでりの神様〟を表すという。ついでながら、〝貧乏神〟を意味する【魖《きょ》】という漢字もある。

ところで、「魑魅魍魎」の一つ「魅」は、〝理性的な判断力を失わせる〟という意味でも用いられる。部首《鬼》の漢字の中には、数は多くはないが、このように〝不思議な心理作用〟を表すものもある。「魘《うな》される」と訓読みする【魘《えん》】は、その例である。

ずいぶん丸くなりましたねえ…

いかにもおどろおどろしい雰囲気を持つ部首だが、そういうイメージとは関係の薄い漢字もある。【魁《かい》】は、本来は〝水を汲む部分が丸くて大きいひしゃく〟のことで、意味の上では、〝ひしゃく〟を表す部首《斗（とます）》（p122）に分類した方がいいかもしれない。転じて、〝先頭に立つ偉大な人物〟を指し、「魁《さきがけ》」と訓読みして使われる。

また、『三国志』に出てくる王朝の名前として有名な【魏《ぎ》】は、もともとは〝丸くて大きく盛り上がっている〟ことを表す漢字。「魁」「魏」の二つについては、部首《鬼》は〝丸くて大きい〟ことを表していると考えられる。「塊《かたまり》」もこの系統の例だが、部首としては《土》（p294）に分類される。

なお、「醜《しゅう》」は本来、〝ふつうとは違って見える〟ことを表す漢字。部首は《酉（とり）》（p62）とするのが一般的だが、《鬼》を部首としている辞書もある。

ネ

［名称］しめすへん、ねへん
［意味］①神 ②神をまつる場所 ③神が与える運命 ④宗教的な行い

暮らしの中の神々

部首《示》（次項）が、漢字の左側、「へん」と呼ばれる位置に置かれた際に、少し崩して書かれた形。以前は、正式ではない場面でだけ使われる書き方だったが、現在では、日常的によく用いられる漢字については、《ネ》を書く方が標準となっている。

部首の名前としては「しめすへん」と呼ばれる。形がカタカナの「ネ」に似ているので「ねへん」という人もいるが、由緒正しい名前ではない。なお、漢和辞典では、《ネ》の漢字も、部首《示》の中に含めて扱うのが一般的。《ネ》は4画だが、漢和辞典の部首配列では5画の《示》のところに一緒になっているので、注意が必要である。

「示《じ》」は、もともとは〝神をまつる祭壇〟の絵から生まれた漢字。そこで、《ネ》は、〝神〟や〝神をまつる場所〟を表すのが基本となる。【神《しん》】は、もちろん〝神〟そのものを指す例。【祖《そ》】に《ネ》が付いているのは、「祖先《そせん》」を〝神〟としてまつったからである。

「会社《かいしゃ》」の【社《しゃ》】は、本来は〝その土地の神をまつる場所〟。そこに土地の人びとが集まっていろいろな相談をするところから、〝組織・団体〟という意味で使われるようになった。「祖」や「社」からは、漢字を創った人びとにとって〝神〟は〝人間〟の生活と強く結びついていたことが、感じられる。

いいことばかりたくさんある！

転じて、〝神が与える運命〟をも表す。それがよい運命だと「幸福《こうふく》」の【福《ふく》】となり、悪い運命だと「わざわい」と訓読みする【禍《か》】になる。ただ、ありがたいことに、《ネ》の世界にはよい神様が多いらしい。「福祉《ふくし》」の【祉《し》】は、本来は〝幸運〟を表す漢字。【祥《しょう》】も似た意味で、「祥瑞《しょうずい》」とは〝さい先のよいできごと〟。「天祐《てんゆう》」のように〝神の助け〟を表す【祐《ゆう》】という漢字まである。

また、【禄《ろく》】も、本来は〝神から授かった幸運〟のこと。昔の武士の給料のことを「俸禄《ほうろく》」というのは、〝幸運にも主君から授かったもの〟だから。現在では固有名詞以外ではあまり使われないが、【禎《てい》】も〝幸運〟を表す漢字である。

こうやって、神様はいろいろな運命を与えてくれるのだが、人間としては、ただ指をくわえて待っているだけでは心もとない。そこで、神様に対してさまざまなはたらきかけをすることになって、〝宗教的な行い〟が生まれることになる。

その代表的な漢字は【礼《れい》】で、「祭礼《さいれい》」のように〝宗教的な儀式〟を指すのが、本来の意味。「祈《い》る」と訓読みする【祈《き》】は、〝神に願いごとをする〟こと。【祝《しゅく》】は、もともとは〝神に祈りのことばをささげる〟という意味。転じて、訓読み「祝《いわ》う」のように使われるようになった。

また、【禅《ぜん》】は、本来は〝王位や帝位といった神から与えられた支配者としての地位を、他人に譲る儀式〟を意味する漢字。〝瞑想を主とした仏教の修行〟を指すのは、古代インド語に対する当て字として使われたことから生じた用法である。

なお、最初に述べたように、《ネ》は《示》が変化したものなので、以上に挙げた漢字はすべて、以前は《ネ》を《示》の形で書くのが正式。特に、「禄」は「祿」と、「礼」は「禮」と、「禅」は「禪」と書くのが正式であった。

ただし、部首《示》の漢字のうち、これらのほかは、現在でも《示》の形を使うのが正式。とはいえ、正式でない場面では《ネ》の形を用いることもある。たとえば、「祈禱《きとう》」の

「禱《とう》」は〝祈る〟という意味だが、【祷《とう》】と書かれることも多い。〝神をまつる場所〟を指す「禰《ね》」も、固有名詞などでは【祢《ね》】の形がよく使われる。

示

［名称］しめす、しめすへん
［意味］①神 ②神をまつる場所 ③神が与える運命 ④宗教的な行い ⑤その他

神様が降りてくる場所

【示《じ》】は、「示《しめ》す」と訓読みするように、〝具体的にわかるようにする〟ことを表す。古代文字では図のように書き、これは〝神をまつる祭壇〟の絵だと考えられている。祭壇に神が現れるところから、〝具体的にわかるようにする〟という意味が生まれた、と説明されている。

そこで、部首《示》は、〝神〟や〝神をまつる場所〟を基本として、〝神が与えた運命〟〝宗教的な行い〟などを表す。部首としては訓読みに基づいて「しめす」と呼ばれるが、漢字の左側、いわゆる「へん」の位置に置かれた場合には「しめすへん」ともいわれる。

ただし、「しめすへん」については、古くから、正式ではない場面では形を少し崩して《ネ》(前項)と書く習慣があった。現在ではそれが一般化して、ふだんからよく用いられる漢字では、《ネ》の形で書く方が標準となっている。漢和辞典では、部首《示》の中に、《ネ》の形を部首とする漢字も含めて扱うのが一般的である。

《示》の形を部首とする漢字のうち、〝神〟を指す例としては【祇《ぎ》】がある。現在では地名の「祇園《ぎおん》」くらいでしか見かけない漢字だが、本来は〝地の神〟を指す。また、【神《しん》】は「神《しん》」の以前の正式な書き方。【祖《そ》】も、「祖《そ》」の以前の正式な書き方で、「祖先《そせん》」の霊を〝神〟としてまつるところから生まれた漢字である。

このほか、【祕《ひ》】は、「秘密《ひみつ》」の「秘《ひ》」の以前の正式な書き方で、《示》が《ネ》ではなく《禾(のぎへん)》(p277)に変化してしまった珍しい例。本来は〝人間には測り知ることができない〟という意味を表す漢字で、「神秘《しんぴ》」にその意味がよく現れている。

〝神をまつる場所〟を表す例としては、【祠《し》】がある。「ほこら」と訓読みする漢字で、〝神をまつる建物〟のこと。また、「禰宜《ねぎ》」とは神社の役職の一つだが、この【禰《ね》】も、本来は〝神をまつる建物〟の一種。なお、【社《しゃ》】は、「社《しゃ》」の以前の正式な書き方で、「神社《じんじゃ》」によく現れているように、もともとは〝その土地の神をまつる場所〟を表す。

下にあるときには変わらない！

次に、〝神の与える運命〟を表す漢字を見てみると、ここでは、現在では《ネ》の形で書かれるのが標準となっている漢字が多い。【福《ふく》】は「幸福《こうふく》」の「福《ふく》」の以前の正式な書き方で、【禍《か》】は「わざわい」

と訓読みする「禍《か》」の以前の正式な書き方。同様に、【祉《し》】は「祉《し》」の、【祥《しょう》】は「祥《しょう》」の、【祿《ろく》】は「禄《ろく》」の以前の正式な書き方で、それぞれ、いろいろな種類の〝幸運〟を表す。

【祐《ゆう》】は「祐《ゆう》」の以前の正式な書き方で、〝神の助け〟という意味。また、現在では固有名詞以外ではあまり使われない【禎《てい》】も、現在では「禎《てい》」と書くのが標準となっている。

これらの漢字ではすべて、《示》が漢字の左側に置かれているのに対して、漢字の下部に現れている例が【祟《すい》】。〝神が悪い運命を与える〟ことを意味する漢字で、「祟《たた》る」と訓読みする。

《示》が下部に現れている漢字には、なぜか〝宗教的な行い〟を表すものが多い。訓読みでは「祭《まつ》り」のように使う【祭《さい》】が、代表的な例。「禁止《きんし》」の【禁《きん》】も、本来は〝神が住む林に立ち入らせない〟ことを表す。【禦《ぎょ》】は〝悪運や悪事がやってくるのを防ぐ〟という意味。「防禦《ぼうぎょ》」という熟語で使われるが、現在では「防御《ぼうぎょ》」と書く方がふつうである。

《示》が「へん」の位置に置かれている例に戻ると、【禮《れい》】は「礼《れい》」の、【祈《き》】は「祈《き》」の、【祝《しゅく》】は「祝《しゅく》」の、【禪《ぜん》】は「禅《ぜん》」の以前の正式な書き方で、すべて〝宗教的な行い〟を表す例。「祈禱《きとう》」の【禱《とう》】については、現在でも《示》の形を使う方が正式だが、略して「祷《とう》」と書かれることも多い。

〝宗教的な行い〟の例としては、「亡《な》き人《ひと》を祀《まつ》る」のように訓読みする【祀《し》】、訓読みでは「お祓《はら》い」のように用いる【祓《ふつ》】、「禊《みそ》ぎ」のように使う【禊《けい》】などもある。この三つの漢字は、現在でも《示》の形のまま使われるが、正式ではない場面では、《ネ》の形で書かれることもある。

神と人との関係

以上のように、《示》を部首とする漢字は少なくない。さらに、《ネ》の形で日常的によく使われる漢字もたくさんあって、合わせると、漢和辞典では中堅どころの部首だといえる。そのほとんどが〝神〟と関係しているわけで、中国古代の人びとにとって〝神〟の存在が身近なものであったことを、よく表す部首となっている。

ただし、形の上から便宜的に部首《示》に分類されている漢字もある。「投票《とうひょう》」の【票《ひょう》】は、古代文字では図のような形をしていて、《示》の部分は「火」の変形。本来は〝火の粉が舞い上がる〟という意味の漢字で、ひらひらしているところから〝薄くて軽い札〟を指すようになった。

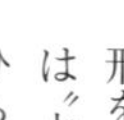

また、現在では固有名詞以外ではまず見かけないが、【祁《き》】も、部首は《示》とされている。ただし、本来は中国の地名を表す漢字なので、〝人びとが住んでいる土地〟を意味する部首《阝（おおざと）》（p82）に分類する方がふさわしいと思われる。

衣服と模様

衣服に関係する部首には、《衣》とその変形《衤(ころもへん)》のほか、《巾(はば)》《黹(ぬいとり)》などもある。その中で、《糸》は、〝糸〟や〝織物〟を表すだけでなく、〝色〟や〝模様〟にまでその世界を広げているのが特徴。また、〝模様〟に関する意味を表す《彡(さんづくり)》や《文》といった部首もある。衣服や模様によって、人類の文化は華麗に彩られてきたのである。

衣

[名称]ころも、わりごろも
[意味]①衣服 ②衣服に関する行動・状態 ③布で作られたもの

作り始めてから着古すまで

衣服は、それぞれの民族の文化を表すシンボルである。漢字を発明した人びとが、どのような衣服を着ていたのかはわからないが、【衣《ころも》】の

古代文字は図のような形で、〝えりの重なり〟の絵から生まれた漢字。すでにきちんとした〝えり〟があるということは、衣服を作る技術がそれなりの進歩を遂げていたことを表している。

部首としては、「ころも」と呼ばれる。漢字の下側に現れるほか、上下に分かれてほかの要素を挟み込むという珍しい形にもなるのが特徴で、その場合には特に「わりごろも」と呼ぶこともある。

また、漢字の左側、いわゆる「へん」の位置に置かれた場合には、変形して《衤(ころもへん)》(次項)となる。漢和辞典では、《衤》も部首《衣》の中に含めて扱うのが伝統だが、最近では、《衤》を独立させている辞書もある。

部首としては〝衣服〟を表すのが基本。【裳《しょう》】は、訓読みでは「も」と読み、下半身に付ける〝スカートのような衣服〟のこと。【裘《きゅう》】は、「かわごろも」と訓読みする漢字で、〝毛皮の上着〟。「袈裟《けさ》」の【袈《け》】【裟《さ》】は、二文字一組で〝お坊さんが着る上着〟を指す。

また、やや強引だが、【表《おもて》】の部首も《衣》。古代文字では図のように書き、本来は《衣》を上下に分けて、間に「毛」を挟み込んだ形。毛皮の衣服はふつうは毛の方を外側にすることから、もともとは〝衣服の外側の面〟を指す。【裏《うら》】も、そもそもは〝衣服の内側の面〟。また、【襞《ひだ》】は〝衣服のしわや折り目〟を表す。

衣服と模様

〝衣服〟そのものに関係する漢字はほかにもあるが、多くは《衤》の形を部首としている。一方、《衣》の形を残している漢字では、〝衣服に関係する行動・状態〟がまとまって含まれているのが目立つ。

【裁《さい》】は、訓読みでは「裁《た》つ」で、〝衣服を作るために布を切る〟こと。「製造《せいぞう》」の【製《せい》】の本来の意味は、〝衣服を作る〟こと。〝衣服を身につける〟という意味を表すのが、「装《よそお》う」と訓読みする【装《そう》】で、以前は正式には【裝《そう》】と書いた。「破《は》裂《れつ》」の【裂《れつ》】は、本来は〝衣服を破く〟こと。このように、衣服を作るところからダメにするところまで、一通りの漢字がそろっている。

使い込んだ古着の味わい

現在ではもとの意味からはかなり変化して使われている漢字も多い。その代表は「襲撃《しゅうげき》」の【襲《しゅう》】。本来は〝衣服を重ねて着る〟ことを表す漢字で、〝和服を重ね着するときの色合い〟をいう「襲《かさね》の色《いろ》目《め》」にその意味が残っている。訓読み「襲《おそ》う」のような意味になった理由は、諸説あってよくわからない。

「衰《おとろ》える」と訓読みする【衰《すい》】は、もともとは〝喪服〟を指す漢字だったかと思われる。また、「猥褻《わいせつ》」の【褻《せつ》】は、本来は〝肌着〟のこと。〝肌着が汚れる〟ところから、現在では〝けがれた〟〝みだらな〟という意味で使われている。

「褒《ほ》める」と訓読みする【褒《ほう》】は、以前は【襃《ほう》】と書くのが正式で、本来の意味は〝衣服がゆったりしている〟こと。大昔の中国語では〝高く評価する〟という意味を表すことばと発音が似ていたことから、当て字的に転用されたものと考えられている。ちなみに、中国人の姓で見かける【袁《えん》】も、もとをたどれば〝衣服がゆったりしている〟という意味だったらしい。

また、【衷《ちゅう》】は〝内部〟〝真ん中〟を指す漢字で、「衷心《ちゅうしん》」とは〝まごころ〟のこと。本来は、〝衣服に包まれた内部〟を指す。【裔《えい》】は、もともとは〝衣服のすそ〟という意味だが、転じて〝子孫〟を表し、「末裔《まつえい》」のように用いられる。

このほか、数は少ないが、〝布で作られたもの〟を表す漢字もある。例としては【袋《ふくろ》】のほか、〝掛けぶとん〟を表す【衾《きん》】という漢字もある。「同衾《どうきん》」とは〝一つのふとんで寝る〟ことをいう。

衤

[名称] ころもへん
[意味] ①衣服 ②衣服に関する動作・状態 ③布で作られたもの

古風だけれどファッショナブル！

《衣》（前項）が、漢字の左側、「へん」と呼ばれる位置に置かれたときの形。「衣《ころも》」の「へん」なので「ころもへん」と呼ぶ。漢和辞典では、《衤》の漢字も部首《衣》の中に含めて取り扱うのが伝統。《衤》は5画だが、漢和辞典の部首配列では6画の《衣》のところに一緒になっているので、注意が必要である。ただし、最近では《ネ》を別立てにしている辞書もある。

意味は《衣》と同じだが、漢字の数は《衣》より多い。その中には〝衣服〟を表す漢字が多く、多彩な服飾文化を楽しませてくれる。とはいえ、洋服が一般化した現在では、あまり使われない漢字も多い。また、厳密に考えれば、和服と中国服とでは指すものが違って当然だが、ここではあまりこだわらずに、和服を念頭において記述する。

比較的よく使われる漢字としては、【袖《そで》】や【裾《すそ》】、【襟《えり》】など〝衣服〟の一部を指すものが挙げられる。【衿《えり》】は、「襟」と読み方も意味も同じ漢字。【袂《たもと》】は〝和服の袖のうち、袋状に垂れ下がった部分〟をいう。

【裡《り》】は、「裏《り》」と読み方も意味も同じ漢字で、本来は〝衣服の内側の面〟のこと。現在では、「裏」は〝おもて〟に対する〝うら〟という意味で使うのに対して、「裡」は「脳裡《のうり》」「秘《ひ》密裡《みつり》」のように〝内部〟という意味で使うことが多い。また、〝衣服〟の一部とはやや異なるが、【襷《たすき》】や【褌《ふんどし》】といった漢字もある。

〝衣服〟の種類を表す例としては、【袴《はかま》】がある。【袷《あわせ》】は、〝裏地の付いた衣服〟。このあたりからあまり現代的ではなくなり、【裃《かみしも》】になると時代劇の世界。〝江戸時代の武士の正装〟を指す、日本で作られた漢字である。

なお、【襖《おう》】も、本来は〝裏地の付いた衣服〟を指す漢字。日本語で「ふすま」と訓読みして使うのは、〝ふすま〟も表と裏の両方から紙や布が張ってあるからかと思われる。

二文字一組で使われて、ある種類の〝衣服〟を指す漢字も多い。【襁《きょう》】【褓《ほう》】は〝おむつ〟のことで、「襁褓」と書いて〝おむつ〟の古い言い方「むつき」と読むこともある。【襦《じゅ》】【袢《ばん》】は、日本語では主に「襦袢《じゅばん》」の形で使われて、〝和服の下着〟を表す。「じゅばん」の語源はポルトガル語「ジバン」で、安土桃山時代ごろに日本に入ってきたものらしい。

【褞《おん》】【袍《ほう》】は、どちらも〝綿を入れた上着〟を表す漢字で、「褞袍」の二文字で「どてら」と読むことがある。「どてら」とは、〝綿を入れた和服の防寒着〟。【裲《りょう》】【襠《とう》】は、二文字合わせて女性用の和服の上着〝うちかけ〟を指し、「裲襠」と書いて「うちかけ」と読むこともある。

このほか、【衫《さん》】はもともとは〝一重《ひとえ》の上着〟を指す漢字だが、「汗衫」と書いて「かざみ」と読み、〝汗取り用の和服の下着〟を指すことが多い。【襯《しん》】は〝肌着〟のことで、ふつうは「襯衣」の二文字で「シャツ」と読んで使う。

なお、【襤《らん》】【褸《る》】は、二文字合わせて〝ぼろぼろの衣服〟を指す。これまた、「襤褸」と書いて「ぼろ」と読むこともある。また、「褐色《かっしょく》」の【褐《かつ》】は、以前は正式には【褐《かつ》】と書き、本来は〝麻で織った粗末な衣服〟のこと。〝焦げ茶色〟を指すようになったのは、その色合いから転じたものという。

着ていないのも衣服の一つ？

以上は〝衣服〟そのものに関わる漢字だが、〝衣服に関係する動作・状態〟を表す漢字もある。【被《ひ》】は、もともとは〝衣服を着る〟という意味で、「被服《ひふく》」という熟語にその意味が残る。「被害《ひがい》」のように用いるのは、大昔の中国語では〝○○される〟という意味を表すことばと発音が似ていたことから、当て字的に転用されたものである。

訓読みでは「色《いろ》が褪《あ》せる」のように使う【褪《たい》】は、もともとは〝衣服を脱ぐ〟こと。「はだか」と訓読みする【裸《ら》】は、〝衣服を身につけていない状態〟。「裸の王様」の話のように、着ていないのも〝衣服〟の一種なのである。

「複線《ふくせん》」の【複《ふく》】は、本来は〝二重になった衣服〟。「補《おぎな》う」と訓読みする【補《ほ》】は、そもそもは〝衣服をつくろう〟こと。「余裕《よゆう》」の【裕《ゆう》】のもともとの意味については、〝衣服がゆったりしている〟ことだとか〝衣服がたくさんある〟ことだとかいう説がある。

最後に、【褥《じょく》】は、〝敷き布団〟や〝座布団〟を指す漢字。「産褥《さんじょく》」とは、〝出産のときに使うベッド〟。〝衣服〟というよりは、〝布で作られたもの〟を表す例である。

冖

[名称]わかんむり
[意味]①頭の上からかぶせる ②《宀》の省略形

王様とかけて無実の人と解く？

カタカナの「ワ」に似ていることから、「わかんむり」と呼ばれて親しまれている部首。「かんむり」とは、漢字の上部に現れる部首を指す。漢字として実際に使われることはほとんどないが、【冖《べき》】は古代文字では図のように書き、〝頭の上からかぶせる〟ことを表すという。

部首としては〝頭の上からかぶせる〟ことを表し、「王冠《おうかん》」の【冠《かん》】がその例。「冥途《めいど》」の【冥《めい》】は、本来は〝頭の上から何かをかぶせられて、暗くてよく見えない〟という意味。「冤《えん》罪《ざい》」の【冤《えん》】は、〝無実の罪をかぶせられる〟ことを表す。

〝頭からかぶるもの〟を指す「冃《ぼう》」という漢字もあるが、形の上から、部首《冂（けいがまえ）》（次項）に分類されている。〝かぶと〟を指す「冑《ちゅう》」や、「冒《ぼう》」の以前の正式な書き方「冐《ぼう》」なども、意味の上では〝頭の上からかぶせる〟ことに関係が深いが、やはり部首は《冂》とするのがふつうである。

このように、《冖》は、形としてはやや不安定なところがある。それは、〝建物〟を意味する部首《宀（うかんむり）》と混乱して使われることにも現れている。「冤」が「寃《えん》」と書かれることもあるのが、その例である。

逆に、本来は《宀》で書かれるべき漢字が《冖》になることもある。たとえば、「冗談《じょうだん》」の【冗《じょう》】は、大昔には「宂《じょう》」と書かれた漢字。もともとは〝建物の中ですることがない人〟のことだという。

【冦《こう》】は、〝建物の中に押し入る〟という意味で、「寇《こう》」と書くのが正式な形。日本史で出てくるモンゴル軍の来襲「元《げん》寇《こう》」で見かけることがある。また、「とみ」と訓読みして固有名詞で使われることがある【冨《ふ》】も、「富《ふ》」と書く方が本来の形。〝建物の中に金品がたくさんある〟ことを表す。

このほか、「写真《しゃしん》」の【写《しゃ》】は、以前は「寫《しゃ》」と書くのが正式。もともとの意味は〝建物から建物へと何かを移動させる〟ことだともいうが、実際には〝見えるものをそのまま紙の上に再現する〟という意味合いが強い。成り立ちがよくわからない漢字である。

冂

[名称]けいがまえ、まきがまえ、えんがまえ、どうがまえ

[意味]①国境 ②頭からかぶるもの ③その他

国境とヘルメット

実際に使われることはまずないが、【冂《けい》】は〝中心地から遠く離れた国境〟を表す漢字だという。古代文字では図のような形をしていて、三方に区切りの線を引くことで、〝国境〟を表していると説明される。

《冂》は部首の一つだが、〝国境〟に関係する漢字がほかにいくつもあるわけではない。むしろ、〝頭からかぶるもの〟に関係する漢字の方が目立つ。その基本になる漢字が【冃《ぼう》】で、成り立ちとしては《冖(わかんむり)》(前項)と関係が深く、〝頭からかぶるもの〟を表す。そして、この字から派生したいくつかの漢字が、部首《冂》には含まれている。

たとえば、武士が身につける「甲冑《かっちゅう》」の【冑《ちゅう》】は、本来は、頭からかぶって頭を保護する武具〝かぶと〟のこと。日本語では、体を保護する武具〝よろい〟を指すと誤解した結果、「甲」の方を「かぶと」と訓読みするようになった。

「冒《ぼう》」の部首は《目》(p142)だが、以前は、上部が「日」ではなく「冃」の変形になっている【冐《ぼう》】と書くのが正式。「冒険《ぼうけん》」のような〝思い切って何かをする〟という意味は、〝ずきんなどを目のところまでかぶって見えないようにする〟ところから生まれた。

「冃」が現在では「日」に変化している例はほかにもあり、「最高《さいこう》」の「最《さい》」も大昔は【冣《さい》】と、「曼荼羅《まんだら》」の「曼《まん》」も大昔は【𡭬《まん》】と書かれた。どちらも、成り立ちとしては〝頭にかぶるもの〟と関係があると考えられる。また、昔の中国の役人がかぶった〝かんむり〟を指す【冕《べん》】という漢字もある。

部首を《冂》とする漢字はほかにもあるが、それらは、形の上から便宜的に分類されただけのものが多い。たとえば、【円《えん》】は、以前は正式には「圓《えん》」と書き、部首は《囗(くにがまえ)》(p83)。中の「員」がなんと縦棒一本に省略されてしまい、さらに下の横棒がせりあがって生まれたのが、「円」だということになる。

【内《ない》】は、以前は、「人」を「入」にした「內《ない》」と書くのが正式で、部首は《入》(p77)。古代文字では図のような形で、〝建物の出入り口〟の絵から、

〝出入り口より中側〟を指すようになった。

【冊】《さつ》は、本来は、紙がなかった時代に文字を書いて記録するのに使われた、〝細長い木の札をひもでつないだもの〟を表す。転じて、「冊子」《さっし》のように〝書物〟を指すようになった。図のような古代文字を見ると、そのことがよくわかる。

なお、以前は上の横棒を切り離して【冊】《さつ》と書くのが正式だった、とする辞書もある。確かに、その方が〝木の札〟の雰囲気には近い。

組み合わせて積み上げよう！

以上のほか、【再】《さい》も、部首としては《冂》に分類される。成り立ちについては諸説があるが、〝重ねて使う容器や木組みなどの下の段〟を指していたと考える説が有力か。〝重ねて使う〟ところから転じて、〝もう一度〟という意味になった。

図の右側は、「再」の古代文字。左側は、これを上下逆にして形をもう一つ積み上げたもの。こちらは〝木材などを組む〟ことを意味する【冓】《こう》の古代文字で、意味をはっきりさせるために部首《木》(p260)を付け加えたのが、「構築」《こうちく》の「構」《こう》だということになる。そこまで説明されると、なかなかよくできている解釈である。

部首としての呼び名は、一定していない。その中では、「冂」《けい》の音読みにもとづいて「けいがまえ」と呼ぶのがオーソドックス。「冂」の意味を〝町から遠く離れた牧場〟だとする説があったことから、「まきがまえ」と呼ぶこともある。また、「円」に見られるから「えんがまえ」、「同」《どう》に含まれているから「どうがまえ」という名前もある。ただし、「同」の部首は、ふつうは《口》(p149)に分類される。

なお、「かまえ」とは、漢字の三方あるいは四方を取り巻くように現れる部首を指す。

巾

[名称]はば、はばへん、きんべん
[意味]①布きれ　②布で作られたもの　③その他

高級品もあるんですよ！

「布巾」《ふきん》の【巾】《きん》は、〝布きれ〟を表す漢字。部首として、〝布きれ〟や〝布で作られたもの〟を表すさまざまな漢字を生み出す。一般にはそれほど知られてはいないが、活躍の場所はけっこう広い、心憎い部首である。

【布】《ふ》は、〝布きれ〟そのものを表す代表的な例。現在ではあまり使われないが、〝絹織物〟を指す【帛】《はく》という漢字もある。また、「紙幣」《しへい》の【幣】《へい》は、以前は、左上の「⺌」の形を「小」にした【幣】《へい》と書くのが正式。訓読みでは「ぬさ」と読み、本来は、神にささげたり贈り物にしたりする〝高級な織物〟を指す。

〝布で作られたもの〟を表す漢字としてまず挙げられるのは、【帯】《おび》や「脱帽」《だつぼう》の【帽】《ぼう》のような、〝身につけるもの〟を表す例。「座席《ざせき》」の【席《せき》】は、本来は〝座布団〟を指す。なお、「帯」は、以前は【帯《おび》】と書くのが正式。

次に目立つのは、【幕《まく》】のように、〝仕切りやカバーなどに使う大きな布〟を指すもの。「幌馬車《ほろばしゃ》」の【幌《ほろ》】もその例。【帷《い》】は「とばり」と訓読みする漢字で、〝カーテン〟を指す。ただし、現在では「帷子」の二文字で「かたびら」と読んで、〝一重《ひとえ》の和服〟をいうことが多い。

【帳《ちょう》】は、現在では〝ノート〟のイメージが強いが、劇場の「緞帳《どんちょう》」のように使うのが本来の意味で、「幕」に近い。この漢字も、訓読みでは「とばり」と読むことがある。本来、〝ノート〟を指していたのは【帖《ちょう》】で、もともとは、紙のない時代に使われた〝文字を書いて記録するための布〟。現在でも、「手帖《てちょう》」のように使われることがある。

〝大きな布〟といえば、「のぼり」と訓読みする【幟《し》】もある。また、現在では人名や地名など以外ではあまり見かけないが、「はた」と訓読みする【幡《はん》】も、〝のぼり〟の一種。さらに大きなものとしては「帆船《はんせん》」の【帆《はん》】があり、訓読みでは「ほ」と読む。

以上のように見てくると、《巾》を部首とする漢字には〝垂れ下がった布〟に関するものが多い。「巾」の古代文字は図のような形で、〝衣服から垂れ下がった布きれ〟の絵から生まれた漢字だと説明されている。〝腰手ぬぐい〟のようなものかとも思われるが、漢字の例から考えると、もっと大きな布なのかもしれない。

このほか、現在ではもとの意味がわかりにくくなっている漢字もある。【幅《はば》】は、本来は〝織物の横方向の長さ〟を指す。【常《つね》】の成り立ちには諸説あるが、もともとは〝ある一定の長さの織物〟のことだったのではないかと思われる。「元帥《げんすい》」の【帥《すい》】は〝将軍〟という意味で、《巾》は将軍の〝旗印〟を表しているとする説が有力である。

また、【希《き》】は、「希少《きしょう》」のように〝非常に少ない〟ことを指す漢字。そもそもの意味については〝布目が細かくてすきまがない〟ことだとか、〝布目が粗くて布目そのものが少ない〟ことだとかいう。「希望《きぼう》」のように〝実現するように願う〟という意味が生じた経緯は、はっきりしない。

リーダーや先生もいらっしゃる

形の上から便宜的に部首《巾》に分類されている漢字も少なくない。その代表は【市《いち》】で、古代文字では図の右側のような形。成り立ちには諸説があるが、《巾》とは関係がない。また、図の左側は【帝《てい》】の古代文字で、〝神をまつるのに使う木製の道具〟だと考えられている。〝神をまつる際に中心となる人〟というところから、「帝王《ていおう》」のように使われるようになった。

また、【帚《そう》】は、〝ほうき〟を指す。古代文字では図のような形をしていて、〝ほうき〟の絵から生まれた漢字だと考えられている。確かに、な

んとなく〝竹ぼうき〟のような形に見えないこともない。

「帰《かえ》る」と訓読みする【帰《き》】も、部首《巾》に分類されるのが一般的。以前の正式な書き方では「歸《き》」で、部首は《止》(p194)に分類される。が、成り立ちとしては「帚」から派生したもの。本来の意味には諸説があるが、〝ほうきで掃除する〟ことや〝けがれを払う〟ことに関係する意味を持っていたと考えられている。なお、「帰」の部首を、形の上から便宜的に《刂(りっとう)》(p101)に分類する辞書もある。

現在では〝先生〟を指すイメージが強い【師《し》】は、本来は〝軍隊〟や〝軍隊のリーダー〟のこと。「師団《しだん》」「軍師《ぐんし》」などにその意味が残る。古代文字では図のような形で、これも《巾》とは関係がない。

なお、漢字「巾」は、日本語では「幅《はば》」の略字のように使われることがある。部首《巾》を「はば」と呼ぶのは、そこに由来するもの。漢字の左側、いわゆる「へん」の位置に現れた場合には、「はばへん」ともいう。また、「巾」の音読みに基づいた「きんべん」という名前もある。

爻

見るからに美しい!

[名称]こう、めめ
[意味]①細長いものを組み合わせた形　②明るく輝く、鮮やかで美しい

現在ではまず用いられないが、【爻《こう》】は、〝細長いものを組み合わせた形〟から生まれた漢字。「希薄《きはく》」の「希《き》」は、これに〝布きれ〟を表す部首《巾》(前項)を組み合わせた漢字で、本来の意味は〝布目が細かくてすきまがない〟ことだとか、〝布目が粗くて布目そのものが少ない〟ことだとかいう。

「爻」を二つ並べたのが【㸚《り》】で、実際に使われることはまずないが、〝明るく輝く布〟を指す漢字らしい。「爽快《そうかい》」の【爽《そう》】はここから生まれた漢字で、〝明るく輝く〟ところから、「爽《さわ》やか」のように訓読みして使われる。

《爻》を部首とする漢字には、ほかに【爾《じ》】もある。「爾来《じらい》」とは〝その時以来〟ということで、この場合の「爾」は〝その〟という意味。また、「なんじ」と訓読みして、話の相手を指すこともある。ほかにもいろいろな用法がある漢字だが、これらはすべて、大昔の中国語で当て字的に転用されたところから生まれたもの。本来の意味ははっきりしないが、紀元前数世紀の昔に作られた詩の中には、〝花が美しく咲く〟ことを表す例がある。そこで、これも〝明るく輝く〟ことを表す「㸚」から派生した漢字だと考えられる。

ただし、「㸚」は〝入れ墨〟の一種を指す、と考える説もある。その場合は、入れ墨の模様が〝鮮やかで美しい〟ところから、「爽」や「爾」が生まれたことになる。どちらの説であれ、〝明るい輝き〟や〝鮮やかな模様〟といった、目に美しく映るものを表す部首だといえるだろう。

部首の名前としては、「爻」の音読みに基づいて「こう」と

呼ばれる。また、カタカナの「メ」が二つ重なっているところから、「めめ」ともいわれる。俗っぽいが、「こう」に比べるとわかりやすいので、この名前で呼ばれることも多い。

糸

［名称］いと、いとへん
［意味］①糸、糸のようなもの ②糸に関する状態・動作 ③糸を作る ④色 ⑤織物 ⑥その他

もともとは別の漢字

【糸《いと》】の成り立ちは、少々話がややこしい。そもそも、漢字「糸」は古代文字では図のような形で、〝より合わせた糸〟や〝糸束〟の絵から生まれたと考えられている。意味としては、〝細い糸〟や〝細かくかすかな〟ことを表していた。ただし、現在の「糸《し》」とは異なる点が一つあり、それは音読みでは「べき」と読まれていたことである。

これとは別に、「糸《べき》」を二つ並べた【絲《し》】という漢字があった。こちらは、意味は〝いと〟だが、「糸《べき》」よりは太いものを指していたらしい。

「糸」と「絲」との意味の違いは微妙である。そこで、古くから、「糸」を「し」と音読みして「絲」の略字として使う習慣があった。現在ではそれが一般化して、「絲」は、「糸」の以前の正式な書き方である、という位置づけになっている。

《糸》は、非常に多くの漢字を生み出すメジャーな部首である。漢字の左側、いわゆる「へん」の位置に置かれることが多く、その場合には「いとへん」と呼ばれる。また、漢字の下部に現れることも少なくはない。

意味としては、〝糸〟や〝糸のように細長いもの〟を表すのが基本となる。【紐《ひも》】や【綱《つな》】、【線《せん》】などが代表的な例。【縄《なわ》】ももちろんこの例で、以前は【繩《なわ》】と書くのが正式。【索《さく》】も本来は〝縄〟を指す漢字で、「索条《さくじょう》」とは〝ケーブル〟や〝ロープ〟のこと。〝縄をたぐるようにして何かを探し求める〟ところから、「検索《けんさく》」のようにも使われている。

「繊維《せんい》」の【維《い》】は、もともとは〝綱〟を指す漢字。人名で使われることがある【紘《こう》】の本来の意味も〝綱〟。また、「一縷《いちる》の望《のぞ》み」の【縷《る》】は、〝細い糸〟を指す。

このためにお使いください

用途が限定されている〝糸〟や〝綱〟もある。【絃《げん》】は、〝楽器に張って音を出す糸〟。「管絃楽《かんげんがく》」のように使われるが、現在では「弦《げん》」（p113）を用いる方が一般的。「きずな」と訓読みする【絆《はん》】は、本来は〝馬をつなぐ綱〟。【纜《らん》】は「ともづな」と訓読みする漢字で、〝舟をつなぐ綱〟のことをいう。

勲章の一つ「紫綬褒章《しじゅほうしょう》」のように用いられる【綬《じゅ》】は、〝ハンコや勲章に付ける飾りのひも〟。【綸《りん》】ももともとは似たようなものを指すが、日本では、「綸子《りんず》」の形で〝絹織物〟の一種を指して使われる。

このほか、【経《けい》】は織物の〝縦糸〟で、【緯《い》】は〝横糸〟。「経《けい》緯《い》」とは〝縦糸と横糸〟ということから、〝ものごとのいき

さつ〝という意味となった。なお、「経」は、以前は正式には【經《けい》】と書いた。

【緒《しょ》】は、以前は「者」に点を一つ加えた【緖《しょ》】と書くのが正式。日本語では「お」と訓読みして〝ひも〝という意味で使うが、本来は〝糸の端っこ〝を指す。「端緒《たんしょ》」という熟語にその意味がよく現れている。なお、この熟語は「たんちょ」と音読みすることもある。

糸は、たいていは何本もより合わせて使われる。そこで、たくさんの〝糸〝をまとめて表す漢字もある。たとえば、【組《くみ》】の本来の意味は、何本かの糸を編んで作った〝組みひも〝。【総《そう》】は、以前は【總《そう》】と書くのが正式で、もともとは〝糸の束〝のこと。〝糸を束にする〝ところから、「総合《そうごう》」のように〝まとめる〝という意味になった。なお、【綜《そう》】も、同じように〝まとめる〝という意味で使われる。

また、【辮《べん》】も、〝糸を束にする〝という意味の漢字。「辮《べん》髪《ぱつ》」とは、細長く垂らした髪を編んだ、昔の中国人男性の髪型。現在では「弁髪《べんぱつ》」と書くことも多い。

なお、【繁《はん》】は、以前は、「毋」を「母」とした【繁《はん》】と書くのが正式で、本来は〝髪に付ける糸のような飾り〝。その数が多いところから、訓読み「繁《しげ》る」のような意味が生じた。

このように並べてみると、〝糸のように細長いもの〝を表す漢字だけでもこんなにたくさんあることに、ちょっとびっくりする。考えてみれば、〝糸〝や〝ひも〝なしには我々の生活は成り立たないのである。

どこまでも伸びていく…

ただ、これはほんの序の口にすぎない。部首《糸》の漢字には、〝糸に関する状態・動作〝を表す漢字もある。その中では、たとえば【細《さい》】のように、〝細長い〝ことを意味する漢字が基本となる。「繊細《せんさい》」の【繊《せん》】もその例で、以前の正式な書き方は【纖《せん》】。〝かぼそい〝ことを表す。

〝細長い〝ことから発展した漢字としては、まずは〝続く〝ことや〝つながる／つなげる〝ことを表すグループが挙げられる。「続《つづ》く」と訓読みする【続《ぞく》】がその代表で、以前は【續《ぞく》】と書くのが正式。「継続《けいぞく》」の【継《けい》】は〝つながる／つなげる〝という意味で、以前は正式には【繼《けい》】と書いた。「連絡《れんらく》」の【絡《らく》】も、〝つながる／つなげる〝という意味。また、「船《ふね》を繫留《けいりゅう》する」のように使う【繫《けい》】は、「繫《つな》ぐ」と訓読みする。

「系統《けいとう》」の【系《けい》】【統《とう》】は、どちらも〝一続きにつながったもの〝。転じて、「統」は〝一続きのものにまとめる〝という意味にもなり、「統合《とうごう》」「統計《とうけい》」のように使われる。

なお、【縣《けん》】は、「系」から派生した漢字で、「県《けん》」（p144）の以前の正式な書き方。もともとは〝糸でつなげてぶら下げる〝という意味だったが、大昔の中国語では行政単位の一つを指すことばと発音が似ていたことから、当て字的に転用されて、「都道府県《とどうふけん》」のように使われるようになった。

また、「累積《るいせき》」の【累《るい》】は〝積み重なる〝という意味だが、これも本来は〝つながる〟ことを表す漢字。「係累《けいるい》」とは〝人のつながり〟のことで、特に〝面倒を見なければいけない家族〟を指すことが多い。

〝人のつながり〟ということでいえば、「紹介《しょうかい》」の【紹《しょう》】もその例。〝人と人とをつなげる〟ことを表す。「縋《すが》る」と訓読みする【縋《つい》】も、〝他人にしがみつく〟ことだからこの例の一つか。ただし、本来は〝垂らした縄を上り下りする〟という意味で、「縋る」は日本語独自の用法である。

このほか、【縦《たて》】は、もともとは〝つながって伸びていく糸〟を表す漢字。以前は正式には【縱《たて》】と書いた。

〝続く〟ことや〝つながる〟こととは方向性が逆になる漢字もある。「縮《ちぢ》む」と訓読みする【縮《しゅく》】は、本来は〝乾燥などによって糸の長さが短くなる〟こと。「断絶《だんぜつ》」の【絶《ぜつ》】は、〝続いている糸を途中で切る〟こと。以前は「ク」を「刀」とした【絕《ぜつ》】と書くのが正式で、「刀」は〝切るのに使う刃物〟を表しているという。

ほどけないよう気をつけてね!

さて、〝細長い〟という意味から発展した漢字として次に挙げられるのは、〝細長い〟ものを使って〝しばる〟ことや〝まとめる〟ことを表すグループである。

わかりやすい例としては、「縛《しば》る」と訓読みする【縛《ばく》】をはじめとして、「結《むす》ぶ」と訓読みする【結《けつ》】、訓読みでは「帯《おび》を締《し》める」のように用いる【締《てい》】などがある。【約《やく》】も、本来は〝ひもなどで縛る〟という意味。「約束《やくそく》」のように使うのは、〝行動を縛る〟ことに由来する。

「封緘《ふうかん》」の【緘《かん》】は、袋などの〝口を縛って閉じる〟こと。【繃《ほう》】も、〝縛って開かないようにする〟という意味。「繃帯《ほうたい》」がその例だが、現在では「包帯《ほうたい》」と書く方が一般的。また、あまり使うチャンスはないが、【紮《さつ》】も同じような意味で、病院などで〝血を止めるために体の一部を縛る〟ことを、「結紮《けっさつ》」という。

「縫《ぬ》う」と訓読みする【縫《ほう》】は、〝糸でものをつなぎ合わせたり、模様を付けたりする〟こと。【繕《ぜん》】は、訓読みでは「繕《つくろ》う」で、〝破れたところを縫い合わせる〟ことを表す。「綴《つづ》る」と訓読みする【綴《てつ》】は、〝糸でつなぎ合わせる〟こと。「編《あ》む」と訓読みする【編《へん》】は、本来は〝糸でつなぎ合わせてまとめる〟という意味。【纂《さん》】も同じような意味で、転じて、「書物《しょもつ》を編纂《へんさん》する」のように使われる。

なお、【絞《こう》】は、「ひもで首《くび》を絞《し》める」のように訓読みして使うのが本来の意味で、「ぞうきんを絞《しぼ》る」「狙《ねら》いを絞《しぼ》る」のように用いるのは、日本語独自の用法。〝首を絞める〟ことを表す漢字には【縊《い》】もあり、「縊死《いし》」のように使われることがある。

このほか、「緊張《きんちょう》」の【緊《きん》】は、本来は〝糸がぴんと張っている〟ことを表す漢字。逆に〝糸がだらんとする〟ことを指すのが、「緩《ゆる》む」と訓読みする【緩《かん》】で、以前は「⺤」を「爫」とした【緩《かん》】と書くのが正式であった。

また、「余裕綽々《よゆうしゃくしゃく》」の【綽《しゃく》】は、〝ゆるんでいてゆとりがある〟という意味。〝結び目がゆるくなる〟ことを表すのが【綻《たん》】で、「綻《ほころ》ぶ」と訓読みする。さらに、【繙《はん》】は〝結び目をほどく〟ことを表す漢字で、訓読みすれば「繙《ひもと》く」となる。

整理するのはたいへんだなあ…

ところで、〝細長い糸〟はもつれやすいもの。そこで、〝糸に関する状態・動作〟を表す漢字の中には、〝もつれてごちゃごちゃに乱れる〟ことに関係する漢字がまとまって存在していて、第三のグループとなっている。

「縺《もつ》れる」と訓読みする【縺《れん》】が、代表的な例。「紛《まぎ》れる」と訓読みする【紛《ふん》】は、〝ごちゃごちゃになってわからなくなる〟こと。〝ごちゃごちゃに乱す〟ことを表すのが【紊《ぶん》】で、「風紀紊乱《ふうきぶんらん》」のように使われる。なお、「紊乱」は「びんらん」と音読みすることもある。

〝乱れる〟というとよくない印象があるが、そうとばかりは限らない。【繚《りょう》】は、〝入り乱れていて美しい〟という意味。「百花繚乱《ひゃっかりょうらん》」という四字熟語は有名である。

また、〝細長い糸〟は、何かにくっついてなかなか離れないこともある。そのことを表すのが【繞《にょう》】で、本来は〝まとわりつく〟という意味。転じて、「囲繞《いにょう》」のように〝まわりを取り巻く〟ことを意味するようになった。なお、この熟語は「いじょう」とも読む。

このほか、「紆余曲折《うよきょくせつ》」の【紆《う》】も、〝曲がりくねって巻き付く〟こと。【纏《てん》】も〝巻き付く／巻き付ける〟という意味で、訓読みでは「身《み》に纏《まと》う」のように用いられる。

引いて引いてトントントン

以上、〝糸に関する状態・動作〟を表す漢字を、大きく三つのグループに分けて見てきた。ただ、部首《糸》がちょっとユニークなのは、これらとは別に、〝糸を作る〟ことに関係するひとまとまりの漢字も含んでいることだろう。

生糸は、昆虫のカイコの〝まゆ〟を煮てほぐして作られる。その際に、生糸を引っ張り出すことを表すのが、「繰《く》る」と訓読みする【繰《そう》】。〝細い生糸を引っ張り出して、何本か合わせて一本の糸にする〟ことを表すのが【紡《ぼう》】で、「紡《つむ》ぐ」と訓読みする。

「終《お》わる」と訓読みする【終《しゅう》】は、以前は、最後の画をはね上げて【終《しゅう》】と書くのが正式。本来は、〝できあがった糸を糸巻きに最後まで巻き付ける〟ことをいうとか、〝糸の最後の部分〟を指すなどと考えられている。

また、【紀《き》】も、〝糸をきちんと巻き取る〟ことを表す漢字だったらしい。転じて、〝きちんと筋道を立てる〟という意味で使われる。「紀元《きげん》」とは〝年代を数える基準〟、「風紀《ふうき》」とは〝社会の規律〟をいう。

なお、「供給《きょうきゅう》」の【給《きゅう》】の本来の意味は、〝糸をつむぐときに、切れた糸をすぐ継ぎ足す〟ことだともいう。

きりしない。また「階級《かいきゅう》」の【級《きゅう》】についても、もともとは〝糸をつむぐ順序〟を指していたらしいが、成り立ちには諸説がある。

ところで、糸の中には、植物の麻の繊維から作られるものもある。【績《せき》】は、もともとは〝麻の繊維を合わせて一本の糸にする〟ことを表す漢字で、「紡績《ぼうせき》」がその例。「成績《せいせき》」のように用いるのは、時間をかけて糸をより合わせるところから転じたものだと思われる。

「紛糾《ふんきゅう》」の【糾《きゅう》】は〝もつれ合う〟という意味だが、もともとは〝細い糸を何本か合わせて一本の糸にする〟こと。訓読みでは、この意味を表す日本語で「糾《あざな》う」と読む。また、【縒《し》】も、「縒《よ》る」と訓読みして〝細い糸を何本か合わせて一本の糸にする〟という意味で使われる。ただし、これは日本語独自の用法で、本来は〝入り乱れる〟ことを表す。

このほか、生糸の原料になるカイコの〝まゆ〟を表すのが【繭《まゆ》】。また、【綿《わた》】は、もともとは、生糸の原料には適さない〝まゆ〟を煮てほぐしたもの。同じものを表す漢字に【絮《じょ》】があり、転じて、「柳絮《りゅうじょ》」のように〝綿毛の付いた植物の種〟を指して使うことがある。

「素材《そざい》」の【素《そ》】は、古代文字では図のような形で、〝引き出したばかりの生糸〟の絵から生まれた漢字。と同時に、染める前の生糸の〝白い〟色を指すこともある。「素人」と書いて「しろうと」と読むのは、その名残。このことに現れているように、〝糸〟と〝色〟とは深い関わりがある。そこで、部首《糸》の漢字の中には、〝色〟を表すものも多い。

【紺《こん》】や【紅《べに》】、【紫《むらさき》】や【緑《みどり》】がその例。「緑」は、以前は正式には【綠《みどり》】と書いた。このほか、〝鮮やかな赤〟を表す【緋《ひ》】という漢字もあるし、「縹色《はなだいろ》」と訓読みして使われる【縹《ひょう》】は〝明るい藍色〟を指す。現在ではまず使われないが、〝黒〟を表す【緇《し》】という漢字や、〝黄色〟を指す【紏《とう》】という漢字もある。《糸》の漢字には、基本的な色がだいたいそろっているようである。

なお、「純粋《じゅんすい》」の【純《じゅん》】は、本来は、これらの〝色〟が〝混じりけがない〟ことを表す。

手間暇かけて織り上げる

さて、ここまで、広い意味で〝糸〟に関係する漢字をえんえんと見てきたわけだが、部首《糸》の世界はそれだけでは終わらない。〝糸から作られるもの〟を表す漢字もある。その中でもまとまって存在するのは、〝織物〟に関係する漢字である。

「織《お》る」と訓読みする【織《しょく》】は、もちろん〝織物を作る〟こと。【絹《きぬ》】は、〝生糸で作った織物〟。現在では人名でよく見かける【紗《さ》】は、〝薄手の絹織物〟のこと。逆に、〝厚手の絹織物〟を指すのが、「絨毯《じゅうたん》」の【絨《じゅう》】。似たものを表す漢字に【緞《どん》】があり、「緞帳《どんちょう》」とは〝劇場などの垂れ幕〟をいう。

【練《れん》】は、以前は【練《れん》】と書くのが正式で、本来の意味は〝やわらかくした絹織物〟。〝もんでやわらかくする〟ところから、訓読み「練《ね》る」のような意味が生まれ、さらに「練習《れんしゅう》」のように使われるようになった。

また、「緻密《ちみつ》」の【緻《ち》】は、もともとは〝織物の目が細かい〟こと。「納入《のうにゅう》」の【納《のう》】は、以前は、「内」の「人」の部分を「入」とした【納《のう》】と書くのが正式。本来の意味については、〝税としての織物を倉庫に運び込む〟ことだったと考える説が、わかりやすい。

【紬《つむぎ》】は〝織物〟の種類の一つで、粗い糸を使った絹織物。【縞《こう》】も同じで白い絹織物だが、日本では「しま」と訓読みして「縞模様《しまもよう》」のように用いる。【絣《ほう》】の本来の意味はいろいろあるが、日本では、「かすり」と訓読みして〝かすれたような模様を染めた織物〟を指して使われる。

ちょっと変わったところでは、【縁《えん》】は、以前は【縁《えん》】と書くのが正式で、本来の意味は〝織物のまわりの部分〟。訓読み「へり」がその意味に当たる。まわりの部分同士が接するところから、「血縁《けつえん》」のような〝つながり〟という意味が生じたらしい。また、「紳士《しんし》」の【紳《しん》】は、もともとは〝身分が高い人の礼服に使われた、幅の広い帯〟を指す。

なお、やや特殊な例だが、【網《あみ》】も、糸や綱で作った〝織物〟の一種だと考えられる。

アートとファッションの関係

〝織物〟には、〝糸〟を使って模様を付けることがある。そのことを表すのが、「刺繍《ししゅう》」の【繍《しゅう》】。ややこしい右半分を少し省略して、【繍《しゅう》】と書くこともある。

また、「綺麗《きれい》」の【綺《き》】は、本来は、そうやって作った〝美しい模様のある絹織物〟。また、「あや」と訓読みする【綾《りょう》】も、同じように〝美しい模様のある絹織物〟をいう。

ここから、〝模様〟を表す漢字が生まれる。代表的な例は、「家紋《かもん》」の【紋《もん》】。また、「絢爛《けんらん》」の【絢《けん》】も、〝美しい模様〟のこと。さらに意味が広がって、描かれた〝図や模様〟を広く指すようになったのが【絵《え》】で、以前は正式には【繪《え》】と書いた。

部首《糸》の漢字の中に、〝色〟を表す漢字や〝模様〟に関係する漢字がまとまって含まれていることは、興味深い。美術とファッションとは、漢字が生まれた昔から、結びついていたようである。

最後に、〝糸から作られるもの〟を表す漢字としては、ほかに【紙《かみ》】がある。《糸》が付いているのは、もともとは糸くずなどを原材料に使っていたからである。

幺

[名称]いとがしら
[意味]小さい、かすかな

なんともいえずはかないねえ…

「糸《いと》」の上半分、「かしら」の位置に見られるので、「いとがしら」と呼ばれる部首。

ただし、《糸》(前項)は、もちろん独立したメジャーな部首なのに対して、《幺》を部首とする漢字の例は少ない。

【幺】《よう》は、〝細かい〟ことや〝小さい〟ことを意味する漢字。古代文字では図のように書き、「糸」の古代文字「」と似ている。〝細い糸をより合わせた形〟から生まれたと考える説が優勢である。

部首としては、〝小さい〟ことや〝かすかな〟ことを表す。「幼《おさな》い」と訓読みする【幼】《よう》が、代表的な例。ただし、辞書によっては、部首《力》（p109）に分類することもある。

【幽】《ゆう》は、古代文字では図のような形で、「山」の部分は、もともとは「火」の古代文字「」。〝火がかすかで見えにくい〟ところから〝薄暗くてはっきりとは見えない〟という意味になり、「幽霊《ゆうれい》」のように使われるようになった。

このほか、「幾《いく》つ」と訓読みする【幾】《き》の成り立ちについては諸説あるが、もともとは〝細かい〟とか〝近い〟といった意味を表していたらしい。

また、「まぼろし」と訓読みする【幻】《げん》については、古代文字では図のような形をしていて、〝ぶら下がった細い糸がかすかに揺れるようす〟を表す漢字だと考えられている。その不安定なようすから、〝実際には存在していないのに、まるで存在しているかのように見える〟ことを指すようになったらしい。

以上のように、《幺》の漢字には不安定なイメージが共通している。そこで、《幺》は、存在自体の〝不安定さ〟を表す部首であるようにも思われる。そういうところに目を付けて漢字が生み出されること自体に、漢字文化の底の知れなさが現れているのかもしれない。

なお、〝より合わせた糸〟の絵から生まれた部首には《玄》（p349）もある。《玄》は、〝かすかな〟というところから転じて〝奥深い〟ことを表す部首。意味の上でも、《幺》とは関係が深い。

黹

［名称］ち、ぬいとり
［意味］刺繍

複雑な手仕事ですから…

部首の中には、一般にはあまり知られていないものがたくさんあるが、その中でも、形の上でも意味の上でも非常にレアなもの。漢和辞典をかなり使いこんでいる人でも、この部首のページを実際に開くことは、ほとんどないと思われる。

【黹】《ち》は、〝刺繍をする〟ことを表す漢字。古代文字では図のような形をしている。成り立ちには諸説があるが、あるいは、針が行ったり来たりしているようすを表しているのかもしれない。

《黹》を部首とする漢字には【黻】《ふつ》や【黼】《ふ》があり、どちらも〝昔の礼服に施された刺繍〟のこと。ただし、現在では、使

衣服と模様

う機会もお目にかかるチャンスもなさそうである。とはいえ、中国の精巧な刺繍は、世界に誇る伝統工芸。複雑な形をした《黹》の背景にはその精緻な世界があると考えると、なおざりにはできない部首である。

なお、部首としては、〝刺繍〟を意味する日本語を使って「ぬいとり」と呼ばれる。音読みに基づいた「ち」という名前もあるが、あまりにそっけないし、一般的ではない。

彡

［名称］さんづくり、けかざり
［意味］形や模様、色合い

【彡《さん》】は、古代文字でも図のような形で、〝髪の毛〟の絵だとか、〝光が差し込むようす〟だとかいわれる。実際に漢字として使われることはほとんどないが、部首として、それなりの数の漢字を生む。

意味としては、目に見える〝形や模様、色合い〟を表す。代表的な例は、もちろん【形《かたち》】や、「色彩《しきさい》」の【彩《さい》】。「撮影《さつえい》」の【影《えい》】は、〝光が当たって見える形〟。「人影《ひとかげ》」「月影《つきかげ》」のように、「かげ」と訓読みして使うことが多い。なお、「彩」は、以前は「⺤」を「爫」とした【彩《さい》】と書くのが正式であった。

また、〝形や模様を作り出す〟場合もある。「彫刻《ちょうこく》」の【彫《ちょう》】が、わかりやすい例。「表彰《ひょうしょう》」の【彰《しょう》】は、もともとは〝形や模様をはっきり見えるようにする〟ことを表す。

男性の名前でよく使われる【彦《ひこ》】は、以前は【彥《ひこ》】と書くのが正式で、〝立派な男性〟のこと。これに《彡》が付いているのは〝顔の形が整っている〟からで、〝頭部〟を表す部首《頁（おおがい）》（p169）を付け加えたのが「顔《かお》」である。

このほか、「あき」「あきら」などと訓読みして人名で使われる【彬《ひん》】は、〝形や模様が鮮やかなようす〟。【彪《ひょう》】も、「たけし」などと訓読みして人名で使われる漢字で、本来は〝トラの毛皮の鮮やかな模様〟。また、現在ではほとんど使われることがないが、〝鮮やかな模様を持つ竜〟を指す【彲《ち》】という漢字もあり、〝竜〟を意味する日本語「みずち」と訓読みする。

以上のように、部首《彡》の世界には、イケメンやトラの毛皮、そして竜などが集まっている。それらのものを〝模様や色彩〟という観点からひとまとめになっている点に、芸術的なセンスが感じ取れるようにも思われる。

漢字の右側、いわゆる「つくり」の位置に置かれることが多いので、部首の名前としては「さんづくり」という。この「さん」は、「彡」の音読みに基づくものかもしれないし、三本の線から成り立っていることに由来しているとも考えられる。また、あまり一般的ではないが、〝髪の毛〟の絵から生まれ〝形や模様〟を表すところから、「けかざり」という名前もある。

文

［名称］ぶん、ぶんにょう、ふみづくり
［意味］模様

胸に輝くあのマークは？

【文《ぶん/もん》】は、現在では「文章《ぶんしょう》」の印象が強いが、「文様《もんよう》」の方が本来の使い方。もともとは〝模様〟を意味する漢字で、転じて、「文字《もじ》」を指しても使われるようになった。なお、「文字」で「も」と読むのは、音読み「もん」が変化したもの。

古代文字では図のように書かれ、〝人の胸に何かの印を付けた形〟だと考えられている。漢字学者の白川静によれば、古代の中国には、埋葬のときに死者の胸に朱色で入れ墨を施す風習があり、「文」はそこから生まれた漢字だという。

部首としては〝模様〟を表す。代表的な例は「斑点《はんてん》」の【斑《はん》】で、〝まだら模様〟のこと。また、【斐《ひ》】は、現在では主に地名などで使われる漢字だが、意味としては〝模様が美しい〟ことを表す。

このほか、現在ではあまり使われることはないが、〝文武両道〟を地で行く【斌《ひん》】という漢字もある。ただし、この場合の「文」は〝外面的な美しさ〟で、「武」は〝実質的な力強さ〟。組み合わせて、〝外面も内面も充実してバランスがとれている〟ことを表す。

部首の名前としては、音読みに従って「ぶん」と呼ばれるのがふつう。「ぶんにょう」という名前もあり、この場合の「にょう」は、右払いで終わる部首のこと。また、「ふみづくり」といわれることもあるが、《文》が漢字の右側、いわゆる「つくり」の位置に現れることはほとんどない。

小

［名称］しょう、しょうがしら、ちいさい
［意味］①小さい ②少ない ③その他

何かが三つ散らばると…

比較する対象もなしに〝小さい〟ことを表現するのはむずかしい。そこで、漢字を創り出した人びとは、図のように〝小さいものが三つ、散らばっている形〟を書き、その状態を表すことで、一つ一つが〝小さい〟ことを示そうとした。【小《しょう》】は、ここから生まれた漢字。やや強引だが、〝模様〟のようなものから生まれた漢字だと考えることができる。

その「小」に斜めの線を一本加えたのが、「少《すく》ない」と訓読みする【少《しょう》】。この斜線が何を意味するかについては、明解な解釈はなかなかない。ただ、大きさが〝小さい〟ことと量が〝少ない〟こととは関係が深いので、「少」が「小」から派生した漢字であることは、間違いないと思われる。

《小》を部首とする漢字には、【尖《せん》】もある。〝上が小さく

「先端」と書く方が一般的。また、【尠】は、〝甚だ少ない〟という意味を表す漢字。「尠少」という熟語があるが、現在ではめったに使われない。

このほか、【尚】は、「尚」の以前の正式な書き方。ただし、古代文字では図のような形で、「向」(p155)の古代文字〈冋〉から発展した漢字だと考えられている。

本来の意味には諸説あるが、基本的には〝尊重する〟ことを表し、「高尚な趣味」のような使い方に、その意味が残る。意味の上で《小》とは関係がなく、形の上から便宜的に分類された部首である。

なお、現在、ふつうに使われている「尚」の方は、《ソ》という形を含まないため、新たに便宜的な部首として《ツ（なおがしら）》〈次項〉を立てて、そちらに分類するのが一般的。ただし、漢和辞典では、《ツ》も部首《小》の中に含めて取り扱うのがふつうである。

尚

[名称]なおがしら、さかさしょう
（特に意味はない部首）

《小》〈前項〉が変形して生まれた部首。この部首には、「尚」「当」の二文字が含ま

て下が大きいというわけで、「尖る」と訓読みして使われる。「尖端」「尖鋭」という熟語があるが、現在では「先鋭」

実は昔からありました…

小

れる。「時期尚早」の【当】は、以前は「當」と書くのが正式で、部首も《小》であった。また、「当たる」と訓読みする【当】は、以前は「當」と書くのが正式で、部首は《田》(p79)どちらも、現在の形には《小》や《田》が含まれていないので、《ツ》の形を便宜的な部首として立てて分類している。

ただし、漢和辞典では、《ツ》の漢字は部首《小》の中に含めて取り扱うのがふつう。《小》を「しょうがしら」と呼ぶのに対して、《ツ》は、「冋」の訓読み「なおがしら」に基づいて、「なおがしら」と呼ばれている。また、「冋」の訓読みに「向」(p155)と関係があるわけではない。

ついでながら、「冋」から派生した「堂」や「賞」、「衣裳」の「裳」、「嘗て」と訓読みする「嘗」などは、昔から、正式な場面でも《小》の部分を《ツ》と書いていた。これらの漢字の部首は、それぞれ、《土》(p294)《貝》(p242)《衣》(p39)《口》(p149)に分類されている。

ちなみに、「冋」は、成り立ちとしては「向」(p155)から派生した漢字だと考えられていて、意味の上で〝小さい〟ということと関係があるわけではない。

食事

食事は生活の基本である。そこで、《食》は、変形して《飠》や《𩙿》になりつつ、〝食事をする〟ことや〝食事をさせる〟ことなどを表す漢字を生み出していく。また、〝お酒〟に関する漢字が部首《酉(とり)》として独立しているのも、うなずけるところ。このほか、〝口を大きく開ける〟ことから生まれた《欠(あくび)》も、人間のさまざまな感情を表していて、独特の存在感を発揮している。

食

[名称] しょく
[意味] ①食事をする ②食事をさせる

人間らしく暮らそう!

もし、人間がものを食べずに生きていけるならば、世の中の問題の大半は解決してしまうかもしれない。しかし、同時に、生きる楽しみの大半も失われてしまうだろう。〝食べる〟ことがそれほどに大問題であるとすれば、独立した部首《食》が存在しているのも当然のことである。

【食】《しょく》は、古代文字では図のように書き、〝脚のついた容器の上に食べものを盛り、ふたをした形〟。この形からは、単に〝口から何かを取り入れる〟という動物的な行為ではなく、料理をし、きちんと盛りつけた上で〝食事をする〟という、人間ならではの営みを表していることが、よく伝わってくる。

《食》の形がそのまま部首となっている例は、けっして多くはない。ただし、漢字の左側の「へん」と呼ばれる位置に置かれた場合には、変形して《飠》(次項)《𩙿》(次々項)となり、多くの漢字を生み出している。漢和辞典では、ふつう、《飠》《𩙿》の漢字も、部首《食》の中に含めて扱う。

部首としては、〝食事をする〟ことを表すのが基本。「晩《ばん》餐会《さんかい》」の【餐】《さん》がその例で、〝ごちそう〟を表す。「饗宴《きょうえん》」の【饗】《きょう》も似たような意味で、大勢で集まって食べる〝会食〟を指す。また、《食》に「求」を組み合わせた【𩛰】は、日本で作られた漢字で、意味は〝探し求めて食べる〟こと。「𩛰《あさ》る」と訓読みする。

このほか、「養《やしな》う」と訓読みする【養】《よう》は、やや変化して〝食事をさせる〟こと。考えてみれば、〝ごちそう〟の「餐」も〝会食〟の「饗」も、〝食事をする〟だけでなく〝食事をさせる〟という意味合いも含んでいる。

さらに、《飠》の形を部首とする「飼育《しいく》」の「飼《し》」や、《𩙿》の形が部首となっている「餞別《せんべつ》」の「餞《せん》」なども、〝食事をさせる〟ことを表す。漢字を生み出した人びとにとっては、〝食事をさせる〟ことは〝食事をする〟ことに負けず劣らず重要なことだった、と想像される。

なお、古代文字「」で一番上に見える部分は、〝ふた〟を表す「亼」の形。そこで、厳密にいえば、以前は、「人」の下の点を寝かせて【食《しょく》】と書くのが正式だった。漢和辞典では律儀に区別をしているが、実際には、そこまでこだわらなくてもよいと思われる。また、部首としては、音読みに基づいて「しょく」と呼ばれるのが一般的である。

飠

［名称］しょくへん
［意味］①食事をする ②食事をさせる ③その他

空いていてもいっぱいでも…

《食》（前項）が、漢字の左側、いわゆる「へん」の位置に置かれて変形した《𩙿》（次項）が、さらに省略されたもの。「食《しょく》」の「へん」だというわけで、「しょくへん」と呼ばれている。漢和辞典では、《食》の漢字も、部首《食》の中に含めて扱うのがふつう。《飠》は8画だが、漢和辞典の部首配列では9画の《食》のところに一緒になっているので、注意が必要である。

《飠》の漢字はすべて、以前は《𩙿》の形で書くのが正式。ただし、昔から、正式ではない場面では、少し崩して《飠》と書く習慣があった。現在ではそれが一般化して、日常的に使われる漢字では、《飠》の形を用いる方が標準となっている。

部首としての意味は《食》と同じで、〝食事をする〟ことを表すのが基本となる。「ご飯《はん》」の【飯《はん》】や、「飲《の》む」と訓読みする【飲《いん》】が、代表的な例。「飢餓《きが》」という熟語で用いる【飢《き》】【餓《が》】は、どちらも〝食事がきちんとできない〟という意味。訓読みすれば「飢《う》える」「餓《う》える」となる。

逆に、本来は〝十分に食事をして満足する〟ことを表していたのが、「飽《あ》きる」と訓読みする【飽《ほう》】。「旅館《りょかん》」の【館《かん》】は、もともとは〝食事し宿泊する建物〟のことをいう。

なお、「飼育《しいく》」の【飼《し》】は、訓読みでは「飼《か》う」で、〝動物に食事をさせる〟こと。〝食事をさせる〟ことに関係する漢字としては、《食》の形を部首とする「養《よう》」や、《𩙿》の形が部首となっている「餞別《せんべつ》」の「餞《せん》」なども ある。

以上のほか、「飾《かざ》る」と訓読みする【飾《しょく》】は、形の上から便宜的に《飠》に分類されているもの。本来の意味については、〝布きれを付け加えてきれいに見せる〟ことだとか、〝布きれでぬぐってきれいにする〟ことだとかの説がある。どちらにせよ、意味の上からは、〝布きれ〟を表す《巾（はば）》（p44）を部首とする方がぴったりくる漢字である。

飠

［名称］しょくへん
［意味］①食事をする ②食事をさせる ③食べもの ④その他

フォーマルとカジュアルの違い

部首《食》(前々項)が、漢字の左側、「へん」と呼ばれる位置に置かれたときには、《飠》の形となる。漢和辞典では、《飠》の漢字も、部首《食》の中に含めて扱うのがふつうである。

ただし、昔から、正式ではない場面では、少し形を崩して《𩙿》(前項)と書く習慣があった。それが現在では広まって、日常的に用いられる漢字では、《𩙿》の形を使う方が標準となっている。

逆にいえば、《𩙿》のところで取り上げた漢字以外は、現在でも《飠》の形を書く。とはいえ、正式でない場面では、《𩙿》を使っても差し支えはない。《飠》も《𩙿》も、「食《しょく》」が変形した「へん」なので「しょくへん」と呼ばれている。

部首としての意味は《食》と同じで、〝食事をする〟ことを表すのが基本となる。代表的な例は、【飯《はん》】や【飲《いん》】で、それぞれ「飯《はん》」「飲《いん》」の以前の正式な書き方。また、【館《かん》】は「館《かん》」の以前の正式な書き方で、本来は〝食事をしたり宿泊したりする建物〟をいう。

【飢《き》】【餓《が》】は、〝きちんと食事ができない〟ことを表す「飢《き》」「餓《が》」の以前の正式な書き方。「飢饉《ききん》」の【饉《きん》】や、「饑《う》える」と訓読みする【饑《き》】も、ほぼ同じ意味を表す漢字である。

【飽《ほう》】は、もともとは〝十分に食事をして満足する〟ことをいう「飽《ほう》」の以前の正式な書き方。【餘《よ》】は、「余《あま》る」と訓読みする「余《よ》」の以前の正式な書き方で、本来は〝食事がたくさんあって残る〟ことをいう。

【饒《じょう》】も、もともとは〝食事がたくさんある〟という意味で、「饒舌《じょうぜつ》」のように〝量が多い〟ことを指して使われる。なお、現在では宮崎県の地名「飫肥《おび》」以外ではあまり見かけないが、【飫《お》】は、〝たくさん食べて満足する〟という意味を表す漢字である。

また、《飠》の中には、〝食事をさせる〟という意味を持つ漢字もまとまって存在している。【飼《し》】は、〝動物に食事をさせる〟ことを表す「飼《し》」の以前の正式な書き方。「餞別《せんべつ》」の【餞《せん》】は、〝旅立つ人に食事をさせる〟ことをいう。

現在ではあまり用いられないが、【饌《せん》】は、本来は〝ごちそうする〟という意味で、「饌米《せんまい》」とは〝お供えもののお米〟。〝食べものを贈る〟ことを表す【饋《き》】という漢字もある。

なお、「蝕《むしば》む」と訓読みする「蝕《しょく》」は、そもそもは〝虫が食べる〟という意味。部首《虫》(p246)に分類するのが、漢和辞典の伝統になっている。

粉ものはお好きですか?

具体的な〝食べもの〟を指す漢字も多い。【餅《もち》】や【飴《あめ》】、【餡《あん》】などがその例。「餅」は、以前は正式には【餠《もち》】と書いた。

現在では「えさ」と訓読みして使う【餌《じ》】も、そもそもは〝穀物の粉を練って作った食べもの〟。訓読みでは「夕餉《ゆうげ》」のように使う【餉《しょう》】は、もともとは、炊いたお米を乾燥させた保存食〝かれいい〟を指す。

「饅頭《まんじゅう》」の【饅《まん》】は、本来は〝小麦粉を練ってふかした食べもの〟。「餃子《ぎょうざ》」の【餃《ぎょう》】は、〝小麦粉を練った皮で包んだ食べもの〟をいう。

このほか、「饂飩《うどん》」のように用いる【饂《うん》】【飩《とん》】は、二文字が組み合わさって具体的な〝食べもの〟を指す例。【餺《はく》】【飥《たく》】を組み合わせた「餺飥《はくたく》」も似たような例で、本来は、うどんの原型になった麺類。山梨県の郷土料理「ほうとう」は、ことばとしては、この「はくたく」が変化したものだという。

ついでに、【饆《ひつ》】【饠《ら》】を組み合わせた「饆饠《ひつら》」は、〝ピラフ〟のこと。語源はペルシャ語で、「饆饠」は九世紀の中国ですでに使われていたことばである。

全体的に見て、《𩙿》に含まれる〝食べもの〟を表す漢字には、穀物を粉にして作る食べものが多い。粉食は、粉にして蒸したりゆでたりと、人間にしかできない手間をかけた食べ方である。部首《𩙿》の漢字には、人間らしい〝食文化〟が現れていると見ることができるだろう。

以上のほか、〝食べもの〟に関係する漢字として【饐《い》】がある。訓読みでは「饐《す》える」と読み、〝食べものが傷んですっぱい匂いがする〟という意味。この〝食べもの〟も、本来は粉にされた穀物だったのではないかと思われる。

最後に、【飾《しょく》】は「飭《しょく》」の以前の正式な書き方。もともとは〝布きれを付け加えてきれいに見せる〟ことだとか〝布きれでぬぐってきれいにする〟ことだとかを表す、と考えられている。とすれば、意味の上からは、〝布きれ〟を表す《巾（はば）》（p44）を部首とする方がふさわしいと思われる。

甘

［名称］あまい、かん

［意味］おいしい、甘い

心行くまで味わいたい…

世の中には〝あまいもの〟が苦手な人ももちろんいる。ただ、それは現代的な感覚で、砂糖がそんなに豊富には存在していなかった時代には、〝あまさ〟は〝おいしさ〟の代表であったようである。

【甘《かん》】は、古代文字では図のように書き、〝口の中に食べものを含んでいる形〟だと解釈するのが一般的。本来は〝おいしい〟という意味を表し、転じて〝あまい〟ことを意味するようになったと考えられている。

〝おいしい〟ことや〝甘い〟ことを表す部首となるが、その例は少ない。【甜《てん》】は〝甘い〟という意味の漢字で、「甜菜《てんさい》」とは〝サトウダイコン〟のこと。また、「甚《はなは》だしい」と訓読みする【甚《じん》】も、古代文字では《甘》と「匹《ひき》」を組み合わせた形を

していうので、部首《甘》に分類されている。「匹」には〝ペアになる〟という意味があるので、「甚」の本来の意味は〝食事の楽しみと男女の楽しみが度を越える〟ことだ、と考えられている。

ただし、漢字の成り立ちについて独自の学説を打ち立てた白川静は、古代文字「𠙵」は、そもそもは、しゃべったり食べたりするのに使う〝くち〟を表す「口」とは別の漢字だったと考える。そこで、「𠙵」を含む「甘」の古代文字も〝くち〟とは関係がないことになる。白川説によれば、これは〝錠をして鍵をかけた形〟で、〝あまい〟という意味は後から生じたものだという。

また、「甚」の古代文字には、図のように下半分が「匹」ではないものがあるので、白川説では、これを〝かまどの上に鍋を置いた形〟だとする。〝程度が激しい〟という意味は、〝十分に煮炊きする〟ところから生まれたものだという。

ともあれ、《甘》が部首として発展性に乏しいのは確かなことで、《辛》(次項)が部首になるのと合わせるために、無理やり部首とされているような感がないでもない。ただ、「甘」から派生した漢字が少ないのは、漢字が生まれたころには、まだ人びとは〝おいしさ〟〝あまさ〟を心ゆくまで味わうゆとりがなかったからかもしれない。我々はいい時代に生まれたということを、教えてくれる部首である。

辛

［名称］からい、しん
［意味］①からい、厳しい ②裁判 ③罪

味よりも重たいものがある

〝からい〟ものを口に入れると、舌を突き刺されたような感覚がする。「辛《から》い」と訓読みする【辛《しん》】は、古代文字では図のような形。〝罪人に入れ墨を入れるための針〟の絵から生まれた漢字だと考えられている。〝突き刺すような痛み〟から転じて、味が〝からい〟ことを表すようになったという。

部首としては、大きく二つの意味を表す。一つ目は、〝からい〟ことや〝厳しい〟こと。【辣《らつ》】がその例で、「辣韮《らっきょう》」「辣《らつ》腕《わん》」のように用いられる。

もう一つは、〝罪人に入れ墨を入れる〟ところから生じた、〝裁判〟という意味。代表的な例は、「辞書《じしょ》」のように〝ことば〟を意味する【辞《じ》】。以前は【辭《じ》】と書くのが正式で、〝もつれた糸〟を表す「𤔔《らん》」と合わせて、本来は〝裁判で有罪か無罪かを言い争う〟という意味だったと考えられている。

また、【辯《べん》】は、「弁護《べんご》」の「弁《べん》」の以前の正式な書き方で、〝裁判で議論をする〟ことを表すのがもともとの用法。【辨《べん》】は、「弁別《べんべつ》」の「弁」の以前の正式な書き方で、そもそもは〝裁判で有罪と無罪をはっきり区別する〟ことを指していたと思われる。

〝裁判〟からやや変化すると、〝罪〟を表すことになる。【辜《こ》】は〝罪〟を意味する漢字で、「無辜《むこ》の民《たみ》」とは〝何の罪もない人びと〟のこと。また、「辟易《へきえき》」のように用いる【辟《へき》】は、さまざまな意味があってつかまえどころのない漢字だが、その一つとして〝刑罰〟を表すこともある。

以上のように、〝からい〟ことよりも〝裁判〟の方が例が多い。《辛》が部首になっているのは、〝裁判〟という意味あってこそだろう。《甘》(前項)と考え合わせると、漢字が創り出された時代の〝味覚〟は、現代人の〝味覚〟ほど身近な楽しみではなかったのかもしれない、とも思われる。

鹵

［名称］ろ、しお、しおへん
［意味］塩

島国ではないもので…

漢字が生まれた中国の内陸部は、海から遠く離れていて、海水から作り出した塩を手に入れるのには不便である。そこで、塩の結晶を多く含む岩〝岩塩〟が、塩分の重要な供給源であった。

【鹵《ろ》】は、その〝岩塩〟を表す漢字。古代文字では図のような形で、〝岩塩〟の絵から生まれた漢字だと考えられている。

部首としては〝塩〟を表し、【鹽《しお》】がその代表的な例。「塩《しお》」の以前の正式な書き方である。また、【鹹《かん》】は〝塩分が濃い〟ことを表す漢字で、「鹹水《かんすい》」とは、海水など〝塩分濃度の高い水〟をいう。

また、【鹼《けん》】は、〝塩分の多い土に含まれるある種の物質〟で、昔から洗剤として用いられてきた。「石鹼《せっけん》」にその意味が残っているが、現在では、やや省略した【鹸《けん》】という形が使われたり、「石《せっ》けん」とひらがなで書かれてしまうことも多い。

部首の中には、漢和辞典によほど親しんでいないとその存在にすら気づかないものがあるが、《鹵》もその一つ。こんな部首が存在すること自体が驚きだが、〝塩〟がいかに大切なものだったかを伝えているともいえるだろう。

なお、部首の名前としては、「しお」と呼ばれたり、音読みに基づいて「ろ」といわれたりする。また、漢字の左側、いわゆる「へん」の位置に置かれた場合には、「しおへん」と呼ぶこともある。

酉

［名称］とり、とりへん、ひよみのとり、さけのとり、さけづくり
［意味］①お酒 ②お酒を飲む ③お酒を利用する ④お酒を造る ⑤醱酵させる

実は私、飛べないんです！

【酉《ゆう》】は、現在では「とり」と訓読みして、「酉年《とりどし》」「酉《とり》の市《いち》」など、〝十二支の一〇番目〟を指して使われる。しかし、これは、大昔の中国語

で〝十二支の一〇番目〟を表すことばと発音が似ていたことから、当て字的に用いられたものだという。十二支に動物をあてはめるのは後から生まれた習慣なので、漢字「酉」は、〝鳥〟とは関係がない。

「酉」の古代文字は図のような形で、〝お酒を入れるつぼ〟の絵から生まれた漢字だと考えられている。そこで、〝お酒〟に関する意味を表す部首として、多くの漢字を生み出している。

その代表となるのは、もちろん【酒《さけ》】。「焼酎《しょうちゅう》」の【酎《ちゅう》】は、〝穀物などを蒸留して作った、度数の高いお酒〟。いろいろな〝お酒〟を表す漢字はほかにもあって、たとえば、【酷《こく》】は、本来は〝度数のとても高いお酒〟のこと。「残酷《ざんこく》」のように用いるのは、そこから転じたものだという。

人名で使われることがある【醇《じゅん》】は、〝純度の高い濃厚なお酒〟。【醪《ろう》】は、訓読みすれば「もろみ」で、まだ酒粕を絞っていない〝濁り酒〟をいうのが本来の意味。また、〝甘酒〟を表す【醴《れい》】という漢字もある。

なお、「みりん」を「味醂《みりん》」と書くのは、日本語独自の用法。【醂《りん》】の本来の意味ははっきりしないが、「味醂」は〝お酒〟の一種である。

〝お酒を飲む〟ことに関する漢字も、いっぱいある。「晩《ばん》酌《しゃく》」の【酌《しゃく》】は、〝お酒を器に注ぐ〟こと。「酬《むく》いる」と訓読みする【酬《しゅう》】は、本来は〝お酒をついでくれたお礼に、相手につぎ返す〟という意味。「配《くば》る」と訓読みする【配《はい》】の成り立ちには諸説あるが、一説には、本来は〝お酒が行き渡るようにする〟ことを表すという。

また、【醵《きょ》】は、〝みんなでお金を出し合ってお酒を飲む〟というふさわしい漢字。広く〝お金を出し合う〟ことを表す「醵金《きょきん》」という熟語があるが、現在では「拠金《きょきん》」と書くのが一般的である。

そうやってお酒を飲み始めると、「酔《よ》う」と訓読みする【酔《すい》】の出番になるのは理の当然だろう。なお、この漢字は、以前は【醉《すい》】と書くのが正式であった。

お酒の〝場が盛り上がる〟ことをいうのが【酣《かん》】で、「たけなわ」と訓読みする。そのころには「酩酊《めいてい》」する人が続出するが、【酩《めい》】【酊《てい》】はこの熟語のために作られた漢字で、〝かなり酔っ払う〟こと。そこから正気に戻るのが、「醒《さ》める」と訓読みする【醒《せい》】ということになる。

ちなみに、現在ではまず使われないが、〝飲み過ぎて気持ちが悪くなる〟ことを表す【酲《てい》】という漢字もあるので、注意したいものである。

微生物の贈りもの

〝飲む〟のとはちょっと違って、〝お酒を何かに利用する〟漢字もある。【醫《い》】は「医《い》」の以前の正式な書き方で、《酉》は〝薬として用いるお酒〟を表す。「醜《みにく》い」と訓読みする【醜《しゅう》】は、本来は〝お酒を用いた儀礼〟を指す漢字だったという。もっとも、「鬼」

から派生して"外見がよくない"という意味になったとする説もあり、その場合は、部首を《鬼》(p34)とすることもある。"お酒を造る"ことに関係する漢字もある。

【醸】は、"お酒を造る"ことそのもので、以前は正式には【醸】と書いた。お酒を造る際に、微生物のはたらきによって化学変化が起きる"ことを「醸酵」というが、【酸】も【酵】も、そのはたらきを指す。ただし、現在では「発酵」と書かれることも多い。

ちなみに、【酋】は、もともとは"酒造りの中心となって働く人"のこと。広く"部族・民族のリーダー"を指しても使われる。

ところで、"醸酵"という微生物のはたらきは、お酒以外のものも生み出す。調味料の【酢】が、その代表的な例。【酢】は、「酢」と読み方も意味も同じ漢字で、中国ではこちらの方がよく使われる。また、"酢の匂いや味"を表すのが、「酸っぱい」と訓読みする【酸】である。

「酪農」の【酪】は、動物の乳を醸酵させて作った"乳製品"。【醍醐】は乳製品の一種で、"バター"だとも"ヨーグルト"だともいわれるが、とにかく栄養があっておいしいものらしい。"最高のおもしろみ"という意味の「醍醐味」は、ここから生まれたことば。【醍】【醐】は、現在ではこの熟語以外はまず用いられない漢字である。

「醤油」の【醤】は、本来は"塩辛"や"みそ"を指す漢字で、

これも"醸酵食品"の一つ。現在では、やや省略した【醤】を使ったり、「醤油」と書いたり、ひらがなを使って「しょうゆ」と書いたりすることも多い。

以上のように、"お酒"に関係する漢字を中心としながらも、"醸酵食品"にまで世界が広がっているのが、部首《酉》の特徴。漢字を生み出した人びとは、お酒に飲まれて本質を見失うことはなかったようである。

部首の名前としては、訓読みに基づいて「とり」と呼ぶのが基本。漢字の左側、いわゆる「へん」の位置に置かれた場合には、「とりへん」とか「さけのとり」とかいうこともある。「ひよみ」とは「暦」のことで、暦には十二支が使われるところからの命名。さらには、「酒」の右側、いわゆる「つくり」の位置に現れるので、「さけづくり」というなかなか楽しい名前もある。

漢字の左側に現れるため、「とりへん」、《鳥》(p237)と区別するため、「ひよみのとり」ともいう。

[名称] ちょう、においざけ
[意味] 香りの高いお酒

凶

嗅いだだけでも酔っ払う?

「憂鬱」の【鬱】は、覚えにくく書きにくい漢字として有名。ただ、この漢字をすらすらと書ける人でも、部首が《凶》であることを意識している人は、少ないかもしれない。

現在ではまず使うチャンスがないが、【鬯《ちょう》】は、〝ウコンや黒キビなどから作った、香りの高いお酒〟を表す。古代文字では図のように書き、このお酒が容器に入っているところを描いた絵から生まれた漢字だという。

【鬱《うつ》】は、そこから派生した漢字で、〝香りが立ちこめる〟ところから、〝木が生い茂ってあたりをふさぐ〟ことを指すのが本来の意味。転じて、「憂鬱《ゆううつ》」のように〝気持ちがふさぐ〟ことを表すようになった。

部首《鬯》の漢字で現在でも使われるものは、「鬱」しかない。そういう意味では実用性が低い部首だが、一度、その成り立ちを知ってしまうと、見るたびにお酒の香りがプンと匂ってくるような、なかなかの表現力を持っている。

なお、部首としては、音読みに基づいて「ちょう」と呼ばれる。ただし、これではあまりにも素っ気ないので、〝匂いがするお酒〟というところから「においざけ」という名前を用いることも多い。

香

［名称］かおり、か、こう
［意味］香り

ことばでは表現できない！

アロマセラピーを持ち出すまでもなく、ある種の〝かおり〟には、人の気持ちを落ち着かせる効果がある。たとえば、日本で生まれ育った人の多くは、お米の炊けた匂いをかぐと、どこかほっとした気持ちになるものだ。とすれば、大昔の中国の人びとが、似たような状況から〝かおり〟を表す漢字を生み出したとしても、不思議ではない。

【香《こう》】は、古代文字では図のような形で、「黍《きび》」（p283）の下に、「日」のような形が組み合わさったもの。「日」のような形の解釈には諸説があるものの、全体としては、炊いたキビの発する〝香り〟を表す漢字だったと考えられている。

部首としては、〝香り〟を表す。「かおり」「かおる」などと読んで人名に用いられる【馨《けい》】は、〝よい香りがする〟という意味。また、【馥《ふく》】も似たような意味の漢字で、「馥郁《ふくいく》」とは〝よい香りが豊かに漂う〟ことをいう。

《香》を部首とする漢字は以上くらいのもので、マイナーな部首であることは否めない。〝香り〟に関係する部首には、〝ウコンや黒キビなどから作った、香りの高いお酒〟を表す《鬯》（前項）もあるが、合わせたところで、漢字の数はたいしたことにはならない。〝ことば〟では表現しにくい〝香り〟というものが相手であってみれば、それもしかたのないことか。〝ことば〟の限界が感じられる。

それにしても、《香》と《鬯》の両方が、成り立ちとしてはキビに関係しているのは、興味深い。少なくとも漢字を創り出した人びとにとっては、キビとはとてもよい香りのするものだったようである。

欠

［名称］あくび、かける、けんづくり、けつ
［意味］①口を大きく開ける ②強い感情

昔のままで変わらないもの

漢字の世界では、起源の異なる別々の漢字が、たまたま同じ形になってしまうことがときどきある。【欠《けつ/けん》】は、そんな例の一つ。「欠《か》ける」と訓読みする「欠《けつ》」は、以前は「缺《けつ》」と書くのが正式。部首は〝容器〟を表す《缶》(p117)で、もともとは〝容器の一部が壊れる〟ことを意味する漢字である。

一方、もとから「欠」という形をしていた漢字もあり、こちらは、音読みでは「けん」と読む。古代文字では図のような形。〝ひざをついて口を大きく開けている人〟の絵から生まれた漢字で、意味としては、〝あくびをする〟こと。「欠伸」と書いて「あくび」と読むことがあるが、これを音読みでは「けんしん」と読む。

この「欠《けん》」は、やがて〝あくびをする〟ことから変化して〝満足していない〟という意味となり、〝不足する〟ことをも表すようになった。それが「缺」の意味と似ているところから、「欠」は「缺」の略字としても使われるようになった。

「欠席《けっせき》」「欠陥《けっかん》」「補欠《ほけつ》」「協調性《きょうちょうせい》に欠《か》ける」などなど、現在、使われている「欠」のほとんどは、「缺」の略字としての例。ただ、部首としての《欠》は、おおもとの〝口を大きく開ける〟という意味を保存していて、たとえば、【歌《うた》】は〝口を大きく開けてうたう〟という意味を表す。

【次《じ》】も《欠》を部首とする漢字で、古代文字では図のように書く。〝口を大きく開けて一息ついている人〟の絵から生まれたと考えられていて、本来の意味は〝休憩する〟こと。訓読み「つぎ」のような意味が生まれた経緯には、諸説がある。

なお、古代文字でわかるように、「冫」の形は〝吐き出された息〟を表していて、〝氷〟を表す部首《冫(にすい)》(p328)とは関係がない。実際、以前は「冫」の上の点が横棒になった【次《じ》】と書くのが正式であった。

【歇《けつ》】は、「次」と同じように〝いったん休む〟ことを表す漢字。「間歇《かんけつ》」とは〝何かが起きたりやんだりを繰り返す〟ことだが、現在では「間欠《かんけつ》」と書くことも多い。

【欧《おう》】は、以前は【歐《おう》】と書くのが正式。現在では「欧州《おうしゅう》」のように〝ヨーロッパ〟を指す印象が強いが、これは当て字「欧羅巴《ヨーロッパ》」に由来するもの。本来は、〝大きく口を開けてものを吐き出す〟ことを表す。

このほか、【欽《きん》】も《欠》を部首とする漢字。〝あくびをしたくなるのを我慢する〟ところから、〝かしこまる〟という意味になったという。転じて、〝王や皇帝・天皇が政治を

行う〃ことをも表し、「欽定憲法《きんていけんぽう》」のように用いられる。

独特の感情表現

ところで、人間はしばしば、強い感情を表すために大きく口を開ける。そこで、部首《欠》の漢字には、〃強い感情〃を表すものも多い。

たとえば、「歓迎《かんげい》」の【歓《かん》】は、訓読みすれば「歓《よろこ》ぶ」で、本来は〃人びとが声を上げてよろこび合う〃ことを表す。以前は正式には【歡《かん》】と書いた。また、【欣《きん》】も似たような意味の漢字だが、こちらは〃個人が声を出してよろこぶ〃ことを表す場合が多い。「欣快《きんかい》に堪《た》えない」とは、〃うれしくてしかたがない〃こと。

「約款《やっかん》」のように〃文章のひとまとまり〃を指す【款《かん》】も、もともとは〃よろこぶ〃という意味。ただし、意味がこのように変化した経緯については、よくわからない。

部首《欠》が表す〃強い感情〃は、〃よろこび〃だけではない。【歎《たん》】は「歎《なげ》く」と訓読みする漢字。【欷《き》】【歔《きょ》】は、「欷歔《ききょ》」あるいは「歔欷《きょき》」の形で、〃すすり泣く〃ことを表す。大声を上げないようにしているところに、かえって強い悲しみが表現されている、味わい深い漢字である。

また、「欲望《よくぼう》」の【欲《よく》】は、〃何かを手に入れたいと強く思う〃こと。「詐欺《さぎ》」の【欺《ぎ》】は「欺《あざむ》く」と訓読みするが、その背後には、相手をだまそうとする強い感情が潜んでいる。

こうやって眺めてみると、〃口を大きく開ける〃ことから豊かな感情が描き出されていることに、ちょっとびっくりする。〃感情〃や〃大声〃を表す漢字は部首《口》（p149）にも多く、実際、「歎」は「嘆《たん》」と書かれることもある。とはいえ、《欠》の漢字を見ていると、《口》に比べて、強い感情がほとばしり出ているようにも感じられる。

なお、部首としては、漢字「欠《けん》」の本来の意味を踏まえて、「あくび」と呼ぶのが一般的。ほかにも、「欠《けつ》」の訓読みに基づく「かける」、音読みから生まれた「けつ」という名前もある。さらに、漢字の右側、いわゆる「つくり」の位置に現れた場合には「けんづくり」ということもあるが、あまり一般的な呼び方ではない。

旡

［名称］すでのつくり
［意味］顔をそむける

お腹いっぱいいただきました…

実際にはほとんど使われることがないが、【旡《き》】は、〃食べ飽きる〃ことを表す漢字だという。古代文字では図のように書かれ、〃ひざをついた人が、顔を後ろに向けて大きく口を開けている形〃だと解釈されている。

もうお腹いっぱい、と顔をそむけているわけで、〃ひざをついて大きく口を開けている人〃を表した「欠」（p66）の古代文字「」と比較してみると、その違いがよくわかっておもしろい。

《旡》を部首とする漢字は非常に少なく、現在でも使われるものとしては、「既《すで》に」と訓読みする【既《き》】しかない。古代文字では図のような形で、左側に〝容器に盛られた食事〟が付け加わり、「旡」の意味がさらに明瞭になっている。〝食事が終わる〟ところから〝もう終わっている〟という意味を表すようになった。

このほか、使うチャンスはまずないが、【旤《か》】は、「禍《か》」（p36）と意味も読み方も同じ漢字。「既」とはだいぶ意味が異なるが、〝不幸にあって顔をそむける〟ことだと考えると、部首《旡》の意味合いが見えてくるようである。

部首としては、「既」の右側、いわゆる「つくり」に置かれるところから、「すでのつくり」と呼ばれている。ただし、漢字の数が少ないため、漢和辞典では、形がよく似た《无（むにょう）》（次項）の中に含めて扱われるのが一般的である。

なお、厳密にいえば、「既」の部首は《旡》で、《旡》の「⺃」の部分が「⺃」となっている。《旡》の方が正式な形であり、「既」も以前は【既《き》】と書くのが正式であった。

无

［名称］む、むにょう
［意味］ない

ないからこそあるのかも？

【无《む》】の成り立ちははっきりしないが、紀元前の昔から、「無《む》」と意味も読み方も同じ漢字として使われてきた。現在でも、中華人民共和国では「無」ではなく「无」を用いるのが標準だし、日本でも、仏教のお経の中に見かけることがある。

漢和辞典では、形がよく似た《旡（すでのつくり）》（前項）も含めて、一つの部首として扱われている。とはいえ、《无》の形を含む漢字が存在しているわけではなく、意味の上からも形の上からも、とりたてて部首として扱う必要はないと思われる、不思議な部首になっている。形の上からは《二》（p353）や《儿（ひとあし）》（p22）に分類してしまえそうだが、そうはなっていないのは、昔はそれだけ、「无」に存在感があったということなのだろう。

なお、部首の名前としては、音読みに基づいて「む」といったり「むにょう」と呼んだりする。「にょう」は、漢字の左側から下にかけて現れる部首のことだが、この場合は、「乚」のような形で終わる部首を指す。

住居と町

漢字の世界では、建物の基本的な要素は、〝屋根〟と〝出入り口〟らしい。〝屋根〟の絵からは《广(まだれ)》《宀(うかんむり)》が生まれ、〝出入り口〟を表す部首には《戸》《門》《入》がある。一方、建物が集まった〝町〟には、〝城壁〟が不可欠だった。《囗(くにがまえ)》は〝城壁〟そのもの。そこから派生した《邑(ゆう)》は、変形して《阝(おおざと)》になり、〝町〟に関する多くの漢字を生み出している。

广

[名称]まだれ
[意味]①さまざまな建物　②建物の状態　③その他

洞窟から一歩を踏み出す！

文明の歴史は、そのまま建築物の歴史でもある。人類が初めて作った建物がどのようなものだったかは、知るよしもない。が、洞窟で暮らしていた人びとが、雨風を防ぐための屋根を入り口に付けたというのは、おおいにありそうなことだろう。

【广】《げん》は、実際に用いられることはほとんどない漢字。古代文字は図のような形で、〝がけを利用して作った屋根〟の絵だという。確かに、屋根にしては柱が足りないようで、洞窟の入り口に寄りかかるように付けられた、人類最初の建築物かもしれない。

部首としては、さまざまな〝建物〟を表すのが基本となる。

特に、目的に応じた〝建物〟を指す漢字が多いのが特徴で、「みせ」と訓読みする【店】《てん》や、「倉庫」《そうこ》の【庫】《こ》などが代表的な例。「県庁」《けんちょう》の【庁】《ちょう》は、以前は【廳】《ちょう》と書くのが正式で、〝人びとが集まって会合を開く大きな建物〟。「内閣府」《ないかくふ》のように用いる【府】《ふ》は、本来は〝大切な文書や財宝などをしまっておく建物〟。【廟】《びょう》は〝死者をまつる建物〟で、「霊廟」《れいびょう》のように用いる。

もう少し生活感のあるものを探すと、【庖】《ほう》は、本来は〝台所〟を指す漢字。「庖丁」《ほうちょう》がその例だが、現在では「包丁」《ほうちょう》と書くことも多い。〝台所〟を表す漢字には「厨房」《ちゅうぼう》の「厨」《ちゅう》もあるが、これも以前は【廚】《ちゅう》と書くのが正式。〝馬を飼うための建物〟を表す「厩舎」《きゅうしゃ》の「厩」《きゅう》も、以前は【廐】《きゅう》と書くのが正式。このように、《广》はときどき、《厂(がんだれ)》(p312)と混用されることがある。

「廊下」《ろうか》の【廊】《ろう》は、以前は「良」が「良」になった【廊】《ろう》と書くのが正式で、〝部屋と部屋を結ぶ、屋根の付いた通り道〟。【庭《にわ》】は、〝建物の敷地内の平地〟。さらにピンポイントに指すものもあり、「座席《ざせき》」の【座《ざ》】は、〝建物の中の腰を下ろす場所〟。「起床《きしょう》」の【床《しょう》】は、〝建物の中の眠る場所〟。【廁《し》】は〝トイレ〟のことで、訓読みでは「かわや」と読む。

【庵《あん》】は、訓読みすれば「いおり」で、〝仮住まいとして使う粗末な小屋〟。現在ではあまり用いられないが、【廬《ろ》】も似たような〝小屋〟を指す。逆に、【廈《か》】は〝立派な建物〟を意味する漢字で、「大廈高楼《たいかこうろう》」という四字熟語がある。また、「庄屋《しょうや》さん」の【庄《しょう》】は、〝田舎のお屋敷〟を指す。

角はきちんと面積は広く

「そこ」と訓読みする【底《てい》】は、現在では〝建物〟との関係が薄くなってしまっている例。本来は〝建物の基礎部分〟を指す。また、「清廉潔白《せいれんけっぱく》」の【廉《れん》】は、以前は微妙に違って【廉《れん》】と書くのが正式。〝建物の角の部分〟を指す漢字だったらしく、角がきちんとしているところから〝折り目正しい〟という意味になった。

「序章《じょしょう》」「順序《じゅんじょ》」の【序《じょ》】になると、現在では〝建物〟の影はまったくない。が、これももともとは〝母屋の両側に伸びる建物〟のこと。〝始まり〟や〝並び〟という意味に変化した経緯については、諸説がある。

なお、【庇《ひさし》】は、〝屋根のうち、壁より張り出した部分〟のことで、原初の「广《げん》」の意味合いに一番近いのかもしれない。転じて「庇護《ひご》」「庇《かば》う」のように〝保護する〟という意味でも使われる。ちなみに、【廂《しょう》】も「ひさし」と訓読みして用いるが、これは日本語独自の用法。本来の意味は「序」と似ていて、〝母屋の東西に伸びた建物〟をいう。

このほか、〝建物の状態〟を表すと考えられる漢字もある。「広《ひろ》い」と訓読みする【広《こう》】は、以前は【廣《こう》】と書くのが正式で、もともとは〝建物の面積が大きい〟こと。【廓《かく》】も本来は〝広い〟という意味の漢字だが、転じて〝外まわり〟を指す。「輪《りん》廓《かく》」のように使われるが、現在では「輪郭《りんかく》」と書く方が一般的である。

なお、「廃棄《はいき》」の【廃《はい》】は、以前は【廢《はい》】と書くのが正式で、もともとは〝使われなくなった建物〟を指すと考えられる。

実は建物のファンなんです!

以上のように、《广》の世界がさまざまな〝建物〟によって成り立っていることは間違いない。ただ、〝建物〟を表す部首としては、《宀（うかんむり）》(次項)もある。《宀》が〝建物の中での行動・状態〟を表すことが多いのと比べると、《广》は〝建物〟をあくまで〝建物〟として見る傾向が強いといえる。《广》の方が、《宀》よりも起源が古いのかもしれない。

最後に、形の上から便宜的に《广》に分類されている漢字を挙げておく。【庚《こう》】は、古代文字では図のように書き、〝両手で棒を持って穀物を突いている形〟だと考えられている。「甲乙丙丁《こうおつへいてい》…」と続く十干《じっかん》の七番目〝かのえ〟を指して使うのは、大昔の中国語

では〝かのえ〟を表すことばと発音が似ていたことから、当て字的に使われたものである。

「健康《けんこう》」の【康《こう》】と「凡庸《ぼんよう》」の【庸《よう》】は、この「庚」から派生した漢字。どちらも、もともとは〝穀物の収穫〟と関係する意味を持っていたと考えられている。

また、「角度《かくど》」の【度《ど》】や「庶民《しょみん》」の【庶《しょ》】については、成り立ちに諸説があってよくわからない。ただ、「席」の部首は《巾(はば)》(p44)とされているので、「度」は《又》(p179)、「庶」は《灬(れっか)》(p341)に分類する方が、統一がとれるようにも思われる。

なお、「麻《ま》」の上部から左側にかけて、いわゆる「たれ」の位置に見られることから、部首としては「まだれ」と呼ばれる。ただし、「麻」の部首は《广》ではなく、独立した部首《麻》(p288)として扱われる。

宀

[名称]うかんむり
[意味]①建物 ②建物に関する行動・状態 ③神をまつる建物 ④その他

タマゴが先か？ニワトリが先か？

【宀《べん》】は、漢字として実際に使われることはまずないが、古代文字では図のように書き、〝屋根〟の絵から生まれた漢字だと考えられている。部首としては、カタカナの「ウ」に似ていることから「うかんむり」と呼ばれる。

ただし、カタカナの「ウ」は漢字「宇《う》」から生まれた文字なので、この説明は順序が逆のような気もする。ちなみに、「かんむり」とは、漢字の上部に現れる部首をいう。

《宀》は、さまざまな〝建物〟を表す漢字の部首となる。【家《いえ》】や【宿《やど》】、「住宅《じゅうたく》」の【宅《たく》】、「宮殿《きゅうでん》」の【宮《きゅう》】、「独身寮《どくしんりょう》」の【寮《りょう》】などがその例。「教室《きょうしつ》」の【室《しつ》】は〝部屋〟という意味だが、これも〝建物〟の一部である。

「宗教《しゅうきょう》」の【宗《しゅう》】は、本来は〝神をまつる建物〟。「宇宙《うちゅう》」の【宇《う》】【宙《ちゅう》】は、それぞれもともとは〝大空〟を指す漢字。これは、〝大空〟を〝世界をおおう屋根〟だと考えたことに由来する。

【寓《ぐう》】は〝仮住まい〟のことで、「寓居《ぐうきょ》」のように用いる。また、京都の御所には「紫宸殿《ししんでん》」という宮殿があるが、【宸《しん》】は、〝王や皇帝・天皇が住む宮殿〟のこと。なお、固有名詞の「愛宕《あたご》」で見かける【宕《とう》】の意味ははっきりしないが、本来は〝ほら穴の住居〟を指すと考える説が有力である。

なお、「牢屋《ろうや》」の「牢《ろう》」は、もともとは〝牛を飼っておく建物〟を指す漢字。《宀》を部首としてもよいが、部首《牛》(p227)に分類する方がふつうである。

中では何をしているやら…

以上は、〝建物〟そのものを指す例だが、《宀》には、〝建物に関する行動・状態〟を表す漢字が多い。その中でも、〝建物の中〟に関係するものが目立つのが、特徴となっている。

住居と町

たとえば、「安心《あんしん》」の【安《あん》】や「丁寧《ていねい》」の【寧《ねい》】、「寛《くつろ》ぐ」と訓読みする【寛《かん》】は、すべて、本来は〝建物の中で落ち着く〟ことを表す。「寝《ね》る」と訓読みする【寝《しん》】は、もともとは〝建物の中で眠る〟こと。なお、「寧」は「罒」の部分が「皿」になった【寧《ねい》】と、「寛」は点が一つ付け加わった【寬《かん》】と、「寝」は【寢《しん》】と書くのが、以前は正式であった。

「宴会《えんかい》」の【宴《えん》】は、〝建物の中で行うパーティー〟。【宰《さい》】は「主宰《しゅさい》する」のように使う漢字で、本来は〝建物の中のことを取り仕切る〟という意味を表す。

〝夕方〟〝夜〟を表す【宵《よい》】は、以前は【宵《よい》】と書くのが正式で、本来は〝建物の中にわずかに光が差す〟ことを表す漢字だという。また、「ひろし」「ひろ」と訓読みして人名によく使われる【宏《こう》】は、〝建物が広い〟という意味。「宏壮《こうそう》な大邸宅《だいていたく》」のように使われるが、現在では「広壮《こうそう》」と書くことも多い。

「寄生《きせい》」の【寄《き》】は〝何かに頼る〟という意味だが、これも〝建物の中に入る〟ことや〝建物の中に何かを届ける〟ことが本来の意味だと思われる。「立《た》ち寄《よ》る」「手紙《てがみ》を寄《よ》せる」といった訓読みに、それが現れている。

いっぱいあるとうれしいなあ…

「収容《しゅうよう》」の【容《よう》】は、基本的には〝建物の中にきちんと入れる〟こと。【宝《たから》】は、以前は【寶《たから》】と書くのが正式で、〝建物の中にしまっておく貴重なもの〟。「富豪《ふごう》」の【富《ふ》】は、〝建物の中に金品がたくさんある〟こと。【実《じつ》】も、以前は【實《じつ》】と書くのが正式で、本来は〝建物の中を金品でいっぱいにする〟という意味だったと考えられている。

ただし、建物の中はいつもいっぱいとは限らない。「寂《さび》しい」と訓読みする【寂《せき》】は、本来は〝建物の中に人の気配が乏しい〟こと。【寞《ばく》】【寥《りょう》】も似た意味の漢字で、「寂寞《せきばく》」「寂《せき》寥《りょう》」といった熟語で使われる。どちらの熟語も、基本的には〝さびしい〟ことを表す。

また、【寡《か》】も本来は〝建物の中に人が少ない〟という意味の漢字で、「寡夫《かふ》／寡婦《かふ》」とは、〝配偶者を亡くした夫／妻〟のこと。【客《きゃく》】の成り立ちには諸説あるが、もともとは〝他人の家にいる人〟を指すらしい。

〝建物の中の人〟を表す漢字はほかにもあって、「官僚《かんりょう》」の【官《かん》】は、〝建物の中で仕事をする人〟。同じ意味を表す漢字に【宦《かん》】があり、〝後宮に仕えるために去勢した役人〟のことを「宦官《かんがん》」という。

ちなみに、〝建物の中ですることがない人〟を表すのが【宂《じょう》】。この漢字の《宀》を《冖（わかんむり）》(p42)と取り違えて、「冗談《じょうだん》」の「冗《じょう》」が生まれた。このように、《宀》と《冖》はときどき混用されることがある。「富《ふ》」が「冨《ふ》」と書かれるのもその例。逆に、「冤罪《えんざい》」の「冤《えん》」の《冖》を《宀》だと勘違いして、【寃《えん》】と書くこともある。

なお、鎌倉時代のモンゴル軍の襲来「元寇《げんこう》」で使われる【寇《こう》】は、〝建物の中に押し入る〟という意味。この漢字もまた、《宀》が《冖》と間違えられて「冦《こう》」と書かれることがある。

一方、〝建物の全体に関する行動・状態〟を表す漢字も、ないわけではない。「守《まも》る」と訓読みする【守《しゅ》】は、本来は〝建物を守る〟こと。「完全《かんぜん》」の【完《かん》】の成り立ちには諸説があるが、〝建物に損傷がない〟ことだと考えるのが自然だろう。「安定《あんてい》」の【定《てい》】の本来の意味についても、〝建物をきちんと建てる〟ことだとするのがわかりやすい。

神様の力を借りて…

それはともかくとして、《宀》には〝建物の中〟に関係がある漢字が多いことは確か。単に〝建物〟を表すだけでなく、そこで人間が何をし、何を感じているかにまで関心がある部首である、といえる。その点、同じく〝建物〟を表す部首《广（まだれ）》(前項)とは異なる特色となっている。

ところで、漢字研究で有名な白川静は、《宀》を単なる〝建物〟ではなく、〝神をまつる建物〟だと解釈している。《宀》の漢字の中には、この説に従った方が説明がしやすい漢字も多い。

たとえば、「適宜《てきぎ》」の【宜《ぎ》】は〝ちょうどよい〟という意味だが、本来は〝神へちょうどよいお供えものをする〟ことだ、と説明できる。「観察《かんさつ》」の【察《さつ》】のもともとの意味は、〝神の意志をはっきりと理解する〟こととなる。「宣言《せんげん》」の【宣《せん》】は〝まわりにわかるように言う〟ことだから、そもそもは〝神のお告げが下る〟ことだったと考えると、わかりやすい。

「審《つまび》らかにする」と訓読みする【審《しん》】は、白川説によれば、〝神へのお供えがきちんとしているかどうか調べる〟こと。【寵《ちょう》】は、〝龍をまつって特別に尊ぶ〟ところから、〝特別にかわいがる〟という意味となり、「寵愛《ちょうあい》」のように用いられる。さらに、「宥《なだ》める」と訓読みする【宥《ゆう》】は、本来は〝罪を許す〟ことを表す漢字。これも、〝神が罪を許す〟ことだと説明できる。

ややこしくなってごめんなさい！

部首《宀》には、本来の意味がはっきりしない漢字も多い。たとえば、日本語では「あて」と訓読みして用いる【宛《えん》】は、中国では〝まるで○○のような〟という意味で使われるが、《宀》との意味の上でのつながりはよくわからない。

〝十二支の三番目〟を指す【寅《とら》】も、本来の意味ははっきりしない。音読みは「いん」で、大昔の中国語では〝十二支の三番目〟を表すことばと発音が似ていたことから、当て字的に使われるようになったと考えられている。

また、【宋《そう》】は、もともとは中国の地名に使われる漢字で、それ以上の意味はわからない。【寫《しゃ》】は、「写《しゃ》」の以前の正式な書き方。もともとは〝建物から建物へと何かを移動させる〟という意味だったともいうが、「書《か》き写《うつ》す」のような使い方を見ると、さらなる検討が必要なようにも思われる。

最後に、話がやや複雑になる漢字を取り上げておく。「秘密《ひみつ》」の【密《みつ》】は、本来は〝中には入れない山〟を指していたと考えられるので、意味の上からは部首を《山》（p307）とする方が適切。「密」から《山》を除いて残る【宓《ひつ》】は、〝建物の中に閉じこもる〟という意味を持つ漢字である。

また、【寒《かん》】は、以前は、最後の画をはね上げた【寒《かん》】と書くのが正式。《冫（にすい）》（p328）は〝氷〟を表すので、意味の上からは、これを部首とする方がふさわしい。【寒《か》】は、〝すきま〟とか〝すきまをふさぐ〟ことを表す漢字だという。

【害《がい》】は、古代文字では図のように書く。成り立ちには諸説があるが、《宀》とは意味の上でも形の上でも関係はない。さらに、現在では固有名詞以外ではあまり使われない【宍《しし》】は、「肉」が変形して生まれた漢字。訓読み「しし」は、「肉」を指す日本語である。

高

［名称］たかい
［意味］高い

別のところに兄弟が…

【高《こう》】は古代文字では図のような形をしていて、〝土台の上に建てられた立派な建物〟の絵から生まれた漢字だと考えられている。転じて、訓読み「高《たか》い」のような意味で使われるようになった。

部首としては〝高い〟ことを表すが、その例は非常に少なく、現在でも日常的に使われる漢字は、一つもない。いっそのこと、形の上から便宜的に部首を《亠（なべぶた）》（p360）にしてしまった方が、すっきりすると思われる。

ただし、その《亠》に分類される「亭《てい》」は、〝旅人などが休憩する建物〟を表す。「高」から派生した漢字で、〝立派な建物が建ち並ぶ都市〟を表し、形の上でも「高」と関係が深い。さらに、人名で使われることがある「享《きょう》」も、本来は〝祖先をまつる建物〟を指す。「京《きょう》」も、本来は〝立派な建物が建ち並ぶ都市〟を表し、形の上でも

これらを考えると、「亮」や「㐭」の形を〝立派な建物〟を表す部首とし、その中に「高」をはじめ「亭」「京」「享」などを収めるのも、一案かと思われる。

戸

［名称］と、とだれ、とかんむり、とびらのと
［意味］①戸　②ひらひらと動くもの　③その他

ここから先は別世界

我々にとってはごくごく当たり前のものだが、建築の歴史の上では、単に入り口をふさぐだけではなく閉じたり開いたりできる〝戸〟の発明は、革命的なできごとであったと思われる。図は、【戶《と》】の古代文字。板をつなげて大きくし、さらに軸を取り付けて回転できるようにした工夫が、よく現れている。

以前は【戶《と》】と書くのが正式。そこで、《戶》の形を含む漢字はすべて、以前は《戶》の形を使うのが正式であった。と

住居と町

はいえ、古代文字と比較すると、どちらでもたいして違いがあるわけではない。現在では、日常的によく用いられる漢字では、《戸》の形を使う方が標準となっている。

部首としては、もちろん〝戸〟を表す。【扉《とびら》】は、本来は〝二枚開きの戸の戸板〟のこと。【房《ぼう》】は、もともとは〝戸で区切られたスペース〟つまり〝部屋〟のことで、「暖房《だんぼう》」とは〝部屋を暖める〟こと。「扁平《へんぺい》」の【扁《へん》】は、現在でも《戶》の形が標準として使われている例。〝平たい〟という意味だが、そもそもは〝戸板に貼り付けたプレート〟を指す。お寺などの入り口に掛けてある額のことを「扁額《へんがく》」という。

【扇《おうぎ》】は、「戸」と「羽」を組み合わせて作られた漢字。この場合の《戸》は、〝ひらひらと動くもの〟をも表す。ただ、部首《戸》がこの意味を表す例はほかにはないので、部首を《羽》(p255)とする方が落ち着くかもしれない。

このほか、「戻《もど》る」と訓読みする【戻《れい》】は、以前は【戾《れい》】と書くのが正式で、《戶》と「犬」を組み合わせた漢字。〝戸の下から犬が抜け出る〟〝戸口を守る番犬〟〝戸の内側に閉じ込められた犬〟〝おはらいのために犬を殺して戸口に埋める〟などなど、成り立ちにはさまざまな説がある。

また、【所《ところ》】の本来の意味については、〝木を切る音〟〝刃物を置いて守る聖なる場所〟といった説がある。そこからすると、意味の上で重要なのは《戸》ではなく、〝大きな刃物〟を意味する「斤《おの》」(p103)の方のようである。

〝壁〟や〝柱〟を表す漢字は部首にならないのに、「戸」が部首になるということは、〝戸〟がそれだけ特別なものであったことを示しているのだろう。部首《戸》の漢字は少ないものの、ここから派生した《門》(次項)が多くの漢字を生んでいるのは、見逃せないところである。

なお、部首の名前としては、単に「と」と呼ぶのが基本。漢字の上部から左側にかけての位置に現れる部首を「たれ」というので、「とだれ」という名前もある。また、「とかんむり」とも呼ばれるが、「かんむり」とは漢字の上部に置かれる部首のことなので、あまりふさわしい名前ではない。さらに、《斗(と、とます)》(p122)と区別するため、「とびらのと」という呼び方がされることもある。

門

[名称]もん、もんがまえ、かどがまえ

[意味]①門、門の一部 ②門のある建物 ③門が閉じている ④門を開く ⑤その他

庶民の家にはなかなかない?

〝戸〟と〝門〟の違いといえば、〝戸〟は建物の壁そのものに取り付けてあるのに対して、〝門〟は建物の外側の塀に取り付けてあることが多い点だろう。ただ、漢字【門《もん》】は、漢字「戸」を二つ、向かい合わせに並べたもの。古代文字では図のような形をしていて、「戸」の古代文字「」と比較すると、その関係がよくわかる。

部首として、〝門〟に関係する意味を表す。【関《かん》】は、以前は【關《かん》】と書くのが正式。本来は、門を閉じたまま固定しておく器具〝かんぬき〟を指す。門の左右をつなぎとめておくところから、「関係《かんけい》」のような意味が生まれた。ちなみに、「かんぬき」と訓読みする漢字としては、【閂《さん》】がある。

また、【閑《かん》】も、本来は〝門が開かないようにする木材〟のこと。訓読み「ひま」のように〝のんびりしている〟という意味は、〝門が開かないようにして閉じこもる〟ところからかと思われる。

【閾《いき》】は、〝門の外と内を分ける境〟のことで、「しきい」と訓読みする。【閨《けい》】は、本来は〝小さな門〟を指す漢字。昔の中国のお屋敷では、女性たちが住む場所は小さな門の向こう側に限られていたところから、〝女性の部屋〟を指すようになった。やや古風には、「ねや」と訓読みしたり、〝夫婦の寝室〟を「閨房《けいぼう》」と表現したりもする。

「財閥《ざいばつ》」の【閥《ばつ》】は、もともとは〝自分の功績を記して、自宅の門の脇に掲げるプレート〟。転じて、〝勢力のある家柄〟という意味で使われる。

〝門〟から転じて、〝門のある立派な建物〟を指すこともある。「天守閣《てんしゅかく》」の【閣《かく》】がその例。その「閣」と形がよく似ている【閤《こう》】は、本来は〝大きな門の脇にある小さな門〟。転じて、立派な門のある〝宮殿〟を指す。豊臣秀吉のことをいう「太《たい》閤《こう》」は、ここから生まれたことばで、この場合の「閤」は、〝子に位を譲った関白が住む宮殿〟を指す。

なお、「閻魔大王《えんまだいおう》」の「閻魔《えんま》」は古代インド語に対する当て字で、本来の【閻《えん》】が指すものは、〝村里の小道に設置された門〟。また、仏教で〝徳の高い僧〟をいう「阿闍梨《あじゃり》」も、古代インド語に対する当て字。本来の【闍《じゃ》】は〝物見やぐら〟のことだという。

閉じているから威厳がある！

ところで、〝門〟とは、そもそもは出入りを制限するために設けられるもの。つまり、〝閉じている〟のが、〝門〟の基本的な状態である。そこで、部首《門》の漢字も、〝門が閉じている〟ことに関係するものが多い。

その代表は、もちろん【閉《へい》】。「あいだ」と訓読みする【間《かん》】は、以前は【閒《かん》】と書くのが正式で、本来は〝閉じた門のすきまから月光がもれてくる〟ことを表しているという。ちなみに、「やみ」と訓読みする【闇《あん》】は、もともとは〝門が閉じていて光が入ってこない〟ことらしい。また、「閃《ひら》めく」と訓読みする【閃《せん》】は、そもそもは〝門のすきまからちらっと見える〟ことだという。

「検閲《けんえつ》」の【閲《えつ》】は、以前は【閱《えつ》】と書くのが正式。本来の意味は、人や荷物などを門のところで止めて〝一つ一つチェックする〟こと。【閊】は日本で作られた漢字で、門のところで〝ものがうまく流れなくなる〟ことをいい、「閊《つか》える」と訓読みする。

このほか、訓読みでは「閏年《うるうどし》」のように用いる【閏《じゅん》】も、“門が閉じている”ことに関係する漢字。昔の暦では数年に一度、「閏月《うるうづき》」というものがあったが、大昔の中国の王は、この月には宮殿に閉じこもることになっていたという。

一方、“門が開く”ことに関係する漢字は、【開《かい》】以外には多くはなく、現在では日常的にはあまり使わないものばかり。たとえば、【闖《ちん》】は「闖入《ちんにゅう》」という熟語で使う漢字で、“不意に現れる”という意味。【闡《せん》】は“勢いよく開く”ことを表し、「闡明《せんめい》」とは“はっきりさせる”ことをいう。

また、【闢《びゃく》】も“開く”という意味で、「天地開闢《てんちかいびゃく》」「本校《ほんこう》開闢以来《かいびゃくいらい》」のように使う。また、【闊《かつ》】は、“どこまでも広がっている”こと。「快闊《かいかつ》」のように使われるが、現在では「快《かい》活《かつ》」と書くのが一般的である。

“開く”ことに関係するこれらの漢字は、どこかしら“勢い”を感じさせる。“ふだんは閉じているものが開く”というニュアンスが、背景にあるからだろう。

以上のように、部首《門》の世界は、意外と多彩である。“門”は威厳を持って立っていて、時には行く手をはばみ、また、そこを通り抜けると眺めが変わる。なにやら、人生を象徴しているかのようである。

なお、部首の名前としては「もん」と呼ぶのが基本だが、「もんがまえ」の方が、実際の“立派な門構えの大邸宅”を想像させて、人気がある。「かまえ」とは、漢字の三方または四方を取り巻くような部首のこと。また、「門」の訓読み「かど」を使って「かどがまえ」と呼ぶこともあるが、それほど一般的ではない。

最後に、「戦闘《せんとう》」の【闘《とう》】の部首も《門》だが、以前は「鬭《とう》」と書くのが正式。「鬭」の部首は、“両手”を表す《鬥（たたかいがまえ）》である。また、「問《と》う」と訓読みする「問《もん》」、「聞《き》く」と訓読みする「聞《ぶん》」、「悶《もだ》える」と訓読みする「悶《もん》」なども《門》を部首とするように見えるが、意味の上から、それぞれ《口》（p149）《耳》（p148）《心》（p215）に分類されている。

入

［名称］にゅう、いる、いりがしら、いりやね
［意味］①入る ②その他

【入《にゅう》】の成り立ちについては諸説あるが、“建物の入り口”の絵から生まれたと考える説には、それなりの説得力がある。古代文字では図のような形で、ほら穴だとか竪穴式住居だとかの入り口に見えないこともない。

部首としては“入る”ことを表すが、その例としては【内《ない》】が挙げられるくらい。「内《ない》」の以前の正式な書き方で、“入った中側”を表す。

そのほか、「両《りょう》」の以前の正式な書き方【兩《りょう》】も、部首《入》に分類される。ただし、もともとは《入》とは関係がない。

古代文字では図のように書き、本来の意味には、〝左右におもりのついたはかり〟〝二頭立ての馬車の馬をつなぐ部分〟などの説がある。

また、「全《ぜん》」も以前は正式には【全《ぜん》】と書き、部首は《入》だが、成り立ちには諸説がある。このほか、【兪《ゆ》】は、〝安らかな〟という意味。現在ではほとんど使われないが、「比《ひ》喩《ゆ》」の「喩《ゆ》」や、「輸入《ゆにゅう》」の「輸《ゆ》」の以前の正式な書き方「輸《ゆ》」などの構成要素となっている。ただし、やはり成り立ちにはいくつかの説がある。

部首の名前としては、音読みに基づいて「にゅう」と呼ぶか、訓読み「はいる」の古い言い方「いる」を使うのがふつう。そのほか、漢字の上部、いわゆる「かしら」の位置に現れることがあるので「いりがしら」と呼んだり、屋根の形に似ていることから「いりやね」ということもある。

里

［名称］さと、さとへん
［意味］①人びとが住んでいる土地　②重い袋

二つの意味が身を寄せ合って…

訓読みでは「人里《ひとざと》」のように使われる【里《り》】は、〝人びとが住んでいる土地〟を表す。古代文字では図のように書き、「田」と「土」を組み合わせた漢字。大地をきれいに区分けして田畑を作り、人びとが生活を営んでいることがよく表れている。

部首としても〝人びとが住んでいる土地〟を意味するが、例としては、「野原《のはら》」のように訓読みして使う【野《や》】ぐらいしかない。本来は、人びとが住んでいる土地の外側に広がる〝自然のままの土地〟を指す漢字である。

また、現在ではまず使われないが、【釐《り》】も、部首としては《里》に分類される。〝正しい状態にする〟という意味の漢字で、この場合の《里》には、〝自然を切り開く〟という意味合いがあるという。なお、この漢字は割合などの単位として使われることもあり、それを省略して生まれたのが「厘《りん》」だと考えられている。

このほか、【重《じゅう》】も、部首としては《里》に分類される。ただし、古代文字では図のような形で、「東《ひがし》」の古代文字「」とよく似ている。「東」の古代文字は、もともとは〝上下を縛った袋〟の絵だと考えられているので、「重」も、本来は〝重い袋〟と関係して生み出された漢字だと考えられている。部首を《里》とするのは、形の上からの便宜的な分類で、意味の関係はない。

その「重」から派生したのが【量《りょう》】で、本来は〝袋を使って分量をはかる〟ことをいうとする説が有力である。

以上のように、〝人びとが住んでいる土地〟と〝重い袋〟という、もともとは無関係な意味が一つになっているのが、部首《里》の特色となっている。

田

［名称］た、たへん
［意味］①耕作地 ②土地を区切る ③その他

お米じゃなくてもかまいませんよ!

農業は文明の基本であり、きれいに整備された田畑は、平和な社会の象徴である。「た」と訓読みする【田《でん》】は、そのことを表す漢字。図のような古代文字を見るまでもなく、きちんと区分けされた〝耕作地〟の絵から生まれたことがわかる。日本語ではお米を育てる「水田《すいでん》」のイメージが強いが、本来は、水を張らないものも含めて、穀物や野菜を育てる〝耕作地〟を広く指す漢字である。

部首としても、〝耕作地〟を表すのが基本となる。代表的な例は、【畑《はたけ》】と【畠《はたけ》】。どちらも日本で作られた漢字で、「畑」は、もともとは、草地を〝火〟で焼いて作る〝はたけ〟のこと。もう一方の「畠」は、〝はたけ〟は水田と比べると〝白〟く見えるところに由来する。

なお、「里《さと》」も、〝耕作地〟を表す「田」に、「土」を組み合わせた漢字だが、独立した部首《里》（前項）として扱うのが一般的である。

【男《おとこ》】の成り立ちについては細かく考えると諸説があるが、〝耕作地で働く〟ことと関係が深いことは確か。「家畜《かちく》」の【畜《ちく》】についても、〝耕作地の周辺で育てる動物〟だと考えるのがわかりやすい。また、耕作地で土を運ぶのに使う〝もっこ〟という道具を表す【畚《ほん》】という漢字もある。

このほか、【當《とう》】は、「当《あ》たる」と訓読みする「当《とう》」の以前の正式な書き方。本来の意味には、〝二つの耕作地の価値がつり合う〟ことだとか、〝耕作地で儀式を行い、神に向き合う〟ことだとかの説がある。

【畝《うね》】は、〝耕作地の中で土を盛り上げた部分〟。「畦道《あぜみち》」の【畦《あぜ》】も似たようなものだが、〝耕作地の境界線として作られた、土を盛り上げた部分〟を指すことが多い。「なわて」と訓読みする【畷《てつ》】も、同じものを指す。

【町《ちょう》】も、本来は〝耕作地の境界線〟を指す漢字で、訓読み「まち」のような意味で使うのは、日本語独自の用法。「湖畔《こはん》」の【畔《はん》】も、もともとは〝耕作地の境界線〟のこと。〝境界線のすぐ近く〟というところから、〝川や湖などのそば〟を指して使われるようになった。なお、「畔」は、以前は正式には【畔《はん》】と書いた。

〝耕作地の境界線〟を表す漢字はまだあって、〝カテゴリー〟という意味の熟語「範疇《はんちゅう》」で使われる【疇《ちゅう》】もその例。これだけ数が多いということは、〝耕作地の境界線〟がそれだけ重要だったということ。どこからどこまでがだれの田畑なのかということは、昔から大問題だったのである。

ここからこっちはオレのもの!

そこで、部首《田》は〝土地を区切る〟という意味も表すようになる。「境界《きょうかい》」

の【界《かい》】がその例。「区画《くかく》」の【画《かく》】も同じで、〝線引きをする〟ところから〝図や絵〟を指しても使われる。ただし、この場合には、「図画《ずが》」のように「が」と音読みする。なお、「画」は、以前は【畫《が》】と書くのが正式。また、「画」の部首を、形の上から便宜的に《凵(うけばこ)》(p315)とする辞書もある。

このほか、現在ではあまり使う機会がないが、〝地域や国の境界〟を指す【疆《きょう》】という漢字も、部首としては《田》に分類される。

〝土地を区切る〟ということは、〝区切られた土地〟をはっきりさせることでもある。そこから、〝ある特定の土地〟を指す漢字が生まれる。現在では「近畿《きんき》」以外ではほとんど使われないが、【畿《き》】は、〝近い〟ことを意味する「幾《き》」に、《田》を組み合わせたものの省略形。もともとは〝都に近い王の直轄地〟のこと。「停留所《ていりゅうじょ》」の【留《りゅう》】でも、部首《田》は〝特定の場所〟を表していると考えられる。

なお、【略《りゃく》】も、本来は〝土地をはっきり区切る〟ことを意味する漢字だと思われる。それが、〝余分な部分を切り捨てる〟という意味になったのが「省略《しょうりゃく》」、〝相手から奪い取る〟という形で現れたのが「略奪《りゃくだつ》」である。

ついでながら、現在ではあまり使われないが、【畸《き》】は〝風変わりな〟という意味を表す漢字。もともとは〝区画整理がうまくできない、半端な土地〟を指していたという。「畸《き》人《じん》」のように用いられるが、現在では「奇人《きじん》」と書く方がふつうである。

バラエティに富んだ居候たち

以上のほか、部首《田》の中には、形の上から便宜的に分類された漢字も多く含まれていて、この部首の特色となっている。

たとえば、「甲乙丙丁《こうおつへいてい》…」と続く十干《じっかん》の一番目〝きのえ〟を指す【甲《こう》】は、古代文字では図のような形で、「田」とは微妙に異なる。もともとは〝亀の甲羅〟を表していたとする説が有力。大昔の中国語では〝きのえ〟を指すことばと発音が似ていたことから、当て字的に使われるようになった、と考えられている。

「申《もう》す」と訓読みする【申《しん》】の古代文字には、図のように、角張ったものと丸っこいものの二種類があるが、どちらも〝いなびかり〟の絵から生まれたと考えられている。いなびかりが地上に向かって伸びるところから〝伸びる〟という意味になり、転じて〝伝える〟ことを表すようになった。そこで、本来の意味を表すために部首《亻(にんべん)》(p16)を組み合わせて作られたのが、「伸《しん》」である。

【由《ゆう》】は成り立ちがはっきりしない漢字だが、ある種の容器を指していたらしい。大昔の中国語では〝根拠とする〟という意味を表すことばと発音が似ていたことから、当て字的に転用されて、「理由《りゆう》」のように使われるようになった、と考えられている。

「畏怖《いふ》」の【畏《い》】の古代文字は、図の右側のような形。〝霊〟を表す「鬼《き》」（ｐ34）の古代文字「」が、左右は逆だが含まれていて、〝霊の前でかしこまる〟ことを表すと解釈されている。また、図の左側は【異《い》】の古代文字で、〝神事に用いる仮面を両手で付けている人〟の絵だという。姿を変えるところから、訓読み「異《こと》なる」のような意味となった。

「畳《たた》む」と訓読みする【畳《じょう》】は、以前は【疊《じょう》】と書くのが正式。この漢字に含まれている【畾《らい》】は、〝ものが重なる〟ことを表すと考えられている。なお、部首は《土》（ｐ294）だが、〝石や土を重ねて作った防壁〟を指す「塁《るい》」も、以前は「壘《るい》」と書くのが正式で、「畾」の形を含んでいる。「畾」には〝かみなり〟という意味もあるらしい。「雷《らい》」に含まれる「田」は、「畾」の省略形である。

このほか、《月（にくづき）》（ｐ205）を部首とする「胃《い》」も、「田」の形を含んでいる。古代文字では図の右側のような形で、「田」に相当する部分は〝胃袋〟の絵だという。また、図の左側は、《心》（ｐ215）を部首とする「思《し》」の古代文字。こちらの「田」に相当する部分は〝脳〟の絵だと考えられている。

最後に、成り立ちがはっきりしないものを挙げておく。「畢生《ひっせい》の大作《たいさく》」のように使う【畢《ひつ》】は、〝完成させる〟という意味。〝動物を網で取り尽くす〟ことに関係する漢字だったようだが、《田》が何を表すかについては諸説がある。

【番《ばん》】は古代文字では図のような形で、〝耕作地に種をまく〟ことを表すとか、〝動物の足あと〟の絵だとか解釈されている。ただし、「順番《じゅんばん》」のような意味とのつながりは、よくわからない。なお、この字は、部首《釆（のごめ）》（ｐ258）との関係が深い。

邑

［名称］ゆう、むら
［意味］人びとが住んでいる土地

けっこうにぎやかなところですよ

現在ではあまり使われる機会のない漢字だが、【邑《ゆう》】は、訓読みすれば「むら」。古代文字では図のように書き、〝ひざまずく人〟を表す「卩《せつ》」（ｐ200）の古代文字「」の上に、四角を書いた形である。

この〝ひざまずく人〟を〝支配される人びと〟だと考えると、本来の意味は〝君主の領地〟だということになる。また、四角を〝城壁〟だとして、もともとは〝城壁に囲まれた都市〟を指すとする説もある。どちらにせよ、「むら」のイメージよりも発展した、古代の〝都市国家〟を表すようである。

部首としては、村や町、都市などの〝人びとが住んでいる土地〟を表す。ただし、ほとんどの場合、漢字の右側に置かれて《阝》（次項）という形になる。これは、《阜（おか）》（ｐ

309）が漢字の左側に置かれたときの《阝》（ｐ309）と同じ形。そこで、《邑》の変形を、人びとが住んでいる〝里〟と関係するところから「おおざと（大里）」と呼び、《阜》の変形を「こざとへん（小里偏）」と名付けて区別している。ただし、《阜》の方は、意味の上で〝里〟と関係があるわけではない。

　なお、漢和辞典では、部首の見出しとしては《邑》を立て、《阝（おおざと）》の漢字はその中に含めて取り扱うのが一般的である。また、部首の名前としては、音読みに基づいて「ゆう」、訓読みに基づいて「むら」と呼ばれる。

阝

［名称］おおざと
［意味］①人びとが住んでいる土地　②地名

そこにはさまざまな暮らしがある

　部首《邑（ゆう）》（前項）が、漢字の右側に置かれて変形したもの。漢和辞典では、《阝（おおざと）》の漢字も部首《邑》の中に含めて扱うのがふつう。《阝（おおざと）》は3画だが、漢和辞典の部首配列では7画の《邑》のところに一緒になっているので、注意が必要である。

　形としては、漢字の左側に現れる《阜（おか）》（ｐ309）の変形《阝》（ｐ309）と同じ。そこで、区別のため、《邑》の変形を、人びとが住んでいる〝里〟と関係するところから「おおざと（大里）」と名付け、《阜》の変形は「こざとへん（小里偏）」と呼んでいる。

　《邑》と同じく、村や町、都市などの〝人びとが住んでいる土地〟を表すのが基本となる。「故郷《こきょう》」の【郷《きょう》】は、以前は【郷《きょう》】と書くのが正式で、〝村や町〟のこと。一方、人工が密集した〝都市〟を表すのはもちろん【都《と》】。こちらは、以前は「者」に点を一つ加えた【都《と》】と書くのが正式であった。

　【郭《かく》】は「城郭《じょうかく》」のように使われる漢字で、本来は〝町を取り囲む城壁〟のこと。「郊外《こうがい》」の【郊《こう》】は、もともとは〝町を取り囲む城壁のすぐ外側〟。「辺鄙《へんぴ》な土地」の【鄙《ひ》】は〝田舎〟を表す漢字で、訓読みでは「鄙《ひな》びた」のように読む。

　【郡《ぐん》】は、〝いくつかの村や町などがまとまった行政単位〟。【邦《ほう》】は、訓読みすれば「くに」で、基本的には〝国〟を指す。日本語では特に〝日本〟を指して使うことが多く、「邦画《ほうが》」とは〝日本の映画〟のことをいう。

　また、【郵《ゆう》】は、もともとは〝宿場町〟を指す漢字。「郵便《ゆうびん》」とは、〝宿場町と宿場町をつなぐ通信のネットワーク〟。「邸宅《ていたく》」の【邸《てい》】はちょっと変わっていて、もともとは〝地方の領主が都へ行ったときに泊まる屋敷〟を表すという。

　【鄰《りん》】は「となり」と訓読みする漢字で、これも本来は、〝人が住んでいる土地で、境を接している向こう側〟。ただし、現在では「隣《りん》」（ｐ311）と書く方が一般的である。また、「部《ぶ》分《ぶん》」の【部《ぶ》】は、本来は〝人が住んでいる土地を区分けしたもの〟を表していたかと思われる。

以上のほか、部首《阝（おおざと）》は、大昔の中国では、地名を表す漢字にもよく使われた。漢和辞典を調べるとその例はいくらでも出てくるが、現在の日本人にもなじみがあるものは少ない。しいて挙げれば、中国人の姓に見られる【鄭《てい》】【鄧《とう》】【邱《きゅう》】などがその例である。

ただし、「邪魔《じゃま》」の【邪《じゃ》】、日本の男性の名前によく見られる【郎《ろう》】なども、もともとは中国の古い地名を表す漢字だったらしい。大昔の中国語では、それぞれ〝人の道を外れている〟こと、〝男性〟を表すことばと発音が似ていたことから、当て字的に使われるようになったと考えられている。なお、「郎」は、以前は「良」を「良」とした【郎《ろう》】と書くのが正式であった。

同じように、【那《な》】【郁《いく》】も、さかのぼれば中国の古い地名を指していた漢字。「那」は、「刹那《せつな》」のように古代インド語に対する当て字として使われる。「郁」は〝よい香りが漂ってくる〟ことを表す「馥郁《ふくいく》」という熟語で用いられるが、これも当て字の一種である。

囗

入ってくるのを防ぐもの

[名称]くに、くにがまえ
[意味]①取り巻く ②区域 ③まるくなる ④動きを制限する ⑤その他

ヨーロッパでもそうだが、中国の昔の町は、城壁に取り巻かれていた。民族間の抗争が激しく、いつ敵に攻め込まれるかわからないからである。【囗《い》】は、その城壁の絵から生まれた漢字だと考えられていて、〝まわりを取り巻く〟ことを表すという。実際に漢字として使われることは少ないが、部首として意外と多くの漢字を生み出している。

部首としての意味は、〝取り巻く〟ことが基本となる。代表的な例は、「囲《かこ》む」と訓読みする【囲《い》】で、以前は正式には【圍《い》】と書いた。「通勤圏《つうきんけん》」のように使う【圏《けん》】は、本来は、家畜を飼うためにめぐらした〝囲い〟を表す漢字で、以前は【圈《けん》】と書くのが正式。また、「固《かた》い」と訓読みする【固《こ》】も、もともとは〝囲いをめぐらして守りを強くする〟という意味だったと考えられている。

〝囲い〟の内側というところから、ある一定の〝区域〟をも表す。「動物園《どうぶつえん》」の【園《えん》】が、その代表。【圃《ほ》】は〝耕作地〟を指す漢字で、「田圃」と書いて「たんぼ」と読むことがある。〝動物や植物を育てる場所〟を指す漢字としては【囿《ゆう》】もあり、現在ではあまり用いられないが、「園囿《えんゆう》」という熟語がある。ちなみに、〝植物を育てる場所〟を表す【[illegible]《ゆう》】というびっくりするくらい複雑な漢字もあり、これも部首《囗》に分類されている。

一方、【国《くに》】は、〝ある政府によって支配されている区域〟のこと。以前は【國《くに》】と書くのが正式。また、【図《ず》】は、以前は正式には【圖《ず》】と書かれ、もともとは〝領地の状態を描いた絵〟を表す漢字だったという。

以上は〝取り巻く〟ことに関係する例だが、部首《囗》の漢字の中には、ここから転じて〝まるくなる〟ことを表すものもある。たとえば、【圓】《えん》は、「円《えん》」の以前の正式な書き方。「団結《だんけつ》」の【団】《だん》は、以前は正式には【團】《だん》と書き、本来は〝まるくまとまる〟という意味。「団子《だんご》」をイメージするとわかりやすい。

なお、「回転《かいてん》」の【回】《かい》は、古代文字では図のような形で、訓読み「回《まわ》る」の意味をよく表している。成り立ちとしては〝囲い〟とは関係がないと思われるので、部首を《囗》とするのは、形の上から便宜的に分類されたもの。とはいえ、〝まるくなる〟ことを表す漢字の例に入れても、不自然ではない。

出て行ったらダメですよ！

ところで、〝囲い〟をめぐらすと敵の侵入を防ぐことはできるが、同時に外に出るのは難しくなる。ここから、《囗》は〝動きを制限する〟ことをも表すことになる。【囚】《しゅう》は〝閉じ込める〟という意味で、訓読みでは「囚《とら》える」と読む。【囮】《おとり》にも、行動の自由はない。現在ではまず用いられないが、【囹】《れい》【圄】《ご》【圉】《ご》は、すべて〝牢屋〟を指す漢字で、〝牢屋〟を意味する「囹圄《れいご》」「囹圉《れいご》」という熟語がある。この二つの熟語は、「れいぎょ」と読むこともある。

なお、「困《こま》る」と訓読みする【困】《こん》については、本来は〝木の成長を制限する〟ことだともいうが、異説もある。

以上のほか、形の上から便宜的に《囗》に分類されている漢字もある。「原因《げんいん》」の【因】《いん》は、古代文字では図のような形で、〝布団に寝ている人〟の絵から生まれた漢字だと考えられている。布団に〝支えられている〟ところから、訓読み「因《よ》る」のような意味が生まれたという。

また、【四】《し》については、古代文字では図のように書かれ、そもそもは〝口を開いて息を吐いている形〟だったと解釈されている。数の〝4〟を表すようになったのは、大昔の中国語では〝4〟を表すことばと発音が似ていたところから、当て字的に転用されたものである。

最後に、部首の名前としては、「国」の訓読みに基づいて「くに」と呼ばれることもあるが、「くにがまえ」という名前が一般によく親しまれている。「かまえ」とは、漢字の三方または四方を取り巻く部首を指す。

第2部

交通と道具に関する部首

交通／刃物／容器／家具と雑具

交通

〝十字に交わる道路〟の絵から生まれた《行》は、《彳(ぎょうにんべん)》や《辶(しんにょう)》などを派生して、〝移動〟に関わる多くの漢字を生み出す。やがて、その道路の上を馬に引かれた《車》が走り、水の上は《舟》が行き交うようになる。人間の活動範囲は、交通手段の発達によって、各段に広がっていったのである。

行

[名称]ぎょうがまえ、ゆきがまえ、ぎょう、いく
[意味]①移動する ②移動して何かをする ③道路、町 ④行動の規範

動き回るのが仕事です!

部首《行》は、ほかの構成要素を左右から挟み込むという、珍しい形をしている。ただし、《行》の形を部首とする漢字はそう多くはなく、その代わり、左半分だけを取り出した《彳(ぎょうにんべん)》(次項)が多くの漢字を生み出している。

部首の名前としては、漢字「行《ぎょう》」の音読みに基づいて「ぎょうがまえ」、訓読みに従って「ゆきがまえ」と呼ぶ。「かまえ」とは、漢字の三方あるいは四方を取り巻くような部首を指すが、《行》の場合は特別。また、単に「ぎょう」とか「いく」という呼び名もあるが、あまり一般的ではない。

漢字【行《ぎょう／こう》】は、〝移動する〟ことを表すのが基本的な意味。ただし、古代文字では図のような形をしていて、〝十字路〟の絵から生まれた漢字である。そこで、部首としては、〝移動する〟ことのほか、〝道路〟に関することも表す。

そのうち〝移動する〟ことに関係する漢字の多くは、〝移動して何かをする〟という意味を持っている。代表的な例は、「護衛《ごえい》」の【衛《えい》】。以前は正式には【衞《えい》】と書き、本来は〝敵の侵入を防ぐために城壁のまわりを歩いて見張る〟ことを表す。また、【衙《が》】は、そもそもは〝護衛の兵士が歩き回っている役所〟を指すらしい。「国衙《こくが》」とは、昔の日本で〝各国に設けられた役所〟のことである。

ちょっと変わった例としては、「奇を衒《てら》う」のように訓読みして使われる【衒《げん》】がある。〝見せびらかす〟という意味だが、本来は〝歩き回って宣伝する〟ことを表すという。

なお、「平衡《へいこう》」の【衡《こう》】は、もともとは〝牛の角に張り渡した横棒〟を表し、転じて〝てんびんの横棒〟を指すようになっ

て〝バランス〟という意味が生まれたという。《行》との関係ははっきりしないが、〝横に連なる〟という意味もあるので、あるいは〝横に連なって進む〟ことを表していたのかもしれない。

道路から外れないようにね！

一方、部首《行》が〝道路〟を表している例としては、【街《がい》】が代表的なもの。本来は〝大通り〟のことで、転じて〝にぎやかな町〟を指して用いられる。現在ではあまり用いられないが、【衢《く》】も似たような意味を表す漢字で、「街衢《がいく》」という熟語がある。

「衝突《しょうとつ》」の【衝《しょう》】の成り立ちには諸説があるが、本来は〝道路がいくつも集まる〟ことを表す漢字かと思われる。「交通《こうつう》の要衝《ようしょう》」のような使い方に、その意味が現れている。また、【衍《えん》】は、「水」が変形した《氵(さんずい)》(p318)が含まれていて、もともとは〝水が道路まであふれる〟ことを指す。〝あちこちに広がる〟ことを表す「蔓衍《まんえん》」という熟語があるが、現在では「蔓延《まんえん》」と書く方が一般的である。

以上のほか、《行》を部首とする漢字としてよく使われるものに、「手術《しゅじゅつ》」の【術《じゅつ》】がある。〝方法〟を意味するこの漢字では、《行》は〝道路〟から変化して〝行動の規範〟を指していると思われる。現在ではまず使われないが、〝行動が正しい〟ことを表す【衠《しゅん》】という漢字もある。

「人の道」という言い方があるように、〝道〟には〝それに従って何かを行う〟という意味合いがある。〝移動する〟ことや〝道路〟を表す部首《行》が〝行動の規範〟を表すようになるのも、その現れ。なかなか奥の深い部首である。

彳

［名称］ぎょうにんべん

［意味］①移動する ②移動して何かをする ③行動の規範 ④その他

半分の方が身軽だねえ！

現在ではまず使う機会はないが、【彳《てき》】は、古代文字では図のように書き、〝少し進む〟とか〝少しずつ進む〟という意味を表す漢字だという。

ただし、部首としては《行》(前項)の古代文字の一つ「」の左半分だと考える方がわかりやすい。部首の名前としては、《亻(にんべん)》(p16)に形が似ていることから、「ぎょうにんべん」と呼ばれている。〝移動する〟ことを表すのが基本で、《行》に比べると多くの漢字を生み出している。

「往復《おうふく》」の【往《おう》】は、〝ある場所に向かって移動する〟こと。【復《ふく》】は、〝もとの場所に向かって移動する〟こと。「従《したが》う」と訓読みする【従《じゅう》】は、以前は【從《じゅう》】と書くのが正式で、〝だれかに付いて移動する〟という意味。「後《うし》ろ」と訓読みするように、もともとは【後《ご》】は、「後《おく》れる」という訓読みもあるように、〝おくれて移動する〟ことをいう。

「徐行《じょこう》」の【徐《じょ》】は、〝ゆっくり移動する〟ことで、「徒歩《とほ》」の

【徒《と》】は〝歩いて移動する〟こと。「循環《じゅんかん》」の【循《じゅん》】は、〝あるルートの通りに移動する〟という意味を表す。逆に、正規のルートから外れて〝近道を突っ切って移動する〟ことを指すのが【径《けい》】で、以前は正式には【徑《けい》】と書いた。「直径《ちょっけい》」とは、〝円の中心を突っ切るルート〟をいう。

「徹底《てってい》」の【徹《てつ》】は、本来は〝行き着けるところまで移動する〟という意味。一方、〝移動しないである場所にとどまる〟ことを表すのが、「待《ま》つ」と訓読みする【待《たい》】。「かれ」と訓読みして用いる【彼《ひ》】は、「彼岸《ひがん》」のように〝向こう側〟を指すのが本来の用法で、さらにさかのぼると〝向こうへ移動する〟という意味だった、と考えられている。

【徘《はい》】【徊《かい》】は、どちらも〝ぶらぶらと動き回る〟ことを表す漢字で、「徘徊《はいかい》」という熟語になる。【彷《ほう》】【徨《こう》】も二文字を合わせた「彷徨《ほうこう》」の形で使われ、〝あてもなく動き回る〟という意味。現在ではあまり使われないが、「徂徠《そらい》」とは〝行ったり来たりする〟こと。【徂《そ》】は〝行く〟ことを表し、【徠《らい》】は〝来る〟ことをいう。

移動中も働きます！

以上のように、《彳》はさまざまな〝移動する〟ことを表している。そして、中にはそこから少し変化して、〝移動して何かをする〟という意味を含むものもある。

たとえば、「遠征《えんせい》」の【征《せい》】は、〝移動した先で戦う〟ことや〝移動しながら戦う〟ことを表す。【役《やく》】は「役割《やくわり》」のように〝受け持ちの仕事〟という意味で使われることが多いが、本来は〝ある場所に移動させられて働かされる〟という意味。「兵役《へいえき》」「労役《ろうえき》」「懲役《ちょうえき》」のように、「えき」と音読みする熟語に、この意味が残っている。これらの漢字と合わせて考えると、「獲得《かくとく》」の【得《とく》】も、本来は〝移動した先で何かを手に入れる〟という意味だったかと思われる。

なお、【御《ぎょ》】については、「御者《ぎょしゃ》」のように〝馬をうまく操って進ませる〟のが本来の意味だという。ただし、〝神を迎えに進み出る〟ところから、〝邪悪なものを防ぐ〟という意味になったとする説もある。「防御《ぼうぎょ》」は、その意味に近い。

ところで、「行」は古代文字では「」で、〝十字路〟の絵から生まれた漢字であり、部首《行》は〝道路〟を意味することもある。さらには、そこから転じて〝行動の規範〟という意味にもなる。《彳》は、その《行》の省略形だが、〝道路〟を意味することはほとんどない。しかし、〝行動の規範〟を表す漢字は含まれている。

「法律《ほうりつ》」の【律《りつ》】がその代表。「人徳《じんとく》」の【徳《とく》】も〝行動の規範〟の一種。以前は、正式には「心」の上に横棒を一本加えた【德《とく》】と書いた。また、現在ではあまり使われないが、〝行動の規範に逆らう〟ことを表す【很《こん》】という漢字もあり、訓読みでは「很《もと》る」と読む。

このように、単に〝移動する〟ことを表すだけではなく、〝移動して何かをする〟ところから〝行動の規範〟にまで意味が広がっていくのが、《行》《彳》の特徴である。同じように〝移動する〟ことを表す部首《辶》(p89)《辶》(p92)はあまり意味が広がらないのと比較してみると、おもしろい。

以上のほか、「微妙《びみょう》」の【微《び》】は、本来は〝しのび歩きをする〟という意味だったとする説が優勢だが、異説もある。「特徴《とくちょう》」の【徴《ちょう》】は、以前は「王」の上に横棒が一本加わった【徵《ちょう》】と書くのが正式で、「微」の省略形に「王」を組み合わせた漢字だという。もともとの意味は〝目立たないが有能な人材を王が見つけて召し出す〟ことだった、と説明されるが、やや回りくどいかもしれない。

また、【徽《き》】は、〝バッジ〟を意味する「徽章《きしょう》」という熟語で使われる漢字。本来は〝糸で作った飾り〟を指す漢字だったらしい。似たような作りの「黴菌《ばいきん》」の「黴《ばい》」が部首《黑》(p348)に分類されている例もあるので、「徽」も部首としては《糸》(p47)に分類する方がふさわしいと思われる。ついでに、同様に考えて、「徵」の部首も《王》(p305)とする方がいいのかもしれない。

辵

[名称]ちゃく
[意味]移動する

足下には注意してね…

交通

漢字【辵《ちゃく》】の意味については、〝行ったり来たりする〟ことだとか〝階段を段を飛ばして降りる〟ことだとかいうが、実際に使われた例は少なく、詳しいことはわからない。古代文字では図のような形。

〝移動する〟ことを表す《彳(ぎょうにんべん)》(前項)の古代文字「」に、〝足〟を意味する「止」を組み合わせたもので、〝移動する〟ことに関係する意味を持っていることは間違いない。

この漢字を崩して書いたものが《辶(しんにょう)》(次々項)で、それをさらに省略して生まれたのが《辶(しんにょう)》(次項)。〝移動〟を表す部首として多くの漢字を生み出している。そこで、漢和辞典では《辵》を部首として立て、その中で《辶》や《辶》の漢字を取り扱うのが、伝統となっている。

辶

[名称]しんにょう、しんにゅう
[意味]①移動する ②距離・場所 ③道路 ④その他

あそこを目指してまっしぐら!

《辵(ちゃく)》(前項)を崩して書いた《辶》(次項)が、さらに省略されたもの。漢和辞典では、《辶》の漢字も部首《辵》の中に含めて取り扱うのが一般的。《辶》は3画だが、漢和辞典の部首配列では7画の《辵》のところに一緒になっているので、注意が必要である。

《辶》を含む漢字はすべて、以前は点を二つにして《辶》と書くのが正式。点を一つにして書くのは、正式ではない場面では昔から行われていた習慣で、現在ではそれが広まり、日常的によく用いる漢字では、《⻌》の形を使う方が標準とされている。なお、繁雑にならないよう、本書では、他の部分が大きく違うものだけ、以前の正式な書き方を示した。

部首の名前としては、「しんにょう」と呼ばれる。「にょう」とは、漢字の左側から下にかけて現れる部首を指すことば。もともとは、漢字「之《し》」と形が似ているところから、「しにょう」と名付けられたらしい。また、「しんにゅう」という名前もあり、「にゅう」は「にょう」が変化したものだと考えられている。古くは「しんにゅう」の方がよく使われていたというが、現在では「しんにょう」の方が一般的になっている。《⻌》を「一点しんにょう」、《⻍》を「二点しんにょう」と呼んで区別することも多い。

部首《⻌》の基本的な意味は、〝移動する〟ことである。その中心となるのは、〝目標を決めて移動する〟漢字で、「進《すす》む」と訓読みする【進《しん》】や、「追《お》う」と訓読みする【追《つい》】が、代表的な例。「到達《とうたつ》」の【達《たつ》】は〝目標に行き着く〟ことを表す。

【遂《すい》】は、以前は「遂《すい》」と書くのが正式。〝目標まで達する〟という意味で、転じて「任務《にんむ》を遂行《すいこう》する」「やり遂《と》げる」のように用いられる。また、「適切《てきせつ》」の【適《てき》】は、本来は〝目標の場所にぴったり着く〟こと。【造《ぞう》】も、本来は〝どこかに行き着く〟という意味。〝ある状態に行き着かせる〟ところから、訓読み「造《つく》る」のような意味が生まれたと考えられる。

「逮捕《たいほ》」の【逮《たい》】は、〝目標に追いついてつかまえる〟こと。「迫《せま》る」と訓読みする【迫《はく》】は、〝目標のすぐそばまで移動する〟こと。【逐《ちく》】は、「駆逐《くちく》」のように〝目標に近づいて追い払う〟ことを表すが、〝目標を追いかける〟という意味もある。単語を一つずつ追いかけるように訳していく「逐語訳《ちくごやく》」に、その意味が残っている。

なお、「込《こ》む」と訓読みする【込】は、日本で作られた漢字。〝目標の中へ移動する〟という意味合いで用いる。

変化球も投げられます！

「退《しりぞ》く」と訓読みする【退《たい》】は、〝目標から遠ざかる〟こと。「逃《に》げる」と訓読みする【逃《とう》】や、「避難《ひなん》」の【避《ひ》】も、同じような意味。「違《ちが》う」と訓読みする【違《い》】も、もともとは〝離れていく〟ことや〝すれちがう〟ことを意味していたのではないか、と思われる。「逆行《ぎゃっこう》」の【逆《ぎゃく》】は、〝ある方向とは反対方向を目標として移動する〟という、ある意味では前向きな漢字である。

「帰還《きかん》」の【還《かん》】では、最終的な目標はもとの場所になって、〝ぐるっとまわって帰ってくる〟こと。【週《しゅう》】も似たような意味を表す漢字だが、現在では、「来週《らいしゅう》」のように暦に関してしか使われない、特殊な漢字となっている。

また、「遊《あそ》ぶ」と訓読みする【遊《ゆう》】は、本来は〝あちこちの目標を移動して回る〟という意味。「遊説《ゆうぜい》」「外遊《がいゆう》」などにその意味が残っている。さらには、「迷《まよ》う」と訓読みする【迷《めい》】のように、〝目標がわからなくなる〟ことを表す漢字もある。

世の中は困ったもので、「遭難《そうなん》」の【遭《そう》】のように、目標ではないものに〝思いがけず出会う〟こともある。「遭遇《そうぐう》」の【遇《ぐう》】も似たような意味だが、「待遇《たいぐう》」のように〝きちんと向き合う〟という意味合いで使われることもある。思いがけない出会いにもきちんと対応する、なかなかおくゆかしい漢字となっている。

移動に関する三つの要素

ここまで見てきた漢字は、すべて、〝どこに向かって移動するか〟という〝目標〟が問題となっている。それに対して、〝どこを移動するか〟という〝ルート〟に意識がある漢字もある。

たとえば、「通《とお》る」と訓読みする【通《つう》】や、「過《す》ぎる」と訓読みする【過《か》】がその例。「透明《とうめい》」の【透《とう》】は、〝ある場所の向こうまで突き抜ける〟ことを表す。

「逸《そ》れる」と訓読みする【逸《いつ》】は、〝移動してあるルートから外れる〟こと。〝あるルートの上を移動する〟ことを意味するのが【遵《じゅん》】で、転じて「法令《ほうれい》を遵守《じゅんしゅ》する」のように使われる。なお、以前は、「逸」は「逸《いつ》」と、「遵」は「遵《じゅん》」と書くのが正式であった。

「述《の》べる」と訓読みする【述《じゅつ》】は、本来は〝あるルートに沿って移動する〟こと。〝先人の教えの通り行動する〟ところから、〝先人の教えを伝える〟という意味となり、〝自分の考えをことばにする〟ことを表すようになった、と考えられている。ちなみに、「巡《めぐ》る」と訓読みする「巡《じゅん》」も似たような意味の漢字だが、部首としては《巛（まがりがわ）》（p327）に分類するのが一般的である。

なお、「逝去《せいきょ》」の【逝《せい》】は〝行く〟という意味だが、〝どこかへ行ってしまう〟というニュアンスを含む。目標があるようにも思えるし、〝人生〟という〝ルート〟から去ってしまうことを指しているようにも考えられる。

ところで、〝移動〟の基本的な要素としては、〝どこを〟〝どちらに向かって〟〝どれくらいのスピードで〟という三つがある。そこで、《⻌》の漢字には〝スピード〟を表すものも、当然ながら含まれている。「速《はや》い」と訓読みする【速《そく》】、「遅《おそ》い」と訓読みする【遅《ち》】がその例。〝速い〟ことを表す漢字には、「迅速《じんそく》」の【迅《じん》】もある。なお、「遅」は、以前は正式には「遲《ち》」と書いた。

たとえ自分は動かなくても…

このほか、自分が移動するというよりは、〝何かを移動させる〟ところに重点がある漢字もある。「運《はこ》ぶ」と訓読みする【運《うん》】が、代表的な例。「送《おく》る」と訓読みする【送《そう》】は、以前は「送《そう》」と書くのが正式で、〝何かを目的地まできちんと移動させる〟こと。「迎《むか》える」と訓読みする【迎《げい》】はその逆で、〝移動してくるものをきちんと受け取る〟ことをいう。

訓読みでは「返《かえ》す」と読む【返《へん》】は、〝移動してきたものをもとのところへ戻す〟こと。「派遣《はけん》」の【遣《けん》】は、〝だれかに役目を与えてどこかへ行かせる〟という意味。「遷都《せんと》」の【遷《せん》】

は、〝何かをまるごと移動させる〟こと。以前は、正式には「遷《せん》」と書いた。

現在ではあまり使う機会がないが、【逓《てい》】は、〝何かをリレーして移動させる〟という意味。「逓信《ていしん》」とは、〝リレーして通信を伝える〟ことを指す。【迭《てつ》】も似たような漢字で、本来は〝順番に入れ替わる〟という意味。ただし、現在では「更迭《こうてつ》」という熟語で使われることが多く、〝別のものに取り換える〟という意味合いが強い。

少し角度は変わるが、「遮《さえぎ》る」と訓読みする【遮《しゃ》】は、〝何かの移動を妨げる〟という意味。「遺失物《いしつぶつ》」の【遺《い》】は、〝何かを置いて行ってしまう〟こと。訓読みでは「連《つ》れ立《だ》つ」のように使う【連《れん》】のように、〝何かと一緒に移動する〟ことを表す漢字もある。

以上のように、《辶》の漢字は〝移動する〟ことそのものをさまざまな角度から表現している。同じく〝移動する〟ことを表す《彳》(p87)《行》(p86)は、〝移動して何かをする〟ことや〝行動の規範〟を意味することもある。それに対して、《辶》やそのもとになった《辶》は、漢字の数は多いのに、そういう意味の広がりは見られないのが特徴となっている。

大きく見れば同じですが…

その中で少し毛色の変わったものを探すとすると、まずは、〝距離〟や〝場所〟を表すものが挙げられる。

「近《ちか》い」と訓読みする【近《きん》】や、「遠《とお》い」と訓読みする【遠《えん》】がその例。また、【辺《へん》】は、以前は「邊《へん》」と書くのが正式。本来の意味は〝中心地から遠く離れたところ〟で、「辺境《へんきょう》」がその例である。

名付けで人気がある【遼《りょう》】は、〝とても遠い〟という意味。「前《ぜん》途《と》遼遠《りょうえん》」とは、〝先ははるかに長い〟ということ。似た意味の漢字としては、「遥《はる》か」と訓読みする【遥《よう》】もあり、以前は正式には「遙《よう》」と書いた。さらに、【遍《へん》】は〝どこにでも〟という意味で、これも〝場所〟に関係する例。「遍在《へんざい》」とは〝どこにでもまんべんなくある〟ことをいう。

〝移動する〟ことから少し変化した意味を持つ漢字としては、もう一つ、〝道路〟を表すものがある。【道《みち》】や「途中《とちゅう》」の【途《と》】のほか、「みち」と訓読みして人名に使われることがある【迪《てき》】も、その例である。

なお、「選《えら》ぶ」と訓読みする【選《せん》】は、以前は、「己」を「巳」とした「選《せん》」と書くのが正式。この漢字に《辶》が付いている理由は、諸説があってはっきりしない。

辶

［名称］しんにょう、しんにゅう
［意味］①移動する ②距離・場所 ③道路 ④その他

まずは点の数のお話を

《辵(ちゃく)》(前々項)を崩して書いた形。漢和辞典では、《辶》の漢字も部首《辵》の中に含めて取り扱うのが一般的。《辶》は4画だが、漢和辞典の部首配列では7画の《辵》のところに一緒になっているので、注意が必要である。

《⻍》の点をさらに一つ省略したのが《⻌》(前項)。本書では一つ一つ示してはいないが、《⻍》の形を含む漢字は、以前はすべて《⻍》の形で書くのが正式。ただし、昔から、正式ではない場面では《⻌》を書く習慣があり、現在ではそれが一般化して、日常的によく用いられる漢字では、《⻌》の形を使うのが標準になっている。

そこで、ここで取り上げる漢字は、日常的にはそれほど用いられないものばかり、ということになる。ただし、これらの漢字でも、正式ではない場面では、点が一つの《⻌》の形が使われることもある。

部首の名前としては、《⻌》と同じように、「しんにょう」と呼ばれる。「しんにゅう」という名前もあるが、現在ではあまり一般的ではない。また、《⻍》を「二点しんにょう」、《⻌》を「一点しんにょう」と呼んで区別することもある。

点が一つ多いことを除けば《⻌》と同じなので、部首の意味としては〝移動する〟ことを表す。

前も後ろもぶらぶら歩きも

「逢《あ》う」と訓読みする【逢《ほう》】は、本来は〝移動していって何かに出会う〟こと。【遂《すい》】は、〝目標まで到達する〟という意味を表す「遂《すい》」の以前の正式な書き方である。

「邁進《まいしん》」の【邁《まい》】は、〝恐れずに進んでいく〟こと。「逞《たくま》しい」と訓読みする【逞《てい》】も、似たような意味。転じて〝満足する〟という意味にもなり、「不逞《ふてい》の輩《やから》」のように使われる。

「逼迫《ひっぱく》」の【逼《ひつ》】は、〝すぐ近くまで移動する〟ことで、以前は「遵《じゅん》守《しゅ》」の「遵《じゅん》」は〝あるルートの上を移動する〟こと。以前は正式には【遵《じゅん》】と書いた。

【遡《そ》】は「遡《さかのぼ》る」と訓読みする漢字で、〝逆方向に移動する〟ことを表す。「迂回《うかい》」の【迂《う》】は、〝ある場所を避けて移動する〟こと。「逸《いつ》」の【逸《いつ》】は、〝移動してあるルートから外れる〟という意味の「逸《いつ》」の以前の正式な書き方である。

【遁《とん》】は〝逃げる〟という意味で、「遁走《とんそう》」という熟語がある。「迸《ほとばし》る」と訓読みする【迸《ほう》】は、本来は〝勢いよく逃げ出す〟こと。「謙遜《けんそん》」の【遜《そん》】は、〝後ろへ下がる〟ところから転じて、〝へりくだる〟という意味。「逡巡《しゅんじゅん》」とは〝ぐずぐずする〟という意味だが、【逡《しゅん》】はもともとは〝後ずさりする〟ことを指す。

【逍《しょう》】は「逍遥《しょうよう》」という熟語の形で使われる漢字で、〝ぶらぶら歩き回る〟ことを表す。同じ〝歩き回る〟ことでも、〝見回りをする〟という意味を表すのが【邏《ら》】。「巡邏《じゅんら》」「警邏《けいら》」といった熟語で使われる。

このほか、「送《おく》る」と訓読みする「送《そう》」の以前の正式な書き方で、〝何かを移動させる〟ことを表す例。「左遷《させん》」のように〝何かをまるごと移動させる〟ことを意味する「遷《せん》」は、以前は正式には【遷《せん》】と書いた。

【邀《よう》】は〝移動してきたものを待ち受ける〟ことを表し、

「邀撃《ようげき》」という熟語がある。なお、【遞《てい》】は「逓《てい》」の以前の正式な書き方で、〝何かをリレーして移動させる〟ことを表す。

動かなくても仲間入り!

ちょっと変わったものとしては、「逗《とう》留《りゅう》」の【逗《とう》】は、〝ある場所から移動しない〟こと。また、〝移動した痕跡〟を指す【迹《せき》】という漢字もあるが、現在では「跡《せき》」（p194）を使うことが多い。

このほか、〝スピード〟に関する漢字もある。「急遽《きゅうきょ》」の【遽《きょ》】は〝急に〟という意味。【遲《ち》】は、「遅《おそ》い」と訓読みする「遅《ち》」の以前の正式な書き方である。

《辶》と同じように、〝移動する〟ところから変化して〝距離〟や〝場所〟、〝道路〟を指す漢字もある。【遙《よう》】がその例で、「遥《はる》か」と訓読みする「遥《よう》」の以前の正式な書き方。現在では固有名詞以外ではあまり使われないが、【邇《に》】は、本来は〝近い〟という意味。【邊《へん》】は「辺《へん》」の以前の正式な書き方で、もともとは〝中心地から遠く離れたところ〟をいう。また、【辻《つじ》】は〝道路〟を表す例。日本語オリジナルの漢字で、〝十字路〟を表す。

日本語では本来とは異なる意味で使われている漢字もある。たとえば、【辿《てん》】は、もともとは〝ゆっくり歩く〟ことを表す漢字。日本語では「辿《たど》る」と訓読みして〝あるルートを少しずつ進んでいく〟という意味で使われる。

「這《は》う」と訓読みして用いられる【這《しゃ》】は、本来は〝迎える〟という意味。〝腹ばいになって進む〟ことを表すのは、お年寄りが人を迎えるときに腹ばいになって出て行くからだ、という説もあるが、ちょっと苦しいか。また、日本語では「札幌迄行《さっぽろまでい》く」のように訓読みして使う【迄《きつ》】も、もともとは〝行き着く〟ことを表す漢字である。

以上のほか、「お釈迦様《しゃかさま》」の【迦《か》】は、古代インド語に当て字する際に使われる漢字。なぜ《辶》が付いているかは、よくわからない。「選」の以前の正式な書き方【選《せん》】についても、《辶》の意味合いははっきりしない。

廴

［名称］えんにょう、いんにょう
［意味］①引っ張る ②移動する ③場所を区切る

なじみはあるけどよくわからない

【廴《いん》】は、古代文字では図のように書き、「彳」（p87）の古代文字「」が変化した形だと考えられている。実際に使われることはまずないが、〝遠くまで移動する〟ことや〝引っ張る〟ことを表す漢字だという。

《廴》を部首とする漢字には、「延長《えんちょう》」の【延《えん》】がある。この漢字では、《廴》は〝引っ張る〟ことを表していると考えられる。なお、微妙な違いだが、以前は「正」を「𤴓」とした【延《えん》】と書くのが正式であった。

また、【廻《かい》】は、〝あちこちをめぐる〟ことや〝もとの方向へと移動させる〟こと。「廻航《かいこう》」「見廻《みまわ》り」のように使われるが、現在では「回航《かいこう》」「見回《みまわ》り」と書く方が一般的。この場合の《廴》は〝移動する〟という意味だと解釈できる。

ところで、「建設《けんせつ》」の【建《けん》】と「宮廷《きゅうてい》」の【廷《てい》】については、〝引っ張る〟ことや〝移動する〟ことと結びつけて考えるのは、やや無理がある。古代文字の中には、「建」は図の右側、「廷」は図の左側のような形もあり、《廴》の古代文字とは別物かとも考えられる。そこで、漢字学者の白川静は、この二つの《廴》を〝儀式が行われる場所を区切る壁〟だと説明している。

「延」「建」「廷」はよく使われる漢字なので、部首《廴》も比較的よく知られている。だが、漢字の数は少なく、意味としてもはっきりしない部首である。

なお、部首としては、「延」の左側から下にかけて、いわゆる「にょう」の位置に見られることから、音読みをかぶせて「えんにょう」と呼ばれる。また、漢字「廴」の音読みに基づく「いんにょう」という名前もある。

車

[名称]くるま、くるまへん
[意味]①車、乗りもの ②車に関する行動・状態 ③車の一部分 ④その他

初登場なのに堂々としたもの!

交通

車輪は、遅くとも紀元前三〇〇〇年代半ばの西アジアでは、すでに使われていたらしい。中国でも古くから車輪が使用されていたが、西アジアから伝わってきたのか、中国で独自に発明されたのかは、よくわかっていない。どちらであれ、車輪の発明によって、〝ものを運ぶ〟ことに革命的な変化がもたらされたことは、間違いない。

【車《くるま》】の古代文字にはいろいろな形があるが、図の二つが代表的なもの。〝馬車〟の絵から生まれた漢字で、二つの車輪の間から馬に引かせるための棒が伸びているようすが、よく描かれている。古代文字の段階ですでにこのような複雑な形をしていることからすると、中国社会に初登場した〝車〟は、すでにある程度、発達したものだったのかもしれない。

部首《車》は、乗りものや運搬の道具としての〝車〟を表すのが基本で、転じて〝車に関する行動・状態〟をも表す。ただ、これらに負けず劣らず、〝車の一部分〟を指す漢字もまとまって存在していて、部首《車》の特色となっている。

まずはさまざまな種類の〝車〟を表す漢字だが、〝馬車〟の一種を指す【軺《ちょう》】【輅《ろ》】【轀《おん》】などがあるものの、現在ではまず使われない。〝荷物を運ぶ車〟を表す【輜《し》】が、〝軍隊の荷物〟を表す「輜重《しちょう》」という熟語に残っている程度である。

ただし、現在では「一軒家《いっけんや》」のように使う【軒《けん》】は、本来は〝馬をつなぐ棒の先が高くそりかえった馬車〟を表す漢字。

訓読み「のき」のような用法は、屋根の先が〝高くそりかえっている〟ところから生じたものかと思われる。

〝車〟の種類とはちょっと異なるが、【軍《ぐん》】は、大昔の中国では戦争に馬車を使っていたところから生まれた漢字。「先輩《せんぱい》」の【輩《はい》】は、もともとは〝ずらりと並んだたくさんの車〟。転じて〝同じようなレベルのグループ〟を指して使われる。このほか、「車輛《しゃりょう》」の【輛《りょう》】は、本来は車を数えるときに用いる漢字。略して【輌《りょう》】と書かれることもあるが、現在では「両《りょう》」を使う方が一般的である。

なお、ちょっとおもしろいことに、部首《車》の漢字には、〝車輪〟を使うのではなく〝人間がかつぐ乗りもの〟を指す漢字も、含まれている。【輿《よ》】がその例で、訓読みでは「御神《おみ》輿《こし》」のように使われる。現在ではあまり使う機会がないが、【轎《きょう》】も似たようなものを指す漢字。また、【輦《れん》】は〝人が押したり引いたりする車〟のことで、「てぐるま」と訓読みすることがある。

ついでながら、【轌】は日本で独自に作られた漢字。〝雪の上を走る車〟というところから、「そり」と訓読みする。

走るときには音がする！

次に、〝車に関する行動・状態〟を表す漢字としては、「転《ころ》がる」と訓読みする【転《てん》】が代表的な例。以前は正式には【轉《てん》】と書いた。【輾《てん》】も〝転がる／転がす〟という意味で、「輾転反側《てんてんはんそく》」とは〝寝返りを何度もうつ〟ことをいう。

「轟音《ごうおん》」の【轟《ごう》】は、〝車が動く時に立てる大きな音〟。「軋《あつ》轢《れき》」の【軋《あつ》】は、〝車が動く時にこすれ合う〟ことで、「軋《きし》る」と訓読みする。【轢《れき》】も似たような意味だが、転じて〝車輪で下敷きにする〟ことをも指し、「轢死《れきし》」のように使われる。

なお、「軽《かる》い」と訓読みする【軽《けい》】は、以前は【輕《けい》】と書くのが正式。本来の意味は〝車がまっすぐ進んでいく〟ことだ、と考えられている。

また、〝車に荷物を積む〟ことを表すのが、「載《の》せる」と訓読みする【載《さい》】。「輸送《ゆそう》」の【輸《ゆ》】は、〝車に荷物を載せて運ぶ〟こと。以前は【輸《ゆ》】と書くのが正式であった。

やや角度は異なるが、【轍《てつ》】は、〝車が通った跡〟。訓読みでは「わだち」と読む。【軌《き》】も同じものを指す漢字だが、現在では「軌道《きどう》」のように、車の進行を導く〝レール〟をいうことが多い。

いろんな部品があるんだなあ…

《車》の世界を構成する第三のグループは、〝車の一部分〟を指す漢字である。たとえば、「わ」と訓読みする【輪《りん》】は、本来は〝車の回転する部分全体〟。【軸《じく》】は、〝車の回転の中心となる棒〟を指す。「直轄《ちょっかつ》」の【轄《かつ》】は、もともとは〝車輪が軸から外れないようにする金具〟のこと。〝外れないようにする〟ところから、〝管理する〟という意味で使われる。また、現在ではほとんど使われないが、〝車輪の中心にあって、軸が通っている部分〟を指す【轂《こく》】という漢字もある。

【輻《ふく》】は、〝車輪のまわりと中心をつなぐ棒〟で、自転車の車輪などに見られる〝スポーク〟のこと。「輻射熱《ふくしゃねつ》」とは、〝スポークのように一か所から広がっていく熱〟をいう。「輻輳《ふくそう》する」とは〝スポークのように一か所に集まる〟という意味で、【輳《そう》】は〝集まる〟ことを表す。

ついでながら、同じように〝集まる／集める〟ことを意味する漢字には【輯《しゅう》】もある。「編輯《へんしゅう》」のように使われるが、現在では「編集《へんしゅう》」と書くのが一般的である。

〝馬車の部品〟を表す漢字もある。〝馬をつなぐために、馬車の本体から伸びている棒〟を指すのが【轅《えん》】で、「ながえ」と訓読みする。【軛《やく》】は、その先に付けてある〝馬をつなぐための器具〟。訓読みでは「くびき」と読み、〝行動を制約するもの〟のたとえとして、「改革運動《かいかくうんどう》の軛《くびき》となる」のように使われることがある。

なお、【轡《ひ》】は、日本語では「くつわ」と訓読みして〝馬の口に付ける金具〟を指すが、本来は〝馬に付けるたづな〟のこと。部首《車》に分類されているからには、本来は馬車で用いる〝たづな〟を表すものと思われる。

このほか、「比較《ひかく》」の【較《かく》】は、もともとは〝馬車の車体に取り付けた手すり〟。木材を交差させて造られていたところから、〝突き合わせる〟〝比べる〟という意味になったという。また、【輔《ほ》】は、〝馬車の車体を補強するための棒や板〟を表す漢字だったらしい。〝補強する〟ところから〝助ける〟という意味で使われるようになり、「すけ」と訓読みして人名でよく用いられる。

以上のように、〝車の部品〟を表す漢字は多く、漢和辞典では図解して説明するのが定番になっているくらいである。中には、「軸」「轄」「較」のように、〝車〟を離れた場面でも広く使われているものもある。それは、現代の日本語で、「ハンドル」「ブレーキ」「アクセル」「ギア」などが〝自動車〟を離れた場面でも用いられるのと、似た現象。〝車〟の構造は、昔から人びとの興味の的であったようである。

漢字としては後から生まれた

部首《車》には、以上に見てきた〝車〟〝車に関する行動・状態〟〝車の一部分〟の三つには分類できない漢字も存在している。それは【轆《ろく》】【轤《ろ》】で、二文字合わせて「轆轤《ろくろ》」の形で、〝陶器を作るときなどに使われる回転台〟を表す。歴史的に見れば、〝ろくろ〟の方が〝車〟の原型だと考えられるらしいが、漢字の世界では、《車》から「轆轤」が派生する結果になっている。

なお、「軟《やわ》らかい」と訓読みする【軟《なん》】は、大昔は【輭《なん》】と書かれた漢字が変形したものだというが、《車》が付いている理由については、なかなか説得力のある解釈がないのが現状。ついでながら、「斬《き》る」と訓読みする「斬《ざん》」の成り立ちには諸説があるが、意味の上から、〝大きな刃物〟を表す部首《斤（おの）》（p103）に分類される。

また、「輝《かがや》く」と訓読みする【輝《き》】は、意味の上からは《光》

（p23）を部首としたいところ。しかし、そんな部首は現在では存在しないので、形の上から便宜的に《車》に分類するのがふつうである。

最後に、部首の名前としては「くるま」が基本。漢字の左側、「へん」と呼ばれる位置に現れることが多く、その場合には「くるまへん」ともいう。

舟

［名称］ふね、ふねへん
［意味］①船　②船に関する行動・状態　③船の一部分

時代の荒波を越えて

水の上を移動するための乗りもの〝ふね〟を表す【舟】《しゅう》は、古代文字では図のような形。〝ふね〟の絵から生まれた漢字だと考えられているが、かなり単純な形をしている。同じく乗りものの〝車〟を表す「車」《しゃ》の古代文字が複雑な形をしているのとは、対照的である。

部首《舟》は、〝ふね〟に関係することを表す。【船】《せん》は、基本的には「舟」と同じものを指すが、「船」の方が比較的大きくて複雑な構造のものを指す傾向がある。また、「消防《しょうぼう》艇《てい》」の【艇】《てい》は、〝比較的小さくてスピードが出る船〟。「戦《せん》艦《かん》」の【艦】《かん》は、〝戦争に使う船〟。「舶来品《はくらいひん》」の【舶】《はく》は、〝広い海を渡る大きな船〟。また、船を数えるときに使う【艘】《そう》という漢字もある。

【艀】《ふ》は、〝小さな船〟を意味する漢字。日本語では「はしけ」と訓読みして〝大きな船と陸地の間を往復して、モノや人を運ぶ船〟を指して使われる。

このように、さまざまな種類の〝船〟を表す漢字が現在でも使われ続けているのは、部首《舟》の特徴。部首《車》にもさまざまな種類の〝車〟を表す漢字は含まれているが、そのほとんどは現在では用いられなくなっている。部首としては、《車》よりも《舟》の方が、近代化にうまく対応できたということになる。逆にいえば、自動車の発明はそれほどに革命的な意味を持っていた、ということかもしれない。

なお、【艝】は日本語オリジナルの漢字で、〝雪の上を走る舟〟というところから、「そり」と訓読みする。

一方、〝船に関する行動・状態〟を表す漢字もある。代表的な例は、「航海《こうかい》」の【航】《こう》。【舫】《ほう》は、本来は〝船同士をつなげる〟という意味。日本語では「舫《もや》う」と訓読みして、船同士だけでなく〝船を港などにつなぐ〟という意味でも使われる。また、〝出航の準備をする〟ことを表す【艤】《ぎ》という漢字もあり、「艤装《ぎそう》」とは〝就航に必要なさまざまな装備を取り付ける〟ことをいう。

なお、【般】《はん》は、「一般《いっぱん》」「先般《せんぱん》」「諸般《しょはん》の事情《じじょう》」のように用いられて、〝さまざまなものごと〟を表す漢字。本来は〝船を動かしてものを運ぶ〟という意味だったのではないかと思われるが、現在のような使われ方がされるようになった経緯については、よくわからない。

また、〝船の一部分〟を指す漢字もある。【舵《だ》】は〝船の進行方向を決める装置〟で、「かじ」と訓読みする。【艪《ろ》】は、〝船を漕ぐのに使う器具〟。【舷《げん》】は、〝船の側面〟。【舳《じく》】は「へさき」と訓読みして〝船首〟を、【艫《ろ》】は「とも」と訓読みして〝船尾〟を指す。また、〝船の内部の収納スペース〟を表す【艙《そう》】という漢字もあり、「船艙《せんそう》」のように使われることがある。

部首の名前としては、「ふね」と呼ばれるのが基本。漢字の左側、いわゆる「へん」の位置に現れることが多く、その場合には「ふねへん」ともいう。

なお、《舟》は変形して《月（ふなづき）》（次項）の形になることがある。「朝《あさ》」「服《ふく》」「朕《ちん》」の以前の正式な書き方「朝《あさ》」「服《ふく》」「朕《ちん》」などがその例。ただし、《月》の形を部首とする漢字は、意味の上では〝舟〟との関係がはっきりしないものばかり。漢和辞典では昔から、部首《月（つき）》（p336）の中に含めて扱われるのが一般的となっている。

月

［名称］ふなづき
［意味］舟

謎の幽霊船現る？

《舟》（前項）が変形した形。《月（つき）》（p336）と形がよく似ているので、区別するために「ふなづき」と呼ばれる。ただし、《月》が独立した部首として扱われることは少なく、漢和辞典では、《月》を部首とする漢字も《月（つき）》の中に含めて取り扱うのが、昔からの伝統となっている。

《月》を部首とする漢字には、たとえば、「朝《あさ》」の以前の正式な書き方【朝《あさ》】がある。古代文字では図のような形をしていて、確かに「舟」の古代文字の一つ「月」が含まれている。が、成り立ちには諸説があり、意味の上での〝舟〟との関係もはっきりしない。

また、「服《ふく》」の以前の書き方【服《ふく》】や、王や皇帝・天皇が自分を指すときに用いる「朕《ちん》」の以前の書き方【朕《ちん》】も、古代文字ではそれぞれ図の右側と左側のような形をしていて、「舟」の古代文字を含んでいる。しかし、意味の上での〝舟〟とのつながりは、やはりはっきりしない。

さらに、部首は〝刃物〟を意味する《刂（りっとう）》（p101）だが、「前《まえ》」（p103）も以前は「前《まえ》」と書くのが正式で、「月」を含んでいる。本来の意味は〝切りそろえる〟ことだったと考えられているが、これまた、意味の上での〝舟〟とのつながりはよくわからない。

このほかの「月」を含む漢字としては、現在ではまず使われない漢字だが、〝安らかである〟ことを意味する「兪《ゆ》」がある。「比喩《ひゆ》」の「喩《ゆ》」や、「諭《さと》す」と訓読みする「諭《ゆ》」の以前の書き方「諭《ゆ》」などの構成要素となっているが、意味の上での

〝舟〟とのつながりは、やはりよくわからない。

以上のように、《月》を含む漢字は、意味の上では〝舟〟との関係がよくわからないものばかりとなっている。そこで、漢字の成り立ちについて独自の説を展開した白川静は、「舟」の古代文字を、〝舟〟の形ではなく、〝たらい〟のような容器だと解釈している。この説に従うと、「前」はもともとは〝たらいの中で足の爪を切りそろえる〟ことだということになりすっきりする。が、ほかの漢字については、必ずしも明解な説明ができるわけでもないようである。

なお、「勝利《しょうり》」の「勝《しょう》」、「沸騰《ふっとう》」の「騰《とう》」、「戸籍謄本《こせきとうほん》」の「謄《とう》」、「ふじ」と訓読みする「藤《とう》」などに含まれる「月」も、以前は「月」と書くのが正式。「勝」「騰」「謄」の部首は《月》のように見えるが、意味の上から、それぞれ《力》（p109）《馬》（p228）《言》（p157）に分類されている。

刃物

〝刃物〟を表す部首の代表は《刀》。《刂（りっとう）》に変形して、刑罰や出版などを含めたさまざまな意味を表す漢字を生む。また、〝武器〟を表す《戈（ほこづくり）》や《矛（むのほこ）》、〝農具〟を表す《耒（すき）》、さらには《矢》や《弓》などなど、広い意味での〝刃物〟の世界はバラエティに富んでいて、人間の器用さを映し出している。

刀

何でもかんでも切り離す

［名称］かたな
［意味］①刃物　②刃物を使った行動　③刃物を使って作られたもの

刃物は、生活のさまざまな場面で使われる便利な道具である。〝刃物〟を表す部首の《刀》も、それを反映して、〝刃物を使う〟ことに関係する多くの漢字を生み出している。

ただし、《刀》は、漢字の右側に置かれると、多くの場合は変形して《刂(りっとう)》(次項)の形となる。漢和辞典では《刂》を部首とする漢字も部首《刀》の中に含めて取り扱うのがふつうだが、最近では、この二つを別立てにしている辞書もある。

漢字【刀】《かたな》は、古代文字では図の右側のような形で、〝刃物〟の絵から生まれた漢字。図の左側は、左右が逆になっているが、その切れる部分〝は〟に向けて点を打ったもので、【刃】《じん》の古代文字。訓読みでは「は」「やいば」などと読む。「刃」は、以前は【刄】《じん》と書くのが正式であった。

転じて、〝刃物を使った行為〟をも指す。代表的な例は、「切《き》る」と訓読みする【切】《せつ》や、「分《わ》ける」と訓読みする【分】《ぶん》。「庭木《にわき》の剪定《せんてい》」の【剪】《せん》は、〝切りそろえる〟こと。また、【劈】《へき》は〝切り裂く〟ことを表す漢字で、「劈《つんざ》く」と訓読みして用いることがある。

【初】《しょ》は、「衣」が変形した《衤(ころもへん)》(p40)に《刀》を組み合わせた漢字。〝衣服を作るために布を裁ち切る〟ところから、〝ものごとが動き出したばかりの段階〟を表す。

このほか、【券】《けん》は、以前は【劵】《けん》と書くのが正式。もともとは、〝契約などの証拠として、必要事項を書き込んで二つに切り離し、お互いが保管しておいた木の札〟のこと。〝刃物を使って作られたもの〟を指す珍しい例である。

刂

［名称］りっとう
［意味］①刃物 ②刃物の状態 ③刃物を使った行動 ④その他

使い方が大事です！

部首《刀》(前項)が、漢字の右側に置かれて変形した形。縦長になっているのを〝立っている〟と見て、「りっとう(立刀)」と呼ばれている。

《刀》と同じく、〝刃物〟を表すのが基本となる。【剣】《けん》は、以前は【劍】《けん》と書くのが正式で、〝武器としての刃物〟を表す。〝刃物〟そのものを指す漢字はこれくらいだが、ほかに〝刃物の状態〟を表す漢字もある。【利】《り》は、「鋭利《えいり》」のように使うのが本来の用法で、〝刃物が鋭い〟こと。【剛】《ごう》は、〝刃物が折れたり曲がったりしにくい〟という意味。「質実剛健《しつじつごうけん》」の「剛健《ごうけん》」とは、〝丈夫で健康である〟ことをいう。

以上のような漢字もあるものの、《刂》の世界の大部分を占めるのは、〝刃物を使った行動〟を表す漢字。〝刃物〟は〝いかに使うか〟が重要であることを、よく示している。

たとえば、「刺《さ》す」と訓読みする【刺】《し》や、「刻《きざ》む」と訓読みする【刻】《こく》、「削《けず》る」と訓読みする【削】《さく》などが代表的な例。【剃】《てい》は、訓読みでは「むだ毛《げ》を剃《そ》る」のように使い、【剥】《はく》は訓読みでは「皮《かわ》を剥《は》ぐ」のように用いる。なお、「削」は、以前は「⺌」を「小」とした【削】《さく》と書くのが正式。

「割《わ》る」と訓読みする【割《かつ》】は、もともとは〝刃物を使って二つに分ける〟こと。同じような意味を持つ漢字は多く、「別《べつ》にする」の【別《べつ》】や、「解剖《かいぼう》」の【剖《ぼう》】も、もともとはその例。「判断《はんだん》」の【判《はん》】も、〝はっきりと二つに分ける〟ところから、〝はっきり区別する〟という意味で使われるようになった。「判」は、以前は正式には【判《はん》】と書いた。

このほか、「刈《か》る」と訓読みする【刈《がい》】は、〝植物を切り取る〟こと。【刮《かつ》】は、〝削ったりこすったりする〟という意味で、「刮目《かつもく》」とは〝目をこすってよく見る〟ことをいう。

また、〝刃物でえぐる〟ことを表すのが【剔《てき》】。〝えぐり出す〟ことをいう「剔出《てきしゅつ》」という熟語があるが、現在では「摘出《てきしゅつ》」と書く方が一般的である。

ひとの痛みをよく考えて…

残念なことに、〝刃物〟は人間に向けられることも少なくない。【剋《こく》】は、〝刃物を使って戦って勝つ〟という意味で、「下剋上《げこくじょう》」がその例。ただし、現在では「下克上《げこくじょう》」と書くことも多い。

「劇場《げきじょう》」の【劇《げき》】も、本来は〝激しい〟ことを表し、「劇薬《げきやく》」にその意味が残る。《刂》が付いているのは、〝刃物を持って激しく戦う〟からだという。また、「剽窃《ひょうせつ》」の【剽《ひょう》】は、本来は〝刃物を使って脅し取る〟という意味だという。

「刑罰《けいばつ》」の【刑《けい》】に《刂》が含まれているのは、肉体を傷つける昔の刑罰の名残。それを具体的に表す漢字もある。たとえば、【刎《ふん》】は〝首を切り落とす〟ことを表し、「刎《は》ねる」と訓読みする。また、〝耳を切り落とす〟ことを表す【刵《じ》】や、〝鼻を切り落とす〟ことを意味する【劓《ぎ》】、〝足を切り落とす〟ことをいう【刖《げつ》】といった漢字もある。

なお、〝非常に短い時間〟を意味する「刹那《せつな》」は古代インド語に対する当て字で、【刹《せつ》】は、本来は「殺《さつ》」（p183）と意味も読み方も同じ漢字だったと考えられている。「殺」には、「殺生《せっしょう》」のように「せつ」という音読みもある。

また、中国人の姓に使われる【劉《りゅう》】も、もともとは〝殺す〟という意味。さらに、「行列《ぎょうれつ》」の【列《れつ》】については、そもそもは〝死体を切り分けて並べる〟という意味だったとする説が優勢である。

刃の先には未来がある！

血なまぐさい話はこれくらいにして元に戻ると、《刂》の漢字の中には、現在では本来の意味からは少し離れて使われている例も多い。「刊《かん》行《こう》」の【刊《かん》】は、もともとは〝木の板に文章などを刻み込む〟こと。その板を使って印刷するところから、〝出版する〟という意味で使われる。

また、【刷《さつ》】のそもそもの意味は、〝刃物で汚れを削り落とす〟こと。転じて〝表面を払う〟という意味になり、さらに、文章などを刻み込んだ木の板にインクを付けて紙を載せ、その上を〝さっと払う〟ようにして写し取ったところから、「印刷《いんさつ》」のように用いられるようになった。

「創造《そうぞう》」の【創《そう》】は、〝刃物を使って何かを作り出す〟こと。

「制限《せいげん》」の【制《せい》】は、もともとは〝余分な部分を切り取る〟こと。その逆の意味になるのが、「過剰《かじょう》」の【剰《じょう》】。以前は【剩《じょう》】と書くのが正式で、〝刃物を使って切り取った結果、余りが出る〟ことを表す。

「解熱剤《げねつざい》」の【剤《ざい》】は、以前は【劑《ざい》】と書くのが正式。《齊》（p291）には〝完成した状態にする〟という意味があり、「剤／劑」も本来は〝切りそろえる〟ことを表す。材料を切りそろえて薬を作るところから、〝薬〟を意味するようになった。

また、「副会長《ふくかいちょう》」の【副《ふく》】は、もともとは〝二つに切り分けた片方〟を指すと考えられる。

以上のように、部首《刂》は、刑罰や出版、医療など、さまざまな分野に顔を出している。刃物を用いることで人類の可能性がいかに大きく広がったかを、よく表しているように思われる。

今となっては用途は不明

最後に、成り立ちがはっきりしない漢字をまとめておく。「法則《ほうそく》」の【則《そく》】は、古代文字では図のように書き、「貝」の部分は、〝煮炊きに使う容器〟を表す「鼎《かなえ》」（p119）の古代文字。成り立ちについては、〝鼎に法律の文章を刻み込む〟〝鼎のすぐそばで刃物を持つ〟などの説がある。

「到達《とうたつ》」の【到《とう》】の成り立ちについては、さまざまな説があって、よくわからない。が、意味からすると、〝ある場所に行き着く〟ことを表す《至》（p114）を部首とする方がふさわしいと思われる。

【前《まえ》】は、以前は【前《まえ》】と書くのが正式。もともとは〝切りそろえる〟という意味だったと考えられているが、それが〝まえ〟を表すようになった経緯には諸説がある。ちなみに、「前」が〝まえ〟を指して使われるようになった結果、もとの意味を表すため、改めて《刀》を付け加えて作られたのが「剪」（p101）である。

このほか、「潑剌《はつらつ》」は、もともとは〝水などがはねる〟ことを表す擬態語で、「潑剌」と書くのは当て字のようなもの。【剌《らつ》】の本来の意味は〝道理に背く〟ことだが、〝刃物〟との関係ははっきりしない。

ついでながら、「帰《き》」は、以前は「歸」と書くのが正式で、部首は《止》（p194）。現在の形には《止》は含まれていないので、便宜的に部首を決めざるをえない。そこで、《巾（はば）》（p44）を部首としている漢和辞典が多いが、中には《刂》に分類する辞書もある。

斤

［名称］おの、おのづくり、きん、はかり
［意味］①大きな刃物 ②大きな刃物に関する状態・行動 ③その他

力をこめて振り下ろせ！

現在ではパンの量の単位として使われる【斤《きん》】は、本来は、現在では「ちょうな」と呼ばれている刃物に近い、曲がった棒の先端に刃を付けた

刃物を表す。古代文字では図の右側のような形だが、さらにさかのぼると図の左側のような形で書かれている例もあり、〝ちょうな〟の絵から生まれた漢字だと考えられている。大昔には天秤のおもりとしても用いられたところから、重さの単位として使われるようになったという。

部首としては、〝大きな刃物〟や〝大きな刃物に関する状態・行動〟を表す。ただし、〝刃物〟を表す部首としては、《刀》(前々項)やその変形《刂(りっとう)》(前項)の方が一般的。それに対して、《斤》は、〝大きな刃物〟を使った豪快さが印象的な部首となっている。

【斧】《おの》は、〝大きな刃物〟そのもの。「断絶《だんぜつ》」の【断】《だん》は、以前は【斷】《だん》と書くのが正式で、本来は〝大きな刃物で切り離す〟こと。「斬《き》る」と訓読みする【斬】《ざん》も、同じような意味。「新《あたら》しい」と訓読みする【新】《しん》は、もともとは〝切り倒したばかりの樹木〟を指す漢字だったと考えられている。

なお、「排斥《はいせき》」の【斥】《せき》は、成り立ちがはっきりせず、《斤》との関係もよくわからない。

このほか、【斯】《し》は、漢文では「この」「これ」などと訓読みする漢字。「斯界《しかい》の先達《せんだつ》」とは、〝この世界の先輩〟をいう。本来は〝大きな刃物でばらばらにする〟ことを表していたが、大昔の中国語で〝この〟〝これ〟などの意味を表す漢字と発音が似ていたことから、当て字的に使われるようになったと考えられている。

部首の名前としては、「斤」の意味から「おの」と呼ばれる。また、漢字の右側、いわゆる「つくり」の位置によく現れるところから、「おのづくり」という名前もある。そのほか、「斤」の音読みに基づく「きん」という呼び名もあるが、《金》(p300)と紛らわしいこともあり、あまり一般的ではない。さらに、昔は天秤のおもりに使われたところから、「はかり」と呼ばれることもある。

戈

[名称]ほこづくり、ほこがまえ、かのほこ、たすき
[意味]①武器としての刃物　②武器を使った行動

平和な名前もご愛敬！

現在ではあまり使う機会がないが、【戈】《か》は、武器の一種を表す漢字。〝武器〟の代表のように使われることがあり、「兵戈《へいか》の苦《くる》しみ」とは〝戦争の苦しみ〟をいう。

古代文字では図のような形をしていて、〝長い棒の先にカギ型に刃を付けた武器〟の絵から生まれた漢字。訓読みでは「ほこ」と読むが、日本語「ほこ」は、〝棒の先に両刃の短剣をまっすぐに取り付けた武器〟を指すので、意味合いが異なる。日本語の意味通りの「ほこ」を表す部首には、《矛》(次項)がある。

部首の名前としては、漢字の右側、いわゆる「つくり」の

位置によく現れるところから、訓読みに基づいて「ほこづくり」と呼ばれる。「ほこがまえ」という名前もある。この場合の「かまえ」とは、漢字の上部から右側にかけて現れる部首を指す。

また、《矛》と区別する意味で、音読みをかぶせて「かのほこ」と呼ぶこともある。さらには、形が〝たすき掛け〟に似ているところから「たすき」という名称もある。ちょっと場違いだが、平和な雰囲気で悪くない呼び名である。

意味としては、〝武器としての刃物〟を表すのが基本。【戟《げき》】は、あるタイプの〝武器としての刃物〟を指す漢字。〝突き刺す〟ところから転じて「刺戟《しげき》」のように使われるが、現在では「刺激《しげき》」と書くのがふつう。また、【戎《じゅう》】は、本来は〝武装〟全般を表す。「えびす」という訓読みは、〝異民族〟という意味の日本語。〝武装〟から転じて、〝戦争に強い異民族〟を指すようになったものと思われる。

〝武器〟から発展して、〝武器を使った行動〟をも表す。代表的な例は「戦争《せんそう》」の【戦《せん》】で、以前は【戰《せん》】と書くのが正式。また、「警戒《けいかい》」の【戒《かい》】は、〝武器を持って敵に備える〟こと。「戯《たわむ》れる」と訓読みする【戯《ぎ》】は、以前は【戲《ぎ》】と書くのが正式。本来は〝武器を持って踊る〟という意味だったと考えられている。さらには、「殺戮《さつりく》」の【戮《りく》】のように〝無慈悲に殺す〟ことを表すぶっそうな漢字もある。

なお、【或《わく》】は、本来は〝武器を持ってある土地を守る〟ことを表す。大昔の中国語では〝不特定のもの〟を指すことばと発音が似ていたことから、当て字的に用いられて、訓読み「或《あ》る日《ひ》」のような用法が生まれた、と考えられている。

いろいろな形がありますぜ！

以上は、《戈》が直接、部首となっている漢字。これら以外に、この部首には《戈》から派生した漢字からがさらに派生した、《戈》の孫のような漢字も含まれているのが、特色になっている。

たとえば、【戊《ぼ》】は古代文字では図のような形で、やはり〝武器としての刃物〟の一種を指す漢字だったと考えられている。ただし、大昔の中国語では、「甲乙丙丁…《こうおつへいてい》」と続く十干《じっかん》の五番目〝つちのえ〟を指すことばと発音が似ていたことから、当て字的に用いられて〝つちのえ〟を指して使われるようになった。

この「戊」に「一」を組み合わせたのが【戌《じゅつ》】。こちらは、本来の意味は明らかではないが、大昔の中国語では〝十二支の十一番目〟を指すことばと発音が似ていたことから、〝十二支の十一番目〟を指して使われるようになった。訓読みでは「いぬ」と読む。

「戊」から派生した漢字には、「成功《せいこう》」の【成《せい》】もある。本来の意味については、〝戦って敵を討ち平らげる〟ことだとか〝武器を作り上げる〟ことなどの説がある。「親戚《しんせき》」の【戚《せき》】も「戊」から派生した漢字だが、成り立ちには諸説があって、よくわからない。さらには、〝女性に武器を突きつける〟ところから生まれた、「威力《いりょく》」の「威《い》」という漢字もあるが、部首としては《女》（p28）に分類するのがふつうである。

なお、現在ではあまり用いられない漢字だが、【戍《じゅ》】にも「戊」の形が含まれている。ただし、これは「戊」から派生した漢字ではなく、古代文字では図のような形で、「人」と《戈》を組み合わせたもの。〝武器を持って守る〟ことを表し、「衛戍《えいじゅ》」という熟語がある。同じく「人」と《戈》を組み合わせた漢字には、「伐《ばつ》」もある。

こちらは〝人をやっつける〟という正反対の意味になるのだから、漢字も口先がうまいようである。

また、これも実際に使われることはまずないが、【𢦏《さい》】は、〝武器で傷つける〟こと。古代文字では図のように書き、《戈》の上にくっついているのは、「才《さい》」の古代文字らしい。そこから派生したのが【截《せつ》】で、もともとは〝刃物ですぱっと断ち切る〟という意味。「直截《ちょくせつ》」とは、〝ずばりと言い切る〟ことである。

「戴《いただ》く」と訓読みする【戴《たい》】は、〝両手で高く掲げる〟という意味。「異」（p81）には、〝仮面を両手で顔に付ける〟という意味合いがあるので、意味の重点は「異」の方にあると考えられる。

ちなみに、同じく「𢦏」の形を含む漢字には、「栽培《さいばい》」の「栽《さい》」、「裁縫《さいほう》」の「裁《さい》」、「搭載《とうさい》」の「載《さい》」、「かな」と訓読みする「哉《さい》」などがある。これらの部首は、それぞれ《木》（p260）《衣》（p39）《車》（p95）《口》（p149）に分類されている。

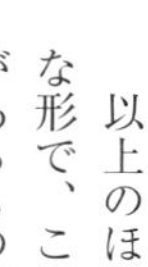

以上のほか、【我《われ》】は、古代文字では図のような形で、ここまで来ると、いろいろな形の〝戈〟があるものだと感心する。これは〝のこぎり〟のようなギザギザの刃が付いた〝戈〟らしい。〝自分〟を指して用いるのは、大昔の中国語では〝自分〟を表すことばと発音が似ていたことから、当て字的に転用されたものである。

矛

［名称］ほこ、ほこへん、むのほこ
［意味］ほこ

あんまり役に立ちませんか？

【矛《む》】は、「矛盾《むじゅん》」という熟語でおなじみ。どんなものでも突き通す「矛《ほこ》」と、どんなものにも突き破られない「盾《たて》」を売っていた商人の話から、〝つじつまが合わない〟ことをいう。

漢字「矛」は、〝棒の先に両刃の短剣をまっすぐに付けた武器〟を表す。つまりは、〝やり〟のようなもの。ただし、古代文字では図のような形をしていて、あまりそれらしい雰囲気はない。

部首として〝ほこ〟を表すが、その中の貴重な例外が【矜《きょう》】。「矜《きょう》持《じ》」という熟語で使われる漢字で、〝自信をしっかり持つ〟ことを表す。成り立ちとしては、〝ほこの柄がしっかりしている〟ところから生まれた漢字だという。

このほか、「任務《にんむ》」の「務《む》」は、「敄《む》」と部首《力》（p109）を組み合わせた漢字。「敄」は〝ほこで襲いかかるように困難に立ち向かう〟という意味だが、部首としては《攵（のぶん）》（p184）に分類されている。また、部首は《木》（p260）だが、「柔《やわ》らかい」と訓読みする「柔《じゅう》」にも「矛」が含まれている。ただし、成り立ちには諸説があって、〝ほこ〟とは関係ないとも考えられている。

部首の名前としては、訓読みに基づいて「ほこ」と呼ばれる。漢字の左側、「へん」と呼ばれる位置に現れた場合には、「ほこへん」ともいう。また、同じく「ほこ」と訓読みする《戈》（前項）と区別するため、音読みをかぶせた「むのほこ」という名前もある。

《戈》が〝武器〟全般を表してさまざまな漢字を生み出すのに比べると、《矛》は発展性に乏しい。「戈」は、もともとは〝カギ型の刃を付けた武器〟を指す漢字。その方が、〝武器〟としては役に立ったのかもしれない。

干

［名称］かん、ほす、ひる、たてかん、いちじゅう
［意味］①武器の一種 ②その他

古代文字ではみんな別

「干《ほ》す」と訓読みする【干《かん》】は、〝乾かす〟という意味で使われる。しかし、これは、大昔の中国語で〝乾かす〟という意味を表すことばと発音が似ていたことから、当て字的に転用されたものと考えられている。本来は〝長い棒の先が二股に分かれた武器の一種〟を指す漢字で、図のような古代文字には、その形が現れている。

《干》を部首とする漢字は、基本的には形の上から便宜的に分類されたものばかり。たとえば、「みき」と訓読みする【幹《かん》】では、「干」は読み方を表すはたらきをしているが、意味の上で〝武器〟と関係があるわけではない。

「平《たい》ら」と訓読みする【平《へい》】は、以前は【平《へい》】と書くのが正式。〝水辺に平らに浮かぶ浮き草〟の絵から生まれた漢字だと考える説が優勢だが、〝手斧で平らにする〟ことを表すとする解釈もある。〝浮き草〟説では、下に伸びる線が根を表していることになり、〝手斧〟説では、二つの点が〝飛び散る木片〟を表すという。

また、【年《ねん》】は、古代文字では図のように書かれ、〝穀物〟を表す「禾《か》」（p277）の下に「人」を組み合わせたもの。〝穀物を育てて刈り入れる周期〟を表す。これが変形して「季《ねん》」となり、さらに変化したのが現在の「年」である。

「幸福《こうふく》」の【幸《こう》】は、古代文字では図のような形で、〝手かせ〟の絵から生まれた漢字だと考えられている。訓読み「幸《さいわ》い」のような意味とはほ

とんど正反対だが、〝手かせから逃れる〟ことや〝手かせだけで刑罰が済む〟ところから、現在のような意味になったという。漢字の意味の変化は、時折、このようなヘリクツを編み出さないと説明できないことがある。

狼たちがつどう場所

　このほか、現在ではあまり用いられない漢字だが、〝合わせる〟ことや〝一緒に〟という意味を表す【幷《へい》】も、形の上から便宜的に部首《干》に分類される。この漢字の形を省略したのが【并《へい》】で、「并」に《亻(にんべん)》(p16)を組み合わせたのが「合併《がっぺい》」の「併《へい》」。以前は正式には「倂《へい》」と書いた。なお、「并」も便宜的に部首《干》に分類されるが、《八》(p354)に分類する辞書もある。

　部首の名前としては、音読みに基づいて「かん」と、訓読みに従って「ほす」と呼ばれる。「干」は〝水がなくなる〟という意味で「干《ひ》る」と訓読みすることもあるので、「ひる」という名前もある。また、武器としての「干」は、相手の攻撃をふせぐ〝たて〟としても使われるので、「たてかん」とも呼ばれる。さらには、漢字の「一」と「十」に分解できるところから、「いちじゅう」と呼ぶ人もいる。

　以上のように、意味の上でもまとまりがないが、名前にもいろいろあって、まとまりのなさでは際立っている部首。とはいえ、《干》を部首とする漢字には、現在でもよく使われるものが多い。一匹狼たちがたまたま、同じ部屋で暮らしている部首である。

氏

［名称］うじ
［意味］先のとがったもの

関係なさそうなありそうな…

「氏名《しめい》」の【氏《し》】は、古代文字では図の右側のような形。この形をめぐっては、〝大昔、一族のシンボルとして使われた刀〟だとか、〝先のとがったスプーン〟〝目を針でつぶされた奴隷〟などの解釈がある。

　一方、「市民《しみん》」の【民《みん》】も、かなり強引だが、部首としては《氏》に分類される。図の左側がその古代文字で、〝目を針でつぶされた奴隷〟を指す

とする解釈が優勢。また、「民」から派生した漢字に【氓《ぼう》】があり、〝移住してきた人びと〟や〝庶民〟を表す。「流氓《りゅうぼう》」とは、〝故郷を失って流浪する人びと〟のことをいう。

「民」の部首を《氏》とするのは、形の上から便宜的に分類されたもの。ただし、「氏」と「民」を共通の成り立ちを持つ漢字だと考える説もある。そこで、以上をすべてひっくるめて、部首《氏》の持つ意味合いをあえて探すとすれば、〝先のとがったもの〟を表す、ということになるのだろう。

「氏」も「民」も、〝人間の集団〟に関わる重要な漢字。とすれば、部首の分類ではこの二つが同居しているのも、あな

がち、意味のないことではなさそうである。

耒

［名称］すき、すきへん、らいすき
［意味］①土を掘り返す道具 ②土を掘り返す ③その他

土の匂いが立ちこめる…

現在ではあまり使うチャンスがないが、【耒《らい》】は〝土を掘り返す農具〟を表し、訓読みでは、この農具を指す日本語で「すき」と読む。形としては、長い棒の先に薄い金属の刃が付いたもの。古代文字では図のように書くので、刃がフォークのように分かれているものを指すとする説もあるが、そこにはこだわらない解釈もある。

部首《耒》は、〝土を掘り返す農具〟を表す。やはり〝すき〟を表す【耡《じょ》】や、〝牛や馬に引かせて土を掘り返す農具〟を意味する【耙《は》】、〝すきの刃〟を指す【耜《し》】といった漢字があるが、残念ながら、現在ではあまり使われないものばかりである。

転じて、〝土を掘り返す〟ことをも表す。こちらの意味では、我々に親しみのある漢字もあって、「耕《たがや》す」と訓読みする【耕《こう》】がその例。また、「耕耘機《こううんき》」の【耘《うん》】は、〝耕す〟ことや〝草を取り除く〟ことをいう。

このほか、「消耗《しょうもう》」の【耗《もう》】の成り立ちははっきりしないが、もともとは〝穀物〟を表す《禾（のぎへん）》（p277）を用いた「秏《もう》」と書かれた、とする説が優勢。だとすれば、〝穀物の細かい毛〟に関係する意味を表していたのだろう。ちなみに、この漢字の本来の音読みは「こう」だが、現在では「もう」と読まれることが多くなっている。

なお、「耕」や「耗」では、一番上の横棒が水平になった《耒》という形になっているが、厳密にいうと、以前は《耒》の形を使うのが正式。ただし、古代文字の形からすれば、ほかの横棒も斜めに書かなくてはいけないはずなので、あまり気にしなくてもよいかとも思われる。

部首としては、訓読みに基づいて「すき」と呼ぶのがふつう。漢字の左側、いわゆる「へん」の位置に現れた場合には「すきへん」ともいう。また、音読みをかぶせた「らいすき」という名前もある。

力

［名称］ちから、りきづくり
［意味］①ものごとを行う力 ②力を出して何かをする ③何かに影響を与える ④成果を生む ⑤その他

力こぶか？それともフォークか？

たくましい腕をグイッと曲げると、筋肉が盛り上がり、筋が浮き出る。【力《ちから》】は、もともとはそのようすを絵にした漢字だと考えられてきた。古代文字を二つばかり挙げると図のような形で、確かにそのように見えないこともない。

それに対して、漢字研究に大きな業績を挙げ

た白川静は、この形を農具の〝すき〟の絵だと解釈し、本来は〝力をこめて農作業をする〟ところから〝力〟という意味になったと説明する。そう言われてみると、フォークのように先が三つに分かれているところなど、いかにも〝すき〟に見えるから、漢字とは不思議なものである。

それはともかく、部首《力》は、〝ものごとを行う力〟を表すのが基本となる。「勢《いきお》い」と訓読みする【勢《せい》】は、〝ものごとを行う力〟そのもの。「勝《か》つ」と訓読みする【勝《しょう》】は、以前は【勝《しょう》】と書くのが正式で、〝相手よりも力がある〟こと。「劣《おと》る」と訓読みする【劣《れつ》】は、〝力がない〟ことを表す。

なお、「幼《おさな》い」と訓読みする「幼《よう》」については、〝小さい〟ことや〝かすかな〟ことを表す部首《幺（いとがしら）》（p52）に分類するのが一般的。ただし、もともとは〝力がない〟ことだと考えて、《力》を部首とする辞書もある。

「勇気《ゆうき》」の【勇《ゆう》】は、以前は上半分が「甬」になった【勇《ゆう》】と書くのが正式で、〝ものごとを行う気力に満ちている〟こと。また、【勁《けい》】は〝力が強い〟という意味で、「つよし」などと訓読みして人名に使われることがある。

転じて、〝力を出して何かをする〟ことをも表す。「運動《うんどう》」の【動《どう》】が、わかりやすい例。「労働《ろうどう》」の【労《ろう》】は、以前は【勞《ろう》】と書くのが正式で、〝力を出して仕事をする〟こと。また、「勃興《ぼっこう》」の【勃《ぼつ》】は、〝急に力を出して何かを始める〟という意味を表す。

「努力《どりょく》」の【努《ど》】は、〝一生懸命に何かをする〟こと。「勉《べん》強《きょう》」の【勉《べん》】は、以前は、「免」の下の左払い「丿」を上からつなげた【勉《べん》】と書くのが正式。〝無理をして何かをする〟ことを表す。

「任務《にんむ》」の【務《む》】は、本来は〝ある役割をしっかり果たす〟こと。成り立ちとしては、〝困難に立ち向かう〟という意味の「敄《む》」に、《力》を組み合わせたもの。「勤務《きんむ》」の【勤《きん》】は、〝毎日の仕事をきちんと行う〟ことで、以前は「艹」の部分を「廿」にした【勤《きん》】と書くのが正式であった。

このほか、「励《はげ》む」と訓読みする【励《れい》】は、以前は正式には【勵《れい》】と書き、〝熱心に行う〟という意味。「勘案《かんあん》」の【勘《かん》】は、〝よく考える〟ことを表す。

結果が出るよう がんばります！

以上とは少し異なるが、部首《力》の中には、〝力を出して何かに影響を与える〟ことを意味する漢字もある。たとえば、訓読みでは「数《かず》を加《くわ》える」「手《て》を加《くわ》える」のように使う【加《か》】や、「助《たす》ける」と訓読みする【助《じょ》】が、その例である。

また、「勧告《かんこく》」の【勧《かん》】は、以前は【勸《かん》】と書くのが正式で、〝他人が何かをするように導く〟という意味。「募集《ぼしゅう》」の【募《ぼ》】は、〝何かをするために人を集める〟ことを表す。

相手に対する〝影響〟が、もっと強くなることもある。たとえば、【劾《がい》】は「弾劾《だんがい》」という熟語で使われ、〝他人を強く非難する〟こと。「詔勅《しょうちょく》」の【勅《ちょく》】は、〝王や皇帝・天皇が命令する〟こと。【劫《ごう》】の本来の意味は、〝強奪する〟ことや〝脅迫する〟こと。「未来永劫《みらいえいごう》」のように使われるのは、古代インド語で〝非常に長い時間〟を指すことばに対する当て字に由来する。

また、影響を与えた結果として、〝成果を生む〟ことに関係する漢字もある。「効果《こうか》」の【効《こう》】や、「功績《こうせき》」の【功《こう》】がその例。「勲章《くんしょう》」の【勲《くん》】は、〝すばらしい成果〟。形の上からは《灬（れっか）》（p341）が部首のようにも見えるが、意味の上からは、部首《力》に分類するのがふつう。以前の正式な書き方【勳《くん》】では、そのことがはっきりと現れている。

このように、部首《力》は、単なる〝力〟ではなく、それがどのような影響をまわりに与え、どのような成果をもたらすのかまでを含めて表している。〝力〟を使う際には、その影響や成果をきちんと考えておく必要があるのである。

なお、「弥勒菩薩《みろくぼさつ》」の「弥勒《みろく》」は、古代インド語に対する当て字で、【勒《ろく》】の本来の意味は、〝馬の顔にかける革ひも〟。漢和辞典では伝統的に《力》を部首としているが、意味の上からは、〝革製品〟を表す部首《革》（p252）に分類する方が、ふさわしいと思われる。

部首の名前としては、単に「ちから」と呼ぶのが一般的。漢字の右側、いわゆる「つくり」の位置に置かれることが多く、その場合には、「力」の音読みをかぶせて「りきづくり」ということもある。

辰

［名称］たつ、しんのたつ
［意味］土を掘り返す農具

【辰《しん》】は、「たつ」と訓読みして、〝十二支の五番目〟を指す漢字として使われる。

おもしろさとむずかしさ

ただし、これは、大昔の中国語では〝十二支の五番目〟を指すことばと発音が似ていたことから、当て字的に転用されたもの。古代文字では図のように書き、この奇妙な形は〝二枚貝が貝殻の間から足を出している〟絵だという。その意味を残しているのが「蜃気楼《しんきろう》」の「蜃《しん》」で、〝伝説上の大きな二枚貝〟を表す。ただし、この漢字は部首《虫》（p246）に分類される。

一方、「振《しん》」や「震《しん》」のように、「辰」を含む漢字には〝細かく動く〟という意味が共通している。「唇《くちびる》」も話すときに〝細かく動く〟し、「妊娠《にんしん》」中には、お腹の中で胎児が〝細かく動く〟。そこで、二枚貝が貝殻の間から出した足が〝細かく動く〟ところから、「辰」は〝細かく動く〟という意味を表すようになった、と考えられている。とはいえ、これらの漢字の部首も、《辰》ではない。

部首《辰》の漢字としては、「農業《のうぎょう》」の【農《のう》】が挙げられる。この漢字では、《辰》は〝二枚貝の貝殻を使って作った、土を掘り返す農具〟を表すと説明されている。まだ金属が使われていなかった時代に、刃が大きな貝殻でできていたスコップがあった、と想像すればいいのだろう。

「屈辱《くつじょく》」の【辱《じょく》】も、本来は、その農具を用いて〝土を掘り返したり、草を刈り取ったりする〟ことを表す漢字だという。とはいえ、それが〝恥ずかしい〟という意味になった経緯については、諸説があってよくわからない。

このように、部首ではない場合の「辰」は、漢字の成り立ちの意外性と論理性を満喫させてくれる。しかし、部首《辰》になると、とたんに説明が苦しくなる。漢字のおもしろさとむずかしさの両方を、よく表しているといえるだろう。

なお、部首の名前としては、訓読みに基づいて「たつ」と呼ぶのがふつう。ただし、《龍》(p250)や《立》(p25)とまぎらわしいので、音読みをかぶせた「しんのたつ」という名前が使われることも多い。

矢

［名称］や、やへん
［意味］①矢　②まっすぐである　③短い　④その他

曲がっていてはきちんと飛ばない

【矢《や》】は、古代文字では図のように書き、弓につがえて飛ばす〝や〟の絵から生まれた漢字。部首としても「や」と呼ばれる。また、漢字の左側、「へん」の位置に置かれることが多く、その場合は「やへん」ともいう。

意味としては〝矢〟を表すのが基本だが、その例は少なく、現在でも日常的に使われる漢字の中にはほとんどないといっていい。では、どのような漢字が含まれるかというと、まず挙げられるのは、〝矢〟の形から発展した、〝まっすぐである〟という意味に関係する漢字である。

「矯正《きょうせい》」の【矯《きょう》】は、本来は〝曲がった矢をまっすぐにする〟こと。【矩《く》】は、もともとは、まっすぐな線を引くための〝定規〟。転じて〝四角形〟という意味にもなり、「矩形《くけい》」とは〝四角形〟のことをいう。また、「知識《ちしき》」の【知《ち》】の成り立ちについては諸説あるが、一説によれば、〝まっすぐに言い当てる〟ところから生まれた漢字だという。

一方、【短《たん》】は〝短い〟ことを表す漢字で、もともとは〝短い矢〟を指していたという。同じく〝短い〟ことに関係する漢字には、【矮《わい》】もある。本来は〝背が低い〟という意味で、「矮小《わいしょう》」は〝標準的なサイズに比べて小さい〟という意味。この二つからすると、部首《矢》には〝短い〟という意味もあると考えられる。〝短い矢〟というものに、なにか特別な意味があったのかもしれない。

以上のほか、【矣《い》】は、現在の日本語ではまず使われないが、漢文ではお目にかかることがある漢字。文末に置かれて、断定や詠嘆などの強い調子を表す。ただし、成り立ちの上では〝矢〟とは関係がないとする説が有力である。

弓

［名称］ゆみ、ゆみへん
［意味］①弓 ②弓に関する行動・状態 ③巻き付いたひも ④その他

身近で大切なものだから…

現在ではスポーツだが、〝弓〟は、かつては強力な武器であり、食糧を得るための重要な道具でもあった。【弓】《ゆみ》の古代文字は図のような形で、〝弓〟の絵から生まれたことがよくわかる。身近な道具であったことを反映して、意外と多くの日常的な漢字を生み出している。

部首としては「ゆみ」と呼ばれるほか、漢字の左側、いわゆる「へん」の位置に置かれることが多く、その場合には「ゆみへん」ともいわれている。

部首《弓》の基本的な意味は、もちろん〝弓〟。代表的な例は「弧《こ》を描《えが》く」のように使う【弧】《こ》で、もともとは〝弓〟のこと。転じて、〝弓なりの形〟を表す。また、【弦】《げん》は、本来は〝弓のつる〟を指す。

〝弓〟の一種には、Y字型の柄につるを張って、石ころなどを飛ばす〝パチンコ〟もある。「銃弾《じゅうだん》」の【弾】《だん》は、もともとはパチンコで飛ばす〝たま〟を指す漢字。以前は正式には【彈】《だん》と書いた。また、【弩】《ど》は、訓読みでは「いしゆみ」と読み、大型で威力の強い、機械仕掛けの弓をいう。

〝弓に関する行動・状態〟を表す漢字も多い。「強《つよ》い」と訓読みする【強】《きょう》と、「弱《よわ》い」と訓読みする【弱】《じゃく》は、どちらも本来は〝弓の威力〟に関係する漢字。以前は、「強」は【强】《きょう》と、「弱」は【弱】《じゃく》と書くのが正式であった。

「引《ひ》く」と訓読みする【引】《いん》は、〝弓のつるを引く〟こと。「張《は》る」と訓読みする【張】《ちょう》は、〝弓のつるをたるまないようにする〟こと。これらの漢字は、〝弓〟を元にしながらも広い意味で使われていて、部首《弓》の世界の広がりを示している。それは、〝弓〟がいかに身近で、大切なものであったかを表しているといえるだろう。

また、【弛】《し》は「弛緩《しかん》」という熟語で使われ、〝ゆるむ〟〝たるむ〟という意味。また、少しむずかしい漢字だが、【彎】《わん》は〝弓なりになる〟ことを表す。「彎曲《わんきょく》」という熟語があるが、現在では「湾曲《わんきょく》」と書くことも多い。この漢字は、形を省略して【弯】《わん》と書かれることもある。

【弥】《び》は、以前は【彌】《び》と書くのが正式。現在では「や」「いや」と訓読みして人名や地名で使われることが多いが、本来は〝広がっていく〟という意味。成り立ちには諸説があるが、〝弓の端から端へとつるを掛ける〟ことと関係があると考えられている。

また、「ひろし」「ひろ」などと訓読みして人名で使われる【弘】《こう》も、成り立ちには諸説がある。もともとは〝弓をしっかり張る〟ことだとか、〝弓のつるが鳴る音が遠くへ広がる〟ことを表すなどという。

ところで、【弟】《てい》の部首も《弓》だが、意味の上では〝弓〟とは関係がありそうもない。古代文字では図のような形で、〝棒にひもなどを巻き付けたようす〟だと考えられている。順序よく巻き付けるところから〝上下の順序〟を表すようになり、やがて、〝年下の者〟を指すようになった。

巻き付けたり払いのけたり…

似たような成り立ちの漢字に、【弗】《ふつ》がある。現在では、通貨「ドル」を表す記号「$」の代わりに使われるくらいだが、本来は〝○○ではない〟という打ち消しの意味を表す。

古代文字では図のように書き、〝二本の棒にひもなどが巻き付いたようす〟だと考えられている。ひもなどを棒で払いのけるところから、打ち消しの用法が生じたという。

また、「弔《とむら》う」と訓読みする【弔】《ちょう》も、古代文字では図のように書かれる。「弟」や「弗」の古代文字と似ているが、この漢字の成り立ちには諸説があって、よくわからない。

至

［名称］いたる
［意味］ある場所に行き着く

目標を持って進みましょう

「至《いた》る」と訓読みする【至】《し》は、部首《土》（p294）に分類すればよさそうだが、意外なことに、独立した部首となる。古代文字では図のような形をしていて、〝矢が地面に突き刺さっている形〟から生まれた漢字だ、と考えられている。

「矢」の古代文字「」と比べてみると、なるほど、と思わせられる。〝矢が届く〟ところから、〝あるところに行き着く〟という意味で用いられる。

部首としては〝ある場所に行き着く〟ことを表す。「招《しょう》致《ち》」の【致】《ち》は、〝目的地まで移動させる〟という意味。なお、この字の「夂」は、本来は〝移動する〟ことを表す「夂」（p198）で、以前は正式には【致】《ち》と書いた。

また、「到達《とうたつ》」の「到《とう》」の部首は、ふつうは《刂（りっとう）》（p101）に分類されているが、意味の上からは《至》を部首とする方が適切かと思われる。

このほか、「台《だい》」の以前の正式な書き方【臺】《だい》は、「高」と《至》を組み合わせた形が変化したもの。本来は〝物見台〟を指す漢字で、一説によれば、この場合の《至》は〝人がやってくる〟ことを指すという。

部首《至》の漢字で、現在でも使われるものは以上くらいのもの。ただし、大きめの漢和辞典を開くと、〝やってくる〟ことを表す【臵】《かく》や【臻】《しん》、〝再びやってくる〟という意味の【臶】《せん》といった漢字も見つけることができる。あるところを目標として〝行き着く〟ことは、やはり大切。そのことを思い出させてくれる部首となっている。

弋

［名称］しきがまえ、よく
［意味］①いぐるみ ②くい ③その他

どっちなのか はっきりしてよ…

現在ではあまり見かけない漢字だが、【弋】《よく》は、「いぐるみ」と呼ばれる〝ひもを付けた矢〟を表す。また、地面に打ち込む棒〝くい〟を指すこともある。古代文字では図のような形をしていて〝くい〟に近いと思われるが、意味としては〝いぐるみ〟も重要。

そこから転じて〝狩りをする〟という意味にもなり、軍艦などが〝敵に備えてあちこちを移動する〟ことを表す「遊弋《ゆうよく》」という熟語がある。

《弋》を部首とする漢字は少ないが、〝いぐるみ〟に関係する漢字と〝くい〟に関係する漢字の両方が含まれている。だが、残念なことに、現在では使われることがないものがほとんどである。

その中で、唯一、現在でもよく用いられるのは【式】《しき》。「入学式《にゅうがくしき》」「方程式《ほうていしき》」のように使われ、基本的には〝決まったやり方〟を表す。《弋》に「工」を組み合わせた漢字で、成り立ちには諸説があり、〝くい〟と〝工具〟とで〝道具で何かを作る〟ことを表すとか、〝いぐるみと工具を使った儀式〟を表すなどという。

このほか、「二《に》」の代わりに使われることがある【弐】《に》も、部首としては《弋》に分類される。ただし、以前は「貳《に》」と書くのが正式で、部首は《貝》（p242）。「武《ぶ》」の部首が《止》（p194）であることを考えると、「弐」も部首《二》（p353）に分類した方がいいかもしれない。

また、【弌】《いち》【弍】《に》【弎】《さん》は、それぞれ「一《いち》」「二《に》」「三《さん》」と読み方も意味も同じ漢字だというが、なぜ《弋》が付いているのかは、よくわからない。

なお、「弑逆《しいぎゃく》」のように使われて、〝地位が低い者が地位が高い者を殺す〟ことを表す【弑】《しい》も、形の上から便宜的に部首《弋》に分類される。

以上のように、部首としての《弋》の存在意義は、現在では、ほとんど「式」一文字にかかっているといってもいいくらい。にもかかわらず、「式」の成り立ちがいまひとつはっきりしないのは、ちょっと残念である。

部首の名前としては、「しきがまえ」と呼ばれることが多い。「かまえ」とは、漢字の三方または四方を取り巻くような部首を指すが、ここでは例外的に使われたもの。もう一つの名前「よく」は、「弋」の音読みに由来する。

容器

我々の身の回りは、〝いれもの〟であふれている。ただ、数ある〝いれもの〟の中でも人類が最初に作り出したのは、食事に使う〝いれもの〟だったに違いない。《皿》《缶（ほとぎ）》《鼎（かなえ）》《匕（さじのひ）》などには、〝食事〟に関係する漢字が多く含まれている。このほか、〝箱〟を表す《匚（はこがまえ）》や、〝ふた〟を指す《襾（かなめのかしら）》といった部首もある。

皿

［名称］さら
［意味］①あまり深くない容器 ②それなりの深さの容器 ③容器の中身の状態 ④容器の中身に関する行動

深さをめぐるお話

食べものや飲みものを入れる容器にはさまざまな形のものがあるが、日本語で「さら」といえば、その中でも〝平たい容器〟を指す。ただし、漢字【皿《さら》】は、もう少し深さがあるものまで含めて表す。

古代文字では図のような形をしていて、それなりの深さがあることがよくわかる。

部首としての《皿》は、〝あまり深くない容器〟を表す。【盆《ぼん》】は、現在では、ほぼ平面で上にものを載せて使うが、もともとは洗面器のような〝あまり深くない容器〟を指す漢字。「覆水盆《ふくすいぼん》に返《かえ》らず」ということわざも、そう考えて初めて理解できる。また、【盤《ばん》】も、現在では〝ディスク〟という意味合いで用いるが、本来は〝大型であまり深くない容器〟のことである。

【盃《はい》】は、〝お酒を飲むときに使う、小さくてあまり深くない容器〟で、「杯《はい》」（p265）と読み方も意味も同じ。【盥《かん》】は、訓読みでは「たらい」と読み、〝手を洗ったり洗いものをしたりするときに使う、あまり深くない容器〟を指す。

〝容器〟に関連する部首としては、ほかに、主に〝それなりの深さがある容器〟を表す《缶》（次項）がある。目的に応じて形の異なる〝容器〟を作るのは、文化がある程度、発展していればこそだろう。《皿》と《缶》という二つの部首の存在は、漢字を生み出した文化の成熟の度合いを示しているように思われる。

しかし、〝あまり深くない〟か〝それなりに深い〟かは、見方によって変わってくるもの。そこで、部首《皿》の漢字にも、〝それなりに深い容器〟が混じってくることになる。たとえば、「飯盒《はんごう》」の【盒《ごう》】は、本来は〝ふた付きのあまり深く

容器

ない容器〟を指すが、現在、「飯盒炊爨《はんごうすいさん》」で使われる容器は、かなり深さがある。

また、仏教の「盂蘭盆《うらぼん》」は古代インド語に対する当て字で、【盂《う》】は、もともとはある種の〝容器〟を指す。遺跡から出土する青銅器の「盂」を見ると、それなりの深さがある。さらに、韓国人の姓によく見られる【盧《ろ》】は、もともとは〝つぼ〟の一種を表していたようである。

中には何が入っているの？

深さに関する話はともかくとして、部首《皿》には、〝容器の中身の状態〟に関する漢字も含まれる。代表的な例は、「盛《も》る」と訓読みする【盛《せい》】で、〝容器をいっぱいにする〟という意味。似たような意味を表す漢字に【盈《えい》】があり、「みちる」「みつる」などと訓読みして、人名に使われることがある。

「利益《りえき》」の【益《えき》】は、以前は【益《えき》】と書くのが正式。上半分は「水」を横倒しにした形で、本来は〝容器から水があふれそうになる〟ことを表すという。転じて〝増える〟という意味となり、その結果、もとの意味を表す漢字として、〝水〟を表す部首《氵》(p318)を付け加えて新たに作られたのが、「溢《あふ》れる」と訓読みする「溢《いつ》」である。

これらとは反対に、〝容器の中身がなくなる〟ことを表すのが【盡《じん》】。「尽《つ》きる」と訓読みする「尽《じん》」の以前の正式な書き方である。

以上のほか、部首《皿》の漢字の中には、〝容器の中身に関する行動〟を表すものも存在している。「監督《かんとく》」の【監《かん》】はその例で、〝見下ろす〟ことを意味する「臣《しん》」(p145)も含んでいて、もともとは〝容器に張った水を上からのぞき込む〟こと。自分の姿を映して見るところから、〝おかしなところがないかチェックする〟という意味となった。

「盗《ぬす》む」と訓読みする【盗《とう》】は、以前は【盜《とう》】と書くのが正式。上半分は「次」ではなく「㳄」で、〝人がよだれを垂らしている形〟だという。部首《皿》と組み合わせて、本来は〝容器に入ったごちそうを欲しがる〟という意味だったと考えられている。

また、大昔の中国では、固い約束を交わすときに、容器に入れた血をすすり合う習慣があった。「同盟《どうめい》」の【盟《めい》】はそこから生まれた漢字で、〝固い約束を交わして仲間になる〟という意味。ちなみに、その際の〝容器に入れた血〟を表すために、「皿」の上に〝血〟を表す点を付け加えた漢字が「血《けつ》」。「皿」から派生した漢字ではあるが、独立した部首《血》(p213)として扱われる。

缶

[名称]ほとぎ、ほとぎへん

[意味]①それなりの深さがある容器 ②容器の中身の状態

スタイルが気になるなぁ…

「缶詰《かんづめ》」の【缶《かん》】は、以前は【罐《かん》】と書くのが正式で、〝円筒形の容器〟を表す漢字。「缶」

はその略字として使われたものである。

だが、それとは別個に、もともと「缶」という形をして、音読みでは「ふ」と読む漢字があった。こちらは、古代文字では図のように書き、〝胴がふくれた容器〟を表す。訓読みでは、その容器を表す日本語を使って「ほとぎ」と読む。

部首《缶》となるのは、この「ほとぎ」と訓読みする「缶《ふ》」。部首としては〝それなりの深さがある容器〟を表す。現在ではほとんど使われることはないが、〝お酒を入れておく容器〟を表す【罍《らい》】や、〝お金を貯めておく容器〟を指す【缿《こう》】といった漢字がある。

現在でも多少とも用いられる可能性がある漢字としては、【罅《か》】がある。〝容器にできた裂け目〟を意味する漢字で、訓読みすれば「ひび」。また、【缺《けつ》】は〝容器の一部が壊れる〟ことをいい、「欠《か》ける」と訓読みする「欠《けつ》」の以前の正式な書き方。これらは〝容器の状態〟を表す例だと考えることができる。

〝容器〟を表す部首には《皿》(前項)もあるが、《皿》は主に〝あまり深くない容器〟を指すのに対して、《缶》は〝それなりの深さがある容器〟をいうのが、異なるところ。また、《皿》には〝容器の中身〟に関する漢字が含まれているのに対して、《缶》には〝容器そのもの〟に目を付けた漢字が存在しているのも、興味深い点である。

なお、ものを煮炊きするのに用いる三本脚の容器〝かなえ〟を表す《鼎(かなえ)》(次々項)《鬲(れき)》(p120)も、〝容器〟に関連する部首。さらに、昔の〝容器〟の多くは土器だったため、部首《土》(p294)や、〝土器〟を意味する部首《瓦》(次項)の中にも、〝容器〟に関連する漢字が含まれている。

部首の名前としては、訓読みに基づいて「ほとぎ」と呼ばれる。漢字の左側、いわゆる「へん」の位置に置かれた場合には、「ほとぎへん」ということもある。

瓦

固めて焼いたらできあがり!

[名称]かわら
[意味]①素焼きの土器 ②重さの単位

【瓦《かわら》】といえば、屋根の上面に用いる〝かわら〟のことだが、「瓦礫《がれき》」や「煉瓦《れんが》」のように音読みした場合には、〝素焼きの土器〟を指すことが多い。古代文字では図のような形。〝断面が「乙」のような形をした屋根瓦が二枚、半分重なって並んでいる形〟だという説もあれば、〝素焼きの土器〟の絵だという説もある。どちらともいいがたい、微妙な古代文字である。

とはいえ、部首としては〝素焼きの土器〟を表すことが多い。【瓶《びん》】は、以前は【甁《びん》】と書くのが正式で、そもそもは〝細長い素焼きの容器〟のこと。「ガラス瓶《びん》」のような使い方は、本来の意味からすれば、妙といえば妙である。

【甕《かめ》】は、〝水やお酒をためておく、大きな素焼きの容器〟。【甑《こしき》】は、素焼きの容器を二つ重ね、下の段でお湯を沸かし、上の段に入れたものを蒸す〝蒸し器〟。【甃《しゅう》】は、〝素焼きのタイル〟を指す漢字。転じて〝地面に敷き詰める石〟をも表し、「いしだたみ」と訓読みすることがある。

一方、〝棟瓦《むねがわら》〟を指す【甍《いらか》】のように、いわゆる〝かわら〟に関する漢字も、ないわけではない。考えてみれば、〝かわら〟も、本来は粘土を素焼きして作ったもの。部首《瓦》は広い意味で〝素焼きの土器〟を指す、と考えてよさそうである。

なお、重さの単位「グラム」に「瓦蘭姆《グラム》」と当て字したところから、日本では「瓦」と書いて「グラム」を表すことがある。そこから、【瓩《キログラム》】【瓱《ミリグラム》】【瓲《トン》】といった具合に、重さの単位を表すいくつかの日本独自の漢字が生まれている。

鼎

［名称］かなえ
［意味］かなえ

ただのいれものだと思わないで!

【鼎《てい》】は、とても珍しく書きにくい形をした漢字だが、現在でも使われる場面がないわけではない。「鼎談《ていだん》」とは、〝三人で話し合う〟こと。「鼎立《ていりつ》」とは、〝三つのものが並び立つ〟こと。このように、「鼎」は〝三つで一組のもの〟を表すために用いられる。本来は、〝ものを煮炊きするのに用いる三本脚の容器〟を表す漢字で、訓読みでは、その容器を指す日本語を用いて「かなえ」と訓読む。

ただし、古代文字では図のような形だし、遺跡から出土する〝かなえ〟の中には四本脚のものもある。もともとは〝三本〟へのこだわりはなかったのかもしれない。

部首《鼎》は、〝かなえ〟を表すというかなりニッチな意味を持つ。当然ながら、現在でも用いられる例はないといってもいいくらい。それでもあえて挙げてみると、【鼐《だい》】は〝大きなかなえ〟、【鼒《さい》】は〝口のすぼまった小さなかなえ〟、【鼏《べき》】は〝かなえのふた〟を表す、といった具合である。

このような特殊な部首が存在するということ自体が驚きだが、〝かなえ〟を表す部首には、もう一つ、《鬲（れき）》（次項）もある。漢字を生み出した人びとは、よっぽど〝かなえ〟が好きだったのだろう。実際、〝かなえ〟は炊事に用いる重要な道具であっただけではなく、儀式などで使われる、宗教的・政治的な意味合いを持つ道具でもあった。《鬲》と比較すると、《鼎》は、主に宗教的・政治的な〝かなえ〟を指す部首だと思われる。

鬲

［名称］れき、れきのかなえ
［意味］かなえ、かなえを使った行動

〝ものを煮炊きするのに用いる三本脚の容器〟を表す漢字としては「鼎《てい》」があるが、【鬲《れき》】も、似たような容器を表す漢字。訓読みでも、「鼎」と同じく「かなえ」と読む。

あいつよりは早いでしょ?

ただし、「鼎」はものを煮炊きする本体部分に脚を付け足したような形だが、「鬲」の脚は本体と一体化していて、中が空洞になっているのが異なる点。古代文字では図のような形をしていて、その特徴がよく現れている。

脚の中が空洞になっているのは、容器の中身に火が広く当たるようにして、より効率的にものを煮炊きするため。そこで、基本的には、「鬲」は「鼎」よりも実用性の高いものであったと思われる。

部首としても〝かなえ〟を表すが、現在でも用いられる漢字はほとんどない。しいて例を挙げると、〝蒸し器〟の一種を表す【甗《げん》】があり、「献《けん》」の以前の正式な書き方「獻《けん》」に含まれている。

また、【鬻《しゅく》】は〝かなえで米を炊いている形〟から生まれた漢字で、〝おかゆ〟を表す。また、「融解《ゆうかい》」の「融《ゆう》」は、本来は〝かなえの中で金属などを溶かす〟こと。部首としてはふつう《虫》（p246）に分類されるが、意味の上からは《鬲》を部首とする方がふさわしい。この二つの漢字は、〝かなえを使った行動〟を表すといえる。ここにも、「鬲」が実用的な〝かなえ〟であったことが現れている。

部首の名前としては、音読みに従って「れき」と呼ぶのが基本。訓読みに基づいて「かなえ」と呼ぶこともあるが、その場合は、《鼎》と区別するために「れきのかなえ」というのが習慣である。

臼

［名称］うす
［意味］①うす ②穴 ③その他

穀物のめぐみをありがたくいただく

【臼《きゅう》】は、訓読みでは「うす」で、穀物を砕くのに使う容器〝うす〟を表す。現在でも、餅つきの際に使うことでおなじみ。古代文字では図のような形で、〝うす〟の絵から生まれた漢字である。

部首としても〝うす〟を表す。【臿《そう》】は〝うすに上から棒を差し入れた形〟で、現在では「挿入《そうにゅう》」の「挿《そう》」の以前の正式な書き方「插《そう》」の右側に見ることができる。また、【舀《よう》】は、「稲《いね》」の以前の正式な書き方「稻《いね》」の右側に現れていて、〝うすに手を入れて穀物を取り出す形〟だという。

また、【舂《しょう》】は〝うすに入れた穀物を突いて砕く〟という意味の漢字で、「舂《うすづ》く」と訓読みして使われることがある。

このほか、《臼》が〝穴〟を意味することもあり、【臽《かん》】は〝穴に人が落ちる〟ことを表す漢字。「陥没《かんぼつ》」のように用いる「陥《かん》」の以前の正式な書き方「陷《かん》」の右側である。

〝夫の父〟を指す【舅《きゅう》】では、「臼」は、音読み「きゅう」を表す記号。意味の上からは《男》を部首としたいところだが、現在ではそんな部首は存在しないので、やむなく部首《臼》に分類されている。便宜的な分類という点では、「旧《きゅう》」の以前の正式な書き方、【舊《きゅう》】も同じ。この場合も《臼》は発音を表す記号で、意味の関係はない。

なお、以上とは意味の上では無関係だが、《臼》の下の横棒が真ん中で離れた部首《臼（きょく）》（p188）に分類される漢字も、漢和辞典では部首《臼》の中に含めて取り扱うのが、習慣となっている。

匕

［名称］さじ、さじのひ、ひ
［意味］①料理をすくう道具　②人

イメージは広島風？

【匕《ひ》】は、成り立ちには諸説があるが、〝料理をすくったり切ったりする道具〟を表す漢字。「匕箸《ひちょ》」といえば、〝スプーンとおはし〟のこと。一方、「匕首《ひしゅ》」は〝ナイフ〟のことで、二文字合わせて「あいくち」と読むこともある。

つまり、「匕」は〝スプーン〟にも〝ナイフ〟にもなるわけで、もともとは、お好み焼きで使う〝へら〟のようなものだったと思えばいいのだろうか。ちなみに、広島風では、〝へら〟ですくって食べるのが流儀である。

《匕》を部首とする漢字としては、〝スプーン〟を表す【匙《し》】があり、訓読みでは「さじ」と読む。この漢字に含まれる「是」は、古代文字では「」と書き、もともとは〝スプーン〟の絵から生まれた漢字だと思われる。それが、大昔の中国語では〝そうである〟という意味を表すことばと発音が似ていたことから、「是非《ぜひ》」のように使われるようになって、改めて「匙」が作られたと考えられている。

とすると、部首としての《匕》は、〝料理をすくう道具〟を指していると思われる。そこで、部首の名前としては、「さじ」と呼ばれる。「匕」の音読みに基づいた「ひ」という名前もあるが、《火》（p338）と紛らわしいことから、わざわざ「さじのひ」といわれることもある。

ただし、部首《匕》には、これとは別に〝人〟に関係する漢字も含まれている。

違う方向を向いてばかり…

【北《きた》】は、古代文字では図のように書き、「人」の古代文字「」が背中合わせに並べられた形。本来は〝背中を向ける〟という意味で、「敗《はい》北《ぼく》」がその例。昔の王様は南を向いて政治を行ったところ

から、方角の〝きた〟を指すようになった、と考えられている。ちなみに、「背《せ》」は、〝背中を向ける〟という意味の「北」に、〝肉体〟を表す部首《月（にくづき）》（p205）を付け加えて作られた漢字である。

また、「変化《へんか》」の【化《か》】は、古代文字では図のような形。「イ」の部分は古代文字の「人」で、《匕》の部分は、それが上下逆さまになったものに見える。状態の違う二つの「人」を組み合わせて、〝状態が変わる〟ことを意味すると解釈する説が優勢。そこからすると、部首は《イ（にんべん）》（p16）とする方がふさわしいと思われる。なお、厳密にいえば、「化」は、以前は「匕」を「七」とした【化《か》】と書くのが正式。とはいえ、古代文字の形に溯って考えると、それほどこだわる必要はなさそうである。

考えてみれば、〝さじ〟と〝人〟が同じ扱いだというのも、おもしろい話。漢字の形は、ときには妙な冗談を飛ばすもののようである。

斗

［名称］と、とます、ますづくり、はかる
［意味］ひしゃく

夜空に浮かぶ古代文字！

【斗《と》】は、「一斗樽《いっとだる》」のように、お酒や穀物などの量をはかる単位として使われる漢字。本来は、長い棒の先にコップのような容器が付いた、お酒や穀物などの量をはかる容器〝ひしゃく〟のこと。「北斗七星《ほくとしちせい》」とは、〝ひしゃく〟の形に似ているところからの命名。「斗」の古代文字は図のような形をしていて、なるほど、話の順序は逆だが、北斗七星を思わせる。

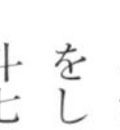

部首としては、〝ひしゃく〟に関係することを表す。「料《りょう》理《り》」の【料《りょう》】は、本来は〝ひしゃくで分量をはかる〟という意味。「斜《なな》め」と訓読みする【斜《しゃ》】は、もともとは〝ひしゃくを傾ける〟ことを表すという。

また、【斟《しん》】は〝ひしゃくでお酒などをつぐ〟こと。「斟酌《しんしゃく》する」とは、量を考えてお酒をつぐように〝事情をよく理解して行動を決める〟ことをいう。

このほか、〝関係先を回って間を取り持つ〟ことを「斡旋《あっせん》」というが、【斡《あつ》】は〝ぐるぐる回る〟ことを表す漢字。その成り立ちには諸説があるが、本来は〝夜空に浮かぶ北斗七星が、時間とともに回転する〟ことだとする解釈には、何ともいえない魅力がある。

なお、「魁《かい》」は、もともとは〝水をくむ部分が丸くて大きなひしゃく〟を指す漢字。〝大きな頭〟というところから〝先頭に立つ偉大な人物〟を表すようになり、「さきがけ」と訓読みして使われる。部首としては《鬼》（p34）に分類されるのがふつうだが、成り立ちからすると、《斗》を部首とする方がしっくりくるようにも思われる。

部首としては、音読みに基づいて「と」と呼ばれるのが基本。ただ、「と」だけでは何とも伝わりにくいところから、〝お酒や穀物の量をはかる器具〟をいう日本語「ます」を付け加えて、「とます」ということが多い。また、漢字の右側、いわゆる「つくり」の位置に置かれた場合には、「ますづくり」と呼ぶこともある。さらに、〝お酒や穀物の量をはかる〟ところから「はかる」という名称もあるが、あまり一般的ではない。

匚

［名称］はこがまえ
［意味］①箱 ②力を加えて曲げる ③《匸》の変形

曲げて切れれば一人前？

現在ではまず用いられることはないが、【匚】《ほう》は、〝箱〟を表す漢字。古代文字には図の右側のようなシンプルなものもあるが、左側のようにおもしろい形をしているものもある。これは「曲」《きょく》の古代文字「」とよく似ていて、〝柳の枝や竹ひごなどを編んで作った箱〟の絵から生まれた漢字だと考えられている。

部首としては、「はこがまえ」と呼ばれる。「かまえ」とは、漢字の三方あるいは四方を取り巻くような形をしている部首をいう。

部首《匚》にはさまざまな〝箱〟を表す漢字が含まれているが、現在でも使われるものは少ない。しいて例を挙げると、「はこ」と訓読みして使うこともある【匣】《こう》は、比較的〝小さな箱〟。「鏡匣《きょうこう》」とは〝鏡をしまっておく箱〟をいう。なお、漢字「箱」が示している通り、〝箱〟を表す漢字は、部首《竹》（p285）にもまとまって含まれている。現在でも使われるものは、むしろ《竹》の方に多い。

ところで、柳の枝や竹ひごなどを編むときには、力を加えて曲げる必要がある。そこで、《匚》は〝力を加えて曲げる〟という意味にもなる。

たとえば、「ただす」「ただし」などと訓読みして人名で使われることがある【匡】《きょう》は、本来は〝曲がっているものを力を加えてまっすぐにする〟という意味。また、「師匠《ししょう》」の【匠】《しょう》は、もともとは〝すぐれた職人〟のこと。〝ものを曲げる〟ことを表す《匚》に、〝ものを切る〟ことを意味する「斤」（p103）を組み合わせて作られた漢字だという。

ところで、《匚（はこがまえ）》と形がよく似た部首に《匸（かくしがまえ）》（次項）がある。違いは二つあり、一つは、左上の角の部分がぴったり重なっているかどうか。もう一つは、左下の角の部分が直角になっているかどうか。本来は別の意味を表す別の部首だが、実際には、厳密な書き分けは昔からされてはこなかった。現在では、《匚（はこがまえ）》の形にしてしまうのが標準的。漢和辞典でも、この二つの部首を合わせて取り扱っているものが多く

容器

なってきている。

そこで、《匚》の漢字の中には、本来は《匸（かくしがまえ）》に分類されていた漢字も含まれていることになる。「匿名《とくめい》」の【匿《とく》】や「区分《くぶん》」の【区《く》】、「医学《いがく》」の【医《い》】、「三匹《さんびき》の子《こ》ぶた」の【匹《ひき》】などがその例。「区」の以前の正式な書き方「區《く》」も、【區《く》】と書かれることが多い。

なお、「巨大《きょだい》」の「巨《きょ》」は、成り立ちの上では「工」と関係が深く、以前は、上下の横棒が左に突き出た「巨《きょ》」と書くのが正式。部首も《工》（p131）に分類されていたが、現在では形が変化して、「工」が含まれなくなってしまった。そこで、部首を《丨（たてぼう）》（p356）とする辞書が多いが、中には《匚》に分類するものもある。

匸

[名称]かくしがまえ
[意味]①隠す ②その他

実際に漢字として使われることはまずないが、【匸《けい》】は、〝隠す〟ことを表す漢字。

突き出しと丸みにご注目！

古代文字では図のような形をしていて、〝何かにふたをして隠す〟ことを表すとか、〝ものを隠すことができる奥まった場所〟を指すなどと解釈されている。

部首《匸》は、〝隠す〟ことを表し、「かくしがまえ」と呼ばれている。「かまえ」とは、漢字の三方あるいは四方を取り巻くように現れる部首を指す。

《匸（かくしがまえ）》は、〝箱〟を表す部首《匚（はこがまえ）》（前項）と形が非常によく似ている。違っているのは、左上の角の部分が左に突き出しているかどうかと、左下の角の部分が丸みを帯びているかどうか。厳密には別々の部首だが、昔から、きちんと書き分けられては来なかったのが実際であった。現在では、《匸（かくしがまえ）》も《匚（はこがまえ）》で書くのが標準的となっている。漢和辞典でも、最近ではこの二つの部首を合わせて取り扱うものが多い。

たとえば、「隠匿《いんとく》」の「匿《とく》」は、以前は厳密には【匿《とく》】と書き、《匸》が〝隠す〟ことを表す代表的な例となっている。また、「区別《くべつ》」の「区《く》」は、以前は【區《く》】と書くのが正式で、〝一部分をだけを隠す〟ところから、〝ある部分を別扱いにする〟という意味で使われる。ただし、「區」は、実際には、《匚（はこがまえ）》で「區《く》」と書かれることも多い。

「医者《いしゃ》」の「医《い》」は、以前は「醫《い》」と書くのが正式で、部首は《酉（とり）》（p62）。ただし、「医」は、そもそもは【医】と書く漢字で、音読みは「えい」。「醫」とは全く別の漢字で、〝矢を隠しておく器具〟という意味だという。後に、「醫」の略字として使われるようになった。

そこで、「醫」の「医」の部分も、本来なら《匚（はこがまえ）》ではなく《匸（かくしがまえ）》で書くべきだが、そこまで厳密な区別は、あまり行われていない。

このほか、動物を数えるときに使う「匹《ひき》」も、以前は厳密には【匹《ひき》】と書いた。ただし、古代文字では図のような形をしていて、《匸》とは関係がない。この形は、〝馬のお尻〟〝二匹並んだ馬の胸元〟〝布を二枚、並べて垂らした形〟などと解釈されている。形の上から、便宜的に《匸》に分類されている漢字である。

襾

[名称]かなめのかしら、おおいかんむり
[意味]①ふた ②その他

きっちり閉まると気持ちいい！

実際に漢字として使われることはまずないが、【襾《か》】は古代文字では図のような形で、〝容器に上からふたをかぶせた形〟だという。理科の実験で使った、薬品を入れるビンの栓のようなイメージだろうか。

部首《襾》は、現在では少し変形して、《覀》(次項)という形で使われることが多い。意味としては〝ふた〟を表すが、漢字の数は少ない。代表的な例に「覆《ふく》」の以前の正式な書き方【覆】があり、「覆面《ふくめん》」のように〝ふたをかぶせる〟ことを表す。また、やや難しい漢字だが、【覈《かく》】は〝ふたを開けて中身を調べる〟という意味で、「精覈《せいかく》」とは〝詳しく調べる〟ことをいう。

このほか、「かなめ」と訓読みする「要《よう》」も、以前は正式には【要《よう》】と書いた。ただし、古代文字では図のような形。〝腰に手を当てて立っている人〟の絵から生まれた漢字だと考えられていて、〝ふた〟とは関係がない。もともとは〝腰〟を指し、〝腰〟が体の中心であるところから、〝中心となる大切なところ〟という意味で使われるようになった。

その結果、本来の意味を表すために〝肉体〟を表す部首《月(にくづき)》(p205)を付け加えて作られたのが「腰《こし》」。これも、厳密には、以前は「腰《こし》」と書くのが正式であった。

また、「制覇《せいは》」の「覇《は》」も、以前は【覇《は》】と書くのが正式。古代文字では図のような形をしていて、《襾》は、「雨」が変形したもの。もともとは〝月の光が白い〟ことを意味する漢字で、大昔の中国語では〝武力でまわりを従わせる者〟を指すことばと発音が似ていたことから、当て字的に転用されて現在のような意味になったと考えられている。成り立ちの上からは、《月(つき)》(p336)を部首とする方がふさわしい。

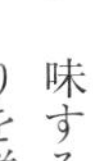

なお、「冒険譚《ぼうけんたん》」の「譚《たん》」の右側に見られる「覃」も、本来は【覃《たん》】と書くべきで、〝広がる〟という意味の漢字。ただし、成り立ちとしては《襾》と関係はない。

以上のように、《襾》は、漢字の数が少ない上に、表す意味にもまとまりがない部首となっている。このほかにも、たとえば「遷都《せんと》」の「遷《せん》」の以前の正式な書き方「遷《せん》」も《襾》を含んでいるが、成り立ちとしては〃ふた〃とは関係がないと考えられている。

部首としては、「要」の上部、「かしら」と呼ばれる部分に現れるところから、「かなめのかしら」という名前がよく使われる。また、「覆」の上部、いわゆる「かんむり」の位置に置かれるところから、「覆」の訓読みをかぶせて「おおいかんむり」と呼ばれることもある。

覀

［名称］かなめのかしら、おおいかんむり
［意味］①ふた ②その他

昔から混乱してまして…

《襾》（前項）は、昔から少しくずして《覀》と書かれる習慣があった。漢字の形の規準として尊重されている、一八世紀の初めに中国で作られた『康熙字典《こうきじてん》』という辞書を見ても、この二つの形が混在している。現在では、《覀》の形を用いるのが標準的。とはいえ、《襾》の方が古代文字の形には近いので、漢和辞典では、部首の見出しとしては《襾》の形を立て、その中で《覀》の漢字を取り扱うのがふつうである。

《襾》と同じく、〃ふた〃を表す。「覆《おお》う」と訓読みする【覆《ふく》】がその例で、以前は「覆《ふく》」と書くのが正式。このほか、部首は《貝》（p242）だが、「賈《か》」は〃売り買いする〃ことや〃値段〃などを意味する漢字。《貝》は〃金品〃を表し、それを〃ふたで覆っている〃ところから生まれたと考えられている。

「要点《ようてん》」の【要《よう》】は、以前は「要《よう》」と書くのが正式。「覇者《はしゃ》」の【覇《は》】は、以前は正式には「覇《は》」と書いた。ただし、どちらも成り立ちの上では〃ふた〃とは関係がない。ほかにも、「投《とう》票《ひょう》」の「票《ひょう》」にも《覀》の形が見られるが、これも古代文字を見るとまったく別の形をしていて、〃ふた〃とは関係がない。部首としては《示》（p37）に分類される。

部首としては、「要」の上部、いわゆる「かしら」の位置に見られるところから、「かなめのかしら」という名前がよく使われる。また、「覆」の上部、「かんむり」と呼ばれる部分に現れるところから、訓読みをかぶせて「おおいかんむり」とも呼ばれている。

西

［名称］にし
［意味］西

いつまで経っても居候？

【西《にし》】は、古代文字では図のような形で、〃鳥の巣〃の絵だとする解釈が優勢。大昔の中国語では、方角の〃にし〃を指すことばと発音が似ていたことから、当て字的に〃にし〃という意味で使われるようになったと考えられている。そのため、〃鳥が住む場所〃を表す漢字として、後

に部首《木》(p260)を加えて改めて作られたのが「栖《せい》」で、「栖《せい》息《そく》する」のように使われることがある。

「西」から派生した漢字には、ほかに「あかね」と訓読みする「茜《せい》」や、「お洒落《しゃれ》」の「洒《しゃ》」などがあるが、それぞれ部首としては《艹(くさかんむり)》(p270)《氵(さんずい)》(p318)に分類される。そこで、かなり強引だが、「西」そのものは、形が似ている部首《襾(かなめのかしら)》(前々項)の中に含めて取り扱うのが、一般的となっている。

漢和辞典の部首見出しでは、《覀》の本来の形《襾》を正式な部首として掲げ、そのあとにかっこに入れて《覀》と《西》を示してあることが多い。部首によって漢字を分類するのはなかなか便利な方法だが、時にはうまく機能しないこともある。「西」は、その最たる例だといえるだろう。

家具と雑具

〝机〟を表すのは《几(つくえ)》、〝ベッド〟を表すのは《爿(しょうへん)》。《罒(あみがしら)》は〝網〟を意味し、《方》には〝旗〟に関する漢字が多い。ほかにも、〝筆〟を表す《聿(ふで)》や、〝太鼓〟を意味する《鼓(つづみ)》などなど、部首の世界には、さまざまな道具を表すものがある。その一つ一つの道具が、時間をかけて作られ、使い続けられてきたのである。

几

[名称]つくえ、きにょう
[意味]机、台

座ってもいいんですよ

「つくえ」を表す漢字といえば、ふつうは「机《つくえ》」。だが、実は【几《き》】だけでも〝つくえ〟を表す。後に、木製であることを示すために《木》(p260)を

付け加えて「机」が作られた。とはいえ、現在では木製のものに限らず、「机」を使って書き表す。「几」の古代文字は図

のような形で、てっぺんの平らな部分と、脚とからできていることがよく現れている。

部首としては、〝机〟だけでなく、もう少し広く〝台〟まで含めて表す。【処《しょ》】はその例で、〝台に腰を下ろして落ち着く〟こと。転じて、「処理《しょり》」「対処《たいしょ》」のように〝落ち着く状態にする〟という意味で使われるようになった。なお、以前は「處《しょ》」（p234）と書くのが正式だったが、

古代文字では図のように書かれており、むしろ「処」の方が歴史は古い。

「凱旋《がいせん》」の【凱《がい》】は、ある種の〝太鼓〟を表す「豈《がい》」（p284）に、《几》を組み合わせた漢字。太鼓や机を並べて〝勝利を祝うお祭りをする〟ことを表すという。机の上には、料理が並べられているのだろうか。また、現在ではあまり使われないが、【凭《ひょう》】は「凭《もた》れる」と訓読みする漢字。〝台に寄りかかる〟ことを表す。

部首の名前としては、「つくえ」と呼ばれるのが一般的。音読み「き」に基づく「きにょう」という名前もあるが、《鬼》（p34）も「きにょう」と呼ばれることがあり、まぎらわしいのであまりおすすめではない。ちなみに、この場合の「にょう」とは、「乚」のような形で終わる部首を指す。

なお、形がよく似た部首に《八（かぜかまえ）》（p331）がある。これは〝風〟を表す部首で、「平凡《へいぼん》」の「凡《ぼん》」、「鳳凰《ほうおう》」の「凰《おう》」、そして「凧《たこ》」「凩《こがらし》」「凪《なぎ》」などが分類される。ただし、《八》が部首として認知されるようになったのは、比較的、最近のこと。漢和辞典では、これらの漢字も部首《几》の中に含めて取り扱うのがふつうである。

爿

［名称］しょうへん
［意味］①ベッド　②その他

どうして立ててあるんだろう…

【爿《しょう》】は、〝ベッド〟を表す漢字。古代文字では図のような形で、九〇度回転しているが、〝脚が付いたベッド〟の絵から生まれた漢字だと考えられている。ただし、この漢字が実際に使われることはまずない。《爿》に木製であることを示す「木」を付け加えた【牀《しょう》】という漢字もあるが、こちらも現在ではほとんど使われず、「床《しょう》」を使うのが一般的となっている。

《爿》を部首とする漢字は少ない。〝土塀〟を表す【牆《しょう》】はその貴重な例で、「かき」と訓読みして使われることがある。ただし、この漢字での《爿》は、発音を表しているだけで、特定の意味を持ってはいないと考えられている。

「爿」の形を含む漢字としては、ほかに、「状《じょう》」の以前の書き方「狀《じょう》」、「壮《そう》」の以前の書き方「壯《そう》」、「将《しょう》」の以前の書

き方「将《しょう》」などがある。これらの漢字でも、「爿」は読み方を表す記号でしかないと考えられる。そのため、部首としては、それぞれ《犬》（p224）《士》（p27）《寸》（p186）に分類するのがふつうである。

このほか、部首《爿》に分類されている漢字には【牂《そう》】がある。が、〝メスの羊〟という意味なので、これも部首《羊》（p230）に分類する方がふさわしい。

というわけで、《爿》は、表す意味が今ひとつはっきりしない、落ち着きの悪い部首となっている。ただし、〝木の板〟を表す《片》（p137）のちょうど裏返しであるところから、《爿》にも〝木の板〟という意味があるとも考えられる。特に、漢字学者の白川静は、《爿》と《片》を〝土の塀を作るときに使う、左右から土を押さえる板〟だと解釈している。この説に従うと「牆」の《爿》にも意味があることになり、《爿》も少しは部首らしくなってくるように思われる。

丬

［名称］しょうへん
（実際には存在しない部首）

そこまでしてもらっていいのかなあ？

部首《爿》（前項）は、昔から、正式ではない場面では、少し形を崩して《丬》と書かれる習慣があった。現在ではそれが広まり、日常的によく使われる漢字では《丬》の形の方が標準とされている。そこで、漢和辞典では、部首《爿》の見出しにカッコに入れて《丬》も示し、この二つを一つの部首として扱うのが一般的である。

とはいえ、《丬》が部首となる漢字は、実際には存在しない。「状態《じょうたい》」の「状《じょう》」、「壮年《そうねん》」の「壮《そう》」、「将軍《しょうぐん》」の「将《しょう》」は、それぞれ、以前は正式には「狀《じょう》」「壯《そう》」「將《しょう》」と書いた漢字だが、部首としては《犬》（p224）《士》（p27）《寸》（p186）に分類されるのが一般的。また、《爿》を部首とする「牀《しょう》」や「牆《しょう》」は、日常的にはあまり使われないので、現在でも、《爿》の形のまま使われるのが正式となっている。

つまり、形としての「丬」は存在しているが、それが部首になることはない、というわけ。せっかく見出しにまで掲げてもらっているのに、なんともばつの悪いことである。

疒

［名称］やまいだれ、やまい
［意味］①病気 ②病気の症状 ③心や体の調子

具合が悪いなら寝てなさい！

人は病気になったらどうするか。まずは、布団なりベッドなりに横になるだろう。

【疒《だく》】は、そのことをよく表している漢字。古代文字では図のように書き、〝ベッド〟を表す「爿」（p128）に「人」を組み合わせて、〝心身の具合が悪くて横になる〟ことを表すという。

「疒」が漢字として実際に用いられることはまずないが、部首として〝病気〟に関連する多くの漢字を生む。その意味から、部首としては「やまい」とか「やまいだれ」と呼ばれている。「たれ」とは、漢字の上部から左側にかけて現れる部首を指す。

代表的な例は、もちろん「病気《びょうき》」の【病《びょう》】。「疾患《しっかん》」の【疾《しつ》】も〝病気〟という意味だが、本来は〝病気が急に悪くなる〟というニュアンスを含んでいる。「疫病《えきびょう》」の【疫《えき》】は、〝伝染病〟のこと。〝なかなか治らない病気〟を指す【痾《あ》】という漢字もあり、「宿痾《しゅくあ》」とは〝重い持病〟をいう。

また、「治療《ちりょう》」の【療《りょう》】は、〝病気を治す〟こと。「治癒《ちゆ》」の【癒《ゆ》】は、以前は【瘉《ゆ》】と書くのが正式で、もともとは〝病気が治る〟ことである。

なお、《疒》は〝病気〟を表す部首ではあるが、我々が知っているような具体的な〝病名〟を指す漢字は、そう多くはない。例としては、【痔《じ》】や【癌《がん》】、「天然痘《てんねんとう》」の【痘《とう》】くらいのものか。〝マラリア〟を指す【瘧《ぎゃく》】という漢字もあるが、現在ではまず使われない。

具体的には肌に出る

《疒》の漢字の大半を占めるのは、〝体調の異変が具体的にはどのような形で現れているか〟を表す漢字である。それを総合的に指すのが「症状《しょうじょう》」の【症《しょう》】で、本来は一文字で〝症状〟のことをいう。「痛《いた》い」と訓読みする【痛《つう》】、「痒《かゆ》い」と訓読みする【痒《よう》】などは、感覚的な面での〝症状〟を表す例。「疼《うず》く」と訓読みする【疼《とう》】も、感覚的な〝症状〟の一つ。「麻痺《まひ》」の【痺《ひ》】は、訓読みでは「痺《しび》れる」と読む。

肉体的な面での〝症状〟を表す漢字としては、〝はれもの〟や〝できもの〟を指すものが目立つ。「発疹《はっしん》」の【疹《しん》】、「疱瘡《ほうそう》」の【疱《ほう》】と【瘡《そう》】、「潰瘍《かいよう》」の【瘍《よう》】、「痔瘻《じろう》」の【瘻《ろう》】、「壊疽《えそ》」の【疽《そ》】などは、すべてその例。「いぼ」と訓読みする【疣《ゆう》】という漢字もある。

また、「疥癬《かいせん》」の【疥《かい》】と【癬《せん》】は、どちらも〝皮膚がかゆくなる症状〟。「黄疸《おうだん》」の【疸《たん》】は、〝肝機能の低下によって皮膚が黄色くなる症状〟をいう。

「痙攣《けいれん》」の【痙《けい》】は、〝筋肉が引きつる〟こと。「癇癪《かんしゃく》を起こす」の【癇《かん》】と【癪《しゃく》】も、本来は〝筋肉が急に引きつる〟ことを表す。消化器官に関する症状としては、〝お腹を下す〟ことを表す【痢《り》】や、病気というほどではないが、のどにからまる【痰《たん》】がある。

〝病気〟というよりは〝けが〟というべきものもある。【瘤《こぶ》】や【痣《あざ》】がその例。【疵《し》】は「きず」と訓読みする漢字で、「瑕疵《かし》」とは〝小さな欠点〟のたとえ。【痍《い》】も〝傷〟のことで、「傷痍軍人《しょういぐんじん》」とは、〝戦争で傷を負った軍人〟をいう。

このように見てくると、《疒》の漢字には皮膚に関するものが多い。〝症状〟とは主に体の外面に現れるものであることを考えると、これは当然のことだろう。そういったものが治ったあとに残る〝皮膚の変形や変色〟を指すのが、「痕《こん》跡《せき》」の【痕《こん》】で、「あと」と訓読みする。

以上のほか、ふつうには〝病気〟とは関係が薄い場面で使われる漢字もある。「疲《つか》れる」と訓読みする【疲《ひ》】や、「痩《や》せる」と訓読みする【痩《そう》】がその例。ただし、どちらも〝心身の状態〟を表すという点では、広い意味での〝症状〟だといえる。なお、「痩」は、以前は【瘦《そう》】と書くのが正式。また、【瘠《せき》】も、「瘠《や》せる」と訓読みする漢字である。

なお、「愚痴《ぐち》」の【痴《ち》】は、以前は【癡《ち》】と書くのが正式で、〝正常な判断ができない〟こと。「癲癇《てんかん》」の【癲《てん》】も、似たような意味。【癖《くせ》】は、〝精神的な傾向〟を表す漢字。【疚《きゅう》】は〝気がとがめる〟という意味で、「疚《やま》しい」と訓読みする。

部首《疒》が、こういった精神的な側面までカバーしているのは、東洋の医学の対象の広さを示しているようで、興味深い。ただし、それだけに、「痴」や「癲」などは、精神的な病気で苦しんでいる人から見ると差別的に感じられることもある。取り扱いには十分に気をつけたい漢字である。

工

［名称］たくみ、たくみへん、こう、え
［意味］①工具 ②工具を使う ③その他

器用に使えるといいなあ…

「工作《こうさく》」の【工《こう》】の古代文字には、いくつかの形がある。現在の「工」と同じような形

もあるが、図のような書き方もあり、本来の意味にも諸説がある。有力なのは〝カギ型に曲がったものさし〟を指すとする解釈だが、木を削るのに用いる〝のみ〟だとか、〝金属を鍛えるときに使う台〟だと考える学者もいる。ともあれ、何らかの〝工具〟を表すことは、間違いない。

そこで、部首としても〝工具〟を表す。「巨《きょ》」の以前の正式な書き方【巨《きょ》】がその例。どこが違うかというと、上下の横棒が、左側へ少し突き出している点で、これは

図のような古代文字の形に由来している。もともとは〝真ん中に持ち手がある、ある種の定規〟の絵から生まれた漢字だ、と考えられている。大きさを測るところから、「巨大《きょだい》」のように使われるようになった。

【左《ひだり》】は、古代文字では図のような形をしていて、「」は、〝右手〟を表す「又」（p179）の古代文字「」の左右が逆になった形で、〝左手〟を表す。《工》を組み合わせて、たとえば左手に定規を持って右手で線を引くように、〝左手に何らかの工具を持つ〟ところから生まれた、と考える説が有力である。

〝両手に何らかの工具を持つ〟ことを表すのが図で、【巫《ふ》】の古代文字。「巫女《みこ》」という例があるように、〝神に仕える人〟を指す。部首《工》は、〝祭事に用いる道具〟を指していると思われる。

このほか、「巧《たく》み」と訓読みする【巧《こう》】は、〝工具を使うのがうまい〟ことを表す。

なお、「差異《さい》」の【差《さ》】は、古代文字では図のような形。〝穀物〟を表す「禾」(p277)と「左」を組み合わせた漢字だが、成り立ちには諸説があって、よくわからない。

部首として「たくみ」と呼ばれるのは、漢字「工」にも〝工具を使うのがうまい〟という意味があるから。また、「巧」では漢字の左側、「へん」と呼ばれる位置に現れるので、「たくみへん」ということもある。このほか、音読みそのままで「こう」とか、カタカナの「エ」に似ているから「え」などといった名前もあるが、あまり一般的ではない。

网

［名称］あみ
［意味］網

いろいろ変わってしまうので…

現在ではまず使われないが、【网《もう》】は〝網〟を表す漢字。古代文字では図のような形で、〝ひも〟や〝なわ〟を編んで作った〝網〟の絵から生まれたことが、よくわかる。

〝網〟に関係する意味を持つ漢字の部首となるが、現在でも使われるような漢字の中には、《网》の形をそのまま部首としている漢字は存在しないといっていい。その代わり、なぜだかいろいろに変形するのが特徴。《⺳》(次項)や《⺴》(次々項)《⺵》、そして《罒》(p133)といった形になり、どの場合も「あみがしら」と呼ばれている。

このうち、《罒》は、〝網〟に関係するさまざまな漢字を生み出している。《⺳》は、〝網〟を表す「罔《もう》」の部首となったり、「岡《おか》」の一部分として見かけることがある。《⺴》については、「罕《かん》」という漢字の部首になる。《⺵》についても、現在でも使われるチャンスがあるような漢字の例が存在しないので、この辞典では取り上げていない。

漢和辞典では、《罒》や《⺳》、そして《⺴》《⺵》の形も含めて、部首《网》の中で取り扱うのが伝統となっている。

⺳

［名称］あみがしら
［意味］網

こちらが本家だったんだけど

《网》(前項)が変形した部首の一つ。《网》と同じく〝あみ〟を表すが、その例としては【罔《もう》】しかない。本来は〝あみ〟という意味の漢字だが、後に、意味をはっきりさせるため、部首《糸》(p47)を付け加えて「網《あみ》」が作られた。「網」の方がよく使われるので、現在では「罔」を使うことはほとんどない。

また、部首は《山》(p307)だが、「岡《おか》」にも「⺳」の形が含まれている。ただし、この漢字での「⺳」が何を表しているかは、諸説あってよくわからない。

部首としては「あみがしら」と呼ばれる。「かしら」とは、漢字の上部に現れる部首のこと。漢字の三方を取り囲む部首を指す「かまえ」を使って「あみがまえ」と言いたいところだが、そうは呼ばないのが習慣のようである。

なお、漢和辞典では、《円》の漢字も《网》の中に含めて扱われるのがふつう。《円》は5画だが、漢和辞典の部首配列では、6画の《网》のところに一緒になっているので、注意が必要である。

⺳

［名称］あみがしら
［意味］網

まれに出会うことがあるかも？

《网》（前々項）が変形した部首の一つ。《网》と同じく〝網〟を表すが、その例で現在でも使われるものはほとんどない。漢文でたまに出てくる【罕《かん》】は、「罕《まれ》に」と訓読みする。本来は〝鳥をつかまえるための網〟を指す漢字だったが、大昔の中国語では〝まれに〟という意味を表すことばと発音が似ていたことから、当て字的に用いられたものらしい。

このほか、「深《しん》」「探《たん》」などにも「⺳」の形が見られるが、これは、成り立ちとしては「穴」の変形だと考えられている。

部首としては「あみがしら」と呼ばれる。「かしら」とは、漢字の上部に現れる部首のこと。なお、漢和辞典では、《⺳》の漢字も《网》の中に含めて扱うのがふつう。《⺳》は4画だが、漢和辞典の部首配列では6画の《网》のところに一緒になっているので、注意が必要である。

罒

［名称］あみがしら、あみめ、よんかしら
［意味］①網　②つかまえる

網を張ってつかまえろ！

〝網〟を表す部首《网》（前々項）の変形の一つ。部首としては「あみがしら」と呼ばれる。「かしら」とは、漢字の上部に現れる部首のこと。また、「目」が横倒しになっているところから「あみめ」、「四」に似ているので「よんかしら」という名前もある。漢和辞典では、《罒》の漢字も、部首《网》の中に含めて扱われるのが一般的。《罒》は5画だが、漢和辞典の部首配列では、6画の《网》のところに一緒になっているので、注意が必要である。

《罒》を部首とする漢字には、いろいろな種類の〝網〟を表すものがある。たとえば、【罘《ふ》】は〝主にウサギをつかまえるための網〟。また、〝主に鳥をつかまえる網〟を指す【罿《しょう》】という漢字もあれば、〝水に沈めて魚をつかまえるのに使う竹かご〟を表す【罩《とう》】という漢字もある。

こうやって集めてみると、昔は〝網〟がいかに重要な生活の道具だったかがよくわかる。が、残念なことに、これらの漢字は現在ではまず用いられることはない。

〝網〟に関連する意味を持つ漢字で現在でも使われるものとしては、まず、「置《お》く」と訓読みする【置《ち》】が挙げられる。本来は、〝網をまっすぐ立てて動かないようにする〟ことを表す漢字である。

また、「罫線《けいせん》」の【罫《けい》】は、もともとは、網目状になった〝碁盤のマス目〟のこと。「部署《ぶしょ》」の【署《しょ》】は、以前は、「者」の部分に点を一つ加えた【署《しょ》】と書くのが正式で、本来は〝網目のように分けられた組織〟を指す。

【罠《わな》】は、〝網〟からやや転じて、〝動物をつかまえるための仕掛け〟のこと。【羅《ら》】は、本来は〝網でつかまえる〟こと。「網羅《もうら》」にその意味が残っている。

このあたりの漢字にも現れているように、部首《罒》は〝つかまえる〟という意味を表すこともある。【罪《つみ》】は〝つかまえられてしまうような行為〟、【罰《ばつ》】は〝つかまえられて課される処分〟。「罷免《ひめん》」の【罷《ひ》】は、〝つかまえて役職から追放する〟ことを表す。

「罵《ののし》る」と訓読みする【罵《ば》】は、〝つかまえて非難する〟こと。「罵詈《ばり》雑言《ぞうごん》」という四字熟語で使われる「詈《り》」も同じような意味だが、部首としては《言》(p157)に分類される。

【罹《り》】は、〝災難につかまる〟ことで、「罹災《りさい》」という熟語がある。【羈《き》】は、〝馬をつかまえておくつな〟を指す漢字。「羈絆《きはん》」は〝行動の邪魔になるもの〟のたとえとして使われる。また、【羆《ひ》】は動物の〝ヒグマ〟を表すが、これも、成り立ちとしては〝網でつかまえる熊〟だという。

このほか、「買《ばい》」も、〝金品〟を表す部首《貝》(p242)に、〝網〟を意味する「罒」を組み合わせた漢字。本来の意味には、〝金品を集める〟〝網で貝を採る〟などの説がある。

以上のように、部首《罒》の活躍の場は、意外と広い。我々の生活の中には、さまざまな形で〝網〟が張りめぐらされているかのようである。

なお、「沢《さわ》」「駅《えき》」「訳《やく》」の以前の正式な書き方「澤《さわ》」「驛《えき》」「譯《やく》」などに見られる「睪《えき》」や、「還《かん》」「環《かん》」などの構成要素となっている「睘《けい》」にも、「罒」の形が含まれている。しかし、これは成り立ちとしては《目》の変形なので、《罒(あみがしら)》とは別の部首《罒(よこめ)》(p144)として扱うのが伝統である。

方

［名称］ほう、ほうへん、かたへん

［意味］①左右に張り出す ②旗 ③その他

もとはといえば部外者ばかり？

【方《ほう》】は、「方角《ほうがく》」のように〝向き〟を表したり、「一方《いっぽう》」のように〝対になるもののうちの一つ〟を指したり、「正方形《せいほうけい》」のように〝四角い〟という意味になったりする。古代文字では図のような形で、〝舟を並べてつなぐ形〟だとか、

〝左右に広がった持ち手が付いた、農具のすき〟の形だとか、〝横に渡した木に死体をつるした形〟だとか、さまざまな解釈がある。

　どの説に従うにせよ、根本には〝左右に張り出す〟という意味合いがあり、そこから〝向き〟〝対になるもののうちの一つ〟〝四角い〟といった意味が生まれたと考えられる。【旁《ぼう》】は、その〝左右に張り出す〟という意味を受け継ぐ漢字。訓読みすれば「かたわら」で、あるものの〝左右のすぐ近くの部分〟を指す。

　《方》を部首とする漢字はほかにもたくさんあるが、そのほとんどは〝左右に張り出す〟ことを意味する《方》とは関係がない。部首《方》の大半を占めているのは、実は、まったく別の成り立ちを持つ漢字である。

集団行動には欠かせない

　それらの漢字の中心となるのは【旗《き》】で、風になびく〝はた〟を表す。【旒《りゅう》】は、本来は〝垂れ下がっている旗の先端〟。日本では旗を数える漢字としても使われるが、現在では「流《りゅう》」を用いることも多い。そのほか、漢和辞典を調べると、現在ではまず使うチャンスがないような、さまざまな種類の〝旗〟を表す漢字が載っている。

　例を挙げれば、【旌《せい》】は、〝鳥の羽で飾りを付けた旗〟。【旄《ぼう》】は、〝カラウシという動物のしっぽで飾りを付けた旗〟。【旆《はい》】は〝端っこが二股に分かれたペナントのような旗〟で、【旛《ばん》】は〝長く垂れ下がった旗〟などなど。

　これらの漢字を並べてみて気づくのは、「㫃」という形を含んでいる、ということ。これは、古代文字では図のように書かれ、〝風に吹かれている旗〟の絵から生まれた漢字だったと考えられている。成り立ちの上では「方」とはなんの関係もないが、変形して現在のような形になった結果、《方》を部首とするように見えるようになった。そこで、それらが大挙して、部首《方》に分類されることになったのである。

　このパターンに属する例は、もっと身近な漢字の中にもある。たとえば、【旅《りょ》】は、成り立ちとしては〝旗を掲げて集団で移動する〟ことを表し、そもそもは〝軍隊〟を指していた。軍隊の組織の一つ「旅団《りょだん》」に、その意味が残っている。また、「民族《みんぞく》」の【族《ぞく》】は、もともとは〝ある旗を目印として掲げている集団〟のことをいう。

　「旋回《せんかい》」の【旋《せん》】の本来の意味については、〝旗がなびく〟ことだとか〝旗で指揮をして、集団の進行方向を変えさせる〟ことだとかの説がある。「実施《じっし》」の【施《し》】は〝広い範囲で実行する〟という意味だが、もともとは〝旗が遠くまでなびく〟ことだとか、〝旗を使って軍隊を動かす〟ことだとかいう。

　以上のように、部首《方》に含まれる〝旗〟に関係する漢字は、〝集団〟とも関係が深い。〝旗〟とは、単に気持ちよく風に吹かれているだけの存在ではなく、本来は、人びとをまとめ、動かしていく重要な道具だったのである。部首《方》の漢字は、そのことを伝えているといえるだろう。

なお、「於《お》いて」と訓読みする【於《お》】については、そもそもは鳥の〝カラス〟を表す漢字だった、と考える説が優勢。大昔の中国語では〝あるところで〟という意味を表すことばと発音が似ていたことから、当て字的に転用されるようになったという。〝カラス〟を表す古代文字の中には図のようなものもあり、これが変形して現在のような形になったようである。

以上のほか、「放《はな》つ」と訓読みする「放《ほう》」にも、「方」の形が見られる。ただし、この漢字は、意味の上から、〝ある状態へと変化させる〟ことを表す部首《攵（のぶん）》（p184）に分類されるのがふつうである。

部首としては、音読みに基づいて「ほう」と呼ぶのが基本。漢字の左側、いわゆる「へん」の位置に現れることが多く、その場合は「ほうへん」とか、訓読みをかぶせて「かたへん」といわれることもある。

縁の下の力持ち

聿

［名称］ふで、ふでづくり
［意味］①筆、筆を使う ②その他

現在ではまず用いるチャンスがないが、【聿《いつ》】は、〝筆〟を意味する漢字。古代文字では図のような形。上の方に見られる「」は、〝手で持つ〟ことを表す「又」（p179）の古代文字。全体では、〝筆を手に持っている形〟だという。

部首《聿》は〝筆〟に関係する意味を表すが、その例として挙げられるのは、【肇《ちょう》】ぐらいのもの。〝ものごとを始める〟という意味の漢字で、「はじめ」などと訓読みして人名で使われることがある。成り立ちとしては、〝書き始める〟ところから生まれたらしい。

このほか、「静粛《せいしゅく》」の【粛《しゅく》】は、以前は【肅《しゅく》】と書くのが正式。部首を《聿》とするのはやや強引に見え、実際、部首を《彐（よ）》（p181）とする辞書もある。しかし、古代文字では図のような形で、かなり平べったくなってはいるものの、「聿」の古代文字を含んでいる。ただし、成り立ちがはっきりしないのが残念なところ。〝筆を手にして緊張する〟とか、〝筆でおごそかな模様を描く〟などという説明が試みられている。

なお、【肆《し》】は「書肆《しょし》」のように使われて、〝お店〟を指す漢字。古代文字では図のような形で、《聿》の部分は、〝つかまえる〟という意味を表す部首《隶（れいのつくり）》（p259）になっている。〝つかまえて並べる〟ところから、商品を並べる〝お店〟という意味が生まれたようである。

《聿》を部首とする漢字は以上のようなもの。ただし、《竹》

(p285)を付け加えれば「筆《ふで》」になるのはもちろんのこと、ほんの少し変形しているものの、「書《しょ》」や、「画《が》」の以前の正式な書き方「畫《が》」にも、「聿」が含まれている。目立たないが、重要なところで漢字文化を支えているのである。

また、「尽《つ》くす」と訓読みする「尽《じん》」の以前の書き方「盡《じん》」も、成り立ちとしては、〝筆のようなもので洗って、容器の中を空にする〟ことだという。ただし、この漢字の「聿」は、横棒が一本少なくなっているので、注意が必要である。

〝筆〟を表すところから、部首としては「ふで」と呼ばれる。「ふでづくり」という名前もあるが、《聿》が漢字の右側、いわゆる「つくり」の位置に置かれることは、そう多くはない。

片

［名称］かた、かたへん、へん
［意味］①木の切れ端 ②木の板 ③文書

どうぞこれにお書きください

【片《へん》】は、「断片《だんぺん》」のように使うのが本来の用法で、〝切れ端〟という意味。もともとは〝木の切れ端〟を指す。昔から、漢字「木《き》」を縦に割った右半分の変形だと考えられてきた。

しかし、古代文字では図のような形。そこで、〝ベッド〟を表す「爿《しょう》」(p128)を左右逆にした形だという説もある。さらに、漢字学者の白川静は、この二つを〝土の塀を作るときに使う、左右から土を押さえる板〟だと解釈している。

成り立ちがどうであれ、部首としては、本来の意味からやや転じて、〝木の板〟を表す。特に、文字を記して使われるものを指すことが多いのが特徴である。

たとえば、「出版《しゅっぱん》」の【版《はん》】は、〝昔、印刷に用いた木の板〟。これに文字を彫り、インクを付けて紙に転写した。【牌《はい》】は〝文字を記して何かを表示するのに使う木の板〟で、「位牌《いはい》」がその例である。

まだ紙がなかった時代には、細長い木の板に文字を書き、それをまとめて文書とした。そこで、《片》は〝文書〟を表すことにもなる。【牒《ちょう》】は、本来は、〝細長い木の板で作られた文書〟を指す漢字で、現在では、「最後通牒《さいごつうちょう》」のように、広く〝文書〟という意味で使われる。また、現在ではあまり見かけないが、【牘《とく》】も似たような意味。「尺牘《せきとく》」とは〝短い文書〟のことで、〝手紙〟をいうことが多い。

以上のように、《片》は〝文字〟と関係の深い部首だが、単なる〝木の板〟を表す例がないわけではない。現在ではまず使われることはないものの、【牖《ゆう》】がその例。「まど」と訓読みする漢字で、〝木の板で囲って作った窓〟を指す。

部首としては、訓読みに基づいて「かた」と呼ばれる。漢字の左側、いわゆる「へん」の位置に現れることが多く、その場合は「かたへん」という。このほか、音読みに由来する「へん」という名前もあるらしいが、いわゆる「へん」とまぎらわしいので、あまり実用的ではない。

用

［名称］もちいる
［意味］①役に立つ、役立てる ②その他

部首の中でも、辞書的に説明しようとすると最も手間がかかるものの一つ。【用《よう》】は、古代文字では図のように書く。ただ、あみだくじのようなこの形をめぐっては、さまざまな解釈がある。

どれがいいのか迷うなあ…

まず、昔からある説では、上の方に含まれているように見える《卜(ぼく)》(次項)の形を、〝占い〟を表すと考える。そして、〝占いが的中する〟ところから〝役に立つ／役立てる〟という意味が生まれたとする。また、《卜》を〝木の棒〟だとして、本来は〝木の棒を使って木の板に穴を空ける〟という意味だったとする説もある。

別の解釈では、全体を〝木を組み合わせて作った柵〟だとする。この場合には、大昔の中国語では〝役に立つ／役立てる〟という意味のことばと発音が似ていたところから当て字的に転用されたとか、〝柵の中で儀式を行う〟ところから〝役に立つ／役立てる〟という意味になった、などと説明する。

このほか、この形を〝鐘の一種〟だと考える学者もいる。この説では、〝鐘を持ち上げる〟ところから現在のような意味が生まれたという。

《用》を部首とする漢字も、説明が長くなる。まず、【甫《ほ》】は、昔の中国では、男性の名前に付けることが多かった漢字で、日本でも「はじめ」と訓読みして人名に使われることがある。成り立ちには諸説があるが、古代文字では図のような形なので、〝役に立つ〟ことを意味する《用》に、「父」の古代文字の一つ「」を組み合わせた漢字が変形したもの、と考えるのがわかりやすい。

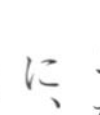

「父」はここでは〝一人前の男性〟で、「甫」は、本来は〝役に立つ一人前の男性として社会に受け入れられる〟ことを表すという。

次に、【甬《よう》】も、《用》を部首とする漢字。これも本来の意味ははっきりしないが、もともとは〝鐘をひっくり返したような形をした、中ががらんどうのもの〟を指していたらしい。そんな形をした木の容器が「桶《おけ》」。そんな形をした地面の底から水が出てくるのが、「涌《わ》く」と訓読みする「涌《ゆう》」。そこから転じて〝気力があふれてくる〟のが「勇《ゆう》」。がらんどうの中を〝通り抜ける〟のが「通《つう》」という具合に、説明がつく。なお、「用」の古代文字を〝鐘の一種〟だと考える説は、これが根拠になっている。

とはいえ、「踊《おど》る」と訓読みする「踊《よう》」や、「痛《いた》む」と訓読みする「痛《つう》」、「暗誦《あんしょう》」の「誦《しょう》」など、この解釈ではすんなりとは説明ができない漢字も多い。

というわけで、たった三文字のためにいろいろと書きつらねなければならないのが、この部首の特色。とはいうものの、形の上から便宜的に分類されたものだと決めつけてしまうわけにはいかない内容を含んでいる。〝役に立つ／役立てる〟とは、なかなか奥が深いことなのである。

なお、部首の名前としては、訓読みに基づいて「もちいる」と呼ばれている。

卜

［名称］ぼく、と、ぼくのと、うらない
［意味］占う

神様、教えてください…

大昔の中国には、亀の甲羅や動物の骨に小さな穴を開け、それを火であぶってできた割れ目の形で、未来を占う風習があった。【卜】《ぼく》は、その〝割れ目〟の形から生まれた漢字。〝占う〟ことを表し、「卜者《ぼくしゃ》」とは〝占い師〟をいう。

部首としては〝占う〟ことを表す。【占】《せん》は、もちろんその代表的な例。「占領《せんりょう》」のように使うのは、〝家を建てるときなどに、占いに従って場所を決める〟ところから転じたものらしい。

このほか、【卦】《け》は、中国に古くから伝わる「易《えき》」という占いで、〝占いの結果を示す印〟のこと。「当《あ》たるも八卦《はっけ》、当《あ》たらぬも八卦《はっけ》」とは、その印が基本的には八種類あるところから生まれたことばである。

部首の名前としては、音読みに従って「ぼく」と呼ばれる。カタカナの「ト」に似ているので「と」という名前もあるが、これだと《戸》（p74）や《斗》（p122）とまぎらわしいので、「ぼくのと」ともいう。また、意味に基づいて「うらない」と呼ばれることもある。

なお、「卜」という形は、〝木の棒〟や〝木で作った細い鞭〟を表すこともある。それに〝手で持つ〟ことを意味する「又」（p179）を組み合わせたのが、〝棒で打つ〟ことを表す部首《攴（ぼくづくり）》（p183）である。

鼓

［名称］つづみ
［意味］太鼓

音に合わせて踊りましょう

【鼓】《こ》は、〝太鼓〟を表す漢字。成り立ちとしては、もともと〝太鼓〟を意味する「壴《しゅ》」（p27）に、〝棒で打つ〟ことを表す「攴《ぼく》」（p183）を組み合わせたもの。古代文字では図のような形をしていて、ばちを使って太鼓を叩こうとしているのがよくわかる。後に、「攴」が「支《し》」に変形したと考えられている。

部首として、さまざまな〝太鼓〟を表す漢字を生み出す。

【鼗《とう》】は、「でんでん太鼓《だいこ》」のようなタイプの〝振り回して鳴らす太鼓〟。【鼙《へい》】は、〝馬に乗っていても鳴らすことができる、小型の太鼓〟。軍隊で使う大きな〝陣太鼓〟を表す【鼖《ふん》】という漢字もある。また、【鼕《とう》】は、〝太鼓の音〟を表す擬音語として使われる。

とはいえ、これらの漢字を使うことは、現在ではほとんどない。さらにいえば、《鼓》という部首が存在すること自体が驚きですらある。考えてみれば、〝太鼓〟は単なる楽器ではなく、戦争で突撃の合図に使うように、人を動かすために用いられるもの。そういう意味では、〝旗〟を表す部首《方》(p134)と似ているようにも思われる。

なお、部首の名前としては、訓読みに基づいて「つづみ」と呼ばれている。

龠

[名称]やく、やくのふえ
[意味]①笛　②調和させる

人の心も一つにできるか?

最も画数が多い部首で、17画ある。漢和辞典ではふつう、漢字を部首ごとに分け、部首の画数順に並べているので、《龠》は大トリに登場することになる。それにふさわしく複雑な形をしていて、初めて見る人の意表を突く部首である。

【龠《やく》】は、現在ではまず使うチャンスはないが、〝笛〟の一種を表す漢字。「口」が三つ含まれているように、三つの穴が空いていて、それを使っていろいろな音階をぴったり合わせて鳴らすことができるという。が、古代文字には図のようなUFOみたいな形のものもあり、穴の数は一定していないようである。

《龠》を部首とする漢字の中には、現在でも使われるものはない。それを承知で例を挙げると、【龡《すい》】は〝笛を吹く〟という意味で、「吹《すい》」と読み方も意味も同じ。また、《龠》は、〝ぴったり合わせる〟ところから〝調和させる〟という意味にもなる。【龢《わ》】がその例で、「和《わ》」と読み方も意味も同じ漢字である。

〝笛〟の一種を表す漢字がわざわざ部首になっているのにはびっくり。だが、〝調和〟という意味にまで発展しているのは〝音楽〟の持つ力を示しているようで、あながち、存在意義のない部首でもないようである。

なお、部首の名前としては、音読みに基づいて「やく」と呼ぶのが基本だが、それだけでは何のことかよくわからない。そこで、〝笛〟であることをはっきりさせた「やくのふえ」という呼び名もある。

第3部

体に関する部首

顔と頭／手／足／肉体

顔と頭

《目》《鼻》《耳》《口》は、それぞれが部首となる。《目》は単なる感覚器官を超えて、さまざまな感情のこもった数多くの漢字を含んでいる。また、《口》には〝ことば〟に関する漢字が多く、そこから派生した《言》は、さらにたくさんの〝ことば〟に関する漢字を生み出していく。《口》や《言》の漢字を眺めていると、人間にとって〝ことば〟がいかに大きな意味を持つか、つくづく実感される。

目

[名称]め、めへん
[意味]①目・目の一部 ②目の動作・状態 ③見る ④見えない ⑤その他

一目で惚れてしまいそう!

一瞬、目が合っただけで、恋に落ちることもある。ちょっとにらまれただけで、逃げ出したくなることもある。目のはたらきは、単に〝見る〟ことをはるかに超える。とすれば、部首《目》が多くの漢字を生み出すのも、当たり前のことだろう。

【目】《め》は、古代文字では図のように書き、視覚器官〝め〟の絵から生まれた漢字。そこで、部首としても、〝め〟やその一部、周辺などを表すのが基本である。漢字の左側、いわゆる「へん」の位置に置かれることが多く、その場合には「めへん」と呼ばれる。

【眼】《がん》は、やはり〝目〟を意味する「艮」《こん》（p145）を組み合わせて、〝目〟を強調して指す漢字。「瞳孔」《どうこう》の【瞳】《どう》は、訓読みでは「ひとみ」と読む。

〝ひとみ〟を表す漢字には、【眸】《ぼう》【睛】《せい》もある。「双眸」《そうぼう》とは〝両方のひとみ〟のこと。「画竜点睛」《がりょうてんせい》とは、ある絵の名人が竜を描いたとき、仕上げに〝ひとみ〟を書き入れたら、その竜が絵から抜け出して天に昇ったという話から生まれた故事成語。最後にちょっとした仕上げを加えて、作品や事業を完成させることのたとえとして使われる。

〝目〟の周辺を表す例としては、【瞼】《まぶた》や【眉】《まゆ》が代表的。【睫】《しょう》は〝まつげ〟を指す漢字で、「目睫《もくしょう》の間《かん》」とは〝とても近い〟ことのたとえ。また、【眥】《し》は〝めじり〟を表すが、訓読みではふつう、やや古風に「まなじり」と読む。

〝目の動作・状態〟を表す漢字もある。「瞬《またた》く」「瞬《まばた》く」と訓読みする【瞬】《しゅん》が、〝目の動作〟の代表。〝まばたき〟ではなく、しっかり〝目をつぶる〟ことを表すのは【瞑】《めい》で、「瞑《めい》目《もく》」という熟語で使われる。この方向をさらに進むと、〝ねむる〟ことを表す【睡《すい》】【眠《みん》】に行き着く。ちなみに、現在ではまず使われないが、〝うたたね〟という意味の【盹《しゅん》】という漢字もある。

一方、「明瞭《めいりょう》」の【瞭《りょう》】は、本来は〝目が輝いている〟ことを意味すると考えられており、〝目の状態〟を表す例。〝黒目がくっきりしていて美しい〟という、一目惚れしてしまいそうな【盼《はん》】という漢字もあるが、残念ながら、現在ではまず用いる機会がない。

目には心が現れる

部首《目》には、〝見る〟ことを表す漢字ももちろん含まれている。そもそも「見」は「目」と《儿(ひとあし)》(p22)を組み合わせた漢字だが、独立した部首《見》(p146)として扱われるのがふつう。ただ、〝見る〟ことを表す漢字は、実際には《見》よりも《目》の方がバラエティに富んでいる。

たとえば、「看護《かんご》」の【看《かん》】は、〝注意して見る〟こと。「眺《なが》める」と訓読みする【眺《ちょう》】は、〝離れたところから広い範囲を見渡す〟こと。「監督《かんとく》」の【督《とく》】は〝見張って指図をする〟ことで、「反省《はんせい》」の【省《せい》】の基本的な意味は〝自分のことをよく見る〟ことを表す。

さらには、【瞰《かん》】は〝見下ろす〟ことを意味し、「俯瞰《ふかん》」「鳥《ちょう》瞰《かん》」などの熟語で使われる。「一瞥《いちべつ》する」の【瞥《べつ》】は、〝ちらっと見る〟こと。【矚《しょく》】は〝注意して成り行きを見守る〟という意味。「将来を矚望《しょくぼう》される」のように用いられるが、現在では「属望《しょくぼう》」「嘱望《しょくぼう》」と書くことが多い。

「目は口ほどにものを言い」という通り、《目》は、さまざまな心の動きを込めた漢字を生み出す。「睨《にら》む」と訓読みする【睨《げい》】は、〝鋭い気持ちを込めて見る〟こと。「虎視眈々《こしたんたん》」の【眈《たん》】は、〝手に入れようとねらって見る〟こと。「瞠《みは》る」と訓読みする【瞠《どう》】は、〝びっくりして見つめる〟ことを指す。

現在ではあまり用いられないが、【瞿《く》】は、〝驚いてきょろきょろする〟ことを表す漢字。【眄《べん》】は〝横目で見る〟という意味で、〝右を見たり左を見たりしてぐずぐずする〟という意味の四字熟語「右顧左眄《うこさべん》」で使われることがある。

鋭かったり驚いたりばかりではない。「親睦《しんぼく》」の【睦《ぼく》】は、本来は〝おだやかに相手を見る〟ことだと考えるのが、わかりやすい。【眷《けん》】はいわゆる〝目をかける〟ことを表す漢字で、「一家眷属《いっかけんぞく》」とは、〝家来まで含む一族全体〟をいう。

このほか、【直《ちょく》】の部首も《目》で、本来の意味は〝まっすぐ見る〟こと。【相《そう》】の部首も、《木》ではなく《目》。〝木の状態を見る〟ことから〝ものの状態を見る〟ことを表すようになり、さらに、「手相《てそう》」「真相《しんそう》」など〝ものの状態〟を指すようになった、と考えられている。

思い切って目をつぶろう!

一方、【盲《もう》】のように〝見えない〟ことを表す漢字も、この部首には含まれている。

【眩《げん》】は〝目がくらむ〟という意味で、「眩惑《げんわく》」とは〝目をくらませ、判断を誤らせる〟こと。「欺瞞《ぎまん》」の【瞞《まん》】は、〝本当の姿を見えないようにする〟ことを表す。

「冒険《ぼうけん》」の【冒《ぼう》】は、以前は「日」を「冃」にした「冒《ぼう》」と書くのが正式。「冒」の部首は《冂（けいがまえ）》（p43）で、本来の意味は、〝ずきんなどを目のところまでかぶる〟こと。〝見えないようにする〟ところから、〝思い切って何かをする〟という意味が生じたという。なお、「冒」の部首を、形の上から便宜的に《日》（p332）とする辞書もある。

また、「たて」と訓読みする【盾《じゅん》】も、そもそもは〝目を攻撃から守るために用いる武具〟だと考えられている。

以上のほか、「目」と直接の関係はないが、形の上から便宜的に部首《目》に含まれる漢字もある。その一つ【県《けん》】は、以前は「縣《けん》」と書くのが正式で、部首は《糸》（p47）。古代文字では図のような形で、左側は「首」の古代文字「」を上下逆さまにしたもの。本来は〝首を逆さまにして糸でぶら下げる〟という意味だったと考えられている。大昔の中国語では行政単位の一つを指すことばと発音が似ていたことから、当て字的に用いられて現在のような意味になったらしい。

また、「真実《しんじつ》」の【真《しん》】は、以前は【眞《しん》】と書くのが正式。成り立ちははっきりしないが、「県」と関係づけたり、「鼎《かなえ》」（p119）と関係づけたりする説がある。

なお、その「鼎」は、〝ものを煮炊きするための大きな器〟の絵から生まれた漢字で、この字そのものが部首となる。

また、「到着《とうちゃく》」の「着《ちゃく》」にも「目」が含まれているが、これは「著《ちょ》」（p276）のくずし字から生まれた漢字。部首は、形の上から便宜的に《羊》（p230）に分類するのがふつう。「道具《どうぐ》」の「具《ぐ》」は、以前は「目」の下がハシゴみたいにつながった「具《ぐ》」と書くのが正式。これまた形の上から便宜的に、部首《八》（p354）に分類するのが一般的である。

罒

見かけはそっくり　出身は別

［名称］よこめ
［意味］①目の動作・状態　②その他

《目》（前項）が変形した部首。〝網〟を表す《罒（あみがしら）》（p133）と全く同じ形だが、成り立ちは異なるので、別の部首だということになる。漢和辞典では、《罒（よこめ）》の漢字は《罒（あみがしら）》の漢字とは一緒にせず、部首《目》の中に含めて取り扱うのが伝統である。

部首としては〝目の動作・状態〟を表す。【睘《けい》】は〝驚いて目をまるくする〟こと。〝まるい〟〝一週する〟という意味合いがあり、「指環《ゆびわ》」のように訓読みして使うことがある「環《かん》」や、「生還《せいかん》」の「還《かん》」などの構成要素となっている。

また、【睪《えき》】は、〝のぞき見する〟という意味。「沢《さわ》」「択《たく》」「駅《えき》」「訳《やく》」「釈《しゃく》」の以前の正式な書き方「澤《さわ》」「擇《たく》」「驛《えき》」「譯《やく》」「釋《しゃく》」などに見られる。これらの漢字での「睪」には、〝次々につながって現れる〟という意味があるらしい。そこで、「睪」の本来の意味を〝次々に現れる容疑者を面通しする〟ことだ、と考える学者もいる。
なお、「睪丸《こうがん》」の【睪《こう》】も、形の上から便宜的に、部首《罒（よこめ）》に分類されている。

艮

［名称］うしとら、こん、こんづくり、ねづくり
［意味］①目 ②一か所にとどまる ③その他

そんなに見つめないで…

二〇〇以上ある部首の中でも、最も所属文字の少ないものの一つ。一万数千字を収める漢和辞典でも、「艮《こん》」のほか、「良《りょう》」「艱《かん》」の合計三つしか収録していないのがふつうである。

【艮《こん》】は、古代文字では図のように書かれ、〝目〟を強調した形だと考えられている。そこで、本来の意味は〝じっと見つめる〟ことだったともいうが、はっきりしない。転じて、〝一か所にとどまる／一か所から動けない〟という意味を持つことがあり、そこからさまざまな漢字を生む。【艱《かん》】はその例で、「艱難《かんなん》」とは〝身動きできずに苦しむこと〟をいう。
同じように、〝木の動かない部分〟は「根《こん》」、〝心に深く突き刺さった思い〟は「恨《こん》」、〝なかなか消えない傷〟は「痕《こん》」ということになる。また、「限《げん》」は〝ある範囲から動かないようにする〟ことだし、「銀《ぎん》」の成り立ちにも〝腐蝕しにくい金属〟だから、という説がある。ただし、これらの漢字はそれぞれ、部首としては《木》（p260）《忄（りっしんべん）》（p219）《疒（やまいだれ）》（p129）《阝（こざとへん）》（p309）《金》（p300）に分類される。
一方、「良《よ》い」と訓読みする【良《りょう》】は、成り立ちとしては《艮》とは関係がなく、形の上から便宜的に分類されたもの。

古代文字では図のような形で、〝よい穀物だけをよりわけるのに使う道具〟の絵だと考える説が有力である。
部首名の「うしとら」は、漢字「艮」の訓読み。「艮」は本来の意味で用いられることは少なく、古くから、方角や時間について、十二支の「丑《うし》」と「寅《とら》」の中間を指す漢字として用いられてきたので、この訓読みがある。また、「艮」の音読みに基づいて「こん」と呼ぶこともある。さらに、「根」の右側、いわゆる「つくり」の部分に見られることから、「こんづくり」「ねづくり」という呼び名も用いられている。

臣

［名称］しん
［意味］①家来 ②下を向く

家来も神様も方向は同じ！

「大臣《だいじん》」という熟語で使われるので、【臣《しん》】には〝えらい人〟というイメージがある。

しかし、意味としては、君主に仕える〝家来〟のことで、別に〝えらい人〟を指すわけではない。

起源をたどるとさらにイメージダウンで、古代文字では図のような形をしている。「目」の古代文字「」と似ているので、〝目に傷をつけて目が見えないようにした奴隷〟を指していたとする説が有力。ただし、部首としては〝下を向く〟という意味を表すので、〝ひれ伏している家来〟だと考える説もある。

【臨《りん》】は、〝近づいて見下ろす〟こと。「神の降臨《こうりん》」「王として君臨《くんりん》する」などがその例。転じて、「臨時《りんじ》」「試合に臨《のぞ》む」のように〝その場に身を置く〟という意味で使われる。【臥《が》】は、「病臥《びょうが》」「ベッドに臥《ふ》せる」などと用いる漢字で、〝うつぶせになる〟のが本来の意味である。

このほか、「監督《かんとく》」の「監《かん》」は、もともとは〝水を張った器を上からのぞき込む〟こと。〝下を向く〟という意味の「臣」を含んでいるが、部首としては《皿》（p116）に分類される。その「監」に部首《見》（次項）を組み合わせたのが「覧《らん》」で、「一覧《いちらん》」の「覧《らん》」の以前の正式な書き方である。

また、【臤《けん》】は〝かたい〟という意味合いを持つ漢字で、そもそもは〝ひれ伏した家来の体のようにかたい〟ことだという。そこから「堅《けん》」「緊《きん》」「賢《けん》」などが生まれるが、それぞれ部首は《土》（p294）《糸》（p47）《貝》（p242）に分類される。

なお、部首《女》（p28）に分類される「姫《ひめ》」は、以前は「臣」を「𦣝」とした「姬《き》」と書くのが正式で、「臣」とは関係がない。

「臣」の書き順については、現在では、最初に左の縦棒を書き、そのあと上から順番に書いていくのが標準とされている。そこで、画数は7画となる。ただし、以前は最初に上の横棒を書き、最後に「乚」の部分を続けて書いたので、全体は6画になる。そのため、現在でも漢和辞典によっては6画で数える場合があるので、注意が必要である。

見

[名称] みる
[意味] ①見る ②じかに見る ③神経のはたらき ④その他

見てるだけではありません！

【見《けん》】は、古代文字では図のように書き、〝ひざまずいた人〟の絵の〝目〟の部分を特大に書いて、「目」を強調した形。人間の目の機能〝みる〟ことを表す。部首としては、ふつうは「みる」とだけ呼ばれる。漢字の右側、いわゆる「つくり」の位置に現れることが多いが、「みるづくり」「けんづくり」などとはいわないようである。

「視力《しりょく》」の【視《し》】は、以前は【視《し》】と書くのが正式で、〝意識して見る〟こと。「観測《かんそく》」の【観《かん》】は、以前は【觀《かん》】と書くのが正式で、〝全体をよく見る〟こと、「展覧会《てんらんかい》」の【覧《らん》】は〝全体を眺め渡す〟という意味合いで、以前は【覽《らん》】と書くのが正式であった。

「覗《のぞ》く」と訓読みする【覗《し》】もこの例。また、現在ではあまり用いられないが、【覬《き》】【覦《ゆ》】はどちらも〝期待や欲望を持って見る〟という意味で、「覬《き》覦《ゆ》」という熟語がある。

「親《した》しい」と訓読みする【親《しん》】は、本来は〝すぐそばで見る〟という意味。このように、部首《見》は、単に〝見る〟のではなく、特に〝じかに見る〟というニュアンスを含むことがある。【覲《きん》】は〝君主にお目にかかる〟ことで、江戸時代の「参《さん》勤交代《きんこうたい》」を、昔は「参覲交代《さんきんこうたい》」と書くこともあった。

【覯《こう》】は、〝思いがけなく実際に見ることができる〟といったラッキー感を伴う漢字。「稀《き》覯本《こうぼん》」とは、〝めったに見られない珍しい書籍〟のこと。「効果覿面《こうかてきめん》」の【覿《てき》】は、〝実際に目の当たりにする〟ことを表す。

このほか、特殊な例として【覚《かく》】がある。「感覚《かんかく》」「覚悟《かくご》」「英単語《えいたんご》を覚《おぼ》える」「目《め》が覚《さ》める」のように使うので、この漢字での《見》は、〝神経のはたらき〟全般を指していると考えられる。〝見る〟ことが人間の精神活動の中でいかに大きな部分を占めているか、よくわかる漢字である。なお、以前は【覺《かく》】と書くのが正式であった。

最後に、【規《き》】は、本来は〝コンパス〟を表す漢字。「夫」は〝コンパス〟の絵が変形したものだというが、なぜ《見》が付いているのかについては、諸説あってよくわからない。

鼻

［名称］はな、はなへん
［意味］①鼻 ②鼻の一部や状態 ③呼吸の状態

花粉症に悩んでたのかも?

顔の真ん中についている〝はな〟を漢字で書きなさい、といわれれば、だれだって「鼻《はな》」と書く。しかし、実は、〝はな〟を表す本来の漢字は、「自《じ》」(p148)である。

【鼻《び》】は、以前は「廾」を「丌」にした【鼻《び》】と書くのが正式で、「自」に「畀《ひ》」を組み合わせた漢字。「畀」は〝空気が通る穴〟を表すとか、〝鼻息の音〟を表すなどの説がある。部首としても「はな」と呼ぶが、漢字の左側、いわゆる「へん」の位置に置かれることが多く、その場合には「はなへん」ともいう。

現在ではほとんど使われることがないが、〝鼻の一部や状態〟を表すさまざまな漢字を生む。【齃《あつ》】は〝鼻筋〟、【齀《ごつ》】は〝鼻が上を向いている〟こと。〝鼻が赤い〟ことをいう【齇《さ》】という漢字もある。

転じて、〝呼吸の状態〟をも指す。【鼾《いびき》】がその代表で、これは《鼻》の漢字としては珍しく、現在でも用いられることがある。また、【鼽《きゅう》】【齆《おう》】のように、〝鼻がつまる〟ことを表す漢字もある。

なお、〝においをかぐ〟ことを表す漢字として【齅《きゅう》】があるが、「嗅《きゅう》」(p151)の方が一般的。その代わりに〝いびき〟や

〝鼻づまり〟が含まれているのは、漢字を創った人々の〝鼻〟に対する印象が現れているようで、おもしろい。

自

［名称］みずから
［意味］鼻

どんな鼻でも自分は自分

【自《じ》】は、人間の〝鼻〟の絵から生まれた漢字だと考えられている。「自分《じぶん》」「自《みずか》ら」のように使われるのは、〝自分〟を指すときに指で〝鼻〟を指すところからだという。

古代文字を見ると図のような形で、なんとなくハクション大魔王を思い出させる不思議な形をしている。漢字を創った人々は、鼻に入れ墨でも入れる習慣があったのかもしれない。

部首としては、本来の意味の通りに〝鼻〟を表す。「鼻《び》」ももちろんその例だが、ふつうは《鼻》(前項)そのものが部首として扱われる。

【臭《しゅう》】は、以前は「大」を「犬」とした**【臭《しゅう》】**と書くのが正式。〝犬の鼻〟はにおいに敏感であるところから〝におう〟ことや〝くさい〟ことを表すようになった。

また、現在ではまず使われないが、同じく〝におう〟ことを表す**【臰《しゅう》】**という漢字もあって、いったいどんな〝におい〟がするのか、恐くなる。このほか、「息《いき》」も、「自」が〝鼻〟を表している例だが、ふつうは部首《心》(p215)に分類される。

なお、部首の名前としては、訓読みに基づいて「みずから」と呼ばれている。

耳

［名称］みみ、みみへん
［意味］①耳、耳の状態 ②耳のはたらき ③知力が高い ④その他

聞く耳持たなきゃダメですねえ

【耳《じ》】は、古代文字では図のように書き、人間の聴覚器官〝みみ〟の絵から生まれた漢字。

部首としての名前も「みみ」だが、漢字の左側、いわゆる「へん」の位置に置かれた場合には、「みみへん」とも呼ばれる。

部首《目》(p142)には〝目の一部や動作・状態〟を指す漢字が多いのに対して、部首《耳》には〝耳の状態〟に関係する例はあまりない。しいて挙げれば、**【耽《たん》】**は、「耽溺《たんでき》」「酒色に耽《ふけ》る」のように使われて〝のめり込む〟ことを表すが、本来は〝耳が垂れ下がる〟という意味だという。また、「聳《そび》える」と訓読みする**【聳《しょう》】**も、本来は〝耳をそばだてる〟ことを指す、とする説がある。

ちなみに、ふつう、部首《心》(p215)に分類する「恥《ち》」には、恥ずかしいと耳が赤くなるから「耳」が付いている、という説がある。だとすると、これも〝耳の状態〟の一種かもしれない。

部首《耳》に多いのは〝耳のはたらき〟を表す漢字で、「聞《き》く」と訓読みする【聞《ぶん》】がその代表。同じく「聴《き》く」と訓読みする【聴《ちょう》】は、〝意識して耳を傾ける〟という意味合い。以前は【聽《ちょう》】と書くのが正式であった。

【聲《こえ》】は、「声《こえ》」の以前の正式な書き方。「銃声《じゅうせい》」「鐘《かね》の声《こえ》」のように使われ、本来は、〝口で発する〟のではなく〝耳で聞こえる〟ところに重点がある。【聊《りょう》】は〝耳にして楽しむ〟という意味で、「無聊《ぶりょう》」とは〝楽しみがない〟こと。〝耳が聞こえない〟ことをいう【聾《ろう》】も、〝耳のはたらき〟の例である。

また、「聡明《そうめい》」の【聡《そう》】は、以前は【聰《そう》】と書くのが正式で、〝頭がいい〟という意味。【聖《せい》】は本来、〝人格も知恵もすぐれている〟ことである。

このように、〝知力が高い〟ことを表す漢字に部首《耳》が付いているのは、耳から入ってくる情報を処理する能力がいかに重要かを、よく表しているといえるだろう。〝ことば〟を表す部首《言》(p157)に〝頭脳のはたらき〟に関係する漢字が多いことと、表裏一体となっている。〝仕事〟を意味する【職《しょく》】も、この例の一つだと考えられる。

切り取ってつなげるなんて！

ところで、昔の中国の戦争では、敵の耳を切り取って、敵を討ち取った証拠としたらしい。「取《しゅ》」はそこから生まれた漢字だと考えられるが、部首としてはふつう《又》(p179)に分類される。

〝集める／集まる〟という意味の【聚《しゅう》】は、その「取」から発展した漢字。こちらはなぜか、部首は《又》ではなく《耳》とするのが一般的。「聚落《しゅうらく》」のように使うが、現在では「集落《しゅうらく》」と書く方がふつうである。

また、【聯《れん》】は〝つなげる〟ことを表す漢字で、そもそもは〝切り取った敵の耳をひもでつなげる〟ことだったと考えられている。「聯盟《れんめい》」「関聯《かんれん》」のように用いるが、これまた現在では、「連盟《れんめい》」「関連《かんれん》」と書くのがふつうである。

以上のほか、「耳」とは直接の関係がない漢字もある。【耶《や》】は、「邪《じゃ》」(p83)が変形して生まれた漢字で、「や」という発音を表す当て字のように使われることが多い。「招《しょう》聘《へい》」のように用いられて〝お越しいただく〟ことを意味する【聘《へい》】や、「花聟《はなむこ》」のように訓読みして使うことがある【聟《せい》】については、なぜ部首《耳》が付いているのか、説得力のある説明は見当たらないのが現状である。

口

［名称］くち、くちへん
［意味］①口 ②飲食 ③呼吸 ④ことば ⑤擬音語や当て字などを表す記号 ⑥穴・容器 ⑦もの ⑧その他

口にしてから胃に収めるまで

〝くち〟といってもいろいろな〝くち〟があるが、【口《こう》】は、本来は〝飲食したり呼吸したりことばを発したりする器官〟を指す漢字。部首としては漢字のあちこちに現れるのが特徴で、特に左側、いわゆる「へん」の位置に置かれた場合には、「くちへん」と呼ばれる。〝くち〟のさまざまなはたらきを反映して、非常に多くの漢字を抱える巨大な部首である。

部首《口》の基本となるのは、〝口〟に直接、関係するもの。【唇《くちびる》】や【喉《のど》】【唾《つば》】がその例。「キス」のレトロな言い方「接吻《せっぷん》」に使われる【吻《ふん》】は、〝くちびる〟という意味である。

次に挙げられるのは、〝飲食〟に関係するもの。「喰《く》らう」と訓読みする【喰《さん》】は、〝食べる〟こと。【啖《たん》】も同じ意味で、〝よく食べる人〟のことを「健啖家《けんたんか》」という。「喫茶店《きっさてん》」の【喫《きつ》】も、本来は〝飲食する〟という意味。「啜《すす》る」と訓読みする【啜《せつ》】という漢字もある。

【含《がん》】は、もともとは〝口の中にモノを入れる〟という意味。似たような意味の漢字に【哺《ほ》】があり、「哺乳類《ほにゅうるい》」とは〝乳をくわえて乳を飲んで育つ動物〟のことである。

モノを口の中に入れると、【味《あじ》】を感じることになる。特に〝おいしいと感じてじっくり味わう〟のが【嗜《し》】で、現在では「嗜好品《しこうひん》」「お酒を嗜《たしな》む」などと使われる。なお、味覚器官を表す「舌《した》」にも「口」が含まれているが、ふつうは、独立した部首《舌》(p164)として扱われる。

【囓《げつ》】は、「囓《か》む」と訓読みする漢字で、省略して【啮《げつ》】と書かれることもある。【咬《こう》】も、訓読みでは「咬《か》む」と読む。「咀嚼《そしゃく》」という熟語で用いられる【咀《そ》】【嚼《しゃく》】は、どちらも〝よくかむ〟ことを表す。

【呑《どん》】は「呑《の》む」と訓読みするが、〝丸ごとのみこむ〟という意味合いが強い。【嚥《えん》】もほぼ同じ意味で、「錠剤《じょうざい》を嚥下《えんか》する」のように使われる。【呷《こう》】は、訓読みでは「呷《あお》る」で、〝液体を一気にのみこむ〟こと。

逆に、〝口から外へ出す〟ことを表すのは、「吐《は》く」と訓読みする【吐《と》】。「嘔吐《おうと》」という熟語で用いられる【嘔《おう》】も、意味はほぼ同じ。「喀血《かっけつ》」の【喀《かく》】も〝口から外へ出す〟ことだが、現在では、特に〝肺からの出血を口から外に出す〟場合に用いられる。

げっぷもすればくしゃみもします

〝飲食〟に関係する漢字だけでなく、〝息の出し入れ〟に関する漢字も少なくない。「呼吸《こきゅう》」の【呼《こ》】の本来の意味は、〝息を外に出す〟こと、【吸《きゅう》】は〝気体を取り入れる〟こと。〝息を勢いよく外に出す〟場合には、「吹奏楽《すいそうがく》」の【吹《すい》】を使う。【噴《ふん》】も似たような意味の漢字だが、現在では「噴水《ふんすい》」「噴射《ふんしゃ》」のように〝呼吸〟から離れて用いることが多い。

【咳《せき》】のように、〝呼吸の状態〟に関する漢字もある。「喘息《ぜんそく》」「喘《あえ》ぐ」の【喘《ぜん》】もその例。「嗚咽《おえつ》」という熟語で用いられる【嗚《お》】【咽《えつ》】は、どちらも〝呼吸がつかえる〟こと。ただし、「咽」は〝のど〟を指すこともあり、その意味の場合には、音読みでは「いん」と読む。

また、【噯《あい》】は、訓読みでは「おくび」と読み、いわゆる〝げっぷ〟のこと。「くさめ」「くしゃみ」と訓読みして用いる【嚏《てい》】という漢字もある。

ちょっと変わった例として、〝口笛を吹く〟ことを表す【哨《しょう》】がある。ただし、この口笛はのんきなものではなく、警戒の合図。「哨戒《しょうかい》」とは〝敵の動きを見張る〟ことをいう。また、「嗅覚《きゅうかく》」「においを嗅《か》ぐ」のように用いる【嗅《きゅう》】も、広い意味で〝呼吸〟に関係する漢字の一つだといえる。

食べることより大事なはたらき

以上、〝飲食〟や〝呼吸〟に関する漢字だけでもかなりの数になる。が、部首《口》の世界で最も数が多いのは、実は〝ことば〟に関する漢字である。たとえば、【名《な》】は、〝あるものを特別に指すことば〟。【句《く》】は、「文句《もんく》」「絶句《ぜっく》」のように〝ひとまとまりのことば〟を指す。

中でも、〝ことばを使う〟ことを表す漢字が目立つ。「命令《めいれい》」の【命《めい》】、「質問《しつもん》」の【問《もん》】、「告白《こくはく》」の【告《こく》】などが、代表的な例。「告」は、以前は正式には【吿《こく》】と書いた。「召集《しょうしゅう》」の【召《しょう》】は〝呼び寄せる〟こと。「委嘱《いしょく》」の【嘱《しょく》】は、以前は【囑《しょく》】と書くのが正式で、〝言いつける〟こと。「呈示《ていじ》」の【呈《てい》】は〝ことばで示す〟ことを意味し、「比喩《ひゆ》」の【喩《ゆ》】は〝別のことばで表現する〟ことを表す。

さらには、「唆《そそのか》す」と訓読みする【唆《さ》】、「咎《とが》める」と訓読みする【咎《きゅう》】などもある。「拝啓《はいけい》」の【啓《けい》】や、「喋《しゃべ》る」と訓読みする【喋《ちょう》】は、〝話す〟ことそのものを指す漢字。さらに、〝そうではないと言う〟ことを表す【否《ひ》】、本来は〝ことばできちんと説明する〟ことを意味する【哲《てつ》】なども、このグループに入れられる。

〝ことば〟に関する部首には《言》（次項）もあるが、比較してみると、《口》の漢字には、感情的にことばを用いるものが多い傾向がある。たとえば、「驚嘆《きょうたん》」の【嘆《たん》】は、「嘆《なげ》く」と訓読みし、〝心が強く動かされて思わず声を出す〟こと。「哀《あわ》れ」と訓読みする【哀《あい》】も、本来は〝かなしげな声を出す〟という意味。【喝《かつ》】は〝大声でどなりつける〟ことで、「こそ泥《どろ》を一喝《いっかつ》する」のように用いる。なお、以前は、「嘆」は「艹」の部分を「廿」にした【嘆《たん》】と、「喝」は「匂」を「匃」にした【喝《かつ》】と書くのが正式であった。

ついつい大きくなってしまって…

「喝」だけでなく、〝大声〟に関する漢字は多い。「叫《さけ》ぶ」と訓読みする【叫《きょう》】、「喚《わめ》く」と訓読みする【喚《かん》】、「威嚇《いかく》」の【嚇《かく》】などもその例。【号《ごう》】も本来は〝大声を出す〟ことで、「号泣《ごうきゅう》」にその意味が残る。【喧《けん》】【嘩《か》】だって、ひそひそ声ではやりにくい。

また、【可《か》】も、もともとは〝大声を出す〟ことを表す漢字。転じて〝許可する〟という意味で用いられるようになった結果、〝大声を出す〟ことを表すためにさらに部首《口》を付け加えて作られたのが【呵《か》】。現在では「良心の呵責《かしゃく》」のように使われる。

部首《口》の漢字の中には、「口」が二つ並ぶものもある。その中にも、〝大声〟に関するものがたくさんある。【哭《こく》】は〝大声で泣く〟ことで、「慟哭《どうこく》」という熟語で使われる。訓読みでは「喪中《もちゅう》」のように用いる【喪《そう》】は、「哭」から派生した漢字で、本来の意味は〝亡くなった人をしのんで大声で泣く〟ことだと考えられている。

「厳《きび》しい」と訓読みする「厳《げん》」は、以前は【嚴《げん》】と書くのが正式。そもそもの意味は〝大声で取り締まる〟ことだという。

「喧々囂々《けんけんごうごう》」という四字熟語で使われる【囂《ごう》】は、「口」が四つもあるというサービスぶりで、もちろん〝やかましい〟ことを表す。

〝大声〟からはちょっと外れるが、「呻《うめ》く」の【呻《しん》】や「唸《うな》る」の【唸《てん》】も、感情的にことばを用いる例。「嘲笑《ちょうしょう》」の【嘲《ちょう》】は〝ばかにして笑う〟こと。ほぼ同じ意味の漢字には【嗤《し》】もあり、「嗤《わら》う」と訓読みして使われる。

井戸端会議やひそひそ話も…

やや殺伐とした世界に深入りしてしまったので方向を転じると、【吟《ぎん》】は〝詩歌を口ずさむ〟ことで、「吟詠《ぎんえい》」「詩吟《しぎん》」のように使われる。「うた」と訓読みする【唄《ばい》】は、もちろん〝歌う〟こと。「囃《はや》す」と訓読みする【囃《そう》】は、本来は〝音楽に合いの手を入れる〟という意味。「合唱《がっしょう》」「ご唱和《しょうわ》ください」の【唱《しょう》】は、〝大勢で調子を合わせて声を出す〟ことを表す。

【哄《こう》】は〝大勢がどっと声を出す〟ことを指す漢字で、「哄笑《こうしょう》」という熟語がある。【噂《うわさ》】は、本来は〝大勢で集まってしゃべる〟という意味。【和《わ》】の部首は《禾（のぎへん）》（p277）ではなく《口》で、本来は〝大勢の話が一致する〟ことを表す。

なお、【吾《われ》】は、もともとは〝ことばを交わす〟という意味。大昔の中国語では〝自分〟を指すことばと発音が似ていたことから、当て字的に用いられて〝自分〟という意味が生じた。そこで、もとの意味を表すために《言》を付け加えて改めて作られたのが、「語《ご》」である。

また、【喜《き》】については、本来の意味は〝飲食のよろこび〟だと考える説と、〝歌うよろこび〟だとする解釈とがある。【嘉《か》】は、「喜」から派生した漢字。〝めでたい〟という意味で、現在でも「よし」と読んで人名に用いられる。

このほか、「囁《ささや》く」と訓読みする【囁《しょう》】のように、〝小声で話す〟ことを意味する漢字もある。【嗄《さ》】は〝声がかすれる〟ことで「嗄《か》れる」「嗄《しゃが》れる」と訓読みして使われる。【吃《きつ》】は、〝ことばがつかえる〟こと。【啞《あ》】は、〝声が出せない〟ことで、省略して【唖《あ》】と書かれることもある。さらには、「噤《つぐ》む」と訓読みする【噤《きん》】のように、〝声を出さない〟ことを表す漢字もある。

祈りからも漢字は生まれる

ところで、部首《口》の漢字の中には、特に〝神への祈りのことば〟と関係が深いと考えられるものがある。たとえば、【吉《きち》】は〝祈りがもたらすよい結果〟と考えるとわかりやすい。「呪《のろ》い」「呪文《じゅもん》」のように使う【呪《じゅ》】も、〝祈り〟と関係が深い。

【君《きみ》】は、本来は〝神への祈りを中心となって行う者〟を指す漢字で、転じて、「君主《くんしゅ》」のように〝支配者〟という意味で用いられる。〝貴人の妻〟を指す【后《きさき》】も、同じような成り立ちの漢字らしい。また、〝後継ぎ〟を表す【嗣《し》】の部首も《口》で、もともとは〝後継ぎを立てたことを神に報告する〟という意味だったと考えられている。

このような〝祈りのことば〟を表す《口》は、飲食や呼吸に用いる《口》とは別の漢字である、と考えるのが、漢字学者の白川静の説。白川説によると、〝祈りのことば〟を表す《口》の本来の音読みは「さい」。図は《口》の古代文字だが、これは〝神への祈りのことばを記したものを入れる箱〟の絵だという。

白川説では、〝ことば〟に関係する部首《口》の漢字の多くを、〝祈り〟と関連づけて解釈する。とはいえ、〝祈りのことば〟も〝ことば〟であることに変わりはないので、部首という観点からは、それほど大きな影響はない。

と、ここまでは主に人間界のお話だが、対象を動物にしても、部首《口》の世界は変わらない。

【喙《かい》】は〝くちばし〟を表す漢字で、「容喙《ようかい》する」とは〝くちばしを挟む〟こと。【嘴《し》】も〝くちばし〟のことで、「砂嘴《さし》」とは〝鳥のくちばしのように細長く伸びた砂浜〟をいう地理用語。【啄《たく》】は、以前は点が一つ加わった【啄《たく》】と書くのが正式。〝くちばしでつつく〟という意味で、「啄木鳥」と書いて「きつつき」と読むことがある。

「鳴《めい》」の部首は《鳥》（p237）とするのがふつう。ただ、〝鳥が鳴く〟という意味の漢字には【啼《てい》】もあり、こちらも「啼《な》く」と訓読みする。「囀《さえず》る」と訓読みする【囀《てん》】もその仲間。鳴くのが犬になったのが【吠《はい》】で、訓読みは「吠《ほ》える」となる。「咆哮《ほうこう》」という熟語で使う【咆《ほう》】【哮《こう》】は、虎などの〝猛獣がほえる〟こと。〝馬が鳴く〟場合には【嘶《せい》】という漢字があり、「嘶《いなな》く」と訓読みする。

耳を澄ませば聞こえてくるかも？

話は少し変わるが、〝ことば〟の中には、何かの音をそのまま表す擬音語もある。漢字は意味を表す表意文字なので、はっきりとした意味がない擬音語を書き記すには、似た発音の漢字を当て字するしかない。その場合に、擬音語であることを示す記号として、部首《口》を加えることがある。

たとえば、【叱《しつ》】は「叱《しか》る」と訓読みするが、本来は息が強く吐き出されるときの「しっ」という音を「七《しつ》」で表し、それに《口》を加えたもの。「叱咤《しった》」の形で用いる【咤《た》】も同様で、「宅《たく》」は舌打ちの音を表す。感極まったときに漏れる声を「差《さ》」で表したところから生まれたのが【嗟《さ》】。「嗟嘆《さたん》」とは〝非常に残念に思う〟ことや〝とても感心する〟ことをいう。

「唯一《ゆいいつ》」の【唯《ゆい》】も、本来は、日本語なら「はい」に当たる承諾のことばをそのまま書き記すための擬音語。「唯々《いい》諾々《だくだく》」という四字熟語にその用法が残る。「好評嘖々《こうひょうさくさく》」「鬼《き》哭啾々《こくしゅうしゅう》」の【嘖《さく》】【啾《しゅう》】も擬音語で、それぞれ、評判の高さや泣き声を表す。【呱《こ》】は赤ちゃんの泣き声の擬音語で、

「呱々《ここ》の声《こえ》」とは〝産声〟を指す。

すでに挙げた漢字の中にも、もともとは擬音語だったのではないかと思われるものがある。〝呼吸がつかえる〟ことをいう「嗚《お》」「咽《えつ》」がその例。「咀《そ》」「嚼《しゃく》」も、耳を澄ますと〝よくかむ〟音が聞こえてきそうだ。〝げっぷ〟を指す「噯《あい》」に含まれる「愛《あい》」だって、夢のない話だが、〝げっぷ〟の音を表しているのかもしれない。

「叩《たた》く」と訓読みして使う【叩《こう》】は、ちょっと変わった例。この漢字では、部首《口》が擬音語であることを表すのではなく、《口》の音読みコウが、「こつこつ」という〝たたく音〟の擬音語になっているという。

部首《口》を付け加えるという方法は、外来語の発音に当て字する場合にも用いられることがある。楽器の「喇叭《らっぱ》」で用いられる【喇《らつ》】【叭《は》】は、古代インド語に対する当て字。「阿吽《あうん》の呼吸」の【吽《うん》】も同様で、「阿」は古代インド語で口を開いて出す音、「吽」は口を閉じて出す音を表す。現代の外来語だと、重さの単位のトンを【噸《とん》】で表すのがその例。〝ビール〟をいう中国語「啤酒《ビージウ》」の【啤《ビー》】も、「ビー」に対する当て字。日本では「珈琲《コーヒー》」と書く〝コーヒー〟も、現代中国語では【咖《カ》】【啡《ヒ》】の二文字で表す。

この方法をちょっとひねったのが、【吋《インチ》】【呎《フィート》】【哩《マイル》】。それぞれ、長さの単位「寸《すん》」「尺《しゃく》」「里《り》」を元にして、ヨーロッパの単位を表すために新しく作られた漢字。部首《口》は、その由来を示す記号のようなはたらきをしている。

また、中国語には、日本語の「〇〇ですか」「〇〇ですね」の「か」「ね」と同じように、文末に置かれて疑問や確認などさまざまなニュアンスを表すことばがある。このことばを表す漢字にも、部首《口》が付け加えられることがある。その代表は【哉《さい》】で、感嘆のニュアンスを表す漢字。日本語でも「すばらしき哉《かな》」のように用いることがある。また、現代中国語で使われる【呢《ナ》】【嗎《マ》】なども、同様の意味合いで部首《口》が使われている例である。

この用法の元祖と思われるのが【只《し》】。日本語では「ただ」と訓読みして使うが、大昔の中国語では、感動や強調などのニュアンスを表す漢字だったらしい。《口》の下に吹き出しのような二本の線を添えることで、そのニュアンスを表現しているといわれている。

口から出まかせ知らんぷり

このように、中国語には中国語独自の部首《口》の世界があるが、日本語もまた、独特の部首《口》の世界を作り出している。

たとえば、【噓《きょ》】は本来は〝息を吐き出す〟という意味だが、日本語では、〝ことばが虚《むな》しい〟ところから「うそ」と訓読みして用いる。【呟《げん》】のもともとの意味は〝大声を出す〟ことだが、「玄《げん》」(p349)には〝暗い〟という意味があるので、〝はっきりわからないことば〟というところから、日本語では「呟《つぶや》く」と訓読みする。

また、「咄嗟《とっさ》の一言《ひとこと》」のように使う【咄《とつ》】は、本来は舌打ちの音を表す擬音語だが、日本語では〝口から出まかせ〟と解釈して「はなし」と訓読みして用いる。【噺《はなし》】も似た意味だが、こちらは〝新しく語られることば〟というところから作られた、日本語オリジナルの漢字である。

このほか、【叶《きょう》】は、そもそもは〝話が一致する〟という意味。〝一致する〟ことをいう日本語で「叶《かな》う」と訓読みした結果、意味が変化して「夢《ゆめ》が叶《かな》う」のように使われるようになった。【嘯《しょう》】は〝息を細く長く吐き出す〟ことを表す漢字だが、「嘯《うそぶ》く」と訓読みしたところから、現在の日本語では、〝知らないふりをする〟〝大げさなことを言う〟といった意味で用いられる。

また、【唎《り》】は、中国語では文末に置かれてある種のニュアンスを表す漢字の一つだったらしい。が、日本語では、「利」を「利《き》く」と訓読みすることから、「唎《き》き酒《ざけ》」のように〝味を判別する〟という意味で使うことがある。

【咲《しょう》】を「花《はな》が咲《さ》く」のように使うのも、日本語独自の用法。本来は〝笑う〟という意味だったが、〝山に花が咲く〟ことを「山が笑う」と表現したところから、現在のような使い方が生じたという。なお、以前は【咲《しょう》】と書くのが正式であった。

また、【噌《そ》】のもともとの意味は、〝騒がしい〟こと。「味《み》噌《そ》」のように用いるのは、日本語「みそ」に対する当て字。「そ」と音読みする「曾」に部首《口》を付け加えて、「味」と形をそろえたものと思われる。

いろんなものを袋に詰めて

さて、長々と説明を続けてきたが、ここまで挙げてきた漢字はどれも、〝飲食〟〝呼吸〟〝ことば〟のどれかに関係する意味を表している、とまとめることができる。しかし、部首《口》の漢字の中には、この三つとは関係がないと思われるものも存在する。

その代表は、〝穴〟を指すと考えられるもの。たとえば、「方向《ほうこう》」の【向《こう》】は、古代文字では図のような形。家の壁に空けた〝窓〟の絵から生まれた漢字で、本来は〝光の差す方向〟を表していたらしい。

また、【同《どう》】については、もともとは〝板や円筒などの穴が一致する〟ことだとする説がある。「司会者《しかいしゃ》」の【司《し》】は、そもそもは〝穴からのぞいて見る〟という意味で、部首《見》（p146）を付け加えた「覗《し》」が〝のぞく〟ことを表すのは、その名残だという。

〝穴〟とは少し異なるが、「合《あ》う」と訓読みする【合《ごう》】の〝口〟は〝容器〟で、〝容器とふたとがぴったり一致する〟ところから生まれた漢字だと考えられている。「定員《ていいん》」の【員《いん》】も、もともとは〝円筒形の容器〟を指す漢字だったらしく、〝口〟は〝円い形〟を表していたと思われる。

《口》が〝もの〟を表す例もある。【品《しな》】の成り立ちについては諸説があるが、〝いろいろなもの〟だと考えるのが、わかりやすい。「うつわ」と訓読みする【器《き》】は、以前は真ん中を「犬」とした【噐《き》】と書くのが正式。やはり〝いろいろないれもの、道具〟を表す漢字だと考えられている。

さらには、「土嚢《どのう》」「背嚢《はいのう》」の【嚢《のう》】も、ちょっとびっくりだ

が部首は《口》。古代文字でも図のような複雑な形をしていて、《口》は、袋に入っている〝もの〟を指すと考えられる。

ただし、部首《口》の漢字には、これら以外にも、〝飲食〟〝呼吸〟〝ことば〟のどれとも関係がなさそうで、成り立ちに諸説があってよくわからない漢字が少なくない。【右《みぎ》】【古《こ》】【各《かく》】などといったよく知られた漢字もそうだし、〝すべて〟という意味だが現在ではあまり用いられない【咸《かん》】もそうである。

わからないものも多いんです…

「たかし」「たか」などと訓読みして人名で使われる【喬《きょう》】の成り立ちにも、諸説がある。【周《しゅう》】【商《しょう》】【呉《ご》】【唐《とう》】なども、中国の古い国名と関係が深いが、その成り立ちについては定説と呼べるものはない。なお、微妙な違いだが、以前は「周」は【周《しゅう》】と、「呉」は【吳《ご》】と、「唐」は【唐《とう》】と書くのが正式であった。

また、「歴史《れきし》」の【史《し》】や、そこから派生した「官吏《かんり》」の【吏《り》】などは、本来は〝文書を扱う役人〟を表していたと考えられているが、部首《口》が何を表していたかとなると、説が分かれる。

その中で、前に紹介した白川静の学説は、これらの漢字も含めた部首《口》の漢字を、可能な限り〝神への祈り〟と関連づけて解釈しようとしていて、独自性の高いものとなっている。

最後に、形の上から便宜的に部首《口》に分類されているものを、挙げておこう。【善《ぜん》】は、大昔は「譱《ぜん》」と書かれた漢字が変形したもの。二つの部首《言》（p157）を含み、〝裁判でよしあしを決める〟のが本来の意味だったという。「平均台《へいきんだい》」「台所《だいどころ》」などの【台《だい》】は、以前は「臺《だい》」と書くのが正式。「臺」は、部首《至》（p114）に分類される。

【嘗《しょう》】は、「尚《しょう》」に、「旨《うま》い」と訓読みする「旨《し》」を組み合わせた漢字で、もともとは〝うまいものを味わう〟という意味。現在では「嘗《かつ》て」と訓読みして用いるが、この意味が生じた経緯には諸説がある。

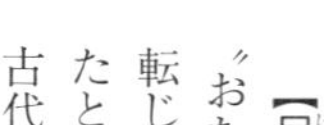

【呆《ほう》】は、古代文字では図の右側のような形で、〝おむつをした子ども〟の絵から生まれた漢字。転じて、〝ぼんやりしている〟という意味になったという。【單《たん》】は、「単《たん》」の以前の正式な書き方。古代文字で書くと図の左側のようになり、〝はたき〟や、Y字形のパチンコのような〝はじき弓〟の絵から生まれたと考える説が有力である。

【呂《ろ》】は、二つ重なった背骨の絵から生まれた漢字で、〝背骨〟を意味する。ただし、現在では「風呂《ふろ》」のように「ろ」と

いう音を表すために当て字的に使うことが多い。

なお、「吊《つる》す」と訓読みして使う【吊《ちょう》】は、「弔《ちょう》」（p114）が変形したもの。「倍《ばい》」「剖《ぼう》」「部《ぶ》」などに含まれる【音《ほう》】は、〝つぼみ〟や〝果実〟の絵から生まれた漢字だと考えられている。花が開いたり果実が割れるところから、〝二つに分かれる〟という意味があるという。

言

［名称］ごんべん、げん、いう、ことば
［意味］①ことば ②ことばを使う ③頭脳のはたらき ④相手を目指した行動

楽しいおはなしも悪い知らせも

【言《げん／ごん》】は、〝ことばを発する〟ことを表す漢字。部首としては漢字の左側、いわゆる「へん」の位置に現れることが圧倒的に多く、音読みをかぶせた「ごんべん」という名前で親しまれている。それ以外の場所に置かれた場合には定まった名称はないが、音読みに基づく「げん」、訓読みを採用した「いう」、意味に由来する「ことば」などと呼ばれている。

部首《言》の漢字のうち、発せられた〝ことば〟そのものを指す例としては、まず、「品詞《ひんし》」の【詞《し》】が挙げられる。【詩《し》】は〝調子を整えたことば〟。【譚《たん》】は〝おはなし〟という意味で、「冒険譚《ぼうけんたん》」のように用いる。【誕《たん》】も、本来は〝おはなし〟という意味。現在おなじみの「誕生《たんじょう》」という熟語で使うようになった経緯については、よくわからない。

このほか、「ことわざ」と訓読みする【諺《げん》】も〝ことば〟そのものを指す例。〝王や皇帝・天皇の命令〟を指す【詔《しょう》】という漢字もある。「訃報《ふほう》」の【訃《ふ》】は、〝亡くなったという知らせ〟をいう。

〝ことば〟からやや転じて、〝名前〟に関する漢字もある。昔の中国では、生前には本名を直接、呼ぶことをタブーとする習慣があった。その〝本名〟を指すのが【諱《いみな》】。また、【諡《おくりな》】は、〝君主などに対して、死後、その業績を記念して贈る名前〟をいう。少し違うが、【誰《だれ》】は、〝名前〟がわからない人を指す。

使わなければ意味がない！

〝ことば〟そのものを指している部首《言》の漢字は以上ぐらいで、意外と少ない。《言》は非常にたくさんの漢字を抱えるメジャーな部首だが、その中で圧倒的に多いのは、〝ことばを使う〟ことに関係するものである。

たとえば、「語《かた》る」と訓読みする【語《ご》】、「話《はな》す」と訓読みする【話《わ》】、「雑談《ざつだん》」の【談《だん》】などは、〝音声としてのことば〟に関する例。「民謡《みんよう》」の【謡《よう》】は、以前は【謠《よう》】と書くのが正式で、〝うたう〟という意味。「謳歌《おうか》」の【謳《おう》】は、〝はっきりと述べる〟こと。「所謂《いわゆる》」という形で使う【謂《い》】は、ふつうには「謂《い》う」と訓読みする。ちなみに、【譶《とう》】は、〝早口でしゃべりまくる〟という意味の漢字だという。

一方、「読書《どくしょ》」の【読《どく》】は、以前は【讀《どく》】と書くのが正式で、〝書かれたことば〟に関する例。また、「朗詠《ろうえい》」の【詠《えい》】は〝調子をつけて読む〟こと。【誦《しょう》】は特に〝声に出して読む〟ことを強調する漢字で、「お経《きょう》を誦《しょう》する」のように用いる。【諳《あん》】は〝文章を覚える〟という意味で、「諳誦《あんしょう》」は〝覚えた文章を文字を見ないで声に出して読む〟こと。現在では、「暗唱《あんしょう》」と書くことが多い。

「記《しる》す」と訓読みする【記《き》】は、〝ことばを文字にする〟こと。「雑誌《ざっし》」の【誌《し》】もほぼ同じ意味で、昔は「誌《しる》す」と訓読みすることもあった。

さらには、〝文書を書き写す〟ことを表す【謄《とう》】という漢字もあり、現在でも「戸籍謄本《こせきとうほん》」などで使われる。「系譜《けいふ》」「譜面《ふめん》」の【譜《ふ》】も、本来は〝何かを順を追って書き記した文書〟を表す。なお、「謄」は、以前は正式には【謄《とう》】と書いた。

このほか、〝ことばを使うときの状態〟を表す漢字もある。「訛《なま》る」と訓読みする【訛《か》】はその例。【訥《とつ》】は〝ことばをなめらかには発音できない〟という意味で、「訥弁《とつべん》」という熟語がある。

目的をしっかり持ちましょう

ところで、「言」は古代文字では図のように書き、「口」の上に〝針〟を表す「辛《しん》」(p61)の古代文字「」を載せた形になっている。

これを、漢字学者の白川静は、誓いを破ったら針で罰せられることを前提にして〝神に誓う〟ことを表す、と解釈する。その一方で、針で切れ目をつけたように〝はっきり区切って発音する〟という意味だ、と説明する学者もいる。

どちらの考え方に従うにせよ、部首全体として眺めた場合には、きちんとした相手や目的があって〝ことばを使う〟という意味合いを持つ漢字が多い、といえる。その点、同じように〝ことば〟に関係する部首《口》(前項)には、〝思わずことばが出てしまう〟といった、いわば感情的な漢字が多いのと、対照的である。

たとえば、「許可《きょか》」の【許《きょ》】、「謝罪《しゃざい》」「感謝《かんしゃ》」の【謝《しゃ》】、「承諾《しょうだく》」の【諾《だく》】、「勧誘《かんゆう》」の【誘《ゆう》】などは、はっきりした相手があって〝ことば〟を発する例。「請求《せいきゅう》」の【請《せい》】は、以前は【請《せい》】と書くのが正式で、相手に〝何かして欲しい〟と伝える場合に用いる。「諭《さと》す」と訓読みする【諭《ゆ》】は、以前は【諭《ゆ》】と書くのが正式で、〝ことばで説明して相手にわからせる〟こと。【諄《じゅん》】も似たような意味の漢字で、「諄々《じゅんじゅん》と言《い》って聞《き》かせる」のように使われる。

「委託《いたく》」の【託《たく》】は、本来は〝ことづけする〟ことをいい、「神託《しんたく》」にその意味が残る。【誂《ちょう》】は、本来は〝けしかける〟という意味。注文して反応を引き出すところから、「洋服《ようふく》を誂《あつら》える」などと用いるようになった。

「訊問《じんもん》」の【訊《じん》】は〝問いただす〟こと、「警報《けいほう》」の【警《けい》】は〝注意を喚起する〟こと。このあたりの漢字では、相手に対してやや厳しい姿勢となる。「誡《いまし》める」と訓読みする【誡《かい》】、

「諫《いさ》める」と訓読みする【諫《かん》】でも、その姿勢は変わらない。

「詰問《きつもん》」の【詰《きつ》】の訓読みは「詰《なじ》る」で、さらに厳しく相手に迫る。「譴責処分《けんせきしょぶん》」の【譴《けん》】になると、〝罪を問う〟という重苦しい意味となる。その結果、いわゆる〝島流しにする〟ことを表すのが【謫《たく》】で、「流謫《るたく》」という熟語がある。

「侃々諤々《かんかんがくがく》」という四字熟語に使われる【諤《がく》】は、本来は〝あなたは間違っている、とはっきり言う〟こと。「罵詈雑言《ばりぞうごん》」の【詈《り》】は、〝激しく非難する〟こと。「摩訶不思議《まかふしぎ》」の「摩訶《まか》」は、〝とても〟という意味の古代インド語に対する当て字。【訶《か》】も、もともとは〝しかりつける〟という意味である。

そして、相手に対する厳しい姿勢が極まると、〝きっぱりと別れを告げる〟ことになる。【訣《けつ》】はこの意味を表す漢字で、「訣別《けつべつ》」がその例である。

好感度が上がるものを！

以上はそれでも相手を思っての行為だといえるが、もっと悪質な漢字も多い。「詐欺《さぎ》」の【詐《さ》】や「詭弁《きべん》」の【詭《き》】は、どちらも〝本当ではないことを言う〟こと。「誹謗《ひぼう》」という熟語で使われる【誹《ひ》】【謗《ぼう》】は、ともに〝だれかを傷つけようとして悪口を言う〟こと。さらには、〝だれかをおとしいれるために悪口を言う〟ことを表す【讒《ざん》】や【誣《ぶ》】という漢字もあり、「讒言《ざんげん》」「誣告《ぶこく》」とは、そのような目的で発せられることばを指す。

人間の醜さを表すならば、【諛《ゆ》】の方がさらに上かもしれない。いわゆる〝おべっかを使う〟ことを指す漢字で、「諛《へつら》う」「阿諛《あゆ》」などの形で用いられる。【諂《てん》】も似た意味の漢字で、同じく「諂《へつら》う」と訓読みする。

こうやって並べてくると、〝ことば〟を使うのがほとほと嫌になってしまう。が、好ましい意味合いを持つ部首《言》の漢字も、もちろん存在する。

たとえば、「誓《ちか》う」と訓読みする【誓《せい》】はたのもしいし、「友誼《ゆうぎ》」の【誼《ぎ》】は〝仲良くする〟という意味。「よしみ」と訓読みすることもある。「名誉《めいよ》」の【誉《よ》】は、以前は【譽《よ》】と書くのが正式で、「誉《ほ》める」と訓読みする。「讃《たた》える」と訓読みする【讃《さん》】という漢字もある。

「俳諧《はいかい》」の【諧《かい》】は、本来は〝仲間同士で打ち解ける〟という意味。【謔《ぎゃく》】は〝おどける〟ことを表す漢字で、「諧謔《かいぎゃく》」とは〝打ち解けた冗談〟。〝自慢する〟〝大げさに言う〟ことを表す【誇《こ》】だって、度を過ぎなければ悪くないもの。ちなみに、【詫《た》】も、本来は〝大げさに言う〟という意味だったらしいが、日本語では「詫《わ》びる」と訓読みして使われる。

また、部首《言》には、好感度が一気に上がりそうな一連の漢字も含まれている。たとえば、「誠実《せいじつ》」の【誠《せい》】は、〝うそを言わない〟こと。「謹《つつし》む」と訓読みする【謹《きん》】は、以前は「艹」を「廿」とした【謹《きん》】と書くのが正式で、〝言動に気を配る〟ことを表す。

「譲《ゆず》る」と訓読みする【譲《じょう》】は、以前は【讓《じょう》】と書くのが正式。成り立ちはよくわからないが、好ましい意味合いであることは間違いない。「謙譲《けんじょう》」の【謙《けん》】は、以前は微妙に違って【謙《けん》】と書くのが正式で、〝出しゃばらない〟こと。【諒《りょう》】は〝相手の言うことを信じる〟という意味で、「諒解《りょうかい》」という熟語で使われる。

このほか、「静謐《せいひつ》」の【謐《ひつ》】は、〝静かである〟こと。〝ことば〟が飛び交う《言》の世界の中で、独特の味わいがあって魅力的な漢字である。

建設的な話がしたいね!

さて、話を元に戻すと、何らかの目的意識のもとに〝ことばを使う〟ことが多い、という部首《言》の特徴をよく表しているのは、〝ことばを使って何かを決める〟という意味合いを持つ漢字だろう。「会議《かいぎ》」の【議《ぎ》】は、〝大勢で相談する〟こと。「諮問《しもん》」の【諮《し》】は、本来は〝地位が上の者が下の者に相談する〟ことをいう。【詢《じゅん》】も似たような意味の漢字で、「諮詢《しじゅん》」という熟語で使われる。また、現在では「諏訪《すわ》」という固有名詞以外ではほとんど使われないが、【諏《す/しゅ》】も、〝集まって相談する〟という意味の漢字である。

現在ではあまりイメージのよくない「陰謀《いんぼう》」の【謀《ぼう》】も、本来は〝計画を練る〟こと。「訴訟《そしょう》」の【訴《そ》】【訟《しょう》】は、どちらも〝相手に判断を求める〟という意味。ちなみに、「善悪《ぜんあく》」の「善《ぜん》」も大昔には【譱《ぜん》】と書かれ、〝裁判でよしあしを決める〟という意味だったらしい。

ただ、〝ことばを使って何かを決める〟ことは、一歩外れると単に〝言い争う〟ことになってしまい、「諍《いさか》い」と訓読みする【諍《そう》】が待ち構えている。また、〝内輪もめをする〟ことを意味する【訌《こう》】という漢字もあり、「内訌《ないこう》」のように使われる。〝ことば〟の使い方にはよくよく気をつけなくてはならないのである。

〝何かを決める〟ことから少し発展すると、〝ことばを論理的に使う〟ことを表す漢字になる。「説明《せつめい》」の【説《せつ》】、「講《こう》義《ぎ》」の【講《こう》】、「評論《ひょうろん》」の【評《ひょう》】【論《ろん》】などが、代表的なもの。なお、以前は、「説」は【說《せつ》】と、「評」は【評《ひょう》】と書くのが正式であった。

「翻訳《ほんやく》」の【訳《やく》】は、以前は【譯《やく》】と書くのが正式で、もともとは〝ことばの意味を説明する〟こと。「訓読《くんよ》み」の【訓《くん》】は、本来は〝わかりやすく説明して教える〟ことを指す。「訓示《くんじ》」「訓令《くんれい》」などがその意味の例である。

【註《ちゅう》】は、〝ことばで細かく説明する〟という意味で、「註釈《ちゅうしゃく》」のように用いられるが、現在では「注釈」と書くことも多い。「詳《くわ》しい」と訓読みする【詳《しょう》】も、本来は〝細かく説明する〟こと。【詮《せん》】は〝突き詰めて説明する〟という意味合いで用いられ、「所詮《しょせん》」がその例となる。

やや意味合いは異なるが、何かをほかのものに置き換えて表したり、遠回しに表現したりするのも、〝ことば〟をきちんと理解していないとできないこと。「譬《たと》える」と訓読みする【譬《ひ》】や、「諷刺《ふうし》」の【諷《ふう》】が、その例である。

ことばを使えば頭がよくなる？

〝論理的に〟というところからさらに発展すると、部首《言》は〝ことば〟からは少し離れて、〝頭脳のはたらき〟を指すようにもなる。代表的なものとしては、「計算《けいさん》」の【計《けい》】や「試験《しけん》」の【試《し》】、「調査《ちょうさ》」の【調《ちょう》】などが挙げられる。「診断《しんだん》」の【診《しん》】や「認識《にんしき》」の【認《にん》】【識《しき》】も、もちろん知的な作業。なお、「認」は、以前は正式には【認《にん》】と書いた。

なお、【諦《てい》】は、「諦《あきら》める」と訓読みするが、本来は〝はっきりと理解する〟という意味の漢字である。

〝頭脳のはたらき〟が一転して〝頭脳がうまくはたらかない〟となると、【誤《ご》】の出番となる。「誤謬《ごびゅう》」という熟語で使う【謬《びゅう》】も、同じような意味を表す。

気を取り直して〝間違っていることを直す〟のは、「訂正《ていせい》」の【訂《てい》】。〝本当であるとはっきりとさせる〟のが「証明《しょうめい》」の【証《しょう》】で、以前は正式には【證《しょう》】と書いた。【訝《げん》】は「訝《いぶか》る」と訓読みし、〝本当かどうか疑う〟こと。そして、〝疑わしいこと〟を指す漢字が、【謎《なぞ》】だということになる。

このほか、「課題《かだい》」の【課《か》】は、〝割り当てる〟という意味。「該当《がいとう》」の【該《がい》】は、〝当てはめる〟こと。これらを〝ことば〟の範囲で解釈するのはやや無理があるが、〝頭脳のはたらき〟と関連する漢字だと考えると、納得がいく。【諜《ちょう》】とは〝スパイ〟のことで、ある意味では究極の〝頭脳のはたらき〟だろう。「建設《けんせつ》」「設備《せつび》」の【設《せつ》】は〝ことば〟とはほとんど関係なさそうだが、これも、緻密な〝頭脳のはたらき〟がなくては成り立たないことである。

あいつを目指して一直線！

部首《言》の〝ことば離れ〟は、ほかにも見ることができる。「訪問《ほうもん》」の【訪《ほう》】は、〝出かけていって相手に会う〟こと。「謁見《えっけん》」の【謁《えつ》】は、以前は【謁《えつ》】と書くのが正式で、〝出かけていって偉い人に会う〟ことを表す。「初詣《はつもうで》」のように訓読みして使う【詣《けい》】も、本来は似たような意味。これらでは、もちろん目的は〝ことばを交わす〟ことにあるわけだが、意味の比重は〝相手の所にいく〟ことにもある。

このような〝相手を目指した行動〟の延長線上にあるものと思われるのが、「天誅《てんちゅう》を加《くわ》える」のように〝罰する〟ことを表す【誅《ちゅう》】。「討伐《とうばつ》」のように〝攻め滅ぼす〟という意味の【討《とう》】も同様だろう。「復讐《ふくしゅう》」の【讐《しゅう》】や「護衛《ごえい》」の【護《ご》】に《言》が付いているのも、その一種なのかもしれない。〝相手を目指した行動〟を表すのは、部首《言》が持つ目的意識の現れだと考えることができる。

以上、部首《言》の世界は、〝頭脳のはたらき〟や〝相手を目指した行動〟にまで広がってはいるものの、終始、〝ことば〟から流れ出ている点では一貫している。また、形の上から便宜的にこの部首に分類されるものも、ほとんどない。非常に多くの漢字がとてもよくまとまって存在しているのが、特徴となっている。そこに、〝ことば〟の力というものを感じ取ることができるだろう。

なお、「諸君《しょくん》」の【諸《しょ》】は、以前は、「者」に点が一つ加わった【諸《しょ》】と書くのが正式。本来は〝たくさんの〟という意味を表す漢字だが、なぜ部首《言》が付いているのかについては、説得力のある説明は見つからない。

音

対象は広いが漢字は少ない

［名称］おと、おとへん
［意味］音

「おと」と訓読みする【音《おん》】は、「立」と「日」の組み合わせのように見える。しかし、古代文字では図のような形をしていて、「言」（p157）の古代文字「」とよく似ている。本来の意味には諸説あり、「言」との対比から、〝祈りに応えて神が降りて来たことを表す響き〟だとか、〝区切りがはっきりせず意味を持たない響き〟だ、などという。実際的には、〝ことば〟よりも広く〝聴覚で感じ取れるもの〟全般を指す漢字である、と考えて問題はない。

《言》がとてもメジャーな部首であるのに対して、《音》を部首とする漢字はわずかしかない。【響《きょう》】は、以前は正式には【響《きょう》】とか【響《きょう》】と書かれた漢字で、〝音が伝わっていく過程〟を含めて〝音〟を指す。「残響《ざんきょう》」「反響《はんきょう》」「ブラスの響《ひび》き」といった使い方に、そのことがよく現れている。

また、【韻《いん》】は〝整った響き〟をいい、「韻文《いんぶん》」「韻《いん》を踏《ふ》む」のように用いられる。このほか、現在ではまず使われない漢字だが、《音》に「出」を付け加えた【韷《らく》】が〝うるさい〟という意味だというのは、ちょっとおもしろい。

部首の名前としては、「おと」が一般的。漢字の左側、いわゆる「へん」の位置に現れた場合には、「おとへん」と呼ぶこともある。

なお、厳密にいえば、「音」は、以前は一番上の点を横棒にした【音《おん》】と書くのが正式。そこで、部首《音》の漢字もすべてこの形を使うのが正式だが、実際には、そこまで細かい使い分けはほとんどされていない。

曰

まとまりは期待しないで…

［名称］いわく、ひらび
［意味］①ことばを発する　②かぶりもの　③その他

中国の代表的な古典『論語』には、「子《し》曰《い》わく」というフレーズがしょっちゅう登場する。これは、〝先生が言うことには〟という意味で、「曰《い》わく」と訓読みする【曰《えつ》】は、〝ことばを発する〟こと。〝太陽〟を意味する「日《にち》」とまぎらわしいが、全体がすこし平べったく、また真ん中の横棒を右にくっつけないように書く。部首としては「いわく」と呼ばれたり、〝平べったい「日《ひ》」〟ということもある。

部首《曰》は、〝ことばを発する〟ことを表すのが基本。【替】《たい》は、〝人〟を表す「夫」二つの下に《曰》を組み合わせた漢字で、〝二人が声を出す〟ことを表すと考えられる。「交替」《こうたい》のような意味になったのは、〝裁判で交互に主張する〟ところからとか、〝役人が声を掛け合って引き継ぎをする〟ところからなどの説がある。

また、「軍曹」《ぐんそう》の【曹】《そう》は、〝役人仲間〟という意味。これも本来は〝裁判で議論をする〟ことと関係する意味を持っていた、と考えられている。

ただし、部首《曰》が漢字「曰」と意味の上で結びつくのは、以上の二つくらいのもの。《曰》を部首とするほとんどの漢字は、形の上から便宜的に分類されたものである。

【最】《さい》は、大昔は《曰》の部分を「冃」《ぼう》とした「最」《さい》と書かれた。「冃」は〝かぶりもの〟を表す漢字なので、「最」の本来の意味については、〝かぶりものをつまむ〟〝カバーをかぶせてつまむ〟〝カバーをのけてつまみ取る〟などの説がある。それが〝一番の〟という意味になった経緯についても、諸説紛々である。

【曼】《まん》も、大昔は《曰》の部分を「冃」とした「曼」《まん》と書かれた漢字。〝かぶりものが垂れる〟ところから、もともとは〝長い〟ことや〝流し目〟などを意味したというが、現在では、古代インド語に対する当て字「曼荼羅」《まんだら》「曼珠沙華」《まんじゅしゃげ》などでしか使われない。なお、「最」「曼」は、部首としては《冂（けいがまえ）》（p43）に分類するのがふつうである。

人名や地名に見られる【曽】《そ》は、以前は正式には【曾】《そ》と書き、〝こしき〟という蒸し器を表す漢字。下の《曰》の部分でお湯を沸かし、その上に載せた器に食材を入れて蒸す。「会」《かい》の以前の正式な書き方【會】《かい》も似たような成り立ちだと考えられていて、〝こしきの上下がぴったり合う〟ところから〝あう〟という意味になったという。

【曲】《きょく》は、古代文字では図の右側のようなおもしろい形をしていて、〝竹などを曲げて作ったかご〟を表すと考える説が優勢。図の左側は【書】《しょ》の古代文字で、〝筆〟を表す「聿」《いつ》（p136）と「者」を組み合わせた漢字。「者」が何を意味するかには諸説あるが、どの説であれ、《曰》と直接の関係はない。

このほか、「変更」《へんこう》の【更】《こう》は、大昔は「叓」《こう》と書かれた漢字が変形したもの。「叓」の部首は《攴（ぼくづくり）》（p183）で、成り立ちには諸説あるが、本来は〝押しつける〟ことと関係する意味を持っていたらしい。

また、「地《じ》曳《び》き網《あみ》」の【曳】《えい》は、古代文字では図のように書かれ、《曰》の部分は、「臼」《きょく》（p188）に近く、〝両手で上から持ち上げる形〟。〝両手で引っ張る〟ことを表す。

以上のように、部首としての《曰》には、まとまった意味はないに近い。また、〝太陽〟を表す部首《日（ひ、にち）》（p

332）と見分けがつきにくいこともあり、漢和辞典によっては、《曰》と《日》をひとまとめにして扱うものもある。

舌

［名称］した、したへん
［意味］①舌 ②落ち着く建物

縁もゆかりもないけれど？

【舌《した》】は、古代文字では図のような形をしていて、何やらびっくり箱でも開けてしまったみたいだが、口の中から出てくる〝した〟の絵から生まれた漢字だという。

部首としても「した」と呼ばれる。漢字の左側、いわゆる「へん」の位置に置かれた場合には、「したへん」ということもある。

〝舌〟に関係する意味を持つ漢字の部首となる。「舐《な》める」と訓読みする【舐《し》】がその例。ちなみに、「甜《てん》」は〝あまい〟という意味だが、部首はふつう《甘》（p60）に分類する。

〝ことば〟を意味する「辞《じ》」は、「甜」の「甘」を、〝からい〟という意味の「辛」に置き換えたように見える。事実、この漢字の部首は《辛》（p61）だが、以前は「辭」と書くのが正式で、残念ながら成り立ちの上で〝した〟とは関係がない。とはいえ、「亂《らん》」が省略されて「舌」となった背景には、〝しゃべる〟という意味合いの影響があったことと思われる。

ちなみに、実際にはほとんど使われないが、〝ぺらぺらとしゃべる〟ことを指す【舙《か》】という漢字もある。

部首《舌》の漢字のうち、〝舌〟と関係する意味を持つものは以上ぐらいで、数は少ない。ただし、これらとは別に、「舍《しゃ》」から派生したいくつかの漢字も、形の上から便宜的に部首《舌》に分類される。

その【舍《しゃ》】は、微妙な違いだが、「校舎《こうしゃ》」の「舎《しゃ》」の以前の正式な書き方。成り立ちとしては「余裕《よゆう》」の「余《よ》」と関係が深く、本来は〝落ち着く建物〟を指す。

「たち」と訓読みする【舘《かん》】は、「館《かん》」と読み方も意味も同じで、〝飲食したり宿泊したりする建物〟のこと。「店舗《てんぽ》」の「舗《ほ》」も、以前は【舖《ほ》】と書くのが正式。〝敷き詰める〟ことを表す「鋪《ほ》」が変形したものだと考えられているが、「金」が「舍」になったのは、〝落ち着く建物〟という意味と無縁ではないだろう。〝商品を敷き詰める〟ところから〝お店〟を指して使われるようになった。

なお、「舍」「舖」の二文字は、現在では「舌」に似た形が含まれなくなってしまったので、部首《人（ひとやね）》（p15）に分類するのがふつうである。

このほか、現在では「舒明《じょめい》天皇」以外ではほとんど用いられないが、【舒《じょ》】は、本来は〝のびやかにくつろぐ〟ことを表す。「舍」から派生したこれらの漢字は、意味の上では「舌」とは無関係。「舍」を別個の部首として立てておく方が、すっきりするように思われる。

ついでながら、「活《かつ》」「話《わ》」などに含まれる「舌」は、古代文字では図のような形。〝した〟を表す「舌」とは別の漢字で、〝くびれる〟とか〝削り取る〟という意味があるという。後に、〝くびれる〟という意味を表す漢字としては「括《かつ》」が、〝削り取る〟という意味を表す漢字としては「刮《かつ》」が作られた。転じて、「活」では〝勢いがいい〟という意味合いを表すらしい。「話」も本来は〝勢いよくことばを発する〟という意味だ、と考える説もある。

歯

［名称］は、はへん
［意味］①歯 ②歯の状態 ③歯で行う行為

見るとお年がわかるんですって！

口の中にあってものをかみ砕く〝は〟を表す【歯《し》】は、以前は「齒《し》」と書くのが正式。〝歯の状態〟や〝歯で行う行為〟に関する部首になるが、漢和辞典では、《歯》の形を部首とする漢字は、部首《齒》（次項）の中に含めて扱うのがふつう。《歯》は12画だが、漢和辞典の部首配列では15画の《齒》のところに一緒になっているので、注意が必要である。

《歯》がそのまま部首になっている漢字としては、「年齢《ねんれい》」の【齢《れい》】がある。〝歯の生え方〟で年がわかるところから生まれた漢字らしい。ただし、この漢字も、以前は「齡《れい》」と書くのが正式であった。

そのほか、「齟齬《そご》」という熟語になる「齟《そ》」「齬《ご》」、「齧《かじ》る」と訓読みする「齧《げつ》」なども、昔から、正式ではない場面では【齟《そ》】【齬《ご》】【齧《げつ》】と書かれることもあった。ただし、これらのように日常的にはあまり使われない漢字では、現在でも《齒》の形を使う方が正式とされている。

部首の名前としては、単に「は」と呼ばれるほか、漢字の左側、いわゆる「へん」の位置に現れた場合には、「はへん」ともいう。

齒

［名称］は、はへん
［意味］①歯 ②歯の状態 ③歯で行う行為

もっと使えるといいのになあ…

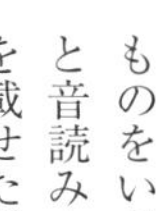

【齒《は》】は、「歯《は》」の以前の正式な書き方。古代文字では図のように書かれ、〝は〟そのものをいささかユーモラスに描いている。「し」と音読みする「齒」は、この上に発音を表す「止《し》」を載せた形が、変化したものである。

「齒」は、昔から、正式ではない場面では、省略して「歯」と書く習慣があった。現在ではそれが一般化して、日常的によく使う「歯《し》」と「齢《れい》」では、「歯」の形で書く方が標準となっている。漢和辞典では、部首《齒》の中に、《歯》の形を部首とする漢字も含めて扱うのが、一般的である。

部首の名前としても、「は」と呼ばれる。また、漢字の左側、いわゆる「へん」の位置に現れることが多く、その場合には「はへん」という。

部首《歯》には、さまざまな〝歯の状態〟を表す漢字が含まれる。たとえば、〝虫歯〟は【齲《う》】、抜け替わる前の〝乳歯〟は【齠《ちょう》】。〝酸っぱいものが歯にしみる〟ことを表す【齭《そ》】という漢字もある。【齦《ぎん》】は、〝歯ぐき〟のこと。いろいろな漢字があってうれしくなるが、現在でも使われる例としては、「齲歯《うし》」という熟語があるくらい。残念ながら、これらの漢字はほとんど用いられなくなっている。

比較的よく使われる漢字としては、「齟齬《そご》」という熟語になる【齟《そ》】【齬《ご》】がある。本来は二文字合わせて〝上下の歯がくい違う〟ようすを指す擬態語。【齷《あく》】【齪《せく》】も、本来は二文字で〝歯並びがよくない〟状態を表す擬態語だという。転じて、「齷齪《あくせく》する」とは、〝目の前のことに追われて余裕がない〟ことをいう。

なお、【齢《れい》】は、「年齢《ねんれい》」の「齢《れい》」の以前の正式な書き方。〝歯の生え方〟で年がわかることから生まれた漢字だという。

このほか、〝歯で行う行為〟を表す漢字もある。【齧《げつ》】は、訓読みでは「齧《かじ》る」。動物の分類で、ネズミやリスなどを指す「齧歯類《げっしるい》」という熟語にもなる。ついでに、これまた現在では用いられないが、〝歯ぎしりする〟ことをいう【齘《かい》】という漢字もある。

部首《歯》のさまざまな漢字を見ていると、漢字を創り出した人びとが〝歯〟に深い関心を寄せていたことが伝わってきて、興味深い。だが、現在ではほとんど使われないものが多いのが、ちょっと残念である。

なお、「映画《えいが》の一齣《ひとこま》」のように訓読みして使う【齣《せき》】は〝区切られた場面〟のこと。成り立ちとしては、〝歯で区切る〟ことに由来するか、〝歯のように並んだものの一つ〟という意味から変化したものかと思われる。

髟

［名称］かみがしら、かみかんむり
［意味］①頭の毛 ②ひげ ③頭の毛の状態

人間と動物の違い

イヌにせよサルにせよ、全身が毛で包まれた動物には、〝頭の毛〟に対する特別な意識はないに違いない。〝頭の毛〟をほかの〝毛〟と区別するのは人間らしさの現れであり、とすれば、〝頭の毛〟を表す部首が存在するのも、不思議ではない。

【髟《ひょう》】は、〝頭の毛が長い人〟を表す《镸》（次々項）に三本の斜線を加えて、〝頭の毛が長く垂れ下がる〟ことを表す。漢字として使われることはまずないが、〝頭の毛〟つまり〝かみ〟を表す部首として活躍する。漢字の上部、いわゆる「かしら」「かんむり」の位置に現れることから、部首としては「かみがしら」「かみかんむり」と呼ばれている。

【髪《はつ》】は、以前は【髮《はつ》】と書くのが正式。広く〝頭の毛〟一般を指す。「丁髷《ちょんまげ》」の【髷《まげ》】は、〝髪を束ねて曲げたもの〟。【髻《もとどり》】は、〝髪を頭上に結い上げたもの〟。【鬘《まん》】は本来は〝髪飾り〟の一種をいうが、日本では「かつら」と訓読みして用いる。また、【鬢《びん》】は〝耳の周辺の毛〟を指す。

部首《髟》には、〝頭の毛〟だけではなく、〝ひげ〟を表す漢字もある。【髭《し》】は〝鼻の下のひげ〟、【鬚《しゅ》】は〝あごひげ〟、【髯《ぜん》】は〝ほおひげ〟。馬やライオンなどの【鬣《たてがみ》】は、〝頭の毛〟なのか〝ひげ〟なのか。どうでもいい問題だが、《髟》が動物に対して用いられている、珍しい漢字である。

このほか、〝頭の毛の状態〟を指す漢字もあり、【鬆《しょう》】がその例。〝まばらである〟という意味で、「骨粗《こつそ》鬆症《しょうしょう》」という熟語で現在でも使われる。

なお、「髣髴《ほうふつ》」という熟語で使われる【髣《ほう》】【髴《ふつ》】は、二文字合わせて〝はっきりとは見えない〟ようすや〝なんとなく似ている〟状態を表す擬態語。《髟》が付いている理由はそれこそはっきりとはしないが、〝かみの毛〟のかぼそい雰囲気が関係していそうである。

長

頼りないけど これしかない！

［名称］ながい
［意味］長い

〝長いもの〟にもいろいろあるが、【長《ちょう》】は、〝頭髪の長い人〟の絵から生まれた漢字だと考えられている。古代文字では図のようないささか頼りない形をしているが、これがその絵だという。

部首の一つではあるが、《長》の形をそのまま部首としている漢字は、「長」のほかにはなく、部首になる場合は、変形して《镸》(次項)となる。

漢和辞典では、《镸》の形を部首とする漢字も、部首《長》の中に含めて扱うのがふつう。だが、《镸》の漢字も、ほぼすべてが現在ではまず用いられない。そのため、「長」一文字のために部首《長》を立てている漢和辞典も多い。一人でがんばっている部首である。

镸

みんなどこかへ 行っちまった…

［名称］ながい
［意味］長い

《長》(前項)が、ほかの漢字の部首となったときの形。漢和辞典では、部首《長》の中に含めて扱うのが一般的。《镸》は7画だが、漢和辞典の部首配列では8画の《長》のところに一緒になっているので、注意が必要である。

《長》と同様に、〝長い〟という意味を表す。例としては、「久《きゅう》」と読み方も意味も同じで、〝時間が長い〟ことを表す【镹《きゅう》】や、「弥《び》」(p113)と読み方も意味も同じで、〝長時間にわたる〟ことをいう【镾《び》】などがある。

探せばほかにも数十の漢字があるが、この二つも含めて、現在ではほとんど用いられない。〝長い〟ことから生み出された漢字が、みんな永続きしなかったというのは、何やら意味深である。

なお、「髟《ひょう》」は〝頭の毛が長く垂れ下がる〟ことを表す漢字。ふつうは独立した部首《髟（かみがしら）》（前々項）として扱われる。

而

［名称］しかして、しこうして、あごひげ
［意味］①ひげ ②やわらかくてしなやか

ごわごわしたのもあるでしょうに…

【而《じ》】は、古代文字では図のように書かれ、〝垂れ下がったひげ〟の絵から生まれた漢字だと考える説が優勢である。

ただし、その意味で使われることはなく、大昔の中国語では〝そして〟〝でも〟という意味合いの接続詞と発音が似ていたことから、その接続詞を書き表すために用いられる。「似而非」と書いて「えせ」と読むのは、〝似ている、でも違う〟という意味に由来する当て字の一種。また、「形而上《けいじじょう》」は、〝形があって、そしてその上〟という意味で、〝観念的なもの〟を指すことばである。

部首《而》は、本来の通り〝ひげ〟を表す。現在ではまず用いられないが、〝ほおひげ〟を指す【耏《じ》】という漢字がある。

また、〝やわらかくてしなやかである〟ことを意味する場合もある。「耐久《たいきゅう》」の【耐《たい》】がその代表で、〝持ちこたえる〟こと。また、【耑《たん》】は〝垂れ下がる〟という意味で、そこから〝垂れ下がった先〟を指す「端《たん》」が生まれた。【耎《ぜん》】は〝やわらかい〟ことを意味し、それに《車》（p95）をつけた「輭《なん》」が変形したのが、「軟《やわ》らかい」と訓読みする「軟《なん》」だという。

部首《而》がこうした意味を表すようになったのは、〝ひげ〟はやわらかくしなやかだからだ、という。が、ややこじつけめいた感じがないでもない。

なお、部首名の「しかして」「しこうして」は、〝そして〟という意味を表す日本語の古語。漢文では、接続詞としての「而」をこのように訓読みする。また、成り立ちに基づいて、「あごひげ」と呼ばれることもある。

首

［名称］くび
［意味］首から上全体

残念ながら少数派

【首《しゅ》】の古代文字は図のような形で、髪の毛と目を描いて〝頭部全体〟を表した絵から生まれた漢字だと考えられている。「くび」と訓読みするが、本来は〝くびから上全体〟を指す漢字である。

《首》を部首とする漢字のうち、現在でも使われるものとしては【馘《かく》】がほとんど唯一の例。〝首を切る〟という意味の漢字で、「馘首《かくしゅ》」とは〝解雇する〟こと。このほか、厄払いの神「鍾馗《しょうき》」に使われる【馗《き》】もあるが、この漢字の成り立ちについては、諸説があってよくわからない。

〝首から上全体〟を指す部首としては、別に《頁》(次項)もある。《頁》を部首とする漢字は比較的多く、そのため、部首《首》は少数派に甘んじざるをえないようである。

頁

[名称]おおがい、いちのかい
[意味]①首から上全体 ②頭の動作・状態 ③祈りをささげる ④その他

名前と意味とは関係ない！

現在では〝ページ〟を指す印象が強いが、【頁《けつ》】は、古代文字では図のように書き、「首《くび》」の古代文字「」の下に《儿(ひとあし)》(p22)が付け加わった形。〝頭部〟を強調することにより、〝首から上全体〟を指すのが本来の意味。ただし、それとは別個に〝薄っぺらいもの〟を表すことがあり、そこから転じて〝ページ〟を指すようになった。

部首として「おおがい」と呼ばれるのは、《貝》(p242)と区別するために「大《おお》」をかぶせたもの。また、「一ノ貝」と分解できるところから、「いちのかい」ともいう。ほとんどの場合、漢字の右側、いわゆる「つくり」の位置に現れるのが特徴である。

「おおがい」「いちのかい」とは呼ぶものの、意味の上では〝貝〟とは無縁。〝首から上全体〟を表すのが基本となる。【頭《あたま》】や【顔《かお》】がその代表。「顔」は、以前は正式には【顏《かお》】と書いた。また、【額《がく》】は「ひたい」と訓読みして使うのが本来の意味である。

少し難しい漢字だが、【顎《あご》】【頰《ほお》】も、もちろんこの意味の例。「頸骨《けいこつ》」の【頸《けい》】は、訓読みすれば「くび」。さらに難しくなると、【顴《けん》】は〝ほおぼね〟を指す漢字で、「顴骨《けんこつ》」という熟語がある。【顱《ろ》】は〝頭蓋骨〟のことで、「顱頂《ろちょう》」とは〝頭のてっぺん〟をいう。「頂上《ちょうじょう》」の【頂《ちょう》】も、そもそもは〝頭のてっぺん〟を指す。

なお、【顚《てん》】も、もともとは〝頭のてっぺん〟だが、〝頭のてっぺんが地面につく〟ところから、〝ひっくり返る〟ことを表す。「顚倒《てんとう》」という熟語があるが、現在では「転倒《てんとう》」と書くのが一般的となっている。

このほか、【顳《しょう》】【顬《じゅ》】は、二文字合わせて〝こめかみ〟を指す漢字。「顳顬」と書いて「こめかみ」と読むこともある。本来は、〝ものをかんだときにこめかみが動くようす〟を表す擬態語だったかと思われる。

今ではすっかり変わってますが…

日常的によく使う漢字では、本来の意味から大きく変化して使われているものが目立つ。【題《だい》】は、もともとは〝ひたい〟を指す漢字で、〝ひたい〟は目立つことから、目立つように書かれた〝タイトル〟を表すようになった。

【領《りょう》】は、本来は〝うなじ〟のことで、転じて〝えり首〟をも指す。衣服の全体をまとめる部分なので、現在では〝まとめる〟という意味で使われる。「要領《ようりょう》」「領収書《りょうしゅうしょ》」などがその例である。

【項《こう》】のそもそもの意味も〝うなじ〟。「項目《こうもく》」のように使われるようになった経緯は、よくわからない。「必須《ひっす》」の【須《す》】は〝あごひげ〟を指したが、大昔の中国語では〝必要である〟という意味のことばと発音が似ていたことから、当て字的に使われるようになった。

〝頭の動作・状態〟を表す漢字もある。「回顧《かいこ》」の【顧《こ》】は、〝振り返る〟こと。「順序《じゅんじょ》」の【順《じゅん》】については、もともとは〝頭をある方向に向けて進む〟という意味だという説がある。「頷《うなず》く」と訓読みする【頷《がん》】も、〝頭の動作〟の例。【頓《とん》】の本来の意味は〝頭を地面につけておじぎする〟ことで、「頓首《とんしゅ》」という熟語がある。

【頽《たい》】は〝頭の毛が薄くなる〟ことをいう漢字で、転じて〝衰えて形が崩れる〟という意味で使われる。「頽廃《たいはい》」がその例。〝小刻みに震える〟ことをいう「顫動《せんどう》」の【顫《せん》】は、もともとは〝頭が震える〟ことを表すらしい。

このほか、「顆粒《かりゅう》」の【顆《か》】はやや特殊な例で、〝頭のように丸い粒〟を指すという。また、「頑固《がんこ》」の【頑《がん》】の本来の意味については、〝首の筋肉が強い〟とか〝目鼻立ちがはっきりしない〟などの説があって、よくわからない。

なお、【頃《けい》】はもともとは〝頭をかたむける〟という意味。大昔の中国語で〝だいたいの時間〟を指すことばと発音が似ていたことから、当て字的に用いられて「この頃《ごろ》」のような使い方が生まれた。そこで〝かたむける〟という意味を表すため、部首《イ（にんべん）》（p16）を加えて新たに作られたのが「傾《けい》」である。

ついでながら、「頗《すこぶ》る」と訓読みする【頗《は》】も、本来は頭を〝片方に寄せる〟という意味だと考えられている。

余裕を持ってのびやかに！

このほか、〝顔の表情〟に関係する漢字もある。「顰蹙《ひんしゅく》」の【顰《ひん》】がその例で、意味は〝まゆをひそめる〟こと。この漢字の部首を《頁》とするのはやや強引に感じられるかもしれないが、「頻繁《ひんぱん》」の【頻《ひん》】が、もともとは〝まゆをひそめる〟という意味。〝何回も〟という意味が生じた経緯には、諸説がある。なお、「頻」は、以前は、正式には「少」が「少」となった【頻《ひん》】と書いた。

また、【預《よ》】については、成り立ちとしては〝表情がのびやかになる〟ことだという説がある。転じて、〝余裕を持って〟〝あらかじめ〟という意味になったという。「預金《よきん》」のような使い方は、日本語独自の用法である。

ところで、漢字の成り立ちについて独自の解釈を打ち立てた白川静は、部首《頁》を〝祈りをささげる人〟の姿だと考える。この説がずばりと当てはまるのが、「願《ねが》う」と訓読みする【願《がん》】。また、【頌《しょう》】も〝神や仏などをほめたたえる〟という意味の漢字で、「賀頌《がしょう》」「頌歌《しょうか》」などの熟語がある。

白川説によれば、「顕微鏡《けんびきょう》」の【顕《けん》】は、以前は【顯《けん》】と書くのが正式で、本来は〝祈りに応えて神がはっきり現れる〟こと。同じく、「頒布《はんぷ》」の【頒《はん》】は、〝お祈りの際にお供えを分ける〟こと。【類《るい》】は、以前は「大」を「犬」にした【類《るい》】と書くのが正式で、〝米と犬を供えて祈る〟こと。「類似《るいじ》」のような使い方は、大昔の中国語では〝似ている〟ことをいうことばと発音が似ていたことから生まれたものだという。

なお、「信頼《しんらい》」の【頼《らい》】は、以前の正式な書き方では「賴《らい》」。本来は〝金品がたくさんあって安心できる〟という意味で、〝金品〟を表す部首《貝》（p242）に分類される。

また、〝飛び抜けてすぐれている〟ことを意味する「穎《えい》」は、「禾」が「示」に変形して【頴《えい》】と書かれることもある。「穎」は部首《禾（のぎへん）》（p277）に分類されるが、「頴」は《頁》に分類するのが、漢和辞典の習慣となっている。

面

［名称］めん
［意味］顔

面の皮も解釈次第！

【面《めん》】は、「顔面《がんめん》」のように〝顔全体〟を指すのが本来の意味。古代文字では

図のような形をしていて、何やら秘密結社のシンボルマークにでもなりそうな形。これは、〝目〟のまわりに枠を付けて〝顔〟全体を表したものだと考えられている。

部首としても〝顔〟を表すが、《面》を部首とする漢字には、現在でも用いられるものは少ない。「えくぼ」と訓読みする【靨《よう》】が貴重な例。この漢字は、「えん」と音読みして〝ほくろ〟を指すこともある。また、【皰《ほう》】は〝にきび〟を指すが、現在では「皰《ほう》」と書く方が一般的。「面皰」と書いて「にきび」と読むことがある。

なお、現在ではまず用いられないが、【靦《てん》】は〝面の皮〟という意味。転じて、〝あつかましい〟ことと〝恥じ入る〟ことの両方の意味で使われるという、なんとも不思議な漢字である。

手

〝手〟を表す部首は、《手》以外にも、《又》《寸》《廾(にじゅう)》など数多い。また、《手》が変形した《扌(てへん)》は、数多くの漢字を生み出してこの世界にさまざまな変化をもたらし、《又》からは《攵(のぶん)》や《殳(ほこづくり)》などが派生して、時には暴力的な振る舞いにすら及ぶ。〝手〟を使うことで、人類は歴史を刻んできたのである。

手

［名称］て
［意味］①手首から先　②手首から先を使う動作

下にあっても〝あし〟ではない！

【手】《て》は、古代文字では図のように書き、〝手首から先〟の絵から生まれた漢字。〝手首から先〟に関係する漢字の部首となる。

《手》の形そのものは、ほとんどの場合、漢字の下の部分、いわゆる「あし」の位置に現れる。が、部首の名前としては、単に「て」と呼ばれている。

漢字の左側に置かれた場合には、変形して《扌(てへん)》(次項)となり、膨大な数の漢字を生み出している。漢和辞典では《扌》は《手》に含めて扱うのが伝統だったが、最近では、別立てにしている辞典もある。

〝手首から先〟を直接的に表す例としては、たとえば、「合掌《がっしょう》」の【掌】《しょう》がある。また、【拳】《けん》は、以前は微妙に違って【拳】《けん》と書くのが正式で、訓読みでは「こぶし」と読む。「拳闘《けんとう》」とは、〝ボクシング〟をいう。

転じて、〝手首から先を使う動作〟をも表す。「挙《あ》げる」と訓読みする【挙】《きょ》は、以前は【擧】《きょ》と書くのが正式で、〝手で持ち上げる〟こと。「打撃《だげき》」の【撃】《げき》は、以前は「車」の下に「凵」が付いた【擊】《げき》と書くのが正式で、〝手を使って何かを強くぶつける〟こと。また、「摩擦《まさつ》」の【摩】《ま》は、〝手でこする〟ことを表す。

このほか、【拿】《だ》は〝手でつかまえる〟という意味で、「海《かい》賊船《ぞくせん》を拿捕《だほ》する」のように使われる。【攀】《はん》は〝手を使ってよじ登る〟ことを表し、「岩場《いわば》を登攀《とうはん》する」のように用いる。「痙攣《けいれん》」の【攣】《れん》の本来の意味は、〝手でひっぱる〟こと。「真《しん》摯《し》な態度」の【摯】《し》は、もともとは〝しっかりと手に持つ〟ことを表すという。

【拜】《はい》は、「参拝《さんぱい》」の「拝《はい》」の以前の正式な書き方で、《手》がほぼそのままの形で漢字の左側に置かれている例である。

また、【承《しょう》】も、部首としては《手》に分類される。古代文字では図のような形で、〝三本の手で何かを下から上へとささげ持っている

形〟。本来は〝手で大切に受け取る〟ことを意味し、転じて「承認《しょうにん》」「注文《ちゅうもん》を承《うけたまわ》る」のように使われる。

扌

［名称］てへん

［意味］①手首から先　②手首から先を使う動作　③頭脳を使う作業　④もとの漢字と区別するための記号　⑤その他

《手》(前項)が漢字の左側、いわゆる「へん」の位置に置かれたときの形。「手」の「へん」なので「てへん」と呼ぶ。《扌》は《手》よりも圧倒的に漢字の数が多く、漢和辞典を代表する部首の一つとなっている。ただし、多くの漢和辞典では、《扌》は《手》の中に含めて取り扱われている。《扌》は3画だが、漢和辞典の部首配列では4画の《手》のところに一緒になっているので、注意が必要である。

結んで、開いて…

基本となる意味は〝手首から先〟で、【指《ゆび》】がその例。【拇《ぼ》】は〝親指〟を指し、「拇印《ぼいん》」のように用いられる。

そこから、〝手首から先を使う動作〟を意味する漢字が生まれる。「掻《か》く」と訓読みする【掻《そう》】は、指先の動作。点を省略して【掻《そう》】と書かれることもある。「撫《な》でる」と訓読みする【撫《ぶ》】は、手のひらを中心とした動作。【摸《も》】は、〝手探りする〟ことを意味する漢字。「摸索《もさく》」という熟語があるが、現在では「模索《もさく》」と書くことが多い。

【按《あん》】は、〝手のひらで上から強く押さえる〟ことで、「按《あん》摩《ま》」がその例。【撥《はつ》】は、訓読みでは「撥《は》ねる」と読み、本来は〝手首のスナップを利かせてはじく〟ことを指す。

このほか、「拍手《はくしゅ》」の【拍《はく》】は〝手のひらでたたく〟こと。「参拝《さんぱい》」の【拝《はい》】は、以前は「拜《はい》」と書くのが正式で、〝左右の手のひらを合わせて祈る〟ことをいう。

とっておく？　それとも要らない？

〝手首から先を使う動作〟の中でも基本となるのは、何かを〝手に取る〟こと。そこで、広大な部首《扌》の世界を見渡すにも、そのあたりから見ていくのが、おもしろそうである。

【摘《てき》】は「摘《つ》む」「摘《つ》まむ」と訓読みする漢字で、〝指先を使ってものを取る〟こと。【撮《さつ》】も、本来は〝指先でつまむ〟ことを指し、〝一瞬の情景をつまみとる〟ところから「撮影《さつえい》」のように使われるようになった。

〝指先と手のひらを使う動作〟としては、「握《にぎ》る」と訓読みする【握《あく》】がある。「捕球《ほきゅう》」の【捕《ほ》】や「把握《はあく》」の【把《は》】は、もう少し勢いよく、〝つかむ〟という意味。「一攫千金《いっかくせんきん》」のように〝つかみどりする〟ことをいう、【攫《かく》】という漢字もある。

【提《てい》】【携《けい》】はどちらも、本来は〝手にしっかり持つ〟こと。また、お坊さんの修行「托鉢《たくはつ》」の【托《たく》】は、本来は〝手の上にのせる〟という意味かと思われる。

そうやって手に取ったものをどうするか。〝自分のものにする〟漢字としては、「拾得《しゅうとく》」の【拾《しゅう》】や「採集《さいしゅう》」の【採《さい》】がある。「採」は、以前は「爫」を「⺥」にした【採《さい》】と書くのが正式。また、【掏《とう》】は、以前は〝取り出して自分のものにする〟という意味。「掏摸」と書いて「すり」と読むことがある。

「摂取《せっしゅ》」の【摂《せつ》】は、以前は正式には【攝《せつ》】と書き、本来は〝きちんとそろえて持つ〟こと。現在ではほとんど見かけないが、〝集める〟ことを表す【攢《さん》】という漢字もある。

日本語では「扱《あつか》う」と訓読みして用いる【扱《そう》】は、もともとは〝しまい込む〟という意味合いだったらしい。また、【控《こう》】は本来は〝手前に引く〟ことを表す漢字で、日本語では「控《ひか》える」と訓読みして〝何かに備えて取っておく〟という意味で用いる。

〝自分のものにする〟のとは逆に、〝取り除く〟漢字としては、「捨《す》てる」と訓読みする【捨《しゃ》】がある。この漢字は、以前は「土」を「干」にした【捨《しゃ》】と書くのが正式。【捐《えん》】も〝捨てる〟という意味。「義捐金《ぎえんきん》」とは〝正義のために投げ出すお金〟という意味だが、現在では「義援金《ぎえんきん》」と書くことが多い。

「清掃《せいそう》」の【掃《そう》】や「撤回《てっかい》」の【撤《てつ》】も、〝取り除く〟ことを表す例。「汗《あせ》を拭《ぬぐ》う」のように用いる【拭《しょく》】、「ほこりを払《はら》う」のように使う【払《ふつ》】も、このニュアンスが強い。なお、「払」は、以前は正式には【拂《ふつ》】と書いた。

〝自分のものにする〟と〝取り除く〟の両方に用いる漢字もある。「抜《ぬ》く」と訓読みする【抜《ばつ》】は、以前は【拔《ばつ》】と書くのが正式で、そのいい例。「搾《しぼ》る」と訓読みする【搾《さく》】も、このタイプ。「戸籍抄本《こせきしょうほん》」の【抄《しょう》】は〝一部分を書き写す〟ことだが、そもそもは〝一部分をすくい取る〟ことを表す。「交換《こうかん》」の【換《かん》】は、〝古いものを取り除いて新しいものを置く〟ことだから、このグループの発展型に位置づけられる。

上へ下への大さわぎ！

手にしたものを〝持ち上げる〟ことを表す漢字も多い。「掲《かか》げる」と訓読みする【掲《けい》】は、以前は「匂」を「匃」とした【掲《けい》】と書くのが正式で、〝高く上げて目立たせる〟こと。【揚《よう》】は、「荷揚《にあ》げ」「国旗掲揚《こっきけいよう》」のように〝引っ張り上げる〟こと。「掛《か》ける」と訓読みする【掛《かい》】は、本来は〝持ち上げて垂らす〟ことをいう。

【担《たん》】は、以前は【擔《たん》】と書くのが正式。訓読みすれば「担《かつ》ぐ」で、本来は〝肩の上まで持ち上げる〟ことを表す。【捲《けん》】は「すだれを捲《ま》き上《あ》げる」のように使う漢字で、〝巻きながら引っ張り上げる〟という意味である。

「挑戦《ちょうせん》」の【挑《ちょう》】も、もともとの意味は〝勢いよく持ち上げる〟こと。「捧《ささ》げる」と訓読みする【捧《ほう》】は、本来は〝頭の上まで大切に持ち上げる〟ことを表す。

【擡《たい》】も、〝持ち上げる〟という意味。「擡頭《たいとう》」は、〝頭を持ち上げる〟ところから転じて、〝社会の表面に現れる〟ことをいうが、現在では「台頭《たいとう》」と書くことも多い。「搭載《とうさい》」の【搭《とう》】は、もともとは〝荷物などを引っ張り上げて載せる〟ことを指す漢字らしい。

　これらとは反対に、〝下に置いて安定させる〟ことを表す漢字としては、「据《す》える」と訓読みする【据《きょ》】がある。「措置《そち》」の【措《そ》】も、基本的には〝安定させる〟という意味である。

横へは華麗に空中を飛ぶ！

　水平方向の動きを表す漢字もある。たとえば、「運搬《うんぱん》」の【搬《はん》】は、〝離れたところへ移動させる〟ことを表す。

　ただ、この種の漢字としては、【投《とう》】に代表される〝空中を移動させる〟ものが多い。やり投げの「投擲《とうてき》」などで使う【擲《てき》】は、〝遠くへ投げる〟こと。〝高く投げる〟ことを指す【抛《ほう》】という漢字もあり、昔は「抛物線《ほうぶつせん》」のように使われたが、現在では「放物線《ほうぶつせん》」と書くのがふつうである。

　「身《み》を挺《てい》して守《まも》る」の【挺《てい》】も、本来は〝投げ出す〟こと。「水撒《みずま》き」のように使う【撒《さん》】や、「種《たね》を播《ま》く」のように用いる【播《は》】も、〝投げる〟ことの一種だといえるだろう。

　一方、【押《おう》】のように〝移動させようと力を加える〟ことを表す漢字もある。「推測《すいそく》」の【推《すい》】も、訓読みすれば「推《お》す」で、もともとは〝移動させようとする〟こと。また、現在では「挨拶《あいさつ》」でしか使わない【挨《あい》】【拶《さつ》】も、本来はどちらも〝押し合う〟という意味。〝問答し合う〟ところから〝あいさつ〟を表すようになったという。

　「名誉挽回《めいよばんかい》」の【挽《ばん》】は、〝動きにくいものを力を込めて動かす〟という意味。訓読みでは「のこぎりを挽《ひ》く」のように用いられる。また、「拉致《らち》」の【拉《ら》】や「誘拐《ゆうかい》」の【拐《かい》】は、〝強制的に移動させる〟ことを表す。

　〝移動させない〟漢字もある。「抑制《よくせい》」の【抑《よく》】は〝活動させないよう押さえつける〟こと。「捉《とら》える」と訓読みする【捉《そく》】や「拘束《こうそく》」の【拘《こう》】も、もともとは〝動けないようにつかまえる〟ことを表す。【扼《やく》】も〝押さえつける〟という意味の漢字で、「扼殺《やくさつ》」とは〝首を絞めて殺す〟こと。【擱《かく》】は〝動いていたものを止める〟ことを指し、〝筆を止めて下に置き、文章を書き終える〟ことを「擱筆《かくひつ》」という。

　このほか、〝一定の場所で動かす〟ことを表す漢字として、「振動《しんどう》」の【振《しん》】や、「揺《ゆ》らす」と訓読みする【揺《よう》】がある。なお、「揺」は、以前は【搖《よう》】と書くのが正式であった。

　また、「指揮《しき》」の【揮《き》】も、本来は〝振り回す〟という意味。【掉《とう》】も同じような意味の漢字で、「掉尾《とうび》」とは、〝尾を振り回す〟ところから転じて、〝最後の勢い〟をいう。「攪拌《かくはん》」という熟語で用いる【攪《かく》】【拌《はん》】は、どちらも〝かき混ぜる〟こと。なお、「攪」は、本来の音読みは「こう」。また、省略して【撹《かく》】とも書く。

　以上のように、広い意味で〝移動させる〟ものが非常に多いのが、部首《扌》の特色の一つとなっている。

すべては手先から生まれる

　もっとも、〝手〟のはたらきは〝移動させる〟ことばかりではない。部首《扌》の世界で次に目立つのは、「折《お》る」と訓読みする【折《せつ》】のように、手に取ったものを〝変形させる〟ことを表す漢字である。「捻挫《ねんざ》」の【捻《ねん》】は訓読みでは「捻《ねじ》る」「捻《ひね》る」、【挫《ざ》】は訓読みすると「挫《くじ》く」で、どちらも変形させる漢字。【捩《れい》】も「捩《ねじ》る」と訓読みして〝性格が素直ではない〟ことを指すが、「拗《ねじ》る」とも訓読みする。「撚糸《ねんし》」の【撚《ねん》】は〝細い糸などをねじって組み合わせる〟ことをいう。

「執拗《しつよう》」の【拗《よう》】は、「拗《す》ねる」と訓読みする漢字。

「撓《たわ》む」と訓読みして使う【撓《とう》】は、本来は〝力を加えて弓なりにする〟こと。「揉《も》む」と訓読みする【揉《じゅう》】は、〝力を加えてやわらかくする〟こと。「捏造《ねつぞう》」の【捏《ねつ》】も、本来は似たような意味で、訓読みでは「捏《こ》ねる」と読む。

また、「捺印《なついん》」の【捺《なつ》】は、〝押しつけて跡を残す〟こと。「摩擦《まさつ》」の【擦《さつ》】は、〝押しつけて細かく動かす〟こと。〝押しつけてつぶす〟という意味の漢字には【擂《らい》】【抹《まつ》】があり、「擂《す》り鉢《ばち》」「抹茶《まっちゃ》」がその例である。

「掘《ほ》る」と訓読みする【掘《くつ》】や「抉《えぐ》る」と訓読みする【抉《けつ》】も、何かを変形させる漢字。【揃《せん》】は「頭数《あたまかず》を揃《そろ》える」のように用いるが、もともとは〝切りそろえる〟という意味だったという。また、「接続《せつぞく》」の【接《せつ》】は〝つなぎ合わせる〟ことで、これも変形の一種だろう。

【括《かつ》】は、「ひもで括《くく》る」のように用いる漢字。逆に、〝包んであるものを開く〟のが【披《ひ》】で、「披露《ひろう》」とは〝包みを開いてはっきり見せる〟ことをいう。

なぜだか変わってしまうんだよねえ…

変形とはやや異なるが、〝たたく〟ことを表す漢字も多い。その代表は【打《だ》】。「打撲《だぼく》」の【撲《ぼく》】は「撲《なぐ》る」と訓読みする。【撞《どう》】は〝棒などで強く突く〟という意味で、「撞球《どうきゅう》」とは〝ビリヤード〟のこと。穀物を〝棒などで突いて細かく砕く〟場合には【搗《とう》】という漢字を使い、「搗《つ》く」と訓読みする。

「拷問《ごうもん》」の【拷《ごう》】は、〝白状させるために肉体をたたく〟こと。〝鞭でたたく〟ことを意味する【撻《たつ》】という漢字もあり、「鞭《べん》撻《たつ》」という熟語で使われる。

「批判《ひはん》」の【批《ひ》】も、本来は〝強くたたく〟こと。「進捗《しんちょく》」の【捗《ちょく》】も〝たたく〟という意味だったが、〝高い所へ上る〟ことを意味する「陟《ちょく》」（p311）に影響されて、〝仕事が進む〟ことを指すようになった。さらには、「摑《つか》む」と訓読みする【摑《かく》】も、本来は〝たたく〟という意味。省略して【掴《かく》】と書かれることも多い。

なお、【擽《りゃく》】も、本来は〝たたく〟ことを表す漢字。「樂《らく》」は「楽《らく》」の以前の正式な書き方なので、日本人はこれをユーモラスに解釈して、「擽《くすぐ》る」と訓読みして使っている。このように、〝たたく〟という意味の漢字には、現在ではかなり異なる意味で用いられるものがなぜか多い。

〝手首から先を使う動作〟を表す漢字は、ほかにもある。「挿入《そうにゅう》」の【挿《そう》】は、以前は【插《そう》】と書くのが正式で、〝間に入れる〟こと。「抽出《ちゅうしゅつ》」の【抽《ちゅう》】は、〝間から引っ張り出す〟こと。さらには、「版画《はんが》を摺《す》る」のように用いる【摺《しょう》】、〝飾り付けをする〟という意味を表す「扮装《ふんそう》」の【扮《ふん》】などなど、いくらでも挙げられそうである。

なお、やや毛色が違うが、〝手の動きそのもの〟を指す漢字もある。【捷《しょう》】は、もともとは〝手がすばやく動く〟ことを表す漢字で、「敏捷《びんしょう》な動《うご》き」などと使われる。【掩《えん》】は〝手のひらをかぶせる〟という意味。「掩護《えんご》」は本来、〝何かをかぶせて守る〟こと。現在では「援護《えんご》」と書くことが多い。

また、【拱《きょう》】は、そもそもは〝両腕を胸の前で組んで行う、中国風のあいさつ〟を表す漢字。「手《て》を拱《こまね》く」のように訓読みして使うこともある。【揖《ゆう》】も同じような動作をいう漢字で、「一揖《いちゆう》する」とは〝軽くあいさつする〟こと。また、【抱《ほう》】【擁《よう》】は、どちらも〝両腕と体を使って包み込む〟ことを表す。

人類が人類になるために!

以上のように、部首《扌》の漢字のほとんどは、〝手〟に関係している。二足歩行を始めて両手が自由に使えるようになったことは、人類の進化にとって決定的な要素だった。《扌》は人類の人類たるゆえんを表す部首だ、ということもできる。

とすると、《扌》に〝頭脳を使う作業〟を表す漢字が含まれるのは、注目していいだろう。たとえば、「選択《せんたく》」の【択《たく》】は、以前は正式には【擇《たく》】と書かれ、〝目的のものを選び出す〟こと。また、「抜擢《ばってき》」の【擢《てき》】も似たような意味で、これらは頭脳のはたらきがあってこその行動。「操作《そうさ》」の【操《そう》】も、手だけではだめで、高度な頭脳を必要とする。「描写《びょうしゃ》」の【描《びょう》】も確かに手を使う作業だが、頭脳を使う面の方がはるかに大きい。

「農民一揆《のうみんいっき》」の【揆《き》】は、〝計画を立てて行動する〟という意味。【攬《らん》】は〝全体を取りまとめる〟ことを表し、「人心《じんしん》を収《しゅう》攬《らん》する」のように用いられる。それが高じると〝自分だけで勝手に行う〟ことになり、「独擅場《どくせんじょう》」の【擅《せん》】の登場となる。

なお、「揣摩憶測《しまおくそく》」とは、〝他人のことをあれこれと推測するという意味の四字熟語。【揣《し》】は、本来は〝高さをはかる〟という意味だという。

「擬人法《ぎじんほう》」の【擬《ぎ》】は、〝何かを別のものに見立てる〟という頭脳のはたらき。「抒情的《じょじょうてき》」の【抒《じょ》】は、〝ことばに表す〟こと。「勅撰和歌集《ちょくせんわかしゅう》」のように用いる【撰《せん》】は、〝文章や書物を編集する〟こと。これまたかなり高度な頭脳のはたらきを要する、というと手前味噌になりそうである。

文明の光と影

それはともかくとして、人間が頭脳を使って行う文明的な行動を表す部首として《扌》を眺めるのは、なかなかにおもしろい。「開拓《かいたく》」の【拓《たく》】は〝自然の厳しさを取り除いて人間が暮らせるようにする〟ことで、そのものズバリの意味合い。「技術《ぎじゅつ》」の【技《ぎ》】は、本来は〝手で行う作業〟なのだろうが、人類が文明を築き上げてきた原動力を示す漢字のようにも思える。

さらに、「探求《たんきゅう》」の【探《たん》】のような〝見つけ出そうとする〟

気持ちなしには、人類の進歩はありえなかったに違いない。「捜索《そうさく》」の【捜《そう》】も同じような意味。以前は正式には【捜《そう》】と書いたが、「臼」の一番下の横棒がつながって「臼」になった【捜《そう》】と書くこともある。

「援助《えんじょ》」の【援《えん》】は、以前は「爫」を「⺥」とした【援《えん》】と書くのが正式で、〝だれかを助ける〟こと。似たような意味の漢字には、「扶養《ふよう》」の【扶《ふ》】もある。これらのように、〝だれかを助ける〟という意味を持つ漢字を見ると、人間の頼もしさが感じられる。

もちろん、いいことばかりではなく、【損《そん》】のように〝何かを失う〟こともあれば、「拙《まず》い」と訓読みする【拙《せつ》】のように、〝うまくいかない〟場合もある。それも人間のご愛敬だが、ただ、「抵抗《ていこう》」の【抵《てい》】【抗《こう》】、「拒絶《きょぜつ》」の【拒《きょ》】のような漢字も文明的な行動だと思うと、ちょっと悲しくなる。「排斥《はいせき》」の【排《はい》】や「尊皇攘夷《そんのうじょうい》」の【攘《じょう》】のように〝追い払う〟という意味を持つ漢字は、文明が争い抜きには成り立たないことを示しているのだろうか。

人間同士の争いに関わる漢字はほかにもある。【擒《きん》】は〝生けどりにする〟ことで、「敵《てき》の大将《たいしょう》を擒《とりこ》にする」のように用いる。また、【掠《りゃく》】は〝力ずくで奪い取る〟こと。「掠奪《りゃくだつ》」のように使うが、現在では「略奪《りゃくだつ》」と書くことが多い。このほか、〝世の中が乱れる〟ことを意味する【擾《じょう》】という漢字もあり、「騒擾《そうじょう》」「擾乱《じょうらん》」などと使われる。

いつのまにか手が離れまして…

文明だの進歩だのと大風呂敷を広げてしまったが、実際のところ、《扌》を部首とする漢字の中には、必ずしも〝手〟と直接には結びつかないと考えられているものもある。

たとえば、「持《も》つ」と訓読みする【持《じ》】はいかにも〝手〟と関係がありそうだが、「維持《いじ》」「持久戦《じきゅうせん》」といった熟語があるように、〝じっとして動かない〟ことを表す場合も多い。もともと「寺《じ》」（p187）に〝じっとして動かない〟という意味があり、それが〝役所〟を指して使われるようになった結果、改めて作られたのが「持」だと考えられている。

「授《さず》ける」と訓読みする【授《じゅ》】の場合は、「受《じゅ》」（p180）に本来、〝受け渡しをする〟という意味があり、その〝渡す〟方をはっきりと表すために新たに作られたのが「授」だという。また、「招待《しょうたい》」の【招《しょう》】についても、「召《しょう》」だけで〝呼び寄せる〟という意味がある。「招」は〝敬意をもって呼び寄せる〟ことを表す漢字として、《扌》を付け加えて後から作られたものだと思われる。

これらの漢字では、部首《扌》は〝手〟からは離れて、もとの漢字と区別するための記号のようなはたらきをしていると考えられる。〝広げる〟ことを表す【拡《かく》】もその例。以前は【擴《かく》】と書くのが正式で、「広《ひろ》い」と訓読みする「広《こう》」の以前の正式な書き方「廣《こう》」に、《扌》を加えたものである。

「挟《はさ》む」と訓読みする【挟《きょう》】は、以前は【挾《きょう》】と書くのが正式で、「夾《きょう》」（p24）だけで〝はさむ〟という意味がある。「掬《すく》い取《と》る」のように使う【掬《きく》】も同じで、「匊《きく》」は〝手ですくい取る〟ことを表す漢字である。

「おきて」と訓読みする【掟《てい》】は、もともとは〝天が定めたこと〟を指す漢字で、「定《てい》」に《扌》を付け加えたもの。「別《べつ》」に《扌》を組み合わせて〝二つに分ける〟ことを表すのが【捌《はつ》】で、日本語では「捌《さば》く」と訓読みして用いられる。

「拠点《きょてん》」「本拠地《ほんきょち》」のように、〝ある場所を活動の基点とする〟ことをいう【拠《きょ》】は、ちょっと変わった例。以前は【據《きょ》】と書くのが正式とされているが、「拠」そのものは、〝ある場所にいる〟ことを意味する「処《しょ》」に、《扌》を組み合わせて生まれた漢字だと思われる。

すでに取り上げた漢字の中にも、実はこのタイプの例だと考えられるものがある。たとえば、「撒《ま》く」と訓読みする「撒《さん》」、「清掃《せいそう》」の「掃《そう》」、「交換《こうかん》」の「換《かん》」なども、《扌》を除いた部分だけでも同じような意味を持っている。成り立ちを詳しく見ていくと、この例に当てはまる漢字はとても多い。

こうやって並べてみると、《扌》には、もとの漢字の意味を強調したり、それが〝ある相手に向けられた動作〟であることをはっきりさせたりするはたらきがあるように思われる。人間は〝手〟を用いることによって、まわりの環境に文字通り〝手を加える〟ことができるようになったということが、ここにも反映しているのかもしれない。

以上のように、《扌》の世界は、〝手〟と関係しつつも広い範囲に及んでいる。中には、もともとは擬態語だったと思われるものもある。たとえば、「揶揄《やゆ》」の【揶《や》】【揄《ゆ》】は、二文字で〝からかう〟ようすを表す擬態語。この場合の《扌》には、〝手でつつく〟というようなニュアンスがありそうである。「拮抗《きっこう》」とは〝優劣つけがたく張り合う〟ことを意味するが、【拮《きつ》】の漢字としての意味は、はっきりしない。「拮抗」は、〝ぎりぎりの状態〟を表す擬態語だったのかもしれない。

最後に、「才能《さいのう》」の【才《さい》】も部首《扌》に分類されるが、意味の上で〝手〟と関係があるわけではない。形の上から分類された、なかなか強引な部首である。ここまで含めて、《扌》の多彩な世界を楽しみたいものである。

又

［名称］また
［意味］①手に取る ②その他

ぐいっと伸ばしてつかまえろ！

【又《ゆう》】は、古代文字では図のような形で、〝何かをつかもうとしている右手〟の形。大昔の中国語で〝さらに〟〝加えて〟という意味を表すことばと発音が似ていたことから、当て字的に用いられて訓読み「また」のような意味が生じたと考えられている。

部首としては〝手に取る〟ことを表すのが基本。【取《しゅ》】は、

戦場で敵を討ち取った証拠として、敵の〝耳〟を切り取って持ち帰ったところから生まれた漢字。【受《じゅ》】は古代文字では

図のように書き、上下から〝手〟が伸びて、ものを〝与えたりもらったりする〟ことを表す。後に「受」は〝もらう〟場合だけを指すようになり、〝与える〟ことを表す漢字としては、新たに「授《さず》ける」と訓読みする「授《じゅ》」が使われるようになった。

【双《そう》】は、以前は「雙《そう》」と書くのが正式で、〝鳥〟を表す部首《隹（ふるとり）》（p239）二つに、「又」を組み合わせた漢字。本来は〝二羽の鳥を手に持つ〟ことを表す。ついでながら、「一隻《いっせき》の船」のように使う「隻《せき》」も、部首は《隹》である。

また、現在では部首《ノ（の）》（p363）に分類される「及《きゅう》」も、微妙な違いだが、以前は【及《きゅう》】と書くのが正式。本来は「人」と《又》を組み合わせた形で、〝人に追いつく〟ところから訓読み「及《およ》ぶ」のような意味が生まれた。

ちなみに、「度《ど》」の部首はふつうは《广（まだれ）》（p69）とするが、これももともとは〝手に持って測る〟ことを表す漢字なので、部首《又》に分類する漢和辞典もある。

【叉《さ》】の古代文字は図のような形で、ご覧の通り《又》の〝指の間にものを挟んだ形〟。〝二股になっていて何かを挟むもの〟という意味で用いられ、「音叉《おんさ》」「三叉路《さんさろ》」などにその意味が残る。

なお、「叔父《おじ》」のように使う【叔《しゅく》】も、もともとは〝何かを拾う〟ことを意味していたと考えられている。大昔の中国語で〝年下の〟という意味を表すことばと発音が似ていたところから、当て字的に転用されたと考えられている。

似たような例に、現在ではあまり使われないが、〝年を取った男性〟を指す【叟《そう》】がある。もともとは〝さがす〟という意味だった漢字が、当て字的に転用されたもの。その結果、元の意味を表すために、部首《扌（てへん）》（前項）を付け加えて新たに作られた漢字が「捜《そう》」。「捜索《そうさく》」の「捜《そう》」の以前の正式な書き方である。

このほか、【友《とも》】は古代文字では図のように書き、〝手を並べる〟ところから〝助け合う者同士〟を指すようになった。また、「反対《はんたい》」の【反《はん》】は、〝手をそらせる〟ところから〝逆にする〟という意味になったと考えられている。

その「反」に、「半《はん》」の以前の正式な書き方「半《はん》」を組み合わせたのが「叛乱《はんらん》」の【叛《はん》】で、〝反逆する〟ことを指す。《又》との関係は間接的だが、形の上から便宜的にこの部首に分類する。【叢《そう》】も同様で、「取《しゅ》」から派生した漢字なので《又》との関係は間接的。〝取って集める〟ことを表し、「叢書《そうしょ》」とは〝書籍のシリーズ〟をいう。

なお、「比叡山《ひえいざん》」の【叡《えい》】の成り立ちははっきりしないが、〝深く掘った溝〟を指す「㕡《かく》」に、「目」を組み合わせた形の省略形だと考えられる。「叡」とは〝深いところまで見通す〟こ

とで、「叡智《えいち》」という熟語がある。とすれば、部首としては《目》(p142)に分類する方がふさわしそうである。

実は分家がたくさんあります！

ところで、〝手に取る〟ことを表す部首には、《扌》もある。《扌》の方が漢字の数も多くメジャーな部首だが、《又》は、古くからさまざまな漢字を生み出してきた。それらの中には、独立した部首となっているものも多い。

《彐(よ)》(次項)は、《又》の古代文字がそのまま残っている形。《支》(次々項)は〝手に木の枝を持っている形〟。〝手に長い棒を持つ〟のが《殳(ほこづくり)》(p183)。また、〝手に鞭を持っている形〟が《攴(ぼくづくり)》(p183)で、この部首は変形して《攵(のぶん)》(p184)となる。ちなみに、【収《しゅう》】は以前は「收《しゅう》」(p185)と書くのが正式で、部首は《攵》。【叙《じょ》】の以前の正式な書き方は「敍《じょ》」(p184)で、部首は《攴》である。

さらには、《寸》(p186)も古代文字では「」で、《又》から生まれたもの。《廾(にじゅう)》(p187)も、古代文字で書くと「」で、《又》と関係が深い。

このように、《又》はいろいろな部首の元となっていて、それぞれの部首がまた新しい漢字を生んでいる。そこまで含めると、《又》のファミリーは意外と多い。《又》本体はそれほど大きな部首ではないが、古くから続く本家のような部首なのである。

彐

[名称]よ
[意味]①手に取る　②その他

《又》(前項)の古代文字「」が、そのままに近い形で残って部首となったもの。《又》と同じように、〝手に取る〟ことを表す。

いつか独立したいなあ…

ただし、現在、この部首に分類されているのは、「彗星《すいせい》」の【彗《すい》】ぐらいのもの。古代文字では図のような形で、〝ほうきを手に取る〟ところから、〝ほうき〟を表す。ちなみに、「彗」に《雨》(p329)を組み合わせた漢字が省略されたのが「雪《ゆき》」。「雪辱《せつじょく》」のように〝洗い清める〟という意味でも使われるところに、〝ほうき〟の意味合いが残っている。

なお、同じく〝ほうき〟を意味する「帚《そう》」は、部首としては《巾(はば)》(p44)に分類される。古代文字では「」で、「彐」の部分は〝ほうきの先端〟が変形したもの。その「帚」に《又》を加えた形が変化したのが「𠬶《しん》」。「侵入《しんにゅう》」の「侵《しん》」は、本来は〝ほうきで少しずつ掃き進む〟こと、「浸水《しんすい》」の「浸《しん》」は、もともとは〝ほうきで少しずつ水をまく〟ことと関係が深いと考えられている。

大昔の〝役所の長官〟を指す「尹《いん》」も、古代文字では「」で、〝神聖な杖を手に持つ〟形。形の上から便宜的に部首《戸

(しかばね)》(p209)に分類するのが一般的だが、中には部首を《⺕》としている辞書もある。

このほか、〝筆を手に取る〟ところから生まれた《聿(ふで)》(p136)にも、《⺕》の形が含まれている。

以上のように、《⺕》は、部首となるケースは少ないものの、いろいろな漢字の構成要素となっている。ところが、漢和辞典では、形が似ていることから、《彐(けいがしら)》(p233)の中に合わせて扱われるのがふつう。昔は名前も特には付けられていなかった。最近では、カタカナの「ヨ」に似ているところから、「よ」と呼ばれるようになっている。重要な形なのに不遇で、ちょっとかわいそうである。

支

[名称]し、しにょう、えだにょう、じゅうまた
[意味]枝分かれ

出かけた先で大活躍!

「支持《しじ》」「支《ささ》える」のように用いる【支《し》】は、〝下から力を添える〟ことを表す漢字。古代文字では図のように書き、下半分は〝手に取る〟ことを表す「又」(p179)の古代文字「」。上半分は〝木の枝〟だと考えられている。この枝をつっかえ棒にでもするのだろうか。

部首の一つとして〝枝分かれ〟することを表すが、その例はとても少ない。しいて挙げれば、〝分かれ道〟を指す【岐《き》】があるくらいか。ただし、この漢字は、〝移動〟を表す部首《止》(p194)に分類する方がよさそうに思われる。

ほかに、〝傾ける〟という意味の【攲《き》】もこの部首に含まれるが、この漢字は、部首を《攴(ぼくづくり)》(p183)とした「敧《き》」と書かれることもある。《攴》は〝ある状態へと変化させる〟という意味を持つので、こちらの方が本来の形なのかもしれない。

部首としては、音読みそのままで「し」とも呼ぶが、いかにもそっけない。そこで、右払いで書き終わる部首を指す「にょう」を付け加えて、「しにょう」ともいう。また、〝枝分かれ〟を表すところから「えだにょう」という名前もある。さらに、「十」と「又」に分解できるところから「じゅうまた」とも呼ばれる。

このように、今ひとつパッとしない部首だが、とはいえ、「支」から生まれた漢字はたくさんある。「枝《し》」は〝えだ〟そのもので、部首は《木》(p260)。「分岐点《ぶんきてん》」の「岐《き》」は〝枝分かれした道〟で、部首は《山》(p307)。部首《月(にくづき)》(p205)に分類される「肢《し》」は、〝肉体の枝分かれした部分〟つまり〝手足〟を指し、「四肢《しし》」という熟語がある。

このほか、「技《ぎ》」の部首は《扌(てへん)》(p173)で、〝枝分かれ〟とは関係がなく、〝手に持った道具をうまく使う〟ことらしい。「太鼓《たいこ》」の「鼓《こ》」も、〝手に持った道具〟と関係しそう。この漢字は、独立した部首《鼓(つづみ)》(p139)となる。

殳

［名称］ほこづくり、るまた
［意味］①たたく ②激しい力をふるう

ちょっと気性が激しいようで…

実際に使われることはまずないが、【殳《しゅ》】は、長い棒状の武器〝つえぼこ〟を表す漢字。古代文字では図のような形で、〝つえぼこ〟の下の方に、〝手に取る〟ことを表す「又」(p179)の古代文字の一つ「」がくっついている。

漢字の右側、いわゆる「つくり」の位置に置かれるので、部首としては「ほこづくり」と呼ばれる。また、やや強引だが、カタカナの「ル」と漢字の「又」に分解できると見て、「るまた」ともいう。

〝つえぼこ〟でたたくところから、部首としては〝たたく〟ことを表すのが基本となる。【段《だん》】の本来の意味は〝たたく〟ことで、〝ばらばらにする〟ところから「段階《だんかい》」のような意味が生じた。また、「卵《たまご》の殻《から》」のように使われる【殼《かく》】についても、本来は〝たたいて中身を取り出した外側〟を指すと考える説が有力である。

ちなみに、「宮殿《きゅうでん》」の【殿《でん》】は、本来は〝お尻〟を表す漢字で、お尻がどっしりしているところから、〝どっしりした構えの建物〟を指すようになったという。《殳》が付いているのは、〝お尻をたたく〟ことと関係があるらしい。

《又》から派生して〝たたく〟という意味を表す部首には、《攴(ぼくづくり)》(次項)や、その変形《攵(のぶん)》(次々項)もある。比べてみると、《殳》は武器を使うぶんだけ、攻撃的な意味合いが強い。そこで、〝激しい力をふるう〟という意味にもなる。「殴《なぐ》る」と訓読みする【殴《おう》】が代表的な例で、以前は【毆《おう》】と書くのが正式。「名誉毀損《めいよきそん》」の【毀《き》】は〝たたきつぶす〟という意味。また、「毅然《きぜん》とした対応」の【毅《き》】も、〝力が強い〟ことをいう。

最も激しいのは、「殺《ころ》す」と訓読みする【殺《さつ》】。以前は、「木」の上に点を一つ加えた【殺《さつ》】と書くのが正式であった。

なお、【殷《いん》】は〝栄える〟ことを意味する漢字で、〝にぎわう〟ことを指す「殷賑《いんしん》」という熟語がある。成り立ちについては諸説あるが、〝鐘や太鼓をたたく〟ことが関係しているのではないかと思われる。

攴

［名称］ぼくづくり、ぼくにょう、とまた
［意味］①たたく ②ある状態へと変化させる

鞭を使うのは何のため?

【攴《ぼく》】は、古代文字では図のように書き、〝手に取る〟ことを表す「又」(p179)の古代文字「」に、細い木で作ったしなやかな〝鞭《むち》〟の絵を組み合わせた形だと考えられている。

「攴」を漢字として用いることはまずないが、〝たたく〟ことを表す部首になる。

漢字の右側、いわゆる「つくり」の位置に現れることが多いので、音読みをかぶせて「ぼくづくり」と呼ぶほか、カタカナの「ト」と漢字の「又」とに分解できるところから「とまた」ともいわれる。また、右払いで書き終わる部首を指す「にょう」と組み合わせた、「ぼくにょう」という名前もある。

【敲《こう》】は、訓読みでは「敲《たた》く」と読む漢字。「推敲《すいこう》」とは、昔、ある詩人が自作の詩の一節を「門を推《お》す」にしようか「門を敲《たた》く」にしようかと迷ったという話から、〝文章を練り上げる〟ことをいう故事成語。また、「叙述《じょじゅつ》」の「叙《じょ》」も、以前は正式には【敍《じょ》】と書いた。成り立ちには諸説あるが、〝たたいて中身を出す〟ところから〝思いをことばにする〟という意味になったと考えられる。

このほか、現在ではあまり使われないが、【攲《き》】は〝傾ける〟ことを表す。「更新《こうしん》」の「更《こう》」は〝新しくする〟という意味で、大昔は【㪅《こう》】と書かれた漢字が変形したもの。どちらの場合も、部首《攴》は、〝たたく〟から転じて〝ある状態へと変化させる〟ことを表していると考えられる。このあたりからは、〝強制的に何かをさせる〟ために使う〝鞭〟と関係が深い部首であることが、感じられる。

《攴》を部首とする漢字は、以上くらいのもの。ただし、この部首は変形して《攵(のぶん)》(次項)となり、まとまった数の漢字を生み出している。漢和辞典では、《攵》の漢字は部首《攴》の中に含めて取り扱うのがふつうである。

攵

［名称］のぶん
［意味］①たたく ②ある状態へと変化させる ③積極的に行う

たたいていると変化が起こる

【攵《ぼく》】が漢字として使われることはまずないが、部首として多くの見慣れた漢字を生み出している。呼び名の「のぶん」は、漢字の「文」にカタカナの「ノ」がくっついているように見えることに由来する、やや強引な命名である。《攴(ぼくづくり)》(前項)が変形したもの。

《攴》と同じように、《攵》の基本となる意味も〝たたく〟こと。「攻撃《こうげき》」の【攻《こう》】や「敗戦《はいせん》」の【敗《はい》】がその例。【敵《てき》】の成り立ちには諸説あるが、《攵》は〝相手をたたく〟ことを表していると考えるのが、わかりやすい。「あつ」「あつし」と読んで名前でよく使われる【敦《とん》】は、〝真心がこもっている〟という意味。成り立ちははっきりしないが、もともとは〝たたく〟という意味があるという。

ちなみに、「牧場《ぼくじょう》」の「牧《ぼく》」も、〝言うことを聞かせるために牛をたたく〟ところから生まれた漢字だと思われる。部首としては、《牛》(p227)に分類するのがふつうである。

また、現在ではほとんど使われないが、【敝《へい》】は〝だめにする〟ことを表す漢字。それに「死《し》」を加えたのが【斃《へい》】で、これも部首《攵》に分類される。「斃《たお》れる」と訓読みして〝倒れて死ぬ〟という意味で用いられる。

転じて〝ある状態へと変化させる〟という意味になるのも、《攴》と同じ。「改正《かいせい》」の【改《かい》】や「整理《せいり》」の【整《せい》】がその例。【散《さん》】は、〝ばらばらにする／なる〟こと。「解放《かいほう》」の【放《ほう》】は、〝自由にする〟こと。「敷《し》く」と訓読みする【敷《ふ》】は〝薄いものを広げる〟という意味を表す。

【收《しゅう》】は、「収録《しゅうろく》」の「収《しゅう》」の以前の正式な書き方で、〝ある場所にまとまる／まとめる〟ことを表す。似た意味の漢字に【斂《れん》】があり、「収斂《しゅうれん》」とは、〝一か所にまとまる〟ことをいう。

また、「変化《へんか》」の「変《へん》」は、以前は【變《へん》】と書くのが正式。部首《攵》が漢字の下側に置かれるめずらしい例となっている。「効果《こうか》」の「効《こう》」も、以前は【效《こう》】と書くのが正式。変化させて〝結果が出る〟ことを表す。

何かにつけて前のめりに…

人間を〝変化させる〟漢字ももちろんあり、「救《すく》う」と訓読みする【救《きゅう》】がわかりやすい例。「教育《きょういく》」の【教《きょう》】もその例で、以前は正式には【敎《きょう》】と書いた。

「政治《せいじ》」の【政《せい》】も、人間を〝変化させる〟ことの一つ。政治がらみでいうと、「詔勅《しょうちょく》」という熟語で使う「勅《ちょく》」は、〝王や皇帝・天皇が命令する〟ことを表す漢字で、これも以前は【敕《ちょく》】と書くのが正式であった。

ついでながら、「容赦《ようしゃ》しない」の「赦《しゃ》」は〝罪を許す〟ことを表し、意味の上からは部首を《攵》とする方がわかりやすそう。だが、昔から部首《赤》（p343）に分類されていて、現在もそのままにしている辞典が多い。

自分で自分を〝変化させる〟と、〝積極的に何かを行う〟ことになる。「勇敢《ゆうかん》」の【敢《かん》】は、訓読みでは「敢《あ》えて」と読み、〝思い切って何かをする〟こと。〝すばやく反応する〟ことを表す【敏《びん》】も、この意味の例だと思われる。なお、「敏」は、以前は【敏《びん》】と書くのが正式であった。

さらには、「尊敬《そんけい》」の【敬《けい》】だって、少なくとも他人から命令されてすることではない。【敄《む》】は、〝一生懸命に取り組む〟ことを意味する漢字で、、これに《力》（p109）を組み合わせたのが、「務《つと》める」と訓読みする「務《む》」である。

このほか、【故《こ》】の成り立ちははっきりしないが、「故意《こい》」のように〝わざと〟という意味があるのは、《攵》の積極的なニュアンスが現れたものか。また、「数《かぞ》える」と訓読みする【数《すう》】は、以前は【數《すう》】と書くのが正式で、もともとはたくさんあるものを〝積極的に数える〟という意味合いを含んでいたのではないかと思われる。

以上、〝たたく〟からの意味の発展を振り返ると、よい意味でも悪い意味でも、人間の前のめりな姿勢を表している部首だといえそうである。

なお、「招致《しょうち》」の「致《ち》」は、以前は「攵」が「夊」になった「致」

と書くのが正式だったので、部首《至》(p114)に分類される。

また、「孜々《しし》として働《はたら》く」のように使われる「孜《し》」の部首は、ふつうは《子》(p32)とされるが、〝一生懸命に取り組む〟という意味の上から、《攵》を部首としている辞書もある。

寸

［名称］すん、すんづくり
［意味］①手に取る　②その他

弓、肉、お酒 それにアイロン?

【寸《すん》】は古代文字では図のように書き、「又」(p179)の古代文字「」に横棒を一本、付け加えた形。「又」は本来、〝右手〟を表すので、「寸」のもともとの意味についても、〝右手の指一本の幅〟だとか〝右手の付け根から脈を取るところまでの長さ〟だとかの説がある。

ただし、部首としては《又》と同じく、〝手に取る〟ことを表す。音読みそのままに「すん」と呼ばれるのがふつうだが、漢字の右側、いわゆる「つくり」の位置に現れることが多いので、「すんづくり」という名前もある。

訓読みでは「弓《ゆみ》を射《い》る」のように使う【射《しゃ》】は、古代文字では図のような形。これが変形して「身」の形となり、後に《寸》が付け加わった。

【導《どう》】の成り立ちには諸説あるが、〝手を取って連れて行く〟と考えるのがわかりやすい。

「将軍《しょうぐん》」の【将《しょう》】は、以前は【將《しょう》】と書くのが正式。「夕」は「肉」の変形。本来は〝儀式の際にお供えの肉をささげ持つ〟ことを表し、転じて〝中心となってものごとを進める〟という意味になった。

同じ儀式の場面でも、〝お酒の入った器を持つ〟ことを表していたのが、「尊敬《そんけい》」の【尊《そん》】。以前は【尊《そん》】と書くのが正式で、〝儀式でお酒をささげる〟ところから、〝敬う〟という意味になった。

また、「専門《せんもん》」の【専《せん》】は、以前は【專《せん》】と書くのが正式。「叀《せん》」は〝糸巻き〟で、もともとは〝糸を手に取って糸巻きに巻きつける〟ことを表していた、とする説が優勢。〝まとめる〟ところから、〝それだけを行う〟という意味が生じたという。

【尉《い》】は、そもそもはアイロンの一種〝火のし〟を〝手に取って使う〟こと。「中尉《ちゅうい》」のように軍隊の階級で用いられるのは、火のしで〝押さえつける〟ことが転じて、〝管理職〟を表すようになったからという。世の管理職のみなさまの意見も、聴いてみたいところである。

いろいろな説明があります…

以上のように、部首《寸》の漢字は、本来の意味からかなり変化した意味で使われる傾向がある。〝手に取る〟ことを表す部首としては、ほかにも《扌(てへん)》(p173)や《又》などがあるからだろうか。そのため、成り立ちにも諸説あるものが多い。

手

【対《たい》】は、以前は【對《たい》】と書くのが正式。この字の成り立ちについてはまさに諸説紛々だが、〝何かを手に持って向かい合う〟ことを表していたらしい。【寺《じ》】の本来の成り立ちにも諸説があるが、〝手に取ってじっと動かさない〟という意味があったと思われる。それが〝役所〟という意味に転用され、さらには〝仏教の宗教施設〟を指すようになった。その結果、本来の意味を表す漢字として作られたのが、「持《じ》」(p178)だと考えられる。

【封《ふう》】も成り立ちに諸説がある漢字だが、もともとは〝土を手に取って盛り上げる〟という意味だったと考える説が優勢。〝土を盛り上げて移動をはばむ〟ところから、「封鎖《ふうさ》」のような意味が生まれたという。

なお、「尋問《じんもん》」の【尋《じん》】は、「左」の古代文字「」と「右」の古代文字「」を組み合わせた形から生まれた漢字だと考えられている。「工」と「口」が含まれているのは、その名残。二つの「」が「ヨ」と《寸》に変化したという。もともとの意味は〝腕を左右に広げた長さ〟で、〝長さを測る〟ところから〝問いかける〟という意味になったらしい。

以上のほか、「奪《うば》う」と訓読みする「奪《だつ》」も、「寸」が〝手に取る〟ことを表す例だが、部首としては《大》(p24)に分類するのが漢和辞典の伝統。「屈辱《くつじょく》」の「辱《じょく》」も、本来は〝農具を手に取って農作業をする〟という意味だったらしいが、〝農具〟を表す部首《辰》(p111)に分類されている。

なお、「忍耐」の「耐」は、部首《而(しかして)》(p168)に〝やわらかくてしなやかである〟という意味があるので、そちらに分類するのが一般的である。

最後に、「寿命《じゅみょう》」の【寿《じゅ》】は、以前は「壽《じゅ》」と書くのが正式で、部首は《士》(p27)。本来は〝長生きである〟ことを指す。成り立ちには諸説があるが、部首を《寸》とするのは、形の上から便宜的に分類されたものである。

廾

[名称]にじゅう、にじゅうあし、こまぬき
[意味]両手を使う

きちんとそろえて使いましょう

実際に使われることはまずないが、【廾《きょう》】は〝両手で下から支える〟という意味。古代文字では図のような形で、〝右手〟を表す「又」(p179)の古代文字「」と比べると、両手を使っていることがよくわかる。

〝二十〟という意味の漢字「廿《じゅう》」に形が似ていることから、部首としては「にじゅう」と呼ばれる。また、漢字の下側、いわゆる「あし」の位置に現れるので「にじゅうあし」ともいう。「こまぬき」という名前もあるが、これは〝こまぬくこと〟という意味で、両腕を前で組んで上げる、中国風のあいさつ。古代文字の意味合いが残っている名前である。

〝両手を使う〟ことを表す部首となるが、その例は少ない。

【弄《ろう》】は「弄《もてあそ》ぶ」と訓読みする漢字で、もともとの意味は〝両手で何かを大切に扱う〟こと。【弊《へい》】は、以前は微妙に違って、【弊《へい》】と書くのが正式。〝だめにする〟ことを表す「敝《へい》」（ｐ184）に《廾》を組み合わせたもので、〝両手で引き裂いてだめにする〟ところから、「弊害《へいがい》」「疲弊《ひへい》」のように使われるようになった。

【弁《べん》】は、〝両手で頭の上に載せる〟ところから生まれた漢字で、〝かんむり〟を指す。ただし、この意味で使うことは少なく、古くから「辯《べん》」（ｐ61）「辨《べん》」（ｐ61）「瓣《べん》」（ｐ284）などの略字として使われてきた。「弁護《べんご》」「弁別《べんべつ》」「花弁《かべん》」などはみなその例で、以前は「辯護《べんご》」「辨別《べんべつ》」「花瓣《かべん》」と書くのが正式。部首については、「辯」「辨」は《辛》（ｐ61）とするが、「瓣」は《瓜》（ｐ284）に分類するのが、中国の漢字辞書から引き継ぐ習慣となっている。

このほか、【弈《えき》】は〝勝負事をする〟ことをいう漢字で、「博弈《ばくえき》」は〝ばくち〟のこと。現在では変形して「博奕《ばくえき》」と書くことが多い。勝負事をするには両手が必要なのかと思うと、ちょっとおもしろい。

姿を変えてあそこにも！

《廾》を部首とする漢字は以上くらいだが、部首《八》（ｐ354）に含まれる漢字の中には、古代文字にさかのぼると「」の形を含むものがある。「共《きょう》」「具《ぐ》」「兵《へい》」は、古代文字ではそれぞれ「」「」「」。どれも〝両手を使う〟ことに関係する意味を持つ。

また、部首《大》（ｐ24）にも同様の例がある。「奉《たてまつ》る」と訓読みする「奉《ほう》」は、古代文字では「」で、本来は〝両手で大切に持ち上げる〟こと。「交換《こうかん》」の「換《かん》」の構成要素となっている「奐《かん》」は、〝取り換える〟という意味で、古代文字では「」と書く。

さらに、「戒《いまし》める」と訓読みする「戒《かい》」も、「廾」を含んでいる。この漢字の部首は、〝武器〟を表す《戈（ほこづくり）》（ｐ104）で、もともとは〝両手に武器を持っている形〟である。

なお、「廾」とは対照的に、〝両手で上から持ち上げる〟ことを表す「臼《きょく》」（ｐ188）という漢字もあり、独立した部首《臼（きょく）》（次項）となっている。

このように見ると、《廾》は形を変えてあちこちで生き延びている。我々の生活には、両方の手が必要になることも多いのである。

臼

［名称］きょく
［意味］両手で持ち上げる

他人のそら似もご縁のうち

現在ではまず使う機会がない漢字だが、【臼《きょく》】は、古代文字では図のように書き、〝両手で上から持ち上げる形〟。〝両手で下から支える〟ことを表す《廾（にじゅう）》（前項）とは、対照的な意味を表す部首となる。その二つを組み合わせた形が変形したものが【舁《よ》】で、〝二人でものを持ち上げる〟という意味。訓読みでは「かごを舁《か》く」のように用いられる。

その「舁」に「同」を組み合わせたものがまた少し変形すると、【興《こう》】となる。この「同」が何を表すかははっきりしないが、「興」は、〝大勢で一緒に持ち上げる〟ところから、〝盛んにする〟という意味を表す。「興業《こうぎょう》」「興隆《こうりゅう》」などがその例となる。

「与《よ》」（p353）の以前の正式な書き方【與《よ》】も、「舁」から派生した漢字。やはりもともとは〝大勢で力を合わせて持ち上げる〟ところから、〝力を合わせる〟という意味になった。「与党《よとう》」「関与《かんよ》」などに、その意味を見ることができる。ちなみに、「挙《きょ》」（p172）の以前の正式な書き方「擧《きょ》」は、この「與」からさらに派生した漢字である。

なお、漢和辞典では、形が似ているところから、《臼》の漢字も部首《臼（うす）》（p120）の中に含めて扱うのが伝統。《臼》は7画だが、漢和辞典の部首配列では6画の《臼（うす）》のところに含まれているので、注意が必要である。

また、《臼（うす）》と一緒にされてきたため、部首としてのとりたてた呼び名はない。音読みに基づいて「きょく」と呼んでおくしかなさそうである。

鬥

［名称］たたかいがまえ、とうがまえ
［意味］取っ組み合って争う

【鬥《とう》】は古代文字では図のように書き、〝二人がつかみ合っている形〟だと考えられている。〝取っ組み合って争う〟ことを表す。

チャンスは自分でつかみ取らねば！

漢字として実際に用いられることはほとんどなく、部首として〝取っ組み合って争う〟ことに関係する漢字を生むが、その例も少ない。

代表的な漢字は【鬪《とう》】で、「戦闘《せんとう》」の「鬪《とう》」の以前の正式な書き方。【鬨《こう》】は、〝合戦を始める合図として、軍勢が一緒になって大きな声を出す〟こと。訓読みでは「鬨《とき》の声《こえ》を上《あ》げる」のように用いられる。【鬧《とう》】は、現在ではあまり使われないが、〝大勢の人が集まってさわぐ〟こと。「雑鬧《ざっとう》」という熟語があるが、現在では「雑踏《ざっとう》」と書くことが多い。

このほか、【鬮《きゅう》】は、訓読みでは「鬮《くじ》を引《ひ》く」のように用いる漢字。もともとは〝争って取る〟という意味。宝くじも運任せでは、当たらないのかもしれない。

なお、部首名の「たたかいがまえ」「とうがまえ」は、それぞれ「鬪」の訓読み、音読みに由来する。「かまえ」とは、漢字の三方または四方を取り巻く形の部首をいう。

幸

［名称］さいわい
（現在では存在しない部首）

「幸《こう》」の部首は、《干》（p107）とするのがふつう。ところが、この形を含む「報《ほう》」や「執《しゅう》」になると、《土》（p294）に分類されてしまうのが一般的なので、困ってしまう。どちらも形の上から便宜的に分類されたものだが、統一されていない。

食い違いを解消したいね！

「幸」は古代文字では図のような形をしていて、罪人を拘束する〝手かせ〟の絵から生まれた漢字だと考えられている。それが訓読み「幸《しあわ》せ」のように用いられるようになったのは、〝手かせから逃れる〟ことからとか、〝手かせ程度の軽い刑罰で済む〟ことからなどの説がある。

「報」は、本来は〝罪に対して、手かせをはめて罰を与える〟ことで、「罪《つみ》の報《むく》い」のような使い方が、わかりやすい例。「執」のもともとの意味は、〝手かせをはめてつかまえる〟こと。「執着《しゅうちゃく》」「固執《こしつ》」などの〝離れられない〟ことを表す熟語に、その意味が残っている。

以上のように、「報」「執」は「幸」から派生した漢字。部首による漢字の分類をはじめて採用した、紀元一世紀ごろの『説文解字《せつもんかいじ》』という辞書では、部首《幸》が立てられている。それを復活させるのがむずかしいとしても、この三つの漢字の部首の統一くらいは、しておきたいものである。

爪

［名称］つめ、そうにょう
［意味］①つめ ②つかむ

指を開いてしっかりつかめ！

指の先にある〝つめ〟を表す。ただし、【爪《そう》】は〝指を開いた手が上から伸びてきている形〟から生まれた漢字で、部首としては〝つかむ〟ことを表す。【爬《は》】がその例で、「爬虫類《はちゅうるい》」とは、漢字の意味としては、〝四本の足で地面をつかんで歩く動物〟のことをいう。

《爪》を部首とする漢字はもともと少ない上に、漢字の上側に置かれた場合には、変形して《⺥（つめかんむり）》（次項）や《⺤（つめかんむり）》（次々項）になる。そこで、「爪」の形をそのまま残しているのは「爪」と「爬」の二つくらいしかない。漢和辞典では、《⺥》《⺤》の漢字も、部首《爪》の中にまとめて扱うのがふつうである。

部首の名前としては「つめ」というのがふつう。「爬」では、漢字の左側から下部にかけて、いわゆる「にょう」と呼ばれる位置に置かれているので、音読み「そう」をかぶせて「そうにょう」といわれることもある。

爪

[名称] つめかんむり、つめがしら
[意味] ①つかむ ②その他

鼻をしっかりつかまえて…

部首《爪》（前項）が漢字の上部に現れた場合の形。この位置に現れる部首を「かんむり」「かしら」というので、「つめかんむり」「つめがしら」と呼ばれる。部首としては、《爪》と同じく、"つかむ"という意味を表す。

【爭】（そう）は、「争う」と訓読みする「争」の以前の正式な書き方。古代文字では、上部に《爫》を、下部に「又」(p179)の古代文字「ヨ」を含んでいる。"手に持つ"ことを表す「又」の古代文字「ヨ」を含んでいる。"二つの手で取り合う"ことが本来の意味である。

【爲】は、「行為」の「為」の以前の正式な書き方。古代文字では図のように書かれ、ゾウの鼻先をつかんでいる形。《爫》は、"手"の部分が変形したもの。もともとは"ゾウを調教する"という意味だったと考えられている。

また、「伯爵」の【爵】も、部首は《爫》。ただし、もともとは"儀式の際に用いる杯"を表す漢字なので、意味の上で《爫》とは直接の関連はなく、形の上から便宜的に分類されたものである。

爫

[名称] つめかんむり、のつ
[意味] ①手でつかむ ②その他

実は一つしかないけれど…

部首《爫》（前々項）が漢字の上部に置かれる際の形《爫》（前項）が、さらに変形した形。《爫》と同じように「つめかんむり」「つめがしら」と呼ばれるが、カタカナの「ノ」と「ツ」を組み合わせたように見えることから、「のつ」という名前もある。意味としては《爪》と同じで、"つかむ"ことを表す。

このほか、「采配」の「采」の以前の正式な書き方「採」、「妥協」の「妥」の以前の正式な書き方「綏」などにも「爫」の形が見られるが、これらの部首はそれぞれ、《采（のごめ）》(p258)《女》(p28)に分類される。漢和辞典では、両者ともに部首《爪》の中に含めて扱うのが一般的である。

「采」「妥」にも見られるように、《爫》は変形して《罒》（次項）と書かれることがある。

罒

[名称] つめかんむり、つめがしら
[意味] ①手でつかむ ②その他

実際問題としては、《罒》を部首とする漢字は「伯爵」の【爵】しかない。以前は《爫》を《罒》とした「爵」と書くのが正式だが、古代文字では図のような複雑な形をしていて、《爫》は含まれず、むしろ"お酒"を表す部首「鬯」（ちょう）(p64)と関係が深い。もともとは"儀式に用いる杯"を指す漢字で、部首を《罒》《爫》と形の上から便宜的に分類されたものである。

手

するのは、形の上から便宜的に分類されたものである。

というわけで、意味という点では部首《爫》の存在意義は限りなくゼロに近いのだが、幸い、「采配《さいはい》」の「采《さい》」や「妥協《だきょう》」の「妥《だ》」にも「爫」が含まれている。これらは、部首としてはそれぞれ《釆（のごめ）》（p258）《女》（p28）に分類されるが、「爫」の持つ〝手でつかむ〟という意味合いは残っている。「采」は本来は〝木の実をつかんで取る〟ことを表すし、「妥」も、そもそもの意味は〝女性を上から押さえてなだめる〟ことだという説がある。

なお、以上の「爵」「采」「妥」からもわかるように、「爫」は多くの場合、以前は「⺥」と書くのが正式な形。「浮《う》く」と訓読みする「浮《ふ》」や、「応援《おうえん》」の「援《えん》」も、以前は正式には「浮《ふ》」「援《えん》」と書いた。ただし、「受《じゅ》」「愛《あい》」「舜《しゅん》」のように「冖」と組み合わさった場合には、以前から「爫」の形で書かれている。

このうち、「受」の「爫」は、〝手に取る〟ことを表す部首《又》（p179）と合わせて〝二つの手の間で受け渡す〟ことを表していて、〝手でつかむ〟という意味合いを残している。そこで、「受」も以前は「受」と書かれた、とする辞書もある。

足

〝手〟に関係する部首がいろいろあるのと同じように、〝足〟に関係する意味を表す部首も、《足》のほか、《止》《走》《夂（すいにょう）》《癶（はつがしら）》などなど、バラエティに富んでいる。その多くは、〝足を動かす〟ことから転じて〝移動する〟ことを表し、中には〝行動する〟ことにまで発展していくものもある。人間の行動力の源は、二本の〝足〟にあるのである。

足

［名称］あし
［意味］①足 ②移動

下にいる限りは変わらないよ

【足《そく》】は、「脚《きゃく》」とは違って〝足首から先〟を指す漢字。ただし、〝足首から先〟を表すそもそもの漢字は「止」（p194）で、「足」はその上に四角を書いたもの。この四角は〝ひざ〟を指し、全体で〝ひざから下〟

を表していた、と考えられている。古代文字では図のような形で、下半分は「止」の古代文字「」である。

部首としては〝足〟や〝移動〟に関係する意味を表すが、ほとんどの場合は、漢字の左側に置かれて、変形して《𧾷（あしへん）》（次項）となる。漢字の下側に現れた場合にはそのままの形で部首となるが、その数は少ない。

「顰蹙《ひんしゅく》」の【蹙《しゅく》】は〝眉をひそめる〟という意味だが、もともとは〝すぐ近くまで移動する〟ことを表す。【蹇《けん》】は〝自由には動き回れない〟こと。〝苦しみながらも忠実に主君に仕える〟という意味の「蹇蹇匪躬《けんけんひきゅう》」という四字熟語がある。また、【跫《きょう》】は〝足音〟を指す漢字で、「跫音《きょうおん》」という熟語で使われることがある。

なお、漢和辞典では、《𧾷》の形を部首とする漢字も、部首《足》の中に含めて扱うのが一般的である。

𧾷

［名称］あしへん
［意味］①足首から先 ②足を使った動作 ③踏んだあとに生じるもの

動物だって仲間ですから！

部首《足》（前項）が漢字の左側、いわゆる「へん」の位置に現れたときの形。「あし」の「へん」なので、「あしへん」と呼ばれる。

意味としては、〝足〟を表すのが基本。【踝《か》】は〝くるぶし〟を、【踵《しょう》】は〝かかと〟を指す。「踵《きびす》を接《せっ》する」とは、〝次々と続いてやってくる〟こと。現在ではほとんど使われないが、〝足の裏〟を意味する【蹠《せき》】という漢字もある。また、【跣《せん》】は、〝つま先〟ではなく〝はだし〟のこと。

動物の〝足〟に関する漢字もある。「ひづめ」と訓読みする【蹄《てい》】がその代表。「距離《きょり》」の【距《きょ》】は、本来は〝闘鶏の足につけるけづめ〟を表す漢字で、相手を遠ざけるところから〝離れる〟という意味になったという。また、現在ではまず使う機会はないが、【蹼《ぼく》】は鳥の足の〝水かき〟を指す。

ちなみに、部首《手》（p172）《扌（てへん）》（p173）には動物に関連する漢字はない。〝足〟は動物にもあるが〝手〟は人間にしかないという当たり前の事実を、再確認させてくれる。

転じて、〝足を使った動作〟を表す漢字の部首にもなる。「踏《ふ》む」と訓読みする【踏《とう》】、「踊《おど》る」と訓読みする【踊《よう》】、「蹴《け》る」と訓読みする【蹴《しゅう》】などが、その代表。【跳《ちょう》】【躍《やく》】は、どちらも〝足をばねにして飛び上がる〟こと。「実践《じっせん》」の【践《せん》】は、以前は【踐《せん》】と書くのが正式。本来は〝足で踏む〟ことを表す。「跨線橋《こせんきょう》」の【跨《こ》】は、訓読みでは「跨《また》ぐ」と読む。

ややむずかしい漢字としては、【跋《ばつ》】は〝山野を歩いていく〟という意味で、「跋渉《ばっしょう》」とは〝山や野を越え、川を渡って進む〟こと。「躁鬱《そううつ》状態」の【躁《そう》】は、本来は〝落ち着かず動き回る〟という意味。【跏《か》】【趺《ふ》】はどちらも〝あぐらを組む〟ことを表し、「結跏趺坐《けっかふざ》」とは〝座禅を組む〟ことをいう。

このほか、現在ではあまり使われないが、【跪《き》】は「跪《ひざまず》く」と訓読みし、【躓《ち》】は「躓《つまず》く」と訓読みする。【踰《ゆ》】は〝踏み越える〟という意味で、『論語』の「七十にして、心の欲する所に従って矩《のり》を踰《こ》えず」という一節で有名である。

カップルになりやすい？

〝足を使った動作〟を表す漢字の中には、二文字一組で使われるものも多い。「蹂《じゅう》躙《りん》」という熟語になる【蹂《じゅう》】【躙《りん》】は、〝ふみにじる〟こと。武道で出てくる姿勢「蹲《そん》踞《きょ》」の【蹲《そん》】【踞《きょ》】は、〝うずくまる〟こと。「蹉《さ》跌《てつ》」という熟語で使う【蹉《さ》】【跌《てつ》】は、〝つまずく〟こと。【蹣《まん》】【跚《さん》】は〝千鳥足で歩く〟ことを表す漢字で、「酔《すい》歩《ほ》蹣《まん》跚《さん》」のように用いられる。また、現在ではあまり使われないが、「跼《きょく》蹐《せき》」という熟語になる【跼《きょく》】【蹐《せき》】は、〝抜き足差し足で歩く〟ことを指す。

「躊《ちゅう》躇《ちょ》する」とは〝決心がつかずためらう〟ことだが、【躊《ちゅう》】【躇《ちょ》】の本来の意味は、〝行ったり来たりする〟こと。【躑《てき》】【躅《ちょく》】も同じ意味だが、現在では二文字で「躑躅《つつじ》」と読むのがふつう。植物のツツジには毒を持つものがあり、動物が食べるとふらふらするところからの命名だという。

ところで、〝足を使った動作〟の基本となるのは〝踏む〟ことであり、〝踏む〟とあとが残る。【跡《せき》】は、本来はその〝足あと〟を指す漢字。「遺跡《いせき》」「形跡《けいせき》」「夢《ゆめ》の跡《あと》」のように使われる。【蹟《せき》】は「跡」と読み方も意味も同じ漢字。【趾《し》】も似たような意味で、「城趾《じょうし》」とは〝昔、お城があったところ〟。「失《しっ》踪《そう》」の【踪《そう》】は、〝足取り〟を指して用いられる。

人が同じところを何度も踏んで通ると、そこには〝道〟ができる。【蹊《けい》】は、そのようにしてできた〝小さな道〟を指す漢字で、「桃李《とうり》言わざれども、下、自《おの》ずから蹊《けい》を成《な》す」という格言で有名。〝モモやスモモはしゃべりはしないが、その実を採りに人がやってきて、木の下に自然に小道ができる〟という意味で、〝人を惹きつけるのはことばではなく人徳である〟ことのたとえとして使われる。

そうやってできた小道が定着すると、「道路《どうろ》」の【路《ろ》】の登場となる。

こうして並べてみると、《手》（p172）《扌》（p173）ほどではないものの、《足》《⻊》を部首とする漢字もけっこう多い。それぞれを比べながら、人間にとっての〝手〟と〝足〟の役割の違いについて考えてみるのも、おもしろそうである。

止

［名称］とまる、とめる、とめへん
［意味］①移動する ②その他

実は訓読みとは正反対です

現在では「止《と》まる」と訓読みして用いるが、【止《し》】は、古代文字では図のような形で、親指の大きな〝足あと〟の絵から生まれた漢字。本来は〝足〟を指す漢字だったが、後に〝止まる〟ことを表すために用いられるようになっ

た、と考えられている。

その結果、〝足〟を指す漢字としては新たに「足」(p192)が生まれた。また、「走」(p196)「疋《ひき》」(p197)も「止」から派生した漢字で、それぞれが部首となる。さらには、部首《辶(しんにょう)》(p92)《辶(しんにょう)》(p89)も、もとの形は「辵《ちゃく》」(p89)で、「彳」と「止」が組み合わさって生まれたものである。

部首《止》は、〝移動する〟ことを表す。【歩《ほ》】は、以前は【步《ほ》】と書くのが正式。古代文字では図のような形で、〝右の足あと〟と〝左の足あと〟を縦に組み合わせた漢字。つまり、下半分は「止」の左右を逆転させた形である。
また、【歴《れき》】は、以前は【歷《れき》】と書くのが正式。本来の意味は〝いろいろなところをめぐり歩く〟ことで、「歴訪《れきほう》」という熟語にその意味が残る。「帰《かえ》る」と訓読みする「帰《き》」も、以前は【歸《き》】と書くのが正式で、部首は《止》であった。

【正《せい》】は、古代文字では図のような形で、《止》の上に印を付けた形。本来は〝ある場所に向けてまっすぐ移動する〟ことを表す。

「武力《ぶりょく》」の【武《ぶ》】は、古代文字では図のような形で、部首《止》に〝兵器としての刃物〟を表す「戈《ほこ》」(p104)を組み合わせた漢字。昔は、本来は〝兵器を使うのを止める〟ことを表す、と説明されていたが、現在では、〝兵器を持って敵に向かって進む〟ことだ、と考えられている。

【此《し》】は、「此《これ》」「此《こ》の」と訓読みする漢字。成り立ちには諸説あるが、〝これ〟という意味で用いるのは、大昔の中国語で〝近いもの〟を指すことばと発音が似ていたところから、当て字的に転用されたものと思われる。

このほか、《止》から見れば〝孫〟にあたる漢字もある。【歳《さい》】は、「歩」と「戉《えつ》」を組み合わせたもの。「戉」は一種の〝包丁〟で、〝一年に一度、肉を包丁でさばいて神にささげる〟ことや〝一年に一度、穀物を包丁で刈り取る〟ことを表すという。一方、「歩」は、〝月日の流れ〟を指すと考えられている。なお、「歩」の以前の正式な書き方が「步」であるように、「歳」も、以前は【歲《さい》】と書くのが正式であった。

また、「歪《ゆが》む」と訓読みする【歪《わい》】は、「正」に「不」を付け加えて〝正しくない〟ことを表す。

なお、「企《くわだ》てる」と訓読みする「企《き》」は、部首は《𠆢(ひとがしら)》(p15)で、〝人が何かをしようとつま先立ちになる〟ところから生まれた漢字。「止」は、本来の〝足〟という意味を表していると考えられる。

部首の名前としては、訓読みに基づいて「とまる」「とめる」などと呼ばれる。「とめへん」という名称もあるが、《止》が「へん」の位置、つまり漢字の左側に置かれる漢字は、現在でも使われるものとしては、「此」くらいのものである。

足

正

[名称]ただしい
(現在では存在しない部首)

紀元一世紀の末ごろに作られた『説文《せつもん》解字《かいじ》』という辞書にはあったが、現在の漢和辞典ではなくなってしまった部首の一つ。

存在価値はありそうだけど…

「正《せい》」はふつう、部首《止》(前項)に分類されるが、「正」と「止」との意味の上での関係は、今では希薄になっている。また、「歪曲《わいきょく》」の「歪《わい》」は、「正」に「不」を付け加えて生まれた漢字だが、やはり部首《止》に分類されている。

このほか、部首《攵(のぶん)》(p184)に分類されている「整《せい》理《り》」の「整《せい》」だって、意味の上からも形の上からも、「正」から派生した漢字であることは明らか。「政治《せいじ》」の「政《せい》」も、〝世の中を正しくする〟という願いを込めて、《攵》から《正》へと部首を変更したいところ。現在では存在しないものの、なかなか役立ちそうな部首である。

走

[名称]そうにょう、はしる
[意味]①走る、急いで行く ②ある目的に向かって行動する

それは意識の問題です！

「走《はし》る」と訓読みする【走《そう》】は、〝足〟を表す「止」(p194)に、〝両手を振って走っている人〟の絵を組み合わせて生まれた漢字。図のような古代文字を見ると、そのことがよくわかる。

部首としては、漢字の左側から下側にかけて、いわゆる「にょう」の位置に現れるので、音読みをかぶせて「そうにょう」と呼ぶ。ただし、この名前は響きがあまりよくないからか、単に「はしる」といわれることもある。

部首《走》は、〝ある方向に移動する〟ことを表す。「時代《じだい》の趨勢《すうせい》」のように用いる【趨《すう》】が、その例。【趣《しゅ》】も、もともとはほぼ同じ意味の漢字で、「趣味《しゅみ》」のように用いるのは、〝気持ちがある方向に向かう〟ところからである。

このほか、「たけ」「たけし」などと読んで人名で用いられることがある【赳《きゅう》】は、〝動きがすばやく勇ましい〟こと。【趙《ちょう》】は昔の中国の国名だが、もともとの意味には〝速く走る〟と〝ゆっくり歩く〟という正反対の二つの説がある。

《走》が付いているのに〝ゆっくり〟というのも、いささか妙な話だが、実際のところ、部首《走》には、〝速い〟〝急ぐ〟といった意味合いはあまりない。たとえば、「起《お》きる」と訓読みする【起《き》】や、「超《こ》える」「越《こ》える」と訓読みする【超《ちょう》】【越《えつ》】は、スピードには関係がない。「現地《げんち》に赴任《ふにん》する」のように使う【赴《ふ》】だって、特別に急いで行かなくてはならないわけではない。

これらからすると、部首《走》には〝ある目的に向かって

行動する〟という意味合いがある、と思われる。考えてみれば、ぶらぶら歩きはありうるけれど、目的もなしに走ることはあまりない。ジョギングだって、健康維持なり体力向上なりの目的がある。動物が〝走る〟のは、何かの目的に駆られてこそ。そのことがよく現れている部首である。

疋

［名称］ひき
［意味］移動する

【疋《ひき》】は、意味のはっきりしない漢字で、織物の長さの単位として使われたり、「匹《ひき》」（p124）と同様に動物を数える単位として用いられたりする。古代文字では図のような形をしていて、「足」とよく似ており、本来は〝足〟を指す漢字だったと考えられている。

形も意味も似ていますねえ

《止》（p194）にも似ていて、〝移動する〟ことに関係する漢字の部首となるが、その例は少ない。現在でも使われるものとしては、「疑問《ぎもん》」の【疑《ぎ》】があるくらい。この漢字の部首を《疋》とすること自体、ちょっと無理やりな感じもする。しかし、本来は〝後ろを振り返りながら、行こうか戻ろうか悩んでいる〟ことを表す漢字だったと考えられているので、きちんと意味のある部首分類となっている。

このほか、現在ではまず用いられないが、【疐《ち》】は、〝つまずく〟ことを表す。これに〝呼吸〟を意味する部首《口》（p149）を付け加えたのが、〝くしゃみ〟を表す「嚏《てい》」である。

また、「敏捷《びんしょう》」の「捷《しょう》」の構成要素となっている【疌《しょう》】は、〝速く移動する〟という意味の漢字。これも、部首としては《疋》に分類されている。

なお、漢字の左側、いわゆる「へん」の位置に置かれた場合にはやや変形して《⺪（ひきへん）》（次項）となる。漢和辞典では、《⺪》の漢字も、《疋》の中に合わせて扱うのが一般的である。

⺪

［名称］ひきへん
［意味］移動する

分けるほどではございませんが…

部首《疋（ひき）》（前項）が漢字の左側、いわゆる「へん」の位置に現れるときの形。「ひき」の「へん」なので、「ひきへん」と呼ぶ。意味としてももちろん《疋》と同じで、〝移動する〟ことを表す。

《⺪》の形を部首とする漢字は、【疎《そ》】【疏《そ》】の二つしかない。しかもこの二字は、もともとは発音も意味も同じ漢字。訓読みでは「疎《まば》ら」、音読みでは「疎開《そかい》」「意思の疏通《そつう》」のように用いて、〝すきまがある〟ことや〝通りやすい〟ことを表す。この二文字では、〝移動しやすい〟という意味合いから、部首《⺪》が付いているものと思われる。

夊

［名称］すいにょう、なつのあし、なつあし
［意味］足に負担をかける

汗をかきかきやっております…

漢字としてはまず使われないが、【夊《すい》】は、〝足を引きずって歩く〟ことを意味するらしい。古代文字では図のように書き、〝足〟を表す「止」（p194）の古代文字「」を上下逆さまにした形だという。

部首としては、〝足に負担をかける〟ことを表す。現在ではめったに用いられないが、【夌《りょう》】がその典型的な例で、〝高いものを乗り越えて移動する〟という意味。〝山や丘〟を指す「陵《りょう》」や、「山の稜線《りょうせん》」の「稜《りょう》」、「凌《しの》ぐ」と訓読みする「凌《りょう》」などには、その意味合いが残っている。

部首《夊》に所属する漢字のうち、現在でもよく使われるものとしては、【夏《なつ》】がある。古代文字では図のような形で、本来は〝特別な衣裳を着けて踊る人〟の絵だという。季節の〝なつ〟を指すようになったのは、その活動的なイメージから。また、これも現在ではほとんど使われない漢字だが、〝伝説上の一本足の動物〟を指す【夔《き》】という漢字もある。〝踊る〟にせよ〝一本足〟にせよ、〝足に負担をかける〟ことだろう。

以上のほか、【変《へん》】も、部首《夊》に分類される。ただし、これは形の上からの便宜的な分類。以前は「變《へん》」と書くのが正式で、部首は、〝変化させる〟ことを表す《攴（のぶん）》（p184）であった。

部首の名前としては、音読みに基づいて「すいにょう」と呼ばれる。この場合の「にょう」は、右払いで終わる部首を指す。また、「夏」の下側、いわゆる「あし」の部分に見られることから、「なつあし」「なつのあし」という名称も、よく使われている。

似たような形の部首に《夂（ちかんむり）》（次項）がある。この二つは、形にも成り立ちにもほとんど違いがなく、昔から混同して用いられてきた。現在では、部首になる場合は形の上では区別しないのがふつう。そのため、最近では、《夂》と《夊》を合わせて一つの部首として扱っている漢和辞典も多い。

なお、「夊」の3画目は、厳密には左上に突き出るのが正式な形。本書で用いている書体では、それを強調するために、先端に飾りが付いてる。

夂

［名称］ちかんむり、ふゆがしら
［意味］移動する

あちらと合わせたいものですから…

【夂《ち》】は、現在ではまず用いられないが、〝遅れて付いていく〟ことを意味

する漢字だという。古代文字では図のように書き、〝足〟を表す「止」（p194）の古代文字「」を上下逆さまにした形。

《夊（すいにょう）》（前項）とは、形にも成り立ちにもほとんど違いがないので、昔から混同して用いられてきた。最近では、《夂》と《夊》を合わせて一つの部首としている漢和辞典も多い。

部首としては〝移動する〟ことを表すと思われるが、実際の漢字の例がほとんどないので、よくわからない。【夆《ほう》】は〝会う〟という意味の漢字だと考えられていて、「逢《あ》う」と訓読みする「逢《ほう》」の一部分となっている。

【冬《ふゆ》】の部首も《夂》だが、意味の関連はなく、形の上から便宜的に分類されたもの。以前は、一番下の画をはね上げた「冬《ふゆ》」と書くのが正式で、部首も〝氷〟を表す《冫（にすい）》（p328）であった。

なお、漢字の上部、いわゆる「かんむり」「かしら」の位置に置かれるところから、音読みをかぶせて「ちかんむり」と呼ばれる。「ふゆがしら」という名称もあるが、すでに説明したとおり、「冬」は本来は「夂」とは関係がない。《夊》を「なつのあし」と呼ぶところから、ペアのように生み出された呼び名だと思われる。

ときどき、このようにしゃれっ気を効かせた名前があるのも、部首のおもしろさであろう。

舛

運動オンチにはむずかしい！

［名称］ます、まいあし
［意味］①左右の足を動かす　②その他

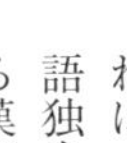

【舛《せん》】は、「ます」と訓読みして、「升《しょう》」（p355）と同じように用いられる。だが、これは、くずし字が似ているところから来た日本語独自の用法。本来は〝食い違う〟ことを意味する漢字で、古代文字では図のような形。〝足〟を表す「止」（p194）の古代文字「」が二つ、かかとを合わせて組み合わさった形で、〝左右の足が別々の方向を向いている〟ことを指すと考えられている。

漢字の例がとても少ないのでよくわからないが、部首としては〝左右の足を動かす〟ことを意味するらしい。「舞《ま》う」と訓読みする【舞《ぶ》】は、〝両足を動かして踊る〟こと。人名で人気がある【舜《しゅん》】の成り立ちについては諸説あるが、〝左右の足を動かしてすばやく動く〟ことだと考えると、「瞬間《しゅんかん》」の「瞬《しゅん》」とのつながりもよいように思われる。

このほか、現在ではまず使う機会のない【舝《かつ》】という漢字も、部首《舛》に分類される。その心はといえば、一番上の「五」を左に九〇度倒して少し変形させ、一番下の「ヰ」と組み合わせると、《舛》になる、という次第。車輪に取り付けて動かないようにする〝くさび〟を指す漢字で、〝左右〟の車

足

輪に差し込むところから、《舛》が付いているらしい。強引なように見えて、それなりに筋の通った部首である。

なお、「舞」「舜」では、「舛」の「㐄」の部分は、「乚」を「丄」とした「㐄」と書かれている。しかし、厳密にいえば、これらの漢字でも、以前は「㐄」と書くのが正式。「牽」も本来なら「㐄」の部分を「㐄」とすべきだが、そこまで厳密な区別をするのは、あまり実際的ではないと思われる。

部首の名前としては、訓読みそのままに「ます」と呼ばれる。また、「舞」の下側、いわゆる「あし」の部分に見られることから、「まいあし」ということもある。

癶

足腰を鍛えるのが基本です

［名称］はつがしら
［意味］①両足を踏ん張る ②その他

【癶《はつ》】は、古代文字では図のように書き、〝足〟を表す「止」（p194）を二つ、背中合わせに並べた形。〝両足〟の絵だと思われるが、漢字として実際に使われることは少なく、意味についても諸説があってよくわからない。

部首としては、〝両足を踏ん張る〟ことを表す。「登《のぼ》る」と訓読みする【登《とう》】が、そのわかりやすい例。【発《はつ》】は、以前は【發《はつ》】と書くのが正式。「弓」が含まれているように、もともとは〝両足を踏ん張って弓を射る〟という意味で、「発射《はっしゃ》」にその意味が残っている。

このほか、「甲乙丙丁《こうおつへいてい》…」と続く十干《じっかん》の一〇番目〝みずのと〟を指す【癸《き》】は、図のような古代文字が変形したもので、形の上から便宜的に部首《癶》に分類される。本来はなんらかの工具の絵から生まれた漢字だったが、大昔の中国語では〝みずのと〟を指すことばと発音が似ていたことから、当て字的に用いられるようになったと考えられている。

以上、漢字の数は少ないが、「登」と「発」を含むので、それなりに存在感のある部首となっている。「発」の上部、いわゆる「かしら」の位置に現れることから、部首としては「はつがしら」と呼ばれている。

卩

もともとあったか？間違えたか？

［名称］ふしづくり、わりふ
［意味］①ひざまずく ②その他

竹などで作った札を二つに割り、約束をした者同士が片方ずつ持ち合って、後日、本人であるという証拠とするものを、〝割り符〟という。【卩《せつ》】は本来、その〝割り符〟を表す漢字。ここから派生した漢字が「節《せつ/ふし》」で、「符節《ふせつ》を合《あ》わせる」のような言い方にその意味が残っている。

部首としての呼び名「ふしづくり」は、「節」の構成要素になっていることと、漢字の右側、いわゆる「つくり」の位置に置かれることが多いところに由来するもの。また、本来の意味から「わりふ」ということもある。

ただし、部首《卩》は、人間が〝ひざまずく〟ことを表す。古代文字では図のように書くので、漢字「卩」にそういう意味もある、と考える説もある。一方、これは、もともとは〝ひざまずく〟という意味を表す【卩《せつ》】という別の漢字の古代文字で、古い時代に二つの漢字が混同されたのだ、と考える学者もいる。

それはともかく、「退却《たいきゃく》」の【却《きゃく》】は、本来は〝ひざまずいて後ろに下がる〟こと。「印刷《いんさつ》」の【印《いん》】は、〝上から何かを押さえつけて、下のものにそのあとを残す〟という意味。もともとの意味は〝上から押さえて人をひざまずかせる〟ことだった、と考えられている。

【即《そく》】は、以前は【卽《そく》】と書くのが正式。また、【卽《そく》】と書かれることもある。古代文字では図のように書かれ、〝ごちそう〟の右側に〝ひざまずいている人〟を書いた形。これから食べようとするところから、〝その場で〟〝すぐに〟といった意味になった。「即《そく》席《せき》」「即時《そくじ》」などがその例である。

ちなみに、〝ひざまずいている人〟がごちそうを食べ終わって顔を背けている姿から生まれたのが、「既《すで》に」と訓読みする「既《き》」で、古代文字では「」と書く。部首《旡（すでのつくり）》（p67）に分類されている。

さらに、「即」の左側に、もう一人、〝ひざまずいている人〟が加わったのが【卿《きょう》】で、古代文字では図のような形。〝一緒に食事をしてもてなす〟ところから、〝立派なもてなしをしたりされたりする身分の高い人〟を指すようになったらしい。「公卿《くぎょう》」とは〝貴族〟のことをいう。

なお、「卸売《おろしう》り」のように使う【卸《しゃ》】の成り立ちについては、よくわからない。が、〝穀物を砕くため、ひざまずいて杵《きね》を振り下ろす〟ことだとか、〝神が降りてくるように、ひざまずいて祈る〟ことなどの説がある。

以上のほか、意味の上では関係がないが、形の上から便宜的に《卩》に分類される部首もある。【卵《らん》】は古代文字では図のような形で、何らかの動物の〝たまご〟の絵から生まれた漢字。また、形は似ているが、【卯《ぼう》】は「卵」とは無関係で、〝ひざまずく〟ことも無関係。成り立ちははっきりしないが、十二支の四番目を表す漢字で、「う」と訓読みする。

なお、《卩》は、漢字の下の方に現れるときには、少し変形して《㔾》（次項）となる。が、漢和辞典では、《㔾》の漢字も、部首《卩》の中に含めて扱うのがふつうである。

㔾

いい愛称を募集してます!

［名称］ふしづくり、わりふ
［意味］ひざまずく

《卩》(前項)が、漢字の下の方に置かれたときの形。《卩》と同じく、〝ひざまずく〟ことを表す。

代表的な例は、「危険《きけん》」の【危《き》】。もともとの意味については、〝がけの上でひざまずいて下をのぞく〟ことだとか、〝不安定な格好でひざまずく〟ことだとかいう。「厄払《やくばら》い」の「厄《やく》」も似たような成り立ちの漢字だが、こちらの部首は、〝がけ〟を表す《厂(がんだれ)》(p312)に分類される。

また、「巻《ま》く」と訓読みする「巻《かん》」の部首は《己》(次項)だが、以前は【卷《かん》】と書くのが正式で、部首は《㔾》。もともとの意味は〝ひざまずいて体を丸める〟ことだとか、〝ひざまずいて敷物などを丸める〟ことだ、などと考えられている。

このほか、「犯罪《はんざい》」の「犯《はん》」や、「氾濫《はんらん》」の「氾《はん》」にも、「㔾」の形が見られるが、これらは成り立ちの上では部首《㔾》とは別もの。意味の関係はない。

なお、《㔾》はいわゆる「つくり」の位置には現れないので、「ふしづくり」という名称はふさわしくない。また、〝割り符〟を表す漢字「卩」と形が違うので、「わりふ」という名前もしっくりこない。とはいえ、ほかの名前も見当たらない。ちょっと悲しい部首である。

己

自分には関係ないこと?

［名称］おのれ、き、つちのと
［意味］①糸を巻き取る道具　②ひざまずく　③その他

【己《こ》】は、古代文字でも図のような形で、いったい何を表すのか、よくわからない。

成り立ちには諸説があるが、〝糸を巻き取る道具〟を指すとする説が優勢。《糸》(p47)を付け加えた「紀《き》」が、もともとは〝糸をきちんと巻き取る〟ことを表す漢字だったことが、その根拠となっている。大昔の中国語では〝自分〟を意味することばと発音が似ていたことから、「自己《じこ》」のような使い方が生まれた、と考えられている。

部首の一つではあるが、《己》を部首とする漢字の中には、成り立ちの上で〝糸を巻き取る道具〟に関係するものはない。「巻《ま》く」と訓読みする【巻《かん》】はいかにもそれらしいが、以前は「卷《かん》」と書くのが正式。部首は〝ひざまずいている人〟を表す《㔾(ふしづくり)》(前項)で、もともとは〝ひざまずいて体を丸める〟ことだったとか、〝ひざまずいて敷物などを丸める〟という意味だったなどと考えられている。

部首《己》の中には、「巻」のほかにも、《㔾》と関係が深い漢字がある。

たとえば、「たつみ」と訓読みして〝南東〟を指す【巽《そん》】は、以前は【巽《そん》】と書くのが正式。古代文字では図のような形で、

《㔾》の原型、《卩（ふしづくり）》（前々項）の古代文字の一つ「」が並んでいる。〝人が並んでひざまずいている〟ところから、そもそもは〝そろえて並べる〟という意味だったと考えられている。

「選《えら》ぶ」と訓読みする「選《せん》」には、その意味合いがかすかに残っている。「巽」が〝南東〟を指すようになったのは、大昔の中国語で〝南東〟を示すことばと発音が似ていたことから、当て字的に使われたことに由来するようである。

「ともえ」と訓読みする【巴《は》】は、古代文字では図のような形で、本来は〝ヘビがとぐろを巻く形〟だとする説が優勢。ただし、「色《いろ》」（p350）や「邑《むら》」（p81）に見られる「巴」の形が〝ひざまずく人〟だと考えられていることからすると、漢字「巴」そのものも、《㔾》と関係が深いと考える方がよいかもしれない。なお、という模様を指すのは日本語独自の用法で、「巴」を三つ組み合わせたものと形が似ているところに由来する。

くっついたり離れたり…

ところで、部首《己》の漢字には、左上の隅の部分が完全にくっついた「巳《し》」や、少しだけ離れている「已《い》」も含まれている。これらは、成り立ちの上では《己》とは関係がなく、形の上から便宜的に分類されたものである。

【巳《し》】は、訓読みでは「み」と読み、〝十二支の六番目〟を指して使われる。古代文字では図のような形で、〝へび〟の絵から生まれた漢字だと考えられてきた。しかし、最近では

〝胎児〟の絵だとする説が有力。〝お腹の中に胎児がいる〟ことを表すのが「包《ほう》」で、「包《つつ》む」と訓読みする「包《ほう》」の以前の正式な書き方である。

一方、「已《すで》に」と訓読みして使うことがある【已《い》】は、古代文字では「以上《いじょう》」の「以《い》」と同じ形だった、と考えられている。農具の〝すき〟の絵から生まれた漢字だともいうが、異説も多い。大昔の中国語で〝もう終わっている〟という意味を表すことばと発音が似ていたことから、当て字的に転用されて、訓読み「已《すで》に」のような意味が生まれたらしい。

以上のほか、「ちまた」と訓読みして、〝たくさんの人が暮らしている場所〟を表す【巷《こう》】も、「巳」の形を含むところから、部首《己》に分類される。ただし、この漢字は成り立ちの上では「邑《むら》」と関係が深い。古代文字には図のような形をしたものがあり、これは、「共《きょう》」の古代文字

「」と、〝人が住んでいる場所〟を指す「邑」の古代文字を組み合わせたもの。「巷」の「巳」の部分は、「邑」が変形した形だと考えられる。なお、「巷」は、「巳」を「己」とした【巷《こう》】と書かれることもある。

部首の名前としては、訓読みに従って「おのれ」と呼ぶのが一般的。音読みに由来する「き」という呼び名もあるが、

あまり一般的ではない。また、「己」は、「甲乙丙丁《こうおつへいてい》…」と続く十干《じっかん》の六番目〝つちのと〟を指す漢字としても使われるところから、「つちのと」と呼ばれることもある。

尢

［名称］おうにょう、まげあし、だいのまげあし
［意味］①足が不自由である　②その他

まとまりなんてありません！

漢字として実際に用いられることはまずないが、【尢《おう》】は、〝人間〟を表す「大」（p24）の足の部分が変形して生まれた漢字で、〝足が不自由である〟ことを表すという。この意味に関係する漢字の部首となるが、現在でも用いられる例は、ほとんどない。

「おうにょう」という呼び名は、「尢」の音読みに基づくもの。この場合の「にょう」は、「乚」のような形で終わる部首を指す。「大」の足にあたる部分を変形させているところから、「まげあし」「だいのまげあし」などともいう。

【尤《ゆう》】もこの部首に含まれるが、成り立ちはまったく異なる。古代文字では図のような形で、〝手〟を表す「又」（p179）の古代文字「」に、曲線を一本加えた形。本来の意味には大きく分けて二説あり、一つは、「尤」には〝とがめる〟という意味があるので、この古代文字を〝手をつかんでひねっている形〟だとする。もう一つの説では、〝通常とは違う〟という意味があることから、この形は〝手にいぼができている〟ことを表すという。現在では、〝通常とは違う〟ところから転じて、「尤《もっと》も」と訓読みして使われる。

この部首に含まれる漢字の中で、一番よく用いられるのは「就職《しゅうしょく》」の【就《しゅう》】。ただし、この漢字の成り立ちについては諸説が錯綜していて、「尤」が何を表すかについても、はっきりとしたことはわからない。中には、「犬」の変形だとする説もある。

以上のように、一つの部首ではあるが、あまりにもとりとめがない。所属する漢字の数も少なく、部首としての存在感には乏しい。とはいえ、そういう存在も許容されているあたりが、部首の世界のおもしろいところでもあろう。

肉体

《肉》は変形して《月（にくづき）》となり、「背」「腹」から「腸」「脳」まで、肉体のさまざまな部分を指す漢字を生み出す。一方で、心臓の絵から生まれた《心》は、時には《忄（りっしんべん）》へと形を変えながら、人生のいろいろな場面で訪れる心理状態を表す漢字の部首となる。そのほか、死体に関係する《尸（しかばね）》《歹（がつへん）》の存在も、何やらもの言いたげである。

肉

［名称］にく
［意味］肉、特に食用の肉

食べることから始めましょう

英語では、動物の体を構成する〝肉〟を flesh というのに対して、食べるための〝肉〟は meat と呼んで区別する。しかし、漢字の世界では、**【肉】**《にく》一文字で、その両方を指すことができる。とはいえ、

古代文字では図のような形で、食用の〝肉片〟の絵から生まれたと考えられている。二本の横線は、肉の筋目だという。

部首としては変形して《月（にくづき）》（次項）の形になることが多く、《肉》の形がそのまま残っている漢字は、現在でもよく使われるものとしては、訓読みでは「肉《にく》が腐《くさ》る」のように使う**【腐】**《ふ》くらいしかない。まず使う機会がない漢字まで含めても、〝大きく切った肉のかたまり〟を表す**【胾】**《し》や、〝切り刻んだ肉〟を指す**【臠】**《れん》などがある程度である。

《月（にくづき）》の漢字には、広く〝肉体〟に関係するものが多い。それに比べて、《肉》がそのままの形で含まれている漢字には、主に〝食用にする肉〟を指すという、漢字「肉」の本来の性格が、よく現れている。

漢和辞典では、《月（にくづき）》の漢字も部首《肉》の中に含めて扱うのが一般的。ただし、現在ではこの二つを分離して、《月（にくづき）》を天体の《月（つき）》（p336）と合わせて一つの部首としている辞典もある。

月

［名称］にくづき
［意味］①食用の肉　②肉体の一部分　③肉体の状態　④肉体から作るもの　⑤その他

虫眼鏡のご用意を！

部首《肉》（前項）が変形したときの形。ほとんどの場合、漢字の左側、いわ

ゆる「へん」の位置に現れるが、中には漢字の下部に置かれることもある。漢和辞典では、《月（にくづき）》の漢字も、部首《肉》の中に含めて扱うのが一般的。《月（にくづき）》は4画だが、漢和辞典の部首配列では6画の《肉》のところに一緒になっているので、注意が必要である。ただし、現在では、《月（にくづき）》を天体の《月（つき）》（p336）と合わせて一つの部首としている辞典もある。

　天体の《月（つき）》と見かけがよく似ていることから、「にく」が変形した「月」だというわけで、部首としては「にくづき」と呼ばれている。ただし、厳密には、天体の「月」は中の横棒が右の縦棒にくっつかない「月」と書いて区別する。とはいえ、この区別は昔からあいまいだったので、こだわり過ぎない方がよいかと思われる。

　《肉》の意味の中心は、〝食用の肉〟にある。《月（にくづき）》がこの意味を表す漢字としては、〝料理〟そのものを指す「御膳《おぜん》」の【膳《ぜん》】が代表的。「酒の肴《さかな》」のように用いる【肴《こう》】も、〝料理〟の一種。【膾《かい》】は〝細く切った生肉の料理〟で、訓読みでは「なます」と読む。また、〝十二月〟のことを古くは「臘《ろう》月《げつ》」と呼んだが、【臘《ろう》】は、〝料理した肉をお供えして年末に行う祭り〟を指すという。

　なお、「有《ゆう》」は、以前は月食と関係させて成り立ちが考えられていたので、部首《月（つき）》に分類するのが漢和辞典の伝統。ただし、古代文字では「」で、「肉」の古代文字を含むところから、最近では、本来の意味は〝肉を手に持つ〟ことだ、と考えられている。そこで、部首を《月（にくづき）》に改めている辞典も多い。

　また、「脆《もろ》い」「脆弱《ぜいじゃく》」の【脆《ぜい》】は、本来は〝断ち切りやすい肉〟のことだという。【腥《せい》】は「腥《なまぐさ》い」と訓読みする漢字で、〝お肉がプンと臭う〟こと。

　「おさむ」と読んで人名で用いられる【脩《しゅう》】は、もともとの意味は〝細く切った干し肉〟。漢和辞典を探すと、ほかに【脯《ほ》】【腊《せき》】も〝干し肉〟を表す漢字だし、〝お供えの焼き肉〟を指す【膰《はん》】、〝お肉のスープ〟をいう【腩《なん》】などなど、よだれが出てきそうな漢字が見つかる。ただし、これらの〝お肉〟関連の漢字は、現在では使われることはほとんどない。

　では、現在でも使われる《月（にくづき）》の漢字はというと、〝肉体〟に関連する意味を表すものが、大半を占めている。

外からもわかるあちこちのパーツ

　その中でまず挙げられるのは、【腹《はら》】【背《せ》】に代表される、〝肉体の一部分〟を指す漢字。【胸《むね》】【肩《かた》】【腰《こし》】【胴《どう》】なども、もちろんその例。【臀《でん》】は〝お尻〟を指す漢字で、「臀部《でんぶ》」のように用いる。

　また、【脇《きょう》】【腋《えき》】は、どちらも訓読みでは「わき」で、〝肉体の横側〟。「脅迫《きょうはく》」の【脅《きょう》】は、本来は「脇」と意味も読み方も同じ漢字。〝不安がらせる〟という意味は、〝両わきから囲んでおどす〟ところから生じたものだという。

一方、【脚《きゃく》】は〝腰から伸びた部分〟を指す漢字で、〝足首から先〟を表す「足《そく》」(p192)とは異なる。【股《こ》】は日本語では「また」と訓読みして〝脚の付け根〟を指すが、本来は〝脚の付け根からひざまで〟。日本語で「もも」と訓読みして〝脚の付け根からひざまで〟をいう【腿《たい》】は、もともとは〝脚の付け根から足首まで〟を表す。そのあたり、少々ややこしい。

さらに、【膝《ひざ》】は〝脚の関節の前側〟、【脛《すね》】は〝脚のひざより下の部分〟。ちなみに、「ひかがみ」と訓読みして〝膝の後ろ側のくぼみ〟を表す【膕《かく》】という漢字もある。

一方、【腕《わん》】は〝肩から伸びた部分〟を指す漢字で、これまた〝手首から先〟を表す「手《しゅ》」(p172)とははっきりと異なる。【肘《ちゅう》】は、〝腕の関節の外側〟。【臂《ひ》】【肱《こう》】も合わせて三つとも「ひじ」と訓読みするが、本来は、「臂」は〝腕全体〟を、「肱」は〝上腕〟をいう。なお、【肢《し》】は〝腕と脚〟を合わせていう漢字で、「四肢《しし》」「肢体《したい》」といった熟語で使われる。

このほか、「皮膚《ひふ》」の【膚《ふ》】や【肌《はだ》】は、〝肉体の表面〟。【胡《こ》】は、〝中国の西の方に住んでいた異民族〟を指す漢字で、「胡椒《こしょう》」「胡麻《ごま》」などはそこから伝わってきたもの。ただし、本来の意味は〝あごの下の肉〟らしい。異民族を指すようになった理由には、諸説がある。

解剖しないとわかりません!

以上はすべて、肉体を外側から見た区分。これらに対して、部首《月(にくづき)》には、肉体の内側を指す漢字も数多く含まれる。そのほとんどは、いわゆる〝臓器〟を表す漢字で、「内臓《ないぞう》」の【臓《ぞう》】がその代表。以前は正式には【臟《ぞう》】と書いた。「五臓六腑《ごぞうろっぷ》にしみわたる」のように用いられる【腑《ふ》】も、〝臓器〟を指す。

具体的な臓器を指す漢字としては、【胃《い》】【腸《ちょう》】から始まって、「肝臓《かんぞう》」の【肝《かん》】、「胆嚢《たんのう》」の【胆《たん》】、「膵臓《すいぞう》」の【膵《すい》】、「脾臓《ひぞう》」の【脾《ひ》】から「肛門《こうもん》」の【肛《こう》】まで、消化器官が一通りそろっている。なお、「胆」は、以前は【膽《たん》】と書くのが正式であった。

【肺《はい》】や「腎臓《じんぞう》」の【腎《じん》】も、もちろん臓器。【膀《ぼう》】【胱《こう》】は、二文字一組で〝膀胱〟を表す。〝血管〟を表す【脈《みゃく》】、「リンパ腺《せん》」の【腺《せん》】、「鼓膜《こまく》」「横隔膜《おうかくまく》」の【膜《まく》】なども、広い意味での臓器の一種だろう。【脳《のう》】もこの例で、以前は正式には【腦《のう》】と書いた。

【腔《こう》】は、〝肉体の内部の空間〟のこと。「満腔《まんこう》の喜《よろこ》び」とは〝体中いっぱいの喜び〟。なお、医学の世界では、「腹腔《ふくくう》」「口腔《こうくう》」など、この漢字を「くう」と読む習慣がある。

「肚《はら》をくくる」「肚《はら》の探り合い」のように使うことがある【肚《と》】は、もともとの意味としては〝胃〟に近い。「臆病《おくびょう》」の【臆《おく》】は〝心〟を指すが、本来は〝胸の中〟のことをいう。

体は子孫に受け継がれる…

〝子宮〟を表す【胎《たい》】も、臓器の一種。【膣《ちつ》】は、〝子宮から体の外に通じる部分〟。【臍《へそ》】は、〝胎児のときに胎盤とつながっていた部分の跡〟。

〝生殖〟に関する漢字はほかにもあり、「胞子《ほうし》」の【胞《ほう》】は、本来は〝生まれたとき、胎児を包んでいる膜〟。【胚《はい》】のもともとの意味は〝みごもる〟ことで、「胚胎《はいたい》する」とは〝原因となるものが生じる〟ことを指す。

人名で「たね」と訓読みすることがある【胤《いん》】は、〝子孫〟のこと。「ご落胤《らくいん》」がその例。【冑《ちゅう》】も〝子孫〟を表す漢字。この《月》を「冃」にしたのが、「甲冑《かっちゅう》」の「冑《ちゅう》」。マニアックな世界ではその違いがよく問題とされる。「甲冑」の「冑」は、部首《冂(けいがまえ)》(p43)に分類される。

なお、「育《そだ》てる」と訓読みする【育《いく》】に《月(にくづき)》が含まれるのも、広い意味で生殖に関係するからかもしれない。

〝骨〟にまつわる漢字もある。「脊髄《せきずい》」の【脊《せき》】は、〝背骨〟のこと。【膂《りょ》】も本来は〝背骨〟を指す漢字で、「膂力《りょりょく》」とは、〝背骨の力〟から転じて〝体全体の力〟をいう。「肋骨《ろっこつ》」の【肋《ろく》】は〝あばら骨〟。「アキレス腱《けん》」の【腱《けん》】は、〝骨と筋肉のつなぎ目〟。「肯定《こうてい》」の【肯《こう》】に《月(にくづき)》が付いているのは、本来は〝骨付き肉〟を指していたから。現在のような意味が生じた経緯については、諸説がある。

このほか、「脂肪《しぼう》」の【脂《し》】【肪《ぼう》】も、悲しいことに〝肉体〟の一部。動物の肉体に含まれる〝あぶら〟を表す漢字はほかにもあり、「軟膏《なんこう》」の【膏《こう》】もその一つ。ちなみに、「脱《ぬ》ぐ」と訓読みする【脱《だつ》】は、以前は【脱《だつ》】と書くのが正式で、成り立ちとしては〝肉が落ちてやせる〟ことだという。

科学とは観察すること!

〝肉体の一部分〟以外を意味する《月(にくづき)》の漢字としては、〝肉体の状態〟を表すものがある。「肥満《ひまん》」の【肥《ひ》】が、代表的な例。「膨張《ぼうちょう》」の【膨《ぼう》】は、本来は〝肉体がふくれあがる〟こと。「膨張」は「膨脹《ぼうちょう》」とも書かれ、【脹《ちょう》】も「膨」と同じ意味である。

「腫《は》れる」と訓読みする【腫《しゅ》】は、けがや病気などで〝肉体の一部がふくれあがる〟こと。それが破れて出てくるものが【膿《うみ》】。また、【胼《へん》】【胝《ち》】は、どちらも皮膚にできる〝たこ〟を指し、「胼胝」と書いて「たこ」と読むこともある。

このほか、〝肉体の状態〟とは少し異なるが、「肖像《しょうぞう》」の【肖《しょう》】は、〝肉体の格好が似ている〟という意味らしい。以前は「⺌」を「小」とした【肖《しょう》】と書くのが正式だったので、〝ミニチュア〟という意味合いがあるとする説もある。

なお、特殊な例として、〝肉体から作るもの〟を指す漢字がある。【膠《にかわ》】は、〝動物の体から作った接着剤の一種〟。「臙脂《えんじ》」は、本来は〝ある虫の体から採取した紅色の顔料〟のことなので、【臙《えん》】もこの例だと思われる。

以上のように、本来は〝食用の肉〟を指していた《月(にくづき)》は、〝肉体〟を表すようになって、大きく発展している。そこには、〝食べる〟という本能から、自分たちの〝肉体〟の観察へという変化が見られるようで、おもしろい。

最後に、「可能《かのう》」の【能《のう》】は、古代文字では図のように書く。

この不思議な形が表すものについては、〝くま〟〝かめ〟〝やどかり〟など諸説があるが、いずれにしても、部首を《月(にくづき)》とするのは、形の上から便宜的に分類されたものである。

身

［名称］み、みへん
［意味］①体全体 ②体全体の動き

少ないけれどお気に入り！

【身《しん》】は、古代文字では図のように書き、〝女性がみごもった姿〟の絵から生まれたと考えられている。〝体〟を表すのは、そこから転じたもの。部首としても〝体〟を意味するが、《肉》(前々項)《月(にくづき)》(前項)が多くは〝肉体の一部分〟を表すのとは違って、〝人間の体全体〟をひとまとまりのものとして指す傾向がある。

【軀《く》】はその例で、〝人間の体全体〟を表す漢字。「体軀《たいく》」とは〝体全体〟をいう。【躰《たい》】も似たような意味で、昔は「体《たい》」と意味も読み方も同じ漢字として用いられた。

転じて、〝体全体の動き〟を指すこともある。現在ではあまり用いられないが、【躱《た》】は「躱《かわ》す」と訓読みして、〝体を動かして何かをよける〟こと。【躬《きゅう》】は、〝自分自身の体で〟という意味。〝自分自身で実際に行う〟ことを表す四字熟語「実践躬行《じっせんきゅうこう》」で用いられる。

《身》を部首とする漢字は、数としては少ない。しかし、日本人はなぜかこの部首がお気に入りだったようで、オリジナルの漢字をいくつも創り出している。

たとえば、【躾《しつけ》】は、〝体の動きが美しい〟ところから。〝体の中が空っぽ〟というところから生まれた【躻《うつけ》】は、〝頭のはたらきが鈍い〟という意味。父親の分身という意味合いか、父から見て〝息子〟を指す【躮《せがれ》】という漢字もある。

現在ではまず使われることはないが、【軈】も日本語独自の漢字で、「軈《やが》て」と訓読みする。「應《おう》」は「応《おう》」の以前の正式な書き方で、〝状況に対して体で応じていく〟ところから〝やがて〟という意味になったものと思われる。

なお、部首の名前としては単に「み」ともいわれるが、ほとんどの場合は漢字の左側、いわゆる「へん」の位置に現れるため、「みへん」と呼ばれるのがふつうである。

尸

［名称］しかばね、かばね、しかばねだれ、かばねだれ、しかばねかんむり
［意味］①死体 ②生きている人の体 ③おしり ④建築物 ⑤はきもの ⑥その他

そんなに悪くもないんですよ

【尸《し》】は〝死体〟を表す漢字。古代文字では図のようなひょろっとした形で、〝死体〟の絵だという。死後硬直で手足が突っ張っているだとか、大昔の中国では死者を折り曲げて埋葬する風習があったとかの解釈がある。

そこで、部首としても〝死体〟を表すのが出発点となる。【屍《し》】は、〝死体〟そのもの。「屍骸《しがい》」がその例だが、現在では「死骸《しがい》」と書くことも多い。また、【屠《と》】は「屠《ほふ》る」と訓読みす

る漢字で、〝殺す〟ことや〝攻め滅ぼす〟ことを表す。

　かなり縁起の悪そうな部首だが、明らかに〝死体〟と関係があるのは、以上くらいのもの。〝生きている人の体〟を指す漢字も多い。【尼《に》】はその例で、《尸》も「匕」も〝人の体〟を表し、本来は〝二人が仲良くする〟という意味だったという。訓読み「あま」のように〝女性の聖職者〟を指すのは、古代インド語でこの意味を表すことばに対する当て字「比丘尼《びくに》」から生まれた用法である。

　【局《きょく》】は、そもそもは〝体を折り曲げる〟という意味らしく、〝縮こまる〟ところから、〝限定する〟ことや〝限られた部分〟へと意味が変化したと考えられる。「局所《きょくしょ》」「局面《きょくめん》」などがその例。「展覧会《てんらんかい》」の【展《てん》】の成り立ちには諸説があるが、〝広げる〟という意味なので、〝縮こまっていた体を伸ばす〟ことと関係していると思われる。

　以上からすると、部首《尸》は、生死にかかわらず広く〝人間の体〟を表す、と考えた方がよさそう。〝死体〟を表す漢字が、部首になるとどうして意味が広がるのかは、ちょっとした謎。ただ、《尸》は、ほかにも謎が多い。


どうしてそこにこだわるかなあ…


　その一つは、〝人の体〟の中でも、なぜか〝おしり〟に関する漢字が多いこと。【尻《しり》】はもちろん、【尾《お》】もその例。また、「居室《きょしつ》」「隠居《いんきょ》」の【居《きょ》】は、は〝腰を落ち着ける〟という意味だと思われる。【属《ぞく》】は、以前は【屬《ぞく》】と書くのが正式で、「尾」と「蜀《しょく》」を組み合わせた漢字。「蜀」（p246）が何を表すかには諸説あるが、「屬」の本来の意味は〝交尾する〟ことだった、と考える説が有力。オスがメスに〝くっつく〟ところから、「属《ぞく》する」というような意味になったと思われる。

　「屈伸《くっしん》」の【屈《くつ》】は、古代文字では図のような形

で、「尾」と「出」とから成り立つ。そこで、もともとは〝しっぽを巻いてうずくまる〟という意味だったと考えられている。また、【尿《にょう》】も、古代文字では「尾」と「水」の組み合わせ。とすると、汚い話ばかりで恐縮だが、【屁《へ》】や〝大便〟を意味する【屎《し》】も、「尾」から派生した漢字なのかもしれない。
　謎の二つ目は、「家屋《かおく》」の【屋《おく》】のように、〝建築物〟を表す漢字が含まれていること。「高層《こうそう》ビル」の【層《そう》】は、以前は【層《そう》】と書くのが正式で、〝建築物の一つの階〟。「屏風《びょうぶ》」の【屏《びょう》】は、本来は〝垣根や塀〟を指す。
　これらの《尸》については、〝屋根〟を表すと考える説が優勢。とすれば、もともとは〝人間の体〟を表す《尸》とは別のものだったのかもしれない。なお、「屏」は省略して【屏《びょう》】とも書く。
　三つ目の謎は、〝はきもの〟を表す漢字も含まれること。「草履《ぞうり》」の【履《り》】がその代表。現在ではまず用いられることはないが、【屐《げき》】【屣《し》】【屧《しょう》】【屨《く》】【屩《きゃく》】などもすべて、〝はきもの〟を指す。これらの漢字では、「尸彳」が「履」の省略形として使

われている、と説明されている。

疑問ばかりが残ります

このほか、《尸》の指す意味合いがはっきりしない漢字も多い。たとえば、「屑箱《くずばこ》」の【屑《くず》】については、〝人の体〟に結びつけた解釈がいろいろあるが、説得力のあるものはなかなかない。【届《かい》】は、以前は【屆《かい》】と書くのが正式。成り立ちには、〝死体を埋葬する〟〝体が丸まる〟〝体がつぶれる〟などの説がある。訓読み「届《とど》く」のような意味は、日本語独自の用法だという。

さらに、「依怙贔屓《えこひいき》」のように使う【屓《き》】や、現在ではまずお目にかかることはないが、「しばしば」と訓読みすることがある【屢《る》】については、部首《尸》が何を意味するかはよくわからない、としか言いようがない。全体像が把握しにくい部首である。

以上のほか、形の上から便宜的に分類された漢字もある。【尺《しゃく》】は古代文字では図の右側のような形で、〝親指と人差し指を広げた形〟だと考える説が有力。転じて、長さの単位として用いられるようになった。

図の左側は、大昔の〝役所の長官〟を指す【尹《いん》】の古代文字。〝手に持つ〟ことを表す「又」(p179)の古代文字の一つ「」を含んでいて、〝神聖な杖を手に持つ〟形だという。そこで、「」がそのまま残った《⺕(よ)》(p181)を部首とする辞書もある。

また、「尽《つ》きる」と訓読みする【尽《じん》】は、以前は「盡《じん》」と書くのが正式で、部首は〝容器〟を表す《皿》(p116)。本来は、〝容器の中身がなくなる〟という意味である。

部首としての呼び名の「しかばね」は、〝死体〟という意味。「かばね」も同じ。漢字の上部から左側にかけて、いわゆる「たれ」の位置に現れるので、「しかばねだれ」「かばねだれ」とも呼ばれる。「しかばねかんむり」という名前もあるが、「かんむり」とは漢字の上側に置かれる部首を指すので、あまりふさわしくはない。

歹

[名称]がつ、がつへん、いちたへん、かばね、かばねへん

[意味]①死ぬ ②殺す ③不吉なこと ④その他

おはらいをしてもらいたい…

実際に漢字として使われることはまずないが、【歹《がつ》】は、古代文字では図のような形。この形については、〝割れた骨〟だとか〝関節の骨〟だとか、〝人間の胸から上の骨格〟だとかいろいろな説があるが、要は、亡くなった人の〝白骨〟を指す漢字だという。

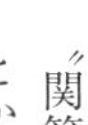

そこで、部首としては〝死ぬ〟ことを表し、【死《し》】がそのものズバリの例。また、「歿《ぼっ》する」の形で〝亡くなる〟ことを表す【歿《ぼつ》】や、「殉職《じゅんしょく》」の【殉《じゅん》】もその例。現在ではまず用いられないが、ほかにも〝若死に〟を指す【殀《よう》】、〝飢え死に〟を表す【殍《ふ》】などの漢字がある。

　転じて、〝殺す〟ことをも表す。「殲滅《せんめつ》」の【殲《せん》】は、〝全員を殺す〟こと。「特殊《とくしゅ》」の【殊《しゅ》】も本来は〝真っ二つに斬り殺す〟という意味の漢字で、体を別々にするところから、〝違っている〟ことを表すようになったという。

【残《ざん》】は、以前は【殘《ざん》】と書くのが正式。もともとは〝肉体を損なう〟ことで、訓読み「残《のこ》る」のような意味は、〝損なわれた結果の余り〟から生じたものである。

　何かと不吉な部首で、実際、〝不吉なこと〟を意味する例もある。「殆《ほとん》ど」と訓読みして使う【殆《たい》】は、本来は〝もう少しでよくないことが起こりそうだ〟という意味。【殃《おう》】は〝よくないこと〟そのものを指す漢字で、「災殃《さいおう》」という熟語がある。

　ただし、【殖《しょく》】だけはテイストが異なり、「殖産《しょくさん》」「殖《しょく》民《みん》」など、〝財産や人間を増やす〟ことを表す。部首《歹》との関係については、〝死体がまっすぐ伸びているようにまっすぐ増える〟〝死体を肥料にして植物を増やす〟などの説があるが、この突然の《歹》の変節ぶりには、漢字学者たちもなかなか手こずっているようである。

　部首の名前としては、音読みに基づいて「がつ」と呼ぶのが基本。ほとんどの場合は漢字の左側、いわゆる「へん」の位置に現れるので「がつへん」ともいわれる。漢字の「一」とカタカナの「タ」に分解できるので、「いちたへん」というちょっと軽めの呼び名もある。

　なお、漢字「歹」は〝白骨〟を表すところから、〝死体〟を意味する「かばね」「かばねへん」と呼ぶこともあるが、《尸(しかばね)》(前項)とまぎらわしくなるので、あまりおすすめではない。

「歹」は大昔は「歺《がつ》」と書かれたので、漢和辞典ではこの形も合わせて部首として立てることが多い。ただし、「歺」の形は、現在では「晩餐《ばんさん》」の「餐《さん》」や、「燦然《さんぜん》と輝く」の「燦《さん》」に見られるくらい。「奴」は〝白骨を手に取る〟ことだというが、「餐」「燦」との意味のつながりは、よくわからない。

骨

たくさん種類はあるけれど…

［名称］ほね、ほねへん
［意味］①骨 ②骨から作った道具

【骨《こつ》】はもちろん、肉体を構成する〝ほね〟を表す漢字。古代文字では図のように書き、下半分は〝肉体〟を表す部首《月(にくづき)》(p205)。上半分は、〝人間の胸から上の骨格〟だとか〝骨の関節にあたる部分がへこんでいる形〟だとかいう。部首《月(にくづき)》に分類すればよさそうなものだが、それなりの数の漢字を生み出すので、独立した部首として扱うのがふつうである。

　部首としても〝骨〟を表す。「骸骨《がいこつ》」の【骸《がい》】は、〝死んだ人の骨〟。【髑《どく》】【髏《ろ》】は、二文字合わせて〝死んでむきだしになっ

た頭蓋骨〟を指す。
【骼《かく》】は、〝骨組み〟全体を指す漢字。「骨骼《こっかく》」のように使われるが、現在では「骨格《こっかく》」と書く方が自然。〝骨格〟を中心として〝体全体〟を表すのが【體《たい》】で、「体《たい》」の以前の正式な書き方。また、「骨髄《こつずい》」の【髄《ずい》】は、以前は【髓《ずい》】と書くのが正式で、〝骨の中心にある組織〟を指す。

このほか、〝肩甲骨〟は【髆《はく》】、〝腰骨〟は【髖《かん》】、〝尾骨〟は【骶《てい》】、〝大腿骨〟は【髀《ひ》】、〝ひざのお皿の骨〟は【髕《ひん》】、〝すねの骨〟は【骭《かん》】など、さまざまな〝骨〟を指す漢字がある。このままいくとたいへんな数になりそうだが、幸か不幸か、現在では、これらの漢字はほとんど使われることはない。

なお、【骰《とう》】は〝さいころ〟を表す漢字で、「骰子」と書いて二文字で「さいころ」と読むことがある。昔のさいころは、骨を材料として作ったらしい。

部首の名前としては、単に「ほね」とも呼ぶが、ほとんどの場合は漢字の左側、いわゆる「へん」の位置に置かれるので、「ほねへん」ということが多い。

血

［名称］ち、ちへん
［意味］①血　②その他

流れ出てから漢字になる

肉体

大昔の中国では、神に祈るときに動物の血を容器に入れてささげたという。【血《けつ》】は、そこから生まれた漢字。古代文字では図のように書き、「皿」の古代文字「」の上にしずくを垂らした形だと考えられている。

部首としても〝血〟を表すが、その例は少ない。【衉《かく》】は、〝血を吐く〟という意味。「衉血《かっけつ》」のように用いられるが、現在では「喀血《かっけつ》」と書く方が一般的。そのほか、めぼしいものとしては、〝鼻血〟を指す【衄《じく》】がある。

これらとは別に、「群衆《ぐんしゅう》」の【衆《しゅう》】も部首《血》に分類される。ただし、古代文字では図のような形で、上部は《血》とは異なる。この部分については、〝城壁に囲まれた都市〟だとか〝太陽〟だとか、解釈に諸説がある。下部は「人」の古代文字が三つ並んだ形で、〝多くの人びと〟という意味がここに現れている。

部首の名前としては「ち」と呼ぶのがふつう。漢字の左側、いわゆる「へん」の位置に置かれた場合には「ちへん」ということもある。

血管や流血、あるいは血縁関係など、〝血〟にまつわるものごとはいろいろあるので、部首《血》の漢字が少ないのは、ちょっとさみしい。その点を考えると、漢字「血」が、容器に入っている絵から生まれたという事実は、なかなか興味深い。中国古代の人びとにとっての〝血〟は、〝体内を流れるもの〟ではなかったようである。

勹

［名称］つつみがまえ、くがまえ
［意味］①かかえこむ　②その他

胸やお腹はペッタンコ！

実際に使われることはまずないが、【勹《ほう》】は古代文字では図のように書き、〝人が腕を使って、胸やお腹に何かをかかえこんでいる姿〟から生まれた漢字だという。

部首としては、〝かかえこむ〟ことを表す。【包《ほう》】がその代表的な例。以前は【包《ほう》】と書くのが正式で、古代文字では図のような形。これは〝胎児をみごもっている姿〟だと解釈されている。訓読み「包《つつ》む」のような意味は、そこから転じたもの。「匍匐前進《ほふくぜんしん》」の【匍《ほ》】【匐《ふく》】に《勹》が付いているのは、〝地面をかかえるようにして腹ばいになって進む〟からだという。

このほか、【匊《きく》】は〝手ですくい取る〟という意味で、後に、部首《扌（てへん）》（p173）を付け加えて、「掬《すく》う」と訓読みする「掬《きく》」が作られた。また、【匈《きょう》】は〝むね〟を表すもともとの漢字。これまた後に、意味をはっきりさせるために〝肉体〟を表す部首《月（にくづき）》（p205）を付け加えて作られたのが、「胸《きょう》」である。

これらからすると、部首《勹》は、〝かかえこむ〟という意味を表す、と限定して考えるよりも、〝おなかや胸、手のひらなどの状態〟を表す、という程度に解釈した方が適切であるようにも思われる。体の中で、特にぺったんこになっている部分に意識がある漢字なのかもしれない。

部首《勹》には、形の上から便宜的に分類された漢字もたくさん含まれている。水をくむ道具【勺《しゃく》】は、以前は【勺《しゃく》】と書くのが正式。

どいつもこいつも関係ない

〝ひしゃく〟を表し、その絵から生まれた漢字。「驚《おどろ》く勿《な》かれ」「勿論《もちろん》」のように使う【勿《ぶつ／もち》】の成り立ちにはさまざまな説があるが、〝かかえこむ〟こととは関係がない。「急《きゅう》な勾配《こうばい》」の【勾《こう》】は〝ぐいっと曲げる〟という意味で、これも部首《勹》と直接のつながりはない。

「匂《にお》う」と読む【匂】は、日本語独自の漢字。〝整っている〟という意味の【匀《いん》】を変形させて、〝香りが整っている〟ことを表す。その「匀」も、〝かかえこむ〟こととは関連がないと考える説が優勢。また、昔の重さの単位を表す【匁《もんめ》】も、漢字「文《もん》」とカタカナの「メ」を続けて書いたくずし字から生まれた、日本語オリジナルの漢字である。

なお、「上旬《じょうじゅん》」の「旬《じゅん》」は、意味の上から部首《日（ひ、にち）》（p332）に分類するのがふつう。また、「反芻《はんすう》」とは、もともとは〝牛が干し草を何度もかみ直す〟ことを意味する熟語だが、この「芻《すう》」は、意味の上から部首《艸（くさ）》（p269）に分類されている。

部首の名前としては、「包」の訓読みに基づいて「つつみがまえ」と呼ぶのがふつうだが、「句《く》」に見られるところから「くがまえ」ということもある。ただし、「句」は成り立ちとしては《勹》とは関係がなく、部首《口》(p149)に分類するのが一般的。なお、「かまえ」は、漢字の三方あるいは四方を取り巻くような部首を指す。

比

[名称]くらべる、ならびひ
[意味]①並んでくらべる ②その他

よそでは活躍してるんだけど…

「比較《ひかく》」の【比《ひ》】は、古代文字では図のように書かれ、〝右を向いた人が二人並んだ形〟。本来は〝並べてくらべる〟ことを表す。部首の一つだが、《比》を部首とする漢字はわずかしかない。

七福神の一つ「毘沙門天《びしゃもんてん》」の【毘《び》】は、古代インド語に対する当て字。この場合の部首《比》は、発音を表す記号にすぎない。そのため、部首を《田》(p79)とする辞典もあるが、意味の上で〝田んぼ〟と関係があるわけでもない。

また、〝つつしむ〟という意味の【毖《ひ》】という漢字もあるが、現在ではまず使われない上に、《比》が意味するところもよくわからない。

というわけで、なんとも煮え切らない部首だが、漢字の構成要素としては、あちこちで活躍している。そのうち、「皆《みな》」では〝人が並んでいる〟という意味を表していると考えられているが、この漢字はふつう、部首《白》(p346)に分類される。

また、「琵琶《びわ》」の「琵《び》」、「枇杷《びわ》」の「枇《び》」、「砒素《ひそ》」の「砒《ひ》」などでは、「比」は発音を表す記号。このほか、「昆虫《こんちゅう》」の「昆《こん》」や「鹿《しか》」などにも「比」の形が見られるが、それぞれ古代文字では「」「」と書くので、成り立ちとしては《比》とは別ものだと考えられる。

部首としては、訓読みに従って「くらべる」と呼ばれる。また、同じく「ひ」と音読みして部首になる《匕(さじのひ)》(p121)と区別するため、「ならびひ」と呼ぶこともある。

漢字の数が少ないので、いっそのこと、その《匕》と統合してしまってもよいと思われるが、なぜだか生き延び続けてきた。なんとも不思議な部首である。

心

[名称]こころ
[意味]①心、胸 ②心や頭のはたらき ③心理状態 ④その他

〝こころ〟は胸の中にある

〝こころ〟はどこにあるか、と聞かれたら、現在なら〝頭の中〟と答える人が多いのだろう。ただ、漢字【心《こころ》】は、古代文字では図のように書き、〝心臓〟の絵から生まれた漢字だと考えられている。

そこで、漢字「心」は〝胸〟を指すことがあり、部首《心》も〝胸〟を意味することがある。【応《おう》】が実はその例で、以前は【應《おう》】と書くのが正式。本来は〝胸で受け止める〟ことを表す漢字だという。

また、【息《いき》】は、〝鼻〟を表す「自」（p148）と〝胸〟を表す《心》を組み合わせた漢字だと考えられている。そこから派生したのが「休憩《きゅうけい》」の【憩《けい》】。「息」に〝休む〟という意味があるところから、〝休んで元気を取り戻す〟ことを表す。

以上は《心》が〝胸〟を意味する例だが、これらはあくまで少数派。部首としては〝心や頭のはたらき〟を表すのが基本である。

「感動《かんどう》」の【感《かん》】や「思考《しこう》」の【思《し》】、「想像《そうぞう》」の【想《そう》】などが代表的な例。「雑念《ざつねん》」の【念《ねん》】も〝考えたり思ったりする〟こと。「意見《いけん》」の【意《い》】は、〝考えや気持ち〟。「志《こころざ》す」と訓読みする【志《し》】は、〝考えや気持ちがある方面に向く〟ことを表す。

「考慮《こうりょ》」の【慮《りょ》】は、〝考えをめぐらす〟こと。「疑惑《ぎわく》」の【惑《わく》】は、〝考えが定まらない〟こと。「忘《わす》れる」と訓読みする【忘《ぼう》】や「愚《おろ》か」と訓読みする【愚《ぐ》】も、〝頭のはたらき〟の一種。〝頭のはたらきがいい〟ことを表す【慧《けい／え》】という漢字もあり、「智慧《ちえ》」という熟語があるが、現在では「知恵《ちえ》」と書くのがふつうである。

なお、《心》を三つ組み合わせた【惢《さ》】という漢字もある。意味としては〝疑う〟ことだというのは、何やら意味深。ついでながら、【忎《じん》】は〝浮気者〟ではなく、「仁《じん》」と同じで〝相手を自分のように思って親しく接する〟という意味。もう一つ、【忢《ご》】という漢字もあり、こちらは「悟《ご》」と同じで〝はっきりと理解する〟ことを表す。

このほか、「悉《ことごと》く」と訓読みする【悉《しつ》】は、〝尽くす〟という意味だというが、異説もある。【愈《ゆ》】は「ますます」と訓読みして使う漢字で、〝程度が高くなる〟ことを表す。本来は、〝心や頭のはたらきが、ほかよりもよい〟という意味だという。

ヘコむことが多いですねぇ…

以上のような〝心や頭のはたらき〟を、少し〝心〟の方に寄せて考えると、〝心理状態〟になる。部首《心》の大半は、この意味に関する漢字で占められている。

おおざっぱに言って、人間の心理状態には、マイナスのものとプラスのものの二つがある。そこで、まずはマイナスの方の漢字から見てみよう。

「悲《かな》しい」と訓読みする【悲《ひ》】、「憂鬱《ゆううつ》」の【憂《ゆう》】、「哀愁《あいしゅう》」の【愁《しゅう》】などがその例。ちなみに、「愁」に対して【惷《しゅん》】という漢字もあり、意味としては〝愚かである〟ことや〝うごめく〟ことを表す。

「患者《かんじゃ》」の【患《かん》】は、本来は〝心配する〟という意味。心配の度が高じた状態が【悶《もん》】で、「悶《もだ》える」と訓読みする。【懣《まん》】も〝心配で苦しい〟ことを表し、「憤懣《ふんまん》」という熟語がある。

「疲労困憊《ひろうこんぱい》」という四字熟語で使われる【憊《はい》】は、〝心労で疲れる〟こと。「恙《つつが》ない」と訓読みして用いる【恙《よう》】は、〝心配ごと〟を指す。

【恥《はじ》】も、マイナスの例の一つ。【慙《ざん》】も同じ意味で、「慙《ざん》愧《き》の念」のように使う。【恐《きょう》】は〝不安に感じる〟こと。【悪《あく》】は、以前は【惡《あく》】と書くのが正式。「罪悪《ざいあく》」のように用いるが、本来は〝いやな感じがする〟こと。「お」と音読みして「風邪で悪寒《おかん》がする」のように使うのが、その例である。

「怠慢《たいまん》」の【怠《たい》】は、〝苦しさから逃げようとする〟こと。【恣《し》】は、〝自分勝手である〟という意味の漢字で、「放恣《ほうし》」とは〝勝手放題にふるまう〟こと。これらは明らかにマイナスだが、「忍耐《にんたい》」の【忍《にん》】になると、〝苦しいことを我慢する〟ことで、プラスかマイナスか微妙なところである。なお、「忍」は、以前は正式には【忍《にん》】と書いた。

「忌引《きび》き」の【忌《き》】は、〝何かを宗教的な理由で遠ざける〟こと。【慾《よく》】は、「欲《よく》」に比べると〝過剰な欲望〟を指して使われる。「懸案《けんあん》」「命を懸《か》ける」のように使う【懸《けん》】は、〝心が落ち着かない〟ことや〝どうなるかわからない〟こと。これらは、マイナスともプラスとも言いにくい例である。

その高揚感の原因は？

一方、プラスの心理状態を表す漢字としては、【愛《あい》】や【恋《こい》】が代表的なもの。「恋」は、以前は正式には【戀《こい》】と書いた。

「忠誠《ちゅうせい》」の【忠《ちゅう》】や「恩義《おんぎ》」の【恩《おん》】、「慈《いつく》しむ」と訓読みする【慈《じ》】なども、プラスの心理状態。「恵《めぐ》む」と訓読みする【恵《けい》】は、以前は【惠《けい》】と書くのが正式で、〝心配りをする〟こと。「慰《なぐさ》める」と訓読みする【慰《い》】は、〝相手の気持ちを和らげる〟こと。このように眺めてみると、プラス方向の部首《心》の漢字には、相手を意識して使われるものが多いように思われる。

「懇談《こんだん》」の【懇《こん》】のように〝打ち解ける〟という意味の漢字もあるし、「ご寛恕《かんじょ》ください」の【恕《じょ》】のように、〝相手の事情を思いやる〟ことを表す漢字もある。【惹《じゃく》】は、「心が惹《ひ》きつけられる」のように使われ、〝相手の心を強く動かす〟ことをいう。【慇《いん》】【懃《きん》】は、〝相手に心をこめて接する〟ことで、「慇懃《いんぎん》」という熟語として使われる。

もちろん、プラスの漢字であっても、特に相手を意識しないものもある。たとえば、【慶《けい》】は〝めでたい〟という意味で、「慶弔《けいちょう》」とは〝お祝いごとと弔《とむら》いごと〟。「悠々《ゆうゆう》」の【悠《ゆう》】は、〝気持ちがのびのびとしている〟ことを表す。

逆に、マイナスの漢字の中にも、「激怒《げきど》」の【怒《ど》】や「怨《うら》む」と訓読みする【怨《えん》】など、明らかに相手に向けて使われるものも含まれる。「懲罰《ちょうばつ》」の【懲《ちょう》】は、以前は、「王」の上に横線が入った【懲《ちょう》】と書くのが正式。〝懲《こ》らしめなければならない〟という強い気持ちを含んでいるのだろうが、それをプラスに感じる人は、相当のサディストだろう。

以上のような例があるものの、《心》の漢字からは、プラスの心理状態になるのは相手に向かうときだという傾向が見てとれる。人間は一人では生きていけないことを暗示しているようで、ちょっとうれしい。

心はどこへ行ったのでしょうね

以上のほか、部首《心》の漢字の中には、現在では〝心〟を離れた意味で用いられるものも多い。【急】《きゅう》がその代表で、本来は〝心が落ち着かない〟という意味だが、現在では〝スピードが速い〟というイメージが強い。「態度《たいど》」の【態】《たい》は、単純に〝ようす〟を表す漢字として使われるが、本来は〝どのようでありたいか〟という気持ちまで含んでいる。

「忽然《こつぜん》と消える」の【忽】《こつ》は、もともとは〝心がうつろになる〟という意味。それが〝突然に〟という意味で使われるようになった結果、改めて《心》が変形した《忄(りっしんべん)》(次々項)を加えて作られたのが、「恍惚《こうこつ》」の「惚《こつ》」である。

ついでながら、「忽」に点を一つ付け加えた【怱】《そう》は、〝あわてる〟という意味を表す別の漢字。手紙の末尾に添える「草々《そうそう》」を、「怱々《そうそう》」と書くことがある。

また、【憑】《ひょう》は、そもそもは〝当てにする〟ことや〝頼みとする〟ことを表す。転じて〝寄りかかる〟という意味になり、日本語では、「憑依《ひょうい》」「取り憑《つ》く」のように〝霊魂などが乗り移る〟という意味で用いられる。

「憲法《けんぽう》」という熟語で使われて〝きまり〟を表す【憲】《けん》については、《心》が何を指すか、説得力のある説明はなかなかない。また、「惣領《そうりょう》」「惣菜《そうざい》」などの【惣】《そう》は、「総《そう》」の形が変化した漢字。ただし、「総」に「心」が含まれている理由も、よくわからない。

さらに、【必】《ひつ》の部首も《心》だが、古代文字では図のような形で、〝棒に何かをくくりつけてある〟形だと解釈されている。大昔の中国語では〝絶対に〟という意味を表すことばと発音が似ていたところから、当て字的に転用されたと考えられている。《心》を部首とするのは、形の上からの便宜的な分類である。

なお、部首《心》は、漢字の下部に置かれたときに変形して《⺗(したごころ)》(次項)になることがある。また、漢字の左側、いわゆる「へん」の位置では、《忄(りっしんべん)》(次々項)の形になる。漢和辞典ではこれらも《心》の中にまとめて扱うのが伝統だが、《忄》は漢字の数が多いので、最近では別の部首としているものもある。

⺗

[名称]したごころ
[意味]相手に対する深い気持ち

そんな気持ちじゃありません!

部首《心》(前項)は、漢字の下部、特に「八」のような左右への払いの下に置かれると、変形して《⺗》になることがある。漢字の「下」にある「心」だというわけで、部首としてはこれを「したごころ」

と呼んでいる。

ただし、その例は少なく、「恭《うやうや》しい」と訓読みする【恭《きょう》】と、「慕《した》う」と訓読みする【慕《ぼ》】、それに「忝《かたじけな》い」と訓読みする【忝《てん》】があるくらい。どれも〝相手に対する深い気持ち〟を表す漢字で、「したごころ」という名前が付いているのはちょっとかわいそうである。

忄

［名称］りっしんべん
［意味］①心、胸 ②心や頭のはたらき

判断力が際立ちます！


部首《心》（前々項）が、漢字の左側、いわゆる「へん」の位置に置かれたときの形。縦長になっているのを「立っている」と見て、「りっしんべん（立心偏）」と呼ばれている。

《心》との違いは位置と形だけで、基本的には同じ部首。漢和辞典では《忄》の漢字も《心》の中に含めて扱うのが伝統となっている。《忄》は3画だが、漢和辞典の部首配列では4画の《心》のところに一緒になっているので、注意が必要である。ただし、最近では、《忄》を別立てにしているものもある。

部首《心》は〝胸〟を表すことがあるが、《忄》には〝胸〟に関係する漢字はほとんどない。しいて挙げれば、「動悸《どうき》」の【悸《き》】があるくらいか。〝胸がどきどきする〟ことを表す。

その代わりに、《忄》には〝心〟そのものを表す漢字が含まれる。「感情《かんじょう》」の【情《じょう》】は、以前は正式には【情《じょう》】と書き、〝心〟そのものを表す。【性《せい》】も、現在ではものの「性質《せいしつ》」をいうことも多いが、〝生まれながらに持っている心情的な傾向〟を指すのが本来の意味。「性善説《せいぜんせつ》」「性悪説《せいあくせつ》」を思い出すと、わかりやすい。

次に、〝心や頭のはたらき〟を指す例としては、「記憶《きおく》」の【憶《おく》】が代表的な例。【懐《かい》】は、以前は【懷《かい》】と書くのが正式。記憶力や思考力に関する漢字で、「懐《なつ》かしい」「懐疑的《かいぎてき》」のような使い方に、そのことがよく現れている。「慣《な》れる」と訓読みする【慣《かん》】も、〝心のはたらき〟の一種だろう。

《心》と比較したとき、〝心や頭のはたらき〟の例が目立つのが、《忄》の特徴といえるかもしれない。特に理解力・判断力にまつわる漢字を、数多く挙げることができる。

たとえば、「悟《さと》る」と訓読みする【悟《ご》】は、〝はっきりと理解する〟こと。「慎重《しんちょう》」の【慎《しん》】は、以前は【愼《しん》】と書くのが正式で、〝度を超えた行動をしないように注意する〟という意味。【惟《い》】は〝よく考える〟ことを表す漢字で、「思惟《しい》」とは〝考え〟をいう。

「怪《あや》しい人物」のように使う【怪《かい》】は、〝判断に自信が持てない〟こと。判断とは違う現実を目の前に突きつけられたときには、「驚愕《きょうがく》」の【愕《がく》】の出番。〝びっくりする〟ことを表す。

「惚《ほ》れる」と訓読みする【惚《こつ》】は、本来は〝判断力が鈍る〟という意味。【恍《こう》】も同じ意味の漢字で、「恍惚《こうこつ》」という熟語で用いられる。逆に〝判断力が冴えている〟ことを表す漢字としては【怜《れい》】【悧《り》】があり、「怜悧《れいり》」とは〝頭が切れる〟こと。また、固有名詞で使われることがある【惺《せい》】も、〝頭のはたらきにくもりがない〟という意味の漢字である。

なかなか厳しいものですなあ…

理解力や判断力に関係する漢字が多いのは、《心》と比べたときの《忄》の特徴ではあるが、だからといって《心》と《忄》の間に本質的な違いがあるわけではない。《忄》の漢字の大半を占めるのは、《心》と同じく、〝心理状態〟を表す漢字である。

〝気持ちがいい〟ことを表す【快《かい》】が、代表的な例。「悦《よろこ》ぶ」と訓読みする【悦《えつ》】もその一つで、以前は正式には【悅《えつ》】と書いた。【愉《ゆ》】は、以前は【愉《ゆ》】と書くのが正式で、「愉《たの》しい」と訓読みする。ただし、これらのように明るいイメージを持つ漢字は少なく、全体としては、人生の厳しさを感じさせる漢字が多い。

たとえば、「悩《なや》む」と訓読みする【悩《のう》】。似たような意味の漢字には【懊《おう》】もあり、「懊悩《おうのう》」とは〝どうすればいいかわからなくなって、ひどく苦しむ〟こと。「悲惨《ひさん》」の【惨《さん》】は、〝ひどい状態に心が痛む〟こと。「慟哭《どうこく》」の【慟《どう》】は、〝ひどい状態に声を上げて泣く〟という意味。なお、以前は、「悩」は【惱《のう》】、「惨」は【慘《さん》】と書くのが正式であった。

「憔悴《しょうすい》」という熟語で使われる【憔《しょう》】【悴《すい》】は、どちらも〝心労のあまりやつれる〟こと。【悄《しょう》】は〝落ち込む〟ことを指す漢字で、「悄然《しょうぜん》とする」のように使ったり、「悄気《しょげ》る」と当て字的に用いたりする。「憮然《ぶぜん》とする」の【憮《ぶ》】も、本来は〝うまくいかなくて落ち込む〟こと。「悲愴《ひそう》」の【愴《そう》】は、〝悲しくて心が痛む〟という意味である。

「惜《お》しい」と訓読みする【惜《せき》】は、〝残念がる〟こと。「憤慨《ふんがい》」の【憤《ふん》】は〝腹を立てる〟こと。【慨《がい》】は、以前は【慨《がい》】と書くのが正式で、〝ひどく悲しむ〟こと。また、【慷《こう》】は〝心を高ぶらせる〟という意味の漢字で、「慷慨《こうがい》」という熟語がある。

だれかに対して気持ちを向けると…

腹を立てたり悲しんだりすると、やがてその気持ちがだれかに向けられることにもなる。【憎《ぞう》】は、以前は【憎《ぞう》】と書くのが正式で、「憎《にく》む」と訓読みする。「恨《うら》む」と訓読みする【恨《こん》】も、だれかに強い気持ちをぶつける漢字である。

〝怒りや憎しみを相手にぶつける〟漢字としては、「敵愾《てきがい》心《しん》」の【愾《がい》】がいい例。「恫喝《どうかつ》する」の【恫《どう》】は、〝おどかす〟こと。「精悍《せいかん》な顔つき」のように使う【悍《かん》】も、本来は〝気性が激しい〟という意味を表す。

逆に、相手から逃げ出したくなる漢字も多い。「恐怖《きょうふ》」の【怖《ふ》】は、〝恐ろしいと感じる〟こと。「卑怯《ひきょう》」の【怯《きょう》】は、訓読みすれば「怯《おび》える」。「戦慄《せんりつ》」の【慄《りつ》】は〝震え上がる〟こと。「危惧《きぐ》」の【惧《ぐ》】は〝びくびくする〟という意味。同じ意味の漢字に【懼《く》】があり、「恐懼《きょうく》」という熟語で使われる。

また、【恟《きょう》】も似たような意味の漢字で、「人心恟々《じんしんきょうきょう》」とは〝みんながびくびくしている〟こと。【憚《たん》】は〝相手の意向を気にして、ある行動を差し控える〟ことで、「憚《はばか》る」と訓読みする。

もちろん、相手に好意を抱くことだってある。「憧《あこが》れ」と訓読みする【憧《しょう》】がその例。「憧憬《しょうけい》」という熟語で使う【憬《けい》】の意味ははっきりしないが、「憧」と同じだと考えていいだろう。なお、「憧憬」は「どうけい」と音読みすることもある。

少しテイストは違うが、【悌《てい》】は〝年上の人を敬う〟ことで、「孝悌《こうてい》」という熟語がある。また、〝相手にまごころをもって接する〟ことを表す【惇《とん／じゅん》】という漢字もあり、人名で使われることがある。

だが、すぐに暗い雰囲気が漂ってくるのが、《忄》の世界の特徴らしい。【憐《れん》】は〝相手をかわいそうに思う〟という意味の漢字で、「憐《あわ》れむ」と訓読みする。【憫《びん》】も同じ意味の漢字で、「憐憫《れんびん》」は〝かわいそうに思う〟こと。【惻《そく》】も似たような意味で、「惻隠《そくいん》の情《じょう》」とは〝人の不幸を見てかわいそうだと思う気持ち〟のことである。

その気持ちが行動にまで現れるのが【恤《じゅつ》】。〝かわいそうに思って助ける〟ことを表す漢字で、「救恤《きゅうじゅつ》」という熟語がある。また、「追悼《ついとう》」の【悼《とう》】は、〝亡くなった人のことを悲しむ〟こと。訓読みでは「悼《いた》む」と読む。

対象を自分に向けた場合も、なかなかつらい漢字が目立つ。「後悔《こうかい》」の【悔《かい》】がその代表で、以前は【悔《かい》】と書くのが正式。「懺悔《ざんげ》」の【懺《ざん》】は、〝自分の過ちをはっきり認識して、改めようとする〟こと。【悛《しゅん》】も同じ意味の漢字で、「悔悛《かいしゅん》」という熟語がある。「遺憾《いかん》」の【憾《かん》】は、「憾《うら》み」と訓読みするが、意味としては〝自分のやったことに対して心残りを感じる〟ことを表す。

もうやめよう！恥ずかしい！

〝恥ずかしい〟という意味の漢字も多い。【慚《ざん》】【愧《き》】がその例で、「慚愧《ざんき》の念《ねん》に耐《た》えない」とは〝恥ずかしくてしかたない〟こと。ちなみに、「慚」は部首《忄》を《心》に変えて「慙《ざん》」と書かれることもある。また、「忸怩《じくじ》たる思い」の【忸《じく》】【怩《じ》】は、二文字合わせて〝恥ずかしい〟ことを表す。

悔い改めたり恥ずかしがったりするのは、まだいい方。「自慢《じまん》」の【慢《まん》】は、本来は〝やるべきことをきちんとやらない〟という意味。「怠慢《たいまん》」「慢心《まんしん》」などにその意味がよく現れている。【懈《かい》】も〝やるべきことをきちんとやらない〟ことを表す漢字で、「懈怠《かいたい》」という熟語がある。なお、この熟語は、「けたい」「けだい」と音読みすることもある。

〝きちんとやらない〟ことを表す漢字はたくさんあって、「惰性《だせい》」の【惰《だ》】は、本来は〝なまけて何もしない〟という意味。【懶《らん》】は「懶《ものう》い」と訓読みする漢字で、〝やる気が起こらない〟こと。〝意志が弱く実行力がない〟ことを表す【懦《だ》】という漢字もあり、「懦弱《だじゃく》」という熟語で使われる。

この方向の極めつけは【悖《はい》】。〝道理に背く〟という意味で、「悖徳《はいとく》」「人道《じんどう》に悖《もと》る行為《こうい》」のように用いられる。

以上のほか、「忙《いそが》しい」と訓読みする【忙《ぼう》】や「慌《あわ》ただしい」と訓読みする【慌《こう》】は、どちらも〝心に余裕がない〟わけで、決していい意味合いの漢字ではない。

悲観的にはならないでね！

こうやって見てくると、人間の〝心理状態〟というものがマイナスばかりのように感じられて、嫌になってくる。ただ、もちろんそこまで悲観的になる必要はない。たとえば、〝よろこぶ〟ことを表す【忻《きん》】という漢字もある。が、現在では部首を《欠（あくび）》（p66）に置き換えた「欣《きん》」を使う方がふつうである。

〝たのしむ〟ことを表す【懽《かん》】についても、同じように「歡《かん》」という漢字が存在し、これは「歓《かん》」の以前の正式な書き方。というわけで、全体的には、《忄》の漢字は、なぜだかどうしてもマイナスのイメージが強いのである。

とはいっても、マイナス・イメージのまま終わるのはあんまりなので、最後に、前向きな《忄》の漢字をいくつか、拾い上げておこう。

「恒久《こうきゅう》の平和を願う」の【恒《こう》】は、以前は【恆《こう》】と書くのが正式で、本来は〝心が変化しない〟こと。【恬《てん》】は〝落ち着いている〟ことを表す漢字で、「恬淡《てんたん》」とは〝欲望に動かされない〟ことをいう。【恰《こう》】は、〝思っていた通りの〟という意味で、「恰好《かっこう》の機会」のように使われる。なお、「恰好」で「かっ」と読んでいるのは、音読み「こう」が変化したものである。

【恃《じ》】は「恃《たの》む」と訓読みする漢字で、〝信頼を置く〟ことを表す。【恢《かい》】は、もともとは〝広々と感じられる〟という意味らしい。〝広げて盛んにする〟ところから、〝取り戻す〟という意味でも使われる。「恢復《かいふく》」がその例だが、現在では「回《かい》復《ふく》」と書くのがふつうである。

また、「怺《こら》える」と訓読みする【怺】は、〝心が永続きする〟ところから作られた日本独自の漢字である。

第４部

動植物に関する部首

動物／動物の体／植物

動物

《犬》は、動物の代表。変形して《犭(けものへん)》となり、さまざまな〝けもの〟を表す漢字を生み出す。また、《牛》《馬》《羊》などを部首とする漢字には、それぞれの動物が人間とどのように関わってきたかが、よく現れている。さらには《鳥》《魚》《亀》《虫》《龍》などなど、さまざまな動物たちが部首となる中で、《貝》は〝経済的な価値〟を表す部首となって、異彩を放っている。

犬

［名称］いぬ
［意味］①犬　②犬を使って狩りをする　③犬の肉

けっこう抽象的ですねえ…

動物を表す漢字の多くは、その動物の絵から生まれている。その中でも、古くから人間に近しかった動物ほど、漢字としては簡略化され、絵文字を脱している傾向がある。

【犬《いぬ》】はその代表的な例で、古代文字を古い順に並べると、図のようになる。右の形では絵文字らしかったものが、真ん中では簡略化され、さらに九〇度回転したのが左の形。「牛」や「羊」もそうだが、「馬」「鳥」「魚」などが現在でも〝絵〟の雰囲気を残しているのに比べると、簡略化の度合いが高い。

《犬》は、そのままの形で部首となる場合は、漢字の右側に位置していることが多い。一方、漢字の左側、「へん」と呼ばれる場所に置かれたときには、変形して《犭(けものへん)》(次項)となる。漢和辞典では、《犭》の漢字も部首《犬》の中に含めて扱うのがふつうだが、最近では《犭》を別立てにしている辞書もある。

部首としても〝犬〟を意味するのが基本。【獣《じゅう》】は、以前は【獸《じゅう》】と書くのが正式で、本来は〝犬を使ってつかまえた動物〟を指す。また、現在ではまず使われないが、〝犬が群れになって走る〟ことを表す【猋《ひょう》】という漢字もある。狩りで獲物を追いかけているのだろうか。

これらに、《犭》に属する「狩《しゅ》」「猟《りょう》」「獲《かく》」などを合わせて考えると、漢字を生み出した人びとにとっては、犬といえば、まずは〝狩りの際に役立つ動物〟であったことがうかがえる。

と同時に、古代の中国では、犬は貴重な食用の動物でもあったようである。それを示すのが、「献上《けんじょう》」の【献《けん》】で、以前は【獻《けん》】と書くのが正式。「甗《げん》」は〝蒸し器〟の一種を表す漢字なので、「献／獻」の本来の意味は、〝犬の肉を蒸して神にささげる〟ことだったと考えられている。

また、【猷《ゆう》】は〝先を見通した考え〟を指す漢字。もともとは〝犬の肉と壺に入れた酒とをささげて、神のお告げを得ようとする〟という意味だったらしい。めったにお目にかからないが、「遠猷《えんゆう》」「帝猷《ていゆう》」といった熟語があるほか、徳川三代将軍の家光が死後に贈られた院号を「大猷院《だいゆういん》」という。

このほか、「状態《じょうたい》」の【状《じょう》】は、以前は【狀《じょう》】と書くのが正式。もともとは〝犬の姿〟を表すという説が有力だが、ちょっと眉につばをつけたくならないでもない。かといって、ほかに説得力のある説も見当たらないのが、困ったところである。

犭

［名称］けものへん
［意味］①犬 ②犬を使って狩りをする ③犬がほえる ④けもの ⑤人間としてふさわしくない行動 ⑥その他

二匹が出会えば必ず吠える？

部首《犬》（前項）が漢字の左側、いわゆる「へん」の位置に置かれたときの形。漢和辞典では《犬》の中に含めて扱うのがふつう。《犭》は3画だが、漢和辞典の部首配列では4画の《犬》のところに一緒になっているので、注意が必要である。ただし、最近では《犭》を独立させて扱う辞書もある。

基本的には《犬》と同じだが、漢字の数は《犭》の方がはるかに多いので、そのぶん、部首として表す意味も広がりを持つ。とはいえ、基本となる意味は、もちろん〝犬〟。【狗《く》】がその代表で、「いぬ」と訓読みして使われるほか、「走狗《そうく》」とは〝使い走り〟を指す。また、【狆《ちん》】は犬の種類だが、本来は中国の周辺部に住む異民族を指す漢字。犬の種類の〝ちん〟に対して用いるのは、日本語独自の用法である。

《犬》と同じように、〝犬を使って狩りをする〟ことに関係する漢字も含まれる。「狩猟《しゅりょう》」という熟語で使う【狩《しゅ》】【猟《りょう》】がその例。「獲得《かくとく》」の【獲《かく》】も、本来は〝狩りをしてつかまえる〟ことを表す。なお、「猟」は、以前は【獵《りょう》】と書くのが正式であった。

また、〝犬がほえる〟ことを表す場合もある。現在ではまず用いられないが、【犾《ぎん》】は〝二匹の犬がほえ合う〟という意味。これに「言《げん》」を加えたのが【獄《ごく》】で、〝原告と被告が言い争う〟こと、つまり〝裁判〟を表すのがそもそもの意味。ただし、この場合の〝二匹の犬〟は〝裁判の場にささげられるいけにえの犬〟だとする説もある。

足は四本 毛皮がご自慢！

以上は〝犬〟と直接的に関係する意味を持つ漢字。《犭》はそこから発展して、【猫《ねこ》】【狐《きつね》】【狸《たぬき》】【猪《いのしし》】【狼《おおかみ》】などの哺乳類を指す漢字をも生み出している。「猪」は、以前は、正式には「者」に点を加えた

【猪《いのしし》】と書いた。

とはいえ、漢字が生まれた当時には、現在のような動物学的な分類があったわけではない。だから、《犭》が表すのは、四本脚で歩き、体が毛におおわれた動物、つまり〝けもの〟だと考えるべきだろう。

実は、《犭》の大半を占めるのはこのタイプの漢字で、部首として「けものへん」と呼ばれるのも、そのためである。ちょっと変わったところでは【獺《かわうそ》】なんてのも、四本脚で毛皮が目立つ。また、ふつうは「獅子《しし》」の形で使う【獅《し》】は、もちろん〝ライオン〟のことである。

「狛犬《こまいぬ》」の【狛《こま》】は、〝オオカミに似た動物〟だというが、神社の石像を見る限りでは、想像上の動物だろうと思われる。「狼狽《ろうばい》」という熟語で使う【狽《ばい》】も〝オオカミ〟の一種だというが、これまた、実在するとは思えない。ものの本によると、「狼」は後ろ足が短く、「狽」は前足が短い。そのため、両者はいつも支え合っていて、離れるとあたふたする。そこで、〝慌てる〟ことを「狼狽」というらしい。

同様に、【獏《ばく》】も、本来は、夢を食べるという想像上の動物。現実に存在する動物〝バク〟は、後になってこの漢字で表されるようになったものである。

このほか、〝サル〟を表す漢字がまとまって含まれているのも、注目される。【猿《さる》】のほか、現在ではあまり用いられないが、【猴《こう》】【猱《どう》】もサルの一種だし、「狙《ねら》う」と訓読みする【狙《そ》】も、本来はサルの一種を指す。「狒々《ひひ》」や「猩々《しょうじょう》」のように用いる【狒《ひ》】【猩《しょう》】も同じだが、もともとはどちらも想像上の動物で、後になって実在の動物を指して用いられるようになった。

なにはともあれ、「犬猿《けんえん》の仲」とはいうものの、漢字の世界では犬とサルは仲良く同居しているわけである。

なお、《犭》の漢字の中には、《豸(むじなへん)》(p.236)でも書かれるものも多い。「猫」は大昔には「貓《ねこ》」と書いたし、「狸」も「貍《たぬき》」と書いた。また、「獏」は「貘《ばく》」とも書かれる。

アリストテレスの先輩かも!

こうやって眺めてみると、《犭》で表される動物は、みんな、人間に比較的近い。それだけに、逆に人間との違いを意識させる存在でもある。部首《犭》が〝人間としてふさわしくない行動〟を表すことにもなるのは、そのためだろう。

その代表的な例は、「犯罪《はんざい》」の【犯《はん》】。「狡猾《こうかつ》」の【狡《こう》】【猾《かつ》】は、どちらも〝ずる賢い〟こと。【獪《かい》】も似たような意味で、「老《ろう》獪《かい》」とは〝世慣れしていてずる賢い〟ことをいう。

「猜疑心《さいぎしん》」の【猜《さい》】は〝疑り深い〟こと。「猛烈《もうれつ》」の【猛《もう》】は、本来は〝暴力的な〟という意味。「獰猛《どうもう》」の【獰《どう》】は、〝意地が悪い〟こと。【狷《けん》】は〝片意地な〟という意味を表す漢字で、「狷介《けんかい》」とは〝片意地で人付き合いがよくない〟ことをいう。「狎《な》れる」と訓読みする【狎《こう》】は、逆に〝礼儀をわきまえずになれなれしくする〟ことを表す。

このように見てくると、《犭》の漢字には、社会の秩序を乱すものが多い。それがよく現れているのが「猥雑《わいざつ》」の【猥《わい》】で、〝秩序立っていない〟という意味。「狂《くる》う」と訓読みする【狂《きょう》】も、いろいろな意味で〝秩序が失われている〟ことをいう。

そのような〝社会の乱れ〟が極端になった状態を表すのが【猖《しょう》】【獗《けつ》】で、「伝染病《でんせんびょう》が猖獗《しょうけつ》を極《きわ》める」のように用いられる。「人間は社会的動物である」といったのは、古代ギリシャの哲学者アリストテレスだが、漢字を創った人々も、同じようなことを考えていたようである。

以上のほか、成り立ちがはっきりせず、《犭》の意味合いもよくわからない漢字もある。たとえば、「独立《どくりつ》」の【独《どく》】は、以前は【獨《どく》】と書くのが正式。「蜀《しょく》」(p246)は〝幼虫〟を表すことから、「独」の本来の意味には〝一匹でいる虫〟〝動かない虫〟などの説がある。

また、「狭《せま》い」と訓読みする【狭《きょう》】は、以前は【狹《きょう》】と書くのが正式。「夾《きょう》」(p24)に〝挟む〟という意味があるので、「狭」はもともとは〝両側から挟まれる〟ことだともいうが、〝心がせまい〟ことや〝けもの道〟を指すなどの説もある。

なお、「猶予《ゆうよ》」の【猶《ゆう》】は、以前は【猶《ゆう》】と書くのが正式。もともとは「猷《ゆう》」(p225)と読み方も意味も同じ漢字だったのが、当て字的に用いられて〝まだしない〟という意味で使われるようになった、と考える説が優勢である。

牛

［名称］うし、うしへん
［意味］①牛 ②牛の行動 ③家畜としての牛

動物を表す漢字には、その動物の全体像の絵から生まれたものが多い。その中で、【牛《うし》】は、「羊《ひつじ》」とともに例外的な存在。古代文字では図のように書き、〝牛〟の顔を正面から見た形。かなり簡略化されているが、二本の角が、雰囲気をよく伝えている。現在の形では左側の角がなくなってしまって、牛も残念がっているかもしれない。

モウ一本、欲しいよなあ…

部首《牛》は、〝牛〟に関係する意味を表す。部首としても「うし」と呼ばれるが、漢字の左側、いわゆる「へん」の位置に現れることが多く、その場合は「うしへん」ともいう。

【牡《ぼ》】は〝オスの牛〟、【牝《ひん》】は〝メスの牛〟。どちらも、現在では「牡馬《ぼば》」「牝馬《ひんば》」のように、牛以外についても用いられる。

【特《とく》】は、本来は〝大きなオスの牛〟のこと。目立つところから「特別《とくべつ》」のような意味が生じた。また、【犢《とく》】は〝子牛〟を指す漢字。「犢鼻褌《とくびこん》」とは〝褌《ふんどし》の一種〟で、使った経験はないが、締めると子牛の鼻のように見えるものらしい。

このほか、【犀《さい》】に《牛》が付いているのは、〝サイ〟も牛の一種だと考えられたからだろう。ちなみに、【犛《ぼう》】は動物の〝ヤク〟を指す漢字。訓読みでは「からうし」と読む。

転じて、〝牛の行動〟を表すこともある。【犇《ほん》】は、本来は〝牛が群れになって走る〟という意味だが、日本では「犇《ひし》めく」と訓読みして使われる。【牴《てい》】は、〝牛が角をぶつけ合う〟こと。「牴触《ていしょく》」という熟語があるが、現在では「抵触《ていしょく》」と書くのがふつうである。また、人名や地名で見かける【牟《む》】は、意味のはっきりしない漢字で、もともとは牛が鳴く声の擬音語だったと考えられている。

いつもいつもありがとう…

ところで、部首《牛》の漢字の中で最も多いのは、〝家畜としての牛〟に関係する漢字である。「放牧《ほうぼく》」の【牧《ぼく》】は、〝牛を飼う〟こと。「牢屋《ろうや》」の【牢《ろう》】も、部首は《宀（うかんむり）》（p71）ではなく《牛》で、本来の意味は〝牛を飼っておく建物〟である。

「牽引《けんいん》」の【牽《けん》】は、〝牛に荷物を引っ張らせる〟こと。【犂《り》】は「すき」と訓読みする漢字で、〝牛に引かせて農地を耕す道具〟。こうやって並べてみると、牛がいかに家畜として役立ってきたかがよくわかる。

ちなみに、芥川龍之介の小説『蜘蛛《くも》の糸』の主人公は「犍《かん》陀多《だた》」というが、【犍《かん／けん》】は〝牛を去勢する〟ことを表す。

牛は重要な家畜ではあるが、同時に高級な食材でもある。そのことは、今も昔も変わらないらしい。大昔の中国では、しばしば、神へのお供えものとしても用いられた。「犠牲《ぎせい》」の【犠《ぎ》】【牲《せい》】がその例で、どちらも〝いけにえ〟という意味。また、牛肉は元気回復の最高のプレゼントでもあったようで、【犒《こう》】は、「犒《ねぎら》う」と訓読みする。なお、「犠」は、以前は【犧《ぎ》】と書くのが正式であった。

最後に、【物《ぶつ》】の本来の意味は、よくわからない。ただ、さまざまな「もの」を広く表すこの漢字に《牛》が付いていることは、〝牛〟の重要性を反映しているのだと思われる。

馬

［名称］うま、うまへん
［意味］①馬 ②馬が走る ③馬に乗る ④落ち着かない

すごいやつもいるけれど…

言うまでもなく、【馬《ば》】は動物の〝ウマ〟を指す漢字。古代文字では図のように書き、かなり写実的。特に、長い顔とたてがみには、馬の雰囲気がよく現れている。部首としては単に「うま」と呼ばれることもあるが、漢字の左側、いわゆる「へん」の位置に置かれることが多く、その場合には「うまへん」ともいう。

部首《馬》には、さまざまな〝馬〟を表す漢字が含まれる。【駒《く》】は、本来は〝若くて元気な馬〟のこと。日本語では「こま」と訓読みして、広く〝馬〟一般を指して用いられる。「駿《しゅん》馬《め》」の【駿《しゅん》】は、〝速く走るすぐれた馬〟。【驍《ぎょう》】も〝すぐれた馬〟で、「驍将《ぎょうしょう》」とは〝すぐれた武将〟を指す。〝すぐれた馬〟を意味する漢字には【驥《き》】もあり、「驥尾《きび》に付《ふ》す」とは〝すぐれた人にくっついて行動する〟ことをいう。

逆に、〝特にすぐれてはいない平凡な馬〟を指す漢字としては、「駄目《だめ》」の【駄《だ》】が代表的。【駑《ど》】は〝能力の劣る馬〟で、「駑才《どさい》」「駑鈍《どどん》」といった熟語がある。また、「春風駘蕩《しゅんぷうたいとう》」とは、〝のんびりしていて細かいことは気にしない〟ことをいう四字熟語だが、【駘《たい》】も、本来は〝走るのが遅い馬〟を表す。

　このほか、「反駁《はんばく》」の【駁《ばく》】は、本来は〝毛の色が入り乱れている馬〟。〝乱す〟ところから、〝非難する〟とか〝反論する〟という意味になったらしい。また、地名の「飛騨《ひだ》」に使われている【騨《だ》】は、本来は〝黒い毛に、細かい白いぶちが入った馬〟のこと。ほかにも、いろいろな毛の色の馬を指す漢字があり、たとえば【驪《り》】は〝黒一色の馬〟を、【騅《すい》】は〝地の色の中に白い毛が混じっている馬〟をいう。

　なお、「驢馬《ろば》」の【驢《ろ》】や「駱駝《らくだ》」の【駱《らく》】【駝《だ》】にも《馬》が付いているのは、もちろん、〝ロバ〟や〝ラクダ〟も馬の仲間だと考えられたからだろう。

ひらりとまたがり突っ走る！

　ところで、馬は古くから、乗り物として使われてきた。そこで、《馬》の漢字の中にも、〝馬が走る〟ことや〝馬に乗る〟ことを表すものが非常に多い。

　【駆《く》】は、以前は【驅《く》】と書くのが正式。〝馬が走る〟ことから転じて、広く〝走る〟ことを指して用いられる。「疾駆《しっく》」「駆《か》け足《あし》」などがその例。【駈《く》】は「駆」と読み方も意味も同じ漢字。ほぼ同じ意味の漢字は多く、「馳《は》せる」と訓読みする【馳《ち》】もその一つ。【驟《しゅう》】もその例で、「驟雨《しゅうう》」とは〝速く通り過ぎていく雨〟つまり〝にわか雨〟のこと。現在ではあまり使われないが、【駸《しん》】も似たような意味で、「駸々《しんしん》」とは〝ものごとや時間がすばやく進む〟ようすをいう。

　形からするとちょっと意外かもしれないが、「沸騰《ふっとう》」の【騰《とう》】も、以前は【騰《とう》】と書くのが正式で、《馬》を部首とする漢字。もともとは〝馬が跳ね上がる〟ことを表す。「驀進《ばくしん》」の【驀《ばく》】の部首も《馬》で、本来は〝馬がまっしぐらに突き進む〟という意味。ちなみに、【騳《とく》】は〝二頭の馬が並んで走る〟ことで、【驫《ひょう》】は〝馬が群れになって走る〟ことだという。

　一方、〝馬に乗る〟ことに関係する漢字としては、「騎馬《きば》」の【騎《き》】が代表的な例。「馴《な》らす」と訓読みする【馴《じゅん》】は、本来は〝乗れるように馬をしつける〟こと。【馭《ぎょ》】は、そもそもは〝馬をうまく操る〟という意味。「馭者《ぎょしゃ》」「制馭《せいぎょ》」のように用いるが、現在では「御者《ぎょしゃ》」「制御《せいぎょ》」と書くことが多い。「駐車《ちゅうしゃ》」の【駐《ちゅう》】は、もともとは〝乗り物としての馬を立ち止まらせる〟こと。

　【駕《が》】は、本来は〝馬車の本体に馬をつなぐ〟ことを表し、転じて、〝乗り物に乗る〟ことや〝乗り物〟そのものを指すようになった。「駕籠《かご》」は、乗り物の〝かご〟のこと。二文字合わせて「かご」と読むので、「駕」に「か」という訓読みがあるわけではない。ついでながら、【駟《し》】は〝四頭立ての馬車〟。〝三頭立ての馬車〟を指す【驂《さん》】という漢字もある。

昔の街道沿いの町には、馬を休ませたり、乗り換えたりする場所があった。そんな〝宿場〟を指すのが【駅《えき》】で、以前は正式には【驛《えき》】と書いた。〝鉄道が発着する施設〟を指して用いるのは、日本語独自の用法である。

なお、「経験《けいけん》」の【験《けん》】は、以前は【驗《けん》】と書くのが正式。成り立ちには諸説があるが、これも〝実際に馬に乗ってみる〟ことと関係すると考えるのが、わかりやすそうである。

以上のように、馬は役立つ乗り物だが、乗りこなすのはむずかしい。部首《馬》の中に〝落ち着かない〟ことを表す漢字が含まれているのは、そこに関係しているのだろう。

「驚《おどろ》く」と訓読みする【驚《きょう》】が、そのわかりやすい例。「騒《さわ》ぐ」と訓読みする【騒《そう》】は、以前は【騷《そう》】と書くのが正式で、本来は〝蚤《のみ》に刺された馬が暴れる〟ことだという。また、「世間《せけん》を震駭《しんがい》させる」のように用いる【駭《がい》】も、〝びっくりする〟という意味である。

さらには、「驕《おご》る」と訓読みする【驕《きょう》】も、〝他人を見下す〟という意味だから、本来は〝馬が言うことをきかない〟ことに由来するか。「騙《だま》す」と訓読みする【騙《へん》】も、その延長線上にあるのかもしれない。「罵《ののし》る」と訓読みする「罵《ば》」にもそんな匂いが感じ取れないでもないが、この漢字は、部首《罒(あみがしら)》(p133)に分類するのがふつうである。

こういった漢字には、人間の〝馬〟に対する微妙な思いが表れているようで、おもしろい。犬や牛、羊などに比べて、馬はなかなか手のかかる動物のようである。

羊

[名称]ひつじ、ひつじへん
[意味]羊

たくさんいるのは当たり前

動物を表す漢字には、動物を横から見た形がもとになっているものが多く、正面から見たものは少ない。【羊《ひつじ》】はその少ない方の例で、古代文字では図のような形。「牛」(p227)の古代文字とよく似ているが、角が巻いているところが特徴的。

「牛」の古代文字と同じくらいに簡略化された形になっているのは、羊がかなり古くから家畜化されていたことの現れだと思われる。

部首としても「ひつじ」と呼ばれるが、漢字の左側、「へん」と呼ばれる場所に置かれた場合には「ひつじへん」ということもある。また、漢字の上部に現れるときには《⺶》(次項)という形になる。ただし、この形だけを特別に指す呼び方はなく、漢和辞典では、《⺶》の漢字も《羊》に含めて扱うのが一般的である。

部首《羊》の基本となるのは、もちろん、さまざまな〝羊〟を表す漢字だが、現在でも使われるものはほとんどない。【羜《ちょ》】は〝子羊〟を指す漢字。【羝《てい》】は〝オスの羊〟。〝メスの羊〟を指す漢字としては「牂《そう》」があるが、この字はなぜか部首《爿

(しょうへん)》(p128)に分類されている。

また、【羚《れい》】は〝カモシカ〟を指す漢字で、「羚羊《れいよう》」の二文字を合わせて「かもしか」と読むことがある。《羊》が付いているのは、羊と同じく、毛を織物にするからかと思われる。

このほか、「群《む》れる」と訓読みする【群《ぐん》】に《羊》が付いているのは、何匹もかたまって行動しがちな羊の習性をよく表している。ちなみに、「猋《ひょう》」(p224)「犇《ほん》」(p228)「驫《ひょう》」(p229)は、どれも〝群れになって走る〟という意味を持っているが、【羴《せん》】は〝生臭い〟ことを表す。羊が群れになるのは当たり前すぎたのだろうか。と同時に、羊の群れの臭いは、それだけ強烈なのだろう。

なお、「飛翔《ひしょう》」の「翔《しょう》」は〝羽を広げて飛ぶ〟という意味なので、部首《羽》(p255)に分類されている。

以上、数は少ないが、《羊》が部首となること自体に、大昔の中国では〝羊〟がとても身近で、大切なものだったことが現れている。明治に入るまで羊を飼育することがなかった日本では、生み出せなかった部首である。

⺷

[名称]ひつじ
[意味]①食材としての羊　②おいしい料理　③その他

思わずよだれが出てしまう？

《羊》(前項)が、漢字の上部、「かんむり」「かしら」などと呼ばれる位置に置かれたときの形。ただし、特別に「ひつじかんむり」「ひつじがしら」などと呼ぶ習慣はなく、漢和辞典では、《⺷》の漢字も部首《羊》の中に含めて扱うのがふつうである。

牛と同じように、羊も高級な食材であり、神へのお供えとして用いられた。《⺷》には、そこから生まれた〝食材としての羊〟を表す漢字が多い。

「美《うつく》しい」と訓読みする【美《び》】は、もともとは〝お供えの羊が立派である〟という意味。また、「正義《せいぎ》」の【義《ぎ》】のそもそもの意味は、〝お供えの羊の肉がきちんと切り分けられている〟ことだったと考えられている。

転じて、広く〝食材〟を表すこともある。【羹《かん》】は、〝肉や野菜などのスープ〟のこと。「羊羹《ようかん》」は、本来は〝羊のスープ〟で、和菓子の一種を表すのは日本語独自の用法である。

なお、【羔《こう》】は〝子羊〟を表す漢字だが、「羹」から推測すると、本来はおいしい〝子羊の肉〟を指していたのかもしれない。そう思わせるほどに、《⺷》の漢字は〝おいしい食材〟というイメージが強い。

そのことをよく表しているのが、「羨《うらや》ましい」と訓読みする【羨《せん》】。本来は、〝おいしそうな料理を、食べたいなあと思いつつ見ている〟ことをいう。逆に、〝ごちそうを他人にすすめる〟ことを表すのが【羞《しゅう》】。現在では「羞《は》じる」「含羞《がんしゅう》」のように用いられるが、このように意味が変化した経緯については、諸説あってよくわからない。

なお、【着《ちゃく》】も、部首としては《羊》に分類される。が、この漢字は「著《ちょ》」(p276)のくずし字が変化して生まれたものなので、形の上から便宜的に分類された部首。辞書によっては、やはり便宜的に部首を《目》(p142)とするものもある。

豕

巨大なやつは無関係

[名称]いのこ、いのこへん、ぶた
[意味]①イノシシ、ブタ ②その他

「いのしし」を漢字で書く場合、現在では、ふつうは「猪《ちょ》」を使う。しかし、【豕《し》】も“イノシシ”を表す漢字。古代文字では図のような形で、「犬」の古代文字「」を、少しずんぐりさせた感じである。

部首としても“イノシシ”を表す。部首の名前の「いのこ」とは、“イノシシの子”や“イノシシ”そのもののこと。「いのこへん」という名前もあるが、《豕》が漢字の左側、いわゆる「へん」の位置に現れる例は、現在でも使われる漢字の中にはないといってもいいくらいである。

イノシシを家畜化した動物がブタ。そこで、部首《豕》を「ぶた」と呼ぶこともある。とすれば、【豚《ぶた》】に《豕》が付いているのは当然のこと。ただ、“食用の肉”を表す《月(にくづき)》(p205)が付け加わっているのは、ブタは食べられる運命にあることを意味していて、露骨といえば露骨である。

このほか、「豪快《ごうかい》」の【豪《ごう》】は、本来は動物の“ヤマアラシ”を指す漢字。ヤマアラシは全身の毛を逆立てて威圧するところから、“勢いがある”という意味になった。体つきからみてイノシシの仲間だと考えられたのだろう。

なお、【象《ぞう》】は古代文字では図のような形で、動物の“ゾウ”の絵から生まれた漢字。部首を《豕》とするのは、形の上から便宜的に分類されたもの。さらには、「予定《よてい》」の「予《よ》」の以前の正式な書き方【豫《よ》】も、部首としては《豕》に分類される。本来の意味については、“ゾウのようにのんびりしている”ところから“時間的にゆとりがある”ことを表すとか、“ゾウによって将来を占う”ことをいうなどの説がある。

以上のように小さな部首だが、関連する部首には《彑(けいがしら)》(次項)《彐(けいがしら)》(次々項)もある。部首の世界では、“イノシシ”＝“ブタ”がそれだけ重要視されているわけで、そのことは、“イノシシ”＝“ブタ”が身近な存在であったことを示しているのだろう。

彑

頭だけでやっていけるの?

[名称]けい、けいがしら、いのこがしら
[意味]①イノシシ、ブタ ②その他

漢字としての【彑《けい》】は、“イノシシの頭”“ブタの頭”を表すらしい。そこで、“イノシシ〟〝ブタ〟を表す部首となる。現在ではまず使われないが、【彘《てい》】は〝ブタ〟を意味する漢字。また、「語彙《ごい》」の【彙《い》】は、本来は〝ハリネズミ〟のこと。体型から、ブタの一種だと考えられたのだろう。毛が密集しているので、〝ものの集まり〟という意味で用いられる。

《彑》を部首とする漢字は非常に少ないが、あえてもう少し挙げるなら、【彖《たん》】もある。〝イノシシが走る〟ことだとか〝太ったブタ〟を表すとかいわれるが、本来の意味ははっきりしない。また、【彔《ろく》】という漢字もあるが、意味は〝木を削る〟ことなので、部首を《彑》とするのは、形の上からの便宜的な分類。この二つの漢字は、「縁《えん》」の以前の正式な書き方「緣《えん》」や、「緑《りょく》」「録《ろく》」の以前の正式な書き方「綠《りょく》」「錄《ろく》」などに見ることができる。

部首の名前の「けい」は、漢字「彑」の音読み。漢字の上部、いわゆる「かしら」の位置に現れるので、「けいがしら」ともいう。また、漢字としては〝イノシシの頭〟を指すところから、「いのこがしら」とも呼ばれている。

なお、「彑」は変形して、「彐」と書かれることもある。漢和辞典では《彐》（次項）を正式な部首として立て、《彑》はその中に含めて扱うのがふつう。しかし、古代文字では図のように書くので、《彑》の方が本来の形には近い。

動物

彐

［名称］けい、けいがしら、いのこがしら
［意味］①イノシシ、ブタ ②その他

メンバーが見つからないなあ！

【彐《けい》】は、《彑》（前項）が変形した形で、〝イノシシの頭〟〝ブタの頭〟を表す。

そこで、〝イノシシ〟や〝ブタ〟に関係する漢字の部首となるが、その例はきわめて少ない。【彖《たん》】は「彖《たん》」の変形。意味については、〝イノシシが走る〟ことだとか〝太ったブタ〟を表すなど、諸説あってはっきりしない。身近なところでは、「縁《えん》」の右半分に見ることができる。

また、〝木を削る〟ことを表す「彔《ろく》」も、変形して【彔《ろく》】と書かれることがあり、形の上から便宜的に部首《彐》に分類される。この漢字は、現在では「緑《りょく》」「録《ろく》」などの右側に見ることができる。

なお、漢和辞典では《彐》を部首として立て、《彑》はその中に含めて扱われるのが一般的。部首としては、《彑》と同じように「けい」「けいがしら」「いのこがしら」などと呼ばれている。また、〝手に取る〟ことを表す部首《彐(よ)》（p181）も、形が似ているところから、漢和辞典では《彐》の中に一緒にして扱うのがふつう。そのため、全体として、寄せ集め軍団のような部首となっている。

虍

[名称]とらかんむり、とらがしら、とら
[意味]①虎 ②その他

二つに分けて考えてみよう！

【虎《とら》】は、古代文字では図のように書き、動物の〝トラ〟の絵から生まれた漢字。ただし、現在の形では、「虍」がトラの頭の部分を、「儿」は胴体や脚などを表していると見ることができる。実際、「虍」とほかの要素が組み合わさった漢字も多い。

そこで、漢和辞典では《虍》を〝虎〟に関係する意味を表す部首として扱い、「虎」は《虍》を部首とする漢字の一つとする。実際に【虍《こ》】という漢字もあって、〝虎の皮の模様〟を表すというが、現在ではまず用いられることはない。

《虍》は、漢字の上から左にかけて、いわゆる「たれ」の位置に現れることが多い。そこで「とらだれ」と呼ばれそうなものだが、なぜか、漢字の上部に置かれる部首を指す「かんむり」「かしら」を付けて「とらかんむり」「とらがしら」という名前が付いている。また、単に「とら」とだけ呼ぶこともある。

《虍》を部首とする漢字としては、「虐待《ぎゃくたい》」の【虐《ぎゃく》】が代表的なもの。〝虎が人を襲う〟ところから、〝残忍に扱う〟という意味で使われる。以前は【虐《ぎゃく》】と書くのが正式で、「⺕」は虎の〝つめ〟を表しているという。

また、【虞《ぐ》】は、本来は〝虎に似た伝説上の動物〟を指す漢字だったが、大昔の中国語では〝おそれる〟という意味のことばと発音が似ていたことから、当て字的にこの意味で使われるようになった、と考えられている。現在の日本語では、一文字で「おそれ」と訓読みして用いられる。

「敬虔《けいけん》なキリスト教徒」のように使う【虔《けん》】は、〝行動に気をつける〟という意味。もともとは〝虎が歩くようす〟を表したとか、〝虎の毛皮の模様〟を指したとかの説があるが、はっきりしない。

実は関係はないんです！

このほか、「捕虜《ほりょ》」の【虜《りょ》】は、いかにも《虍》と「男」とから成り立っているそうだが、以前は【虜《りょ》】と書くのが正式で、成り立ちとしては「虍」と「力」とに分けられる漢字。〝力づくで取り押さえられた人〟を表すので、部首を《力》（p109）とした方がすっきりする。「虍」は発音を表す役割をしていて、同じような作りの漢字に、部首を《心》（p215）とする「慮《りょ》」がある。

また、「虚無《きょむ》」の【虚《きょ》】は、以前は【虛《きょ》】と書くのが正式。この漢字では、部首《虍》は発音を表す役割をしているだけだと考えられている。「処《しょ》」（p128）の以前の正式な書き方【處《しょ》】でも同様。音読みではそれぞれ「きょ」「しょ」で、「虍」の音読み「こ」とは合わないが、大昔の中国語では発音が似通っていたものと推定されている。

一方、「虎」全体を含む漢字としては、【號《ごう》】が代表的なもの。「号《ごう》」（p151）の以前の正式な書き方で、本来は〝虎がほえる〟ことを表す。このほか、やはり〝虎がほえる〟という意味の【唬《こう》】や【虓《こう》】、中国古代の国名として使われる【虢《かく》】、〝虎のように荒々しい〟ことを表す【虣《ほう》】、〝虎が怒る〟ことを指す【虤《がん》】といった漢字があるが、現在ではまずお目にかかる機会がないものばかりである。

〝虎〟を表す漢字が部首になること自体、大昔の中国の人びとにとって、猛獣〝虎〟の存在がいかに強烈であったかを物語る。ただ、部首《虍》の漢字のうち、現在でも日常的に用いられるものは、虎とは関係が薄くなっていたり、もともと虎とは関係がなかったと思われるものが多い。印象が強烈すぎて、漢字としての広がりを生まなかったのかもしれない。

鹿

［名称］しか、しかへん
［意味］①鹿 ②鹿の状態 ③その他

立派な角を見てください！

「中原《ちゅうげん》に鹿《しか》を逐《お》う」とは、帝王の座を狙って英雄たちが争いを繰り広げること。この慣用句からわかるように、中国では昔から、〝鹿〟は特別な動物であった。《犭（けものへん）》（p225）でも《牛》（p227）でも《羊》（p230）でもなく、この動物を表す独自の漢字が存在するのは、そんな事情を反映している。

図は、【鹿《しか》】の古代文字。特徴的な角が、きちんと描かれている。部首《鹿》は、〝鹿〟に関係するいくつかの漢字を生み出している。

〝オスの鹿〟は【麌《ご》】、〝メスの鹿〟は【麀《ゆう》】、〝子鹿〟は【麑《げい》】といった具合だが、これらの漢字は、現在ではまず用いられることはない。また、【麇《きん》】や【麞《しょう》】は〝ノロジカ〟を指すとか、〝シフゾウ〟というシカ科の動物を表す漢字には【麈《しゅ》】や【麋《び》】があるなど、辞書を探せばいろいろな漢字があるが、これらも現在ではほとんど使う機会がない。中には、どんな鹿を指すのか、よくわからなくなっているものもある。

そんな中で、現在でも使われる可能性があるものとしては、「麝香鹿《じゃこうじか》」の【麝《じゃ》】が挙げられる。「麝香鹿」は鹿に似た動物で、「麝香」という香料が採取できることで知られる。

このほか、「麒麟《きりん》」は、本来は、世の中が治まったときに現れるという想像上の動物。首の長い動物〝キリン〟を指して用いるのは、後になって生まれた用法。厳密にいえば、【麒《き》】がオスで【麟《りん》】がメスと区別するらしい。

一方、〝鹿の状態〟を表す漢字としては、【麗《れい》】の存在を忘れるわけにはいかない。古代文字では図のような形で、〝左右の角が立派にそろった鹿〟の絵から生まれた漢字。〝きれいにそろう〟ところから、「綺麗《きれい》」のように使われるようになった。確かに、鹿の

角は立派であり、鹿が帝王の座のたとえとして用いられるのも、そのイメージがあってのこと。「麗」は、そんな鹿の特徴がよく反映された漢字だといえるだろう。

また、【麤《そ》】は、〝大まかな〟という意味の漢字。鹿の群れはあまり密集しないところからこのような意味になったという。〝群れになる〟という意味合いを持つ「猋《ひょう》」（ｐ224）「犇《ほん》」（ｐ228）「驫《ひょう》」（ｐ229）と比べてみると、おもしろい。

ちなみに、「麤」に「土」を組み合わせた形が省略されて生まれたのが、「ちり」と訓読みする「塵《じん》」。部首としては《土》（ｐ294）に分類されている。

なお、「山麓《さんろく》」の【麓《ろく》】は、鹿とは意味の上での関係はない。この漢字では、《鹿》は発音を表す記号だと考えられる。〝山のすそ野〟という意味から考えると、部首は《木》（ｐ260）とする方がふさわしいように思われる。

鼠

［名称］ねずみ、ねずみへん
［意味］ネズミ

ディズニーとは だいぶ違うけれど…

ネズミといえば、長い前歯と細く伸びたしっぽ、そしてずんぐりした体つきが特徴的。図は【鼠《ねずみ》】の古代文字で、その体つきはもちろん、上に向いては前歯が開き、下にはしっぽもきちんとあって、なかなかよくできた漢字である。

部首としては、もちろん〝ネズミ〟を表す。〝ハツカネズミ〟をいう【鼷《けい》】がその例。【鼬《いたち》】や、〝ムササビ〟を表す【鼯《ご》】、〝モグラ〟を意味する【鼹《えん》】などは、ネズミの仲間だと考えられたのだろう。

部首《鼠》の主立ったメンバーは以上のようなもの。動物そのものを表す漢字ばかりで、ネズミらしい行動に関するようなものはなかなか見当たらない。そんな中、部首は《穴》（ｐ314）だが、「改竄《かいざん》」の「竄《ざん》」は、本来は〝ネズミが穴に逃げ込む〟こと。ネズミはやはりこうでなくては、と思わせる。

なお、部首としては「ねずみ」と呼ぶのがふつう。「ねずみへん」という名前もあるが、漢字の左側、いわゆる「へん」の位置に現れるというよりは、左側から下にかけての「にょう」の位置に置かれるという方が正確なようである。

豸

［名称］むじな、むじなへん
［意味］①狩りを好むけもの　②その他

体を伸ばして 獲物を狙う

ある種の動物を表していることは確かだが、今ひとつ意味のはっきりしない部首。「むじな」「むじなへん」という名前は、「むじな」と訓読みする【貉《かく》】の左側、「へん」と呼ばれる位置に見られることに由来する。日本語「むじな」は、〝タヌキ〟を指したり〝アナグマ〟

動物

のことをいったりすることば。漢字「貉」も同様で、どちらも含めて指す漢字である。

《豸》を部首とする漢字としては、【豹《ひょう》】が代表的なもの。ほかには、イタチ科の動物の〝テン〟を表す【貂《ちょう》】や、オオカミに似た動物〝ヤマイヌ〟を指す【豺《さい》】などもある。また、【貓《びょう》】は〝ネコ〟のこと。〝タヌキ〟を指す【貍《り》】という漢字もある。このほか、【貘《ばく》】も〝バク〟という動物の一種だが、本来は、夢を食べるという想像上の動物。さらには、やはり空想上の存在で、戦争に使われる動物だという【貔《ひ》】【貅《きゅう》】という漢字もある。

これらからすると、部首《豸》は、四本脚で体全体が毛におおわれた、いわゆる〝けもの〟のうち、〝狩りを好むけもの〟を指しているかと思われる。漢字【豸《ち》】そのものの意味はよくわからないが、古代文字は図のような形で、そういわれればそういう動物に見えないこともない。

なお、「容貌《ようぼう》」の【貌《ぼう》】は、〝姿や形〟を意味する漢字。《豸》が付いている理由は、よくわからない。

意味合いがはっきりしないからか、それとも単に省略されたものか、部首《豸》の漢字は、《犭(けものへん)》(p225)で書かれることも多い。特に「貓」「貍」「貘」などは、現在では「猫」「狸」「獏」と書かれる方がふつうである。

鳥

［名称］とり、とりへん
［意味］①鳥 ②鳥の行動

空を飛ぶ動物〝とり〟は、ひとくくりにして漢字【鳥《ちょう》】で表される。古代文字では図のような形をしていて、〝とり〟の絵であることがすぐにわかる。部首としても多くの漢字を生み出し、その際、漢字の右側か下側に置かれることが多いのが特徴。「とりへん」という名前もあるが、部首《鳥》が「へん」の位置、つまり漢字の左側に現れることは、めったにない。

左にいるのは落ち着かない？

〝鳥〟を表す部首としては、別に《隹(ふるとり)》(次項)もある。また、鳥の特徴である〝羽根〟を表す部首としては、《羽》(p255)がある。これらに対して、《鳥》の漢字のほとんどは、さまざまな種類の〝鳥〟を表す。【鶏《けい》】は、以前は【鷄《けい》】と書くのが正式で、もちろん〝ニワトリ〟のこと。また、身近な例としては【鳩《はと》】【鴉《からす》】などもある。

【鴨《かも》】や【鶉《うずら》】、そして「鵞鳥《がちょう》」の【鵞《が》】などは、食材として接することが多い。渡り鳥の〝ガン〟も、ふつうは「雁《がん》」と書かれるが、【鴈《がん》】と書くこともある。ほかにも、水辺をのんびり飛び回る【鷗《かもめ》】、ホーホケキョという鳴き声が愛される【鶯《うぐいす》】、「鵜飼《うか》い」でおなじみの【鵜《う》】もいる。なお、「鷗」

は、省略されて【鴎《かもめ》】と書かれることもある。

やや大型のものとしては、優雅な雰囲気を漂わせる【鶴《つる》】や【鷺《さぎ》】、力強いイメージで人気の【鷹《たか》】や【鷲《わし》】。〝ワシ〟を表す漢字には【鵰《ちょう》】もあるが、現在ではあまり使われない。【鴻《こう》】【鵠《こく》】は、どちらも訓読みすれば「おおとり」で、〝ハクチョウ〟の一種を表す。これらほどではないものの、【鳶《とび》】が空を舞う姿も、なかなか風情があるものである。

現在ではあまり用いられないが、【鸛《かん》】は〝コウノトリ〟を指し、【鵲《じゃく》】は〝カササギ〟を表す。〝アヒル〟を表す【鶩《ぼく》】という漢字もあれば、〝モズ〟を意味する【鴃《げき》】もある。「鴃舌《げきぜつ》」とは〝モズの鳴き声のように意味がわからないことば〟という意味で、〝外国語〟のこと。また、〝お寺などの屋根で、棟木の両端から上向きに突き出ている飾り〟を「鴟尾《しび》」というが、【鴟《し》】は〝トンビ〟だとも〝フクロウ〟だともいう。

このほか、〝ダチョウ〟を表す【鴕《だ》】という漢字もあって、《鳥》が「へん」の位置に現れる珍しい例となっているが、現在では「駝鳥《だちょう》」と書く方が一般的である。

【鸚《おう》】【鵡《む》】は、二文字一組で〝オウム〟を表す。「鸚」は「いん」と読んで「鸚哥《いんこ》」のように用いられることもあるが、インコもオウムの一種。また、【鶺《せき》】【鴒《れい》】も二文字一組で〝セキレイ〟を指す。【鴛《えん》】【鴦《おう》】は〝オシドリ〟で、「鴛鴦」と書いて「おしどり」と読むこともある。厳密にはオスが「鴛」、メスが「鴦」だという。

イマジネーションがふくらみます

以上のほか、部首《鳥》の世界には、想像上の鳥も暮らしている。「おおとり」と訓読みする【鳳《ほう》】は、理想的な帝王が現れるときに出現するという鳥。「鳳凰《ほうおう》」の形でよく用いられ、厳密には「鳳」はオスで、「凰」はメスだという。

【鸞《らん》】は、その〝鳳凰〟の一種で、「親鸞聖人《しんらんしょうにん》」に使われている。【鵬《ほう》】も「おおとり」と訓読みするが、こちらは想像上の超巨大な鳥。以前は正式には【鵬《ほう》】と書いた。また、【鴆《ちん》】も想像上の鳥で、羽に猛毒を持つと考えられていて、中国史には時折、「鴆毒《ちんどく》」なる毒を使う暗殺者が登場する。

【鵺《ぬえ》】は、本来は実在の鳥を指すらしいが、日本語では独自に、〝頭はサル、胴はタヌキ、手足はトラ、尾はヘビの形をしていて、鳥のような声で鳴く怪獣〟を指して用いる。【鵼《ぬえ》】も、同じ怪獣を表す漢字。なお、〝ぬえ〟の姿については、さまざまな説がある。

一方、実在する鳥を表すために、日本人が独自に創り出した漢字もある。田んぼに舞い降りる【鴫《しぎ》】がその代表。また、〝トキ〟はふつうは「朱鷺《とき》」と書くが、日本語オリジナルの漢字で【鴇《とき》】とも書く。【鶍《いすか》】はくちばしの上下が食い違っているのが特徴的な鳥で、〝ものごとが食い違っている〟ことをたとえて、「鶍《いすか》のくちばし」という。

ところで、《犬》（p224）《牛》（p227）《馬》（p228）など、動物に関係する部首には、その動物の行動や、そこから発展した意味などを表す漢字まで含まれるのがふつうである。そういう点では、《鳥》は特殊で、〝鳥の行動〟を表す漢字としては、「鳴《な》く」と訓読みする【鳴《めい》】があるくらい。〝鳥〟に関係するもう一つの部首《隹》（次項）には〝鳥の行動〟から発展した漢字が含まれているのと、対照的である。

なお、「烏《からす》」と「梟《ふくろう》」は、明らかに「鳥」から派生した漢字ではあるが、漢字「鳥」の一部が欠けてしまっている。そのため、部首としてはそれぞれ《灬（れっか）》（p341）《木》（p260）に分類されている。

隹

［名称］ふるとり
［意味］①鳥　②鳥の行動・状態

手強いライバルがいるもので…

【隹《すい》】は、〝鳥〟を表す漢字だが、実際に使われることはほとんどない。が、部首として、さまざまな漢字を生み出している。古代文字では図のような形で、〝鳥〟の絵から生まれたと考えられている。〝鳥〟を表す部首としては《鳥》（前項）があるので、《隹》が指すのは〝小鳥〟だとか〝尾の短い鳥〟だとかいわれるが、実際にはそれほどはっきりとした違いはない。

部首の名前としては、「ふるとり」と呼ばれる。「ふる」は、「旧《きゅう》」の以前の書き方「舊《きゅう》」の意味合いに由来する。《鳥》と区別するための呼び名だが、「舊」の部首は《臼》（p120）とするのがふつうで、《隹》ではない。

部首としての意味の基本は、もちろん〝鳥〟。【雄《おす》】【雌《めす》】は、本来は〝オスの鳥〟〝メスの鳥〟を指す。わかりやすい例としては、ほかに〝子どもの鳥〟を表す【雛《ひな》】もある。

〝鳥〟の種類を表す漢字としては、【雀《すずめ》】や【雉《きじ》】、渡り鳥の【雁《かり》】が代表的なもの。そのほか、【隼《はやぶさ》】や【雞《にわとり》】といった漢字もある。ちなみに、【雕《ちょう》】は本来は〝ワシ〟を表す漢字だが、「彫刻《ちょうこく》」の「彫《ちょう》」の代わりとして、〝模様などを刻む〟という意味で使われることがある。

「優雅《ゆうが》」の【雅《が》】は、本来は〝カラス〟を指す漢字。大昔の中国語では〝洗練されている〟という意味のことばと発音が似ていたので、当て字的に用いられて現在のような意味になったと思われる。「離《はな》れる」と訓読みする【離《り》】も、もともとは〝鳥〟の一種。やはり、大昔の中国語で当て字的に用いられて、意味が変化したと考えられている。

なお、「雁《かり》」「雞《にわとり》」「雕《ちょう》」は「鴈《かり》」「鷄《にわとり》」「鵰《ちょう》」と書かれることもある。「鶏」は、「鷄《にわとり》」の以前の正式な書き方。〝鳥〟の種類を表す部首としては、《鳥》の方がはるかに数が多く、《隹》は《鳥》に大きく水をあけられている。

イメージチェンジも大切だ！

その代わり、《隹》には、部首《鳥》にはほとんど見られない〝鳥の行動・状態〟を表す漢字がいくつか含まれている。その代表が

【集《しゅう》】。大昔には【雧《しゅう》】と書かれた漢字で、本来は〝木に鳥があつまる〟ことを表す。ちなみに、「焦点《しょうてん》」の「焦《しょう》」も似たような成り立ちの漢字で、こちらは〝火があつまる〟という意味。部首としては、《火》が変形した《灬（れっか）》（p341）に分類されている。

「集」から派生したと考えられているのが【雑《ざつ》】で、以前は正式には【雜《ざつ》】と書いた。これは、「集」と「衣」を組み合わせたものの変形で、〝いろいろな衣服を集める〟ところから〝さまざまな〟という意味になったという。

また、【隻《せき》】は、〝手に取る〟ことを意味する「又」（p179）を《隹》に組み合わせた漢字で、本来は〝一羽の鳥を手に持つ〟こと。転じて、「隻腕《せきわん》」「隻眼《せきがん》」のように〝二つ一組のものの片方〟を指して用いられる。【雙《そう》】は、〝二羽の鳥を手に持つ〟という意味。「双《そう》」の以前の正式な書き方である。

そもそもの意味が現在ではよくわからなくなっている漢字もある。「難《むずか》しい」と訓読みする【難《なん》】、「警備員《けいびいん》を雇《やと》う」のように使う【雇《こ》】がその例。それぞれ、本来は〝鳥〟の種類や〝鳥の行動〟などを表していたと考えられているが、はっきりとしたことはわからない。なお、「難」は、以前は、「廿」の部分が「廿」になった【難《なん》】と書くのが正式であった。

このような漢字が存在すること自体、《隹》からは現実の〝鳥〟のイメージが失われてしまっていることを示しているのだろう。とはいえ、日常的に使われる漢字の数としては、《鳥》よりも《隹》の方が多いかもしれない。もとからのイメージを捨てることも、時には大切なようである。

最後に、「そうは雖《いえど》も」のように用いる【雖《すい》】は、大昔の中国語で〝〇〇ではあるが〟という意味を表すことばと発音が似ていたことから、当て字的に用いられたもの。もともとは〝虫〟の一種を表していたと考えられており、《隹》ではなく《虫》（p246）を部首としている漢和辞典もある。

魚

［名称］うお、うおへん、さかなへん、ぎょへん

［意味］①魚 ②魚を使った食品 ③水中に住む動物 ④魚の状態

水の中を泳ぐ動物〝さかな〟を表す【魚《ぎょ》】は、古代文字では図のような形で、〝さかな〟の絵から生まれた漢字。部首としても〝さかな〟を表すが、〝さかなの体の一部〟を指す漢字をも含むのが、《鳥》（p237）とはちょっと異なるところである。

あっちとこっちで指すものが違う！

【鱗《うろこ》】や【鰭《ひれ》】がその例。【鰓《さい》】は〝えら〟を意味する漢字で、古風に「あぎと」と訓読みすることも多い。また、現在ではまず用いられないが、〝うきぶくろ〟を指す【鰾《ひょう》】という漢字もある。鳥の体の一部〝羽根〟は独立して《羽》（p255）という部首になっているのとは、対照的である。

とはいえ、《魚》の漢字のほとんどは、さまざまな種類の

〝魚〟を表すものである。【鮒《ふな》】や【鯉《こい》】、【鯛《たい》】や【鱒《ます》】、【鮫《さめ》】や【鰻《うなぎ》】、【鰈《かれい》】に【鮃《ひらめ》】などがその例。「泥鰌《どじょう》」は二文字合わせて「どじょう」と読むが、【鰌《しゅう》】一字だけでも〝ドジョウ〟を表す。

ほかにも多くの漢字があるが、中には日本語と中国語では指す〝魚〟が異なるものも多い。有名なところでは、「あゆ」と訓読みする【鮎《でん》】は、中国では〝ナマズ〟を指す。また、「さけ」と訓読みする【鮭《けい》】は、中国語では〝フグ〟のこと。「まぐろ」と訓読みする【鮪《い》】は、〝チョウザメ〟の一種だという。

以下、音読みを示すのは省略するが、【鯵《あじ》】【鰤《ぶり》】【鰙《わかさぎ》】【鱧《はも》】などなど、我々の食卓を彩ってくれる多くの魚たちを表す漢字は、中国語とは異なる意味で使われている。中華の高級食材「ふかひれ」の【鱶《ふか》】も、もともとは〝干し魚〟のことである。

どっちの辞書が正しいの？

さらに、【鰹《かつお》】【鯖《さば》】【鰊《にしん》】などでは、辞書によって、中国語でも指す魚は同じだとしたり、いや、それは日本語独自の用法だとしたりと、対応が分かれる。動植物を表す漢字では、それぞれがどんな動植物を指すのかは、時代や地域によっても変化する可能性がある。そのため、判断が分かれるのである。

また、日本で独自に創り出された漢字が多く含まれているのも、部首《魚》の特徴。【鯰《なまず》】や【鰯《いわし》】、【鱈《たら》】や【鱚《きす》】や【𩸽《ほっけ》】、【鱩《はたはた》】【鰰《はたはた》】などがその例。【鯑《かずのこ》】も、日本語のオリジナル。「鮟鱇《あんこう》」はちょっと複雑で、【鮟《あん》】はもとから存在する漢字だが、【鱇《こう》】は日本語独自の漢字。二文字で〝アンコウ〟を指すのは、日本で生まれた用法である。

こうやって眺めてみると、《魚》の漢字のうち、日本語オリジナルの用法で使われるものや、日本で独自に創り出されたものには、食材としてよく使われる漢字が目立つ。〝食〟の場面で独特の使い方をするということは、日本人が漢字を身近で自由に使ってきたことの現れといえるだろう。また、日本文化のほかの側面に比べて、日本食には中国文化の影響は少ない、といえるのかもしれない。

食文化といえば、【鮨《すし》】を〝握りずし〟を指して用いるのも、日本語独自の用法。「すし」と訓読みする漢字には、【鮓《すし》】もある。こちらは、中国語では〝魚を醗酵させた食品〟のことで、日本語でもいわゆる〝なれずし〟を指して用いられることが多い。なお、〝魚を使った食品〟を表す漢字としては、ほかに【鱲《からすみ》】もある。これも日本語オリジナルの用法で、中国では〝魚〟の一種を指す。

尾ひれがなくても仲間入り！

ところで、【鯨《くじら》】は《魚》を部首とする漢字だが、〝魚〟ではない。〝クジラ〟を哺乳類だとするのは、現在の動物学的な分類でのお話。漢字を生み出した人びとの意識としては、「鯨」も〝魚〟だったのだろう。ただ、部首《魚》が〝魚以外の水中に住む動物〟を指すこともある。

その代表的な例が【鰐《わに》】。また、〝カブトガニ〟を表す【鱟《こう》】という漢字もある。【鯱《しゃち》】も〝クジラ〟と同じで哺乳類だが、これは本来、想像上の魚を表すために日本で独自に作られた漢字で、実在の動物を指すのは、後から生じた用法。高級食材の〝アワビ〟を【鮑《あわび》】と書き表すのも日本語オリジナルで、本来は〝塩漬けにした魚〟を意味する漢字である。

以上のほか、数は少ないが、部首《魚》は〝魚の状態〟に関係する漢字を生み出すこともある。「新鮮《しんせん》」の【鮮《せん》】がその例で、もともとは〝獲れたての魚の生臭さ〟を表す。「羊」が付いているのは、ヒツジも独特の臭いがあるから。ちなみに、「魚」を三つ並べた【鱻《せん》】が、「羴《せん》」(p231)と同様に〝生臭い〟という意味であるのも、おもしろい。

なお、【魯《ろ》】は、《魚》が漢字の上部に置かれる珍しい例。〝頭が悪い〟ことを表す漢字で、「魯鈍《ろどん》」のように使われる。成り立ちについては、〝魚は頭が悪いから〟とする説もある。が、そう決めつけると、逆に魚から馬鹿にされるかもしれない。

最後に、部首《魚》は、季節の漢字と結びつきやすいことでも有名。「春」と結びつくと【鰆《さわら》】。【鰍《しゅう》】は中国語では〝ドジョウ〟のことだが、日本では〝カジカ〟や〝イナダ〟のことをいう。【鮗《このしろ》】は、日本語オリジナルの漢字。残念ながら「夏」と結びついた漢字はないようだが、代わりに、日本語独自の漢字【鱰《しいら》】がある。

ちなみに、「春」「夏」「秋」「冬」のすべてと組み合わさるというパーフェクトを達成している部首としては、《木》(p260)がある。

貝

死んだ後でも使われます…

[名称]かい、かいへん、こがい
[意味]①貝 ②経済的な価値のあるもの ③商売

【貝《かい》】はもちろん、水中に住む動物〝かい〟を表す漢字。古代文字では図のような形で、〝タカラガイ〟の絵から生まれた漢字だと考えられている。

とすれば、部首としていろいろな〝貝〟を意味する漢字を生みそうなものだが、そういう漢字はほとんどない。さまざまな〝貝〟を表す漢字は、部首《虫》(p246)の中に見ることができる。部首《貝》の方は、〝タカラガイ〟が大昔にはお金として使われたことから、〝経済的な価値のあるもの〟を指すのが基本である。

たとえば、「財宝《ざいほう》」の【財《ざい》】がわかりやすい例。「宝《たから》」も、以前は正式には【寶《たから》】と書き、部首は《貝》。「資産《しさん》」の【資《し》】は、〝経済的な価値を生み出すもとになるもの〟。〝経済的な価値をいつわる〟ことが【贋《がん》】で、「贋作《がんさく》」とはいわゆる〝にせもの〟のことをいう。

〝経済的な価値のあるものをとっておく〟のが、「貯蓄《ちょちく》」の

【貯】《ちょ》。〝経済的な価値のあるものを使ってしまう〟のが、「消費《しょうひ》」の【費】《ひ》。〝あり余るほどある〟と「贅沢《ぜいたく》」の【贅】《ぜい》になり、〝困るほど足りない〟と「貧乏《びんぼう》」の【貧】《びん》になる。〝経済的な価値が高い〟ことを意味するのは「貴金属《ききんぞく》」の【貴】《き》で、「貴族《ぞく》」のように〝身分が高い〟場合にも使われる。その反対が「賤《いや》しい」と訓読みする【賤】《せん》で、〝経済的な価値が低い〟状態や〝身分が低い〟ことを表す。

「貪欲《どんよく》」の【貪】《どん》は、〝経済的な価値があるものを欲しがる〟こと。ついでながら、小切手などで「二《に》」の代わりに使われることのある「弐《に》」は、以前は【貳】《に》と書くのが正式。もともとは〝経済的な価値があるものが二倍になる〟ことを表すという、威勢のいい漢字である。

出て行く方が多いものです！

以上からもわかるように、部首《貝》の世界は、〝経済的な価値のあるもの〟、つまり平たくいえば〝金品〟で埋め尽くされている。その中でも目立つのは、〝金品を渡す〟ことに関係する漢字である。

代表的な例は、「贈《おく》る」と訓読みする【贈】《ぞう》で、以前は【贈】《ぞう》と書くのが正式。「貢《みつ》ぐ」と訓読みする【貢】《こう》は〝地位が下の者が上の者に金品を差し出す〟こと。その逆が【賜】《し》で、「賜《たま》う」と訓読みする。【貸】《たい》は〝金品を一時的に与える〟こと。【賦】《ふ》は本来は〝金品を分け与える〟という意味で、「月賦《げっぷ》」はその意味を妙に変化させた例である。

〝金品を渡す〟理由にもいろいろある。〝褒美として与える〟ことを表すのが【賞】《しょう》で、現在では〝ほめる〟という意味で用いられる。「賀正《がしょう》」の【賀】《が》は〝お祝いする〟ことだが、もともとは〝お祝いに金品を渡す〟わけで、「年賀状《ねんがじょう》」一枚ではこころもとないのかもしれない。

「お賽銭《さいせん》」の【賽】《さい》は、〝幸運を授けてくださったお礼に、神に金品をささげる〟という意味。「賛成《さんせい》」の【賛】《さん》は、以前は【贊】《さん》と書くのが正式。〝神や君主に金品を差し出す〟ことを表していたらしく、転じて〝ほめる〟〝助ける〟といった意味で使われる。

訓読みでは「生け贄《にえ》」のように使われる【贄】《にえ》は、そもそもは〝君主や師匠に会うときに持って行く手土産〟。また、「来賓《らいひん》」の【賓】《ひん》の本来の意味については、〝手土産を持ってくる立派な客〟と〝手土産を持たせて帰す大切な客〟の両方の説がある。なお、この漢字は、以前は「少」の形を「少」にした【賓】《ひん》と書くのが正式であった。

人生には、〝何かを埋め合わせするために金品を渡す〟こともある。そんなときは「賠償《ばいしょう》」の【賠】《ばい》の出番。【贖】《しょく》も似た意味だが、「贖罪《しょくざい》」のように、特に〝罪のつぐないのために金品を差し出す〟場合によく用いられる。また、あまりやりたくはないが、〝便宜を図ってもらうために金品を差し出す〟こともあるかもしれない。【賄】《わい》【賂】《ろ》は二文字とも、この意味を表す漢字で、「賄賂《わいろ》」という熟語で使われる。

このように、部首《貝》の世界には実にさまざまな〝金品を渡す〟漢字があるが、〝金品を受け取る〟方の漢字はほとんどない。漢字の世界では、〝受け取る〟ことよりも〝渡す〟ことの方が、何かにつけて気になるようである。

もうかりまっか?ぼちぼちでんな!

ただし、〝金品のやりとり〟つまり〝商売〟に関係する漢字はまとまって存在し、部首《貝》を支える重要なグループとなっている。

「売買《ばいばい》」の【買《ばい》】は、その基本。「売《ばい》」も以前は【賣《ばい》】と書くのが正式で、部首は《貝》。「購入《こうにゅう》」の【購《こう》】は、〝買う〟こと。「販売《はんばい》」の【販《はん》】は、〝売ったり買ったりする〟こと。「貿易《ぼうえき》」の【貿《ぼう》】も、〝売り買いする〟こと。現在ではあまり使われないが、【賈《こ》】も〝売買する〟という意味の漢字である。

【貨《か》】は、〝商品〟や〝金銭〟を指す漢字で、「百貨店《ひゃっかてん》」「貨《か》幣《へい》」がその例。「賃金《ちんぎん》」の【賃《ちん》】は、〝仕事に対して支払う金銭〟。【質《しつ／しち》】にはいろいろな意味があるが、「質屋《しちや》」に見られる〝物品を担保にしてお金を貸す〟ことが、本来の意味に近いのではないかと思われる。

また、【貰《せい》】の本来の意味は〝つけで買う〟こと。日本では「貰《もら》う」と訓読みして用いるが、つけをタダにしてしまったとは、日本にもなかなか大胆なヤツがいたものである。

なお、「賑《にぎ》わう」と訓読みする【賑《しん》】も、本来は〝商売が繁盛する〟という意味だったのではないかと思われる。

このほか、商売ではないが、「賭《か》ける」と訓読みする【賭《と》】は〝金品を取り合うために勝負をする〟こと。「盗賊《とうぞく》」の【賊《ぞく》】は、〝暴力的に金品を奪う者〟を指す。

お金がなければ始まらない?

ところで、一見、〝金品〟とは関係がないように見えて、もとをたどると実はきちんと関係している漢字もある。「責任《せきにん》」の【責《せき》】は、本来は〝金品を要求する／される〟という関係を表す漢字。【負《ふ》】のもともとの意味は〝金品を担いで運ぶ〟ことで、「背負《せお》う」という使い方にその意味が残る。また、「貫《つらぬ》く」と訓読みする【貫《かん》】は、五〇円玉のような〝貨幣の穴にひもを通して束ねる〟ところから生まれた漢字である。

「賢《かしこ》い」と訓読みする【賢《けん》】については、本来は〝金品の管理がしっかりしている〟ことを表すという説がある。【貶《へん》】は「貶《けな》す」と訓読みする漢字で、やはり〝経済的な価値を落とす〟ことや〝金品を減らす〟ことが、本来の意味だという。さらに、「信頼《しんらい》」の「頼《らい》」は、以前は【賴《らい》】と書くのが正式で、〝金品がたくさんあって安心できる〟ことだという。ここまでくると、ちょっと〝金品〟が万能すぎるような気もして、興ざめな気分にならないでもない。

このほか、「貼《は》る」と訓読みする【貼《ちょう》】は、本来は〝あるものを借金の担保にする〟という意味。現在のような意味になった経緯については、よくわからない。また、「依《え》怙《こ》贔《ひい》屓《き》」で使う【贔《ひ》】についても、成り立ちははっきりしない。なお、「ひい」という読み方は、音読み「ひ」が引き延ばされたもの。ついでに、「贔屓」の「屓《き》」の方は、こちらも成り立ちがよくわからないながら、部首《戸（しかばね）》（p209）に分類されている。

「貞淑《ていしゅく》」の【貞《てい》】は、古代文字では図のような形で、〝煮炊きに使う大きな容器〟を表す「鼎《かなえ》」の古代文字「」と関係が深い。もともとは〝鼎を使って占う〟ことを表し、〝行動を決める〟ところから〝ほかに心を動かさない〟という意味になったと考えられる。

なお、「法則《ほうそく》」の「則《そく》」に含まれる「貝」も、「鼎」の古代文字が変形したもの。「定員《ていいん》」の「員《いん》」も同じ。それぞれ、部首としては《刂（りっとう）》（p101）《口》（p149）に分類されている。

このほか、「敗《やぶ》れる」と訓読みする「敗《はい》」にも「貝」が含まれているが、意味の上から、〝変化させる〟ことを表す部首《攵（のぶん）》（p184）に分類するのがふつうである。

部首の名前としては、訓読みに基づく「かい」のほか、漢字の左側、いわゆる「へん」の位置に置かれた場合には、「かいへん」ともいう。また、《頁》（p169）を「おおがい」と呼ぶのに対して、「こがい」といわれることもある。

亀

［名称］かめ
［意味］カメ

スッキリしたのはいいけれど…

甲羅が特徴的な動物〝カメ〟を表す漢字【亀《き》】は、以前は「龜《き》」と書くのが正式。《龜》（次項）という部首があることから、漢和辞典では《亀》も部首として、《龜》の中に含めて扱うのがふつう。《亀》は11画だが、漢和辞典の部首配列では16画の《龜》のところに収まっているので、注意が必要である。

とはいえ、《亀》という形を部首として含む漢字が、ほかに存在しているわけではない。そこで、便宜的に《ク（く）》（p365）という部首を立てて、そこに「亀」を分類することも考えられるが、実際にそうしている辞書は、小中学生向けのものくらいしかないようである。

龜

［名称］かめ
［意味］カメ

いくらんなんでも窮屈だ！

とても書きにくい形をしている【龜《かめ》】は、「亀《かめ》」の以前の正式な書き方。古代文字の形を見ると図のようで、あまりにうまくできているので、こんなに書きにくいのもしかたないかと思わせる。

漢和辞典では《亀》（前項）も合わせて、〝カメ〟を表す部首として扱うが、漢字の数はとても少ない。現在でも使われる可能性があるものとしては、〝スッポン〟の一種を表す【龞《べつ》】があるくらい。「龞甲《べっこう》」のように用いられるが、現在では《龜》を《黽》に置き換えて、「鼈甲《べっこう》」と書く方がはるかに自然であろう。

この「鼈」のように、〝カエル〟を表す部首《黽（もう）》（p249）にも、〝カメ〟に関係する漢字をいくつか見ることができる。〝カエル〟と〝カメ〟はいちおう別ものだから、この場合の《黽》は、《龜》が省略された形かと思われる。

今から三三〇〇年ほど前の中国では、〝カメ〟の甲羅を使って占いをする風習があり、占いの内容をそこに書き記すために生まれたのが、「甲骨《こうこつ》文字《もじ》」と呼ばれる漢字の祖先だった。未来を占う「くじ」と訓読みする「鬮《きゅう》」は、部首は《鬥（たたかいがまえ）》（p189）だが、そんな歴史を伝えている。

虫

［名称］むし、むしへん

［意味］①昆虫 ②爬虫類・両生類 ③貝類 ④いろいろな動物 ⑤虫の行動 ⑥その他

並べるだけでもつらいよなあ…

【虫《むし》】という漢字を見て多くの人が真っ先に思い出すのは、〝昆虫〟だろう。それは、部首となった場合でも同じで、〝昆虫〟に関係する漢字が《虫》の中で最大の勢力をなしている。

その中でちょっとおもしろいのは、昆虫の一生を表す漢字がそろっていること。【蜀《しょく》】は昔の中国の国名を指す漢字だが、本来は〝幼虫〟のこと。〝さなぎ〟を表すのは【蛹《よう》】。【蛻《ぜい》】は、セミなどの〝脱け殻〟。「もぬけ」と訓読みして使うこともある。

それはともかく、さまざまな〝昆虫〟を表す漢字を挙げてみると、【蝶《ちょう》】【蟬《せみ》】【蜩《ひぐらし》】などは、季節の風物詩として親しまれているところ。【蛍《ほたる》】は、以前は【螢《ほたる》】と書くのが正式で、光を放つ特徴がよく現れている。

【蟻《あり》】は、小さいのに働き者だから人気がある。【蚕《かいこ》】は、以前は【蠶《かいこ》】と書くのが正式で、昔は生糸の生産に欠かせない昆虫だった。【蜂《はち》】も、刺されるのは恐いが、【蜜《みつ》】を集めてくれるのはありがたい。さらに巣から【蠟《ろう》】も採ることができるという、人間界への貢献度が高い昆虫である。なお、「蠟」は省略して【蝋《ろう》】と書くこともある。

しかし、【蚊《か》】や【蠅《はえ》】、【蝗《いなご》】【蚤《のみ》】【虻《あぶ》】【蚋《ぶよ》】などになると、時には人間に危害を加えることもある。さらに続けて、【蛾《が》】【虱《しらみ》】【蛆《うじ》】と並べていくと、生理的に受け付けない人もいることだろう。かくいうぼくも、こういった昆虫はできれば避けて通りたいが、それでもこの原稿を書かなくてはならないのが、つらいところである。

【蜻《せい》】【蛉《れい》】は、二文字合わせて〝トンボ〟を表し、「蜻蛉」と書いて「とんぼ」と読むこともある。なお、「蜻蛉」と書いて「かげろう」と読むこともあるのは、〝トンボ〟のことを昔は「かげろう」と呼んだからである。

部首《虫》の漢字の中には、このように、二文字一組になってある昆虫を表すものも多い。例を挙げると、【蜘《ち》】【蛛《ちゅう》】は「蜘蛛《くも》」、【蟋《しつ》】【蟀《しゅつ》】は「蟋蟀《こおろぎ》」。【蟷《とう》】【螂《ろう》】は「蟷螂《かまきり》」だが、

「蟷螂《とうろう》の斧《おの》」のように音読みでそのまま読むことも多い。そのほか、「蜉蝣《かげろう》」の形で使われる【蜉《ふ》】【蝣《ゆう》】という漢字もあれば、「螻蛄《おけら》」のように用いる【螻《ろう》】【蛄《こ》】という漢字もある。

ものによってはかわいいけれど…

ところで、現在、ふつうに使われている「虫」は、以前は正式には【蟲《ちゅう》】と書いた。ただ、「虫」という形をした漢字も大昔から存在しており、本来は「き」と音読みして〝ヘビ〟の一種、特に〝マムシ〟を指す漢字だったという。古代文字では図のような形で、

そう言われてみると〝マムシ〟の姿に見えないこともない。後に、「蟲」の略字として「虫」が使われるようになり、現在のような「虫」の用法が生まれることになる。

そこで、《虫》には、現在の分類では「爬虫類《はちゅうるい》」に分類される〝ヘビ〟に関する漢字も含まれる。【蛇《へび》】がもちろん、その代表。【蝮《まむし》】もその例だし、【蟒《うわばみ》】は特に〝大きなヘビ〟を表す。

〝ヘビ〟から想像を膨らませて生み出されたのが、〝竜〟。【蛟《こう》】は、その〝竜〟の一種を表す漢字で、「みずち」と訓読みする。【虹《にじ》】に《虫》が付いているのは、大昔の中国の人びとは〝虹〟を〝竜〟の一種だと考えていたからだという。

〝ヘビ〟に足を生やすと〝トカゲ〟になる。その〝トカゲ〟を表すのは【蜥《せき》】【蜴《えき》】で、二文字合わせて「蜥蜴」と書いて「とかげ」と読むことも多い。

これらの漢字に【蛙《かえる》】を合わせて考えると、〝ヘビ〟〝トカゲ〟〝カエル〟のような、爬虫類や両生類の動物は、漢字を創った人びとにとっては「虫」の一種だったことがわかる。ちなみに、「蝦蟇《がま》」の【蟇《ま》】は、〝ヒキガエル〟のこと。【蝌《か》】【蚪《と》】は〝オタマジャクシ〟で、「蝌蚪」と書いて「おたまじゃくし」と読ませることもある。

まだまだいろんな動物がいます!

部首《虫》の世界には、〝貝〟も住んでいる。【蛤《はまぐり》】【蜆《しじみ》】がその例。「螺旋階《らせんかい》段《だん》」の【螺《ら》】は、本来は〝巻き貝〟を指す漢字。「牡蠣《かき》」は二文字合わせて「かき」と読むが、【蠣《れい》】一文字だけで〝カキ〟を表すこともある。【蝸《か》】は〝カタツムリ〟のことで、「蝸牛《かぎゅう》」と書いて「かたつむり」と読むこともある。また、「蜃気楼《しんきろう》」の【蜃《しん》】は、想像上の巨大な貝。蜃気楼は、この貝の出す息によって作られていると考えられていた。

貝類がいるならば、【蟹《かに》】がいてもまったく不思議ではないだろう。〝エビ〟は現在では「海老《えび》」と書くことが多いが、漢字一文字で表すならば【蝦《えび》】。甲殻類を表す漢字としては、ほかに【蠍《さそり》】がある。

こう見てくると、部首《虫》には非常に多様な動物たちが住んでいることがわかる。人の血を吸う【蛭《ひる》】もいるし、「蚯蚓《みみず》」の形で使われる【蚯《きゅう》】【蚓《いん》】、「蛞蝓《なめくじ》」のように用いられる【蛞《かつ》】【蝓《ゆ》】など、書くだけでちょっと身震いしてしまいそうな漢字にも、《虫》が付いている。それは、体の中に住

んでいる「蛔虫《かいちゅう》」の【蛔《かい》】にまで及んでいるから、部首《虫》もたいしたものである。

このほか、【蝙《へん》】【蝠《ふく》】は、二文字合わせて「蝙蝠《こうもり》」という形で使われる漢字。これも部首《虫》の漢字になっているのは、〝鳥〟でもなく〝けもの〟でもないと思われたからだろう。〝ハリネズミ〟を表す【蝟《い》】も、全身をおおう毛が太すぎて、〝けもの〟の仲間には入れてもらえなかったのだろうか。ちなみに、【蛸《たこ》】はもともとは〝クモ〟の一種を表す漢字で、〝タコ〟を指して用いるのは日本語独自の用法である。

なお、部首《虫》の世界には、人間も住んでいる。「野蛮《やばん》」の【蛮《ばん》】がその例。以前は【蠻《ばん》】と書くのが正式で、文明が進んでいない南方の少数民族のことを、漢民族が見下して表した漢字だと考えられている。が、〝ヘビ〟を民族のシンボルとしていたことに由来する、と考える説もある。

動き方にも特徴がある?

以上、《虫》の世界に生きるさまざまな動物たちを眺めてきたが、この部首には、〝虫の行動〟を表す漢字も少なからず存在する。「侵蝕《しんしょく》」の【蝕《しょく》】がその代表。訓読みすれば「蝕《むしば》む」で、〝虫が食べる〟ことを表す。意味の上からは《飠(しょくへん)》(p58)を部首としてもいいが、《虫》に分類するのがふつうである。

「流言蜚語《りゅうげんひご》」の【蜚《ひ》】は、〝虫が飛ぶ〟という意味。ただし、現在では「流言飛語《りゅうげんひご》」と書く方が一般的。また、「蜚蠊《ひれん》」とは〝ゴキブリ〟を指し、この二文字で「ごきぶり」と読むこともある。【蠊《れん》】は〝ゴキブリ〟という意味だというが、単独ではまず使われない。

【蟄《ちつ》】は〝虫が土の中にもぐる〟ことをいう漢字で、〝家に閉じこもる〟という意味の「蟄居《ちっきょ》」という熟語がある。「蟠《わだかま》る」と訓読みする【蟠《ばん》】は、本来は〝ヘビがとぐろを巻く〟こと。現在では、〝なかなか解消できない不満や不信感〟を指して、「蟠《わだかま》りが残《のこ》る」のように用いられる。

さらに、【蠢《しゅん》】は「蠢《うごめ》く」と訓読みする漢字。【蠕《ぜん》】も似た意味で、「蠕動《ぜんどう》」とは〝うごめく〟こと。【蜿《えん》】【蜒《えん》】は、〝ヘビがくねくねしながら進む〟ことを表す漢字で、二文字合わせて「虫《むし》へんの話《はなし》が蜿蜒《えんえん》と続《つづ》く」のように使われる。

以上のほか、「蛋白質《たんぱくしつ》」の【蛋《たん》】については、もともとは〝蛇の卵〟をいうとか、そうでもないとかいう説があり、成り立ちははっきりしない。また、【蠱《こ》】は、〝ある虫を使って呪術をかける〟という意味で、「蠱惑《こわく》」とは〝魔法を使ったように心を奪う〟ことを表す。

ところで、「蠱」は特殊な例だが、一般的には《虫》は漢字の左側や下部に置かれる。部首の名前としては、単に「むし」とも呼ばれるが、漢字の左側、「へん」と呼ばれる場所に現れた場合には、「むしへん」ということが多い。

なお、「融合《ゆうごう》」の【融《ゆう》】は、「蝕」とともに、部首《虫》が漢字の右側に置かれている珍しい例。「鬲《れき》」は〝ものを加熱するための器〟を表す漢字で、「融」は〝金属を器の中で溶かす〟

という意味。そこで、意味の上から部首を《鬲（れき）》（p120）とする辞書もある。この漢字の「虫」が何を表すかについては、諸説あってよくわからない。

黽

眼鏡やアメで見かけることも?

［名称］もう、おおがえる、あおがえる
［意味］①カエル　②カメ

現在ではまず使われないが、【黽】《もう》は、〝大きなカエル〟を表す漢字。古代文字では図のように書き、〝カエル〟というよりは〝ゲンゴロウ〟のような雰囲気である。

〝カエル〟を表す部首となるが、その例は【鼃】《あ》くらいしかない。部首を《虫》（前項）に置き換えて位置関係を変えると「蛙《かえる》」になる通り、「蛙」と読み方も意味も同じ漢字だ、と思って差し支えない。

このほか、この部首には〝カメ〟を表す漢字が含まれる。その代表は「鼈甲《べっこう》」の【鼈】《べつ》で、〝スッポン〟の一種を表す。ただし、日本でいう「鼈甲」は、〝スッポン〟の一種ではなく〝ウミガメ〟の一種の甲羅である。

また、現在ではまず使うチャンスはないが、【黿】《げん》も〝スッポン〟の一種を指す漢字。【鼇】《ごう》は、想像上の巨大なカメ。海に住み、背中に蓬莱山《ほうらいさん》という仙人が住む山を背負っているというから、並大抵の大きさではない。巨大怪獣ガメラなど、かわいいものである。

なお、部首の名前としては、音読みに基づいて「もう」と呼んだり、意味に従って「おおがえる」「あおがえる」といったりする。

竜

実は由緒があるんですよ…

［名称］りゅう、たつ
［意味］リュウ

【竜】《りゅう》は、想像上の動物〝リュウ〟を表す漢字。以前は「龍《りゅう》」と書くのが正式で、その風格が好まれて、現在でも「龍」が使われることも多い。とはいえ、古代文字の中には図の右側のような形もあり、むしろ「竜」の方が歴史の古い書き方だとも考えられる。左側の古代文字は、右側の古代文字に〝背びれ〟などが付け加わったもので、この形が変化したものが「龍」ということになる。

「竜」の部首を《立》（p25）とする辞書もあるが、現在では、《竜》そのものを部首とし、《龍》（次項）の中に含めて扱うのが一般的。《竜》は10画だが、漢和辞典の部首配列では16画の《龍》のところに収められているので、注意が必要である。

というわけで、部首の一つではあるが、《竜》の形が部首になっている漢字は、ほかには一つも存在しない。「滝《たき》」は、水の流れを〃竜〃に見立てた漢字ではあろうが、部首としては《氵(さんずい)》(p318)に分類されている。

龍

[名称]りゅう、たつ
[意味]リュウ

想像の世界からはただ一つ!

想像上の動物【龍《りゅう》】は、胴体はヘビに似ているが、うろこに覆われて背びれがあり、鋭い爪が付いた四本の足を持っている。頭にはシカのような角を備え、長いヒゲも生やしている。水中に住み、時が来ると天に昇り雨を降らせるという。その神秘性から、〃帝王〃の象徴として崇拝されてきた。

というわけで、《龍》は〃リュウ〃に関係する意味を持つ漢字の部首となる。中国にも日本にも、いろいろな想像上の動物がいるが、部首になるのは〃リュウ〃だけ。想像の世界でも別格であることが、よく現れている。

ただし、《龍》を部首とする漢字で、現在でも使われるものはほとんどない。【龕《がん》】での《龍》は、〃リュウのように貴重なもの〃という意味合い。〃貴重なものを収めておく箱〃を表す漢字で、「龕灯《がんとう》」とは〃仏壇のあかり〃のこと。また、【龗《れい》】は「霊《れい》」とほぼ同じで、〃神秘的なもの〃を指す。

このほか、【龖《とう》】は〃リュウが並んで飛ぶようす〃を表す漢字。【龘《とう》】も同じく〃リュウが飛ぶようす〃だというが、【𪚥《てつ》】になるとなぜだか〃口数が多い〃という意味だ、と辞書には書いてある。ちなみに、「𪚥」は64画もあり、伝統的な漢和辞典に載っているものとしては最も画数が多い漢字として、有名である。

なお、「龍」は、「竜」の以前の正式な書き方。漢和辞典では《竜》(前項)も《龍》に含めて扱うのがふつうである。また、部首の名前としては、音読みで「りゅう」と呼ぶほか、訓読みに基づく「たつ」という名称もある。ただし、「たつ」という呼び名だと《辰》(p111)と紛らわしいので、《辰》の方を「しんのたつ」と呼んで区別するのが習慣となっている。

動物の体

《毛》や《皮》《革》《角》など、動物の体を表す部首の中には、動物の体の一部を使って作ったものを表す漢字も含まれていて、昔の人びとの暮らしを思わせる。それに対して、《羽》は鳥の動作を表現することが多く、〝鳥〟が特別な動物であることを示している。そのほか、《非》《内(ぐうのあし)》《隶(れいのつくり)》などのマイナーな部首の存在も、興味深い。

毛

［名称］け
［意味］①動物の毛　②動物の毛で作られたもの

狩猟民族の方が上手？

人間の〝毛〟は、一本一本が毛根から独立して生えるのが基本で、枝毛は不健康なものとして嫌われる。しかし、動物の〝毛〟には、何本かが束になって生えているものもある。【毛《け》】の古

代文字は図のような形をしているので、人間のものではなく、動物の毛の絵から生まれた漢字ではないかと思われる。

部首としても、さまざまな〝毛〟を表すのが基本。【毫《ごう》】は、〝細い毛〟を指す漢字。「毫末《ごうまつ》」とは〝細い毛の先〟のことで、〝非常にわずかなもの〟のたとえとして用いられる。現在ではまず見かけないが、〝やわらかい毛〟を表す【毳《ぜい》】という漢字もある。

転じて、〝動物の毛で作られたもの〟をも表す。代表的な例は、毛を丸めてつくった【毬《まり》】。ちなみに、革で作られたボールは「鞠《まり》」(p253)で表す。また、【毯《たん》】は、〝毛織物の敷物〟。同じ意味の漢字に【毧《じゅう》】があり、二文字合わせて「毧毯《じゅうたん》」となるが、現在では部首を《糸》(p47)にした「絨《じゅう》」を使って、「絨毯《じゅうたん》」と書くのがふつう。【氈《せん》】は〝フェルト〟のことで、「毛氈《もうせん》」という熟語で使われる。

〝毛で作られたもの〟というと、さまざまな衣類が思い浮かぶ。それらを表す漢字が《毛》にないのは、ちょっと意外。〝着るもの〟を表す部首としては、別に《衣》(p39)や《ネ(ころもへん)》(p40)があるからではあるが、動物の毛で衣類を作るのは、漢民族のような農耕民族ではなく、狩猟民族の習慣なのかもしれない。

このほか、「毟《むし》る」と訓読みする【毟】は、日本で作られた漢字。確かに〝毛〟に関する意味を持つ漢字ではあるが、

ちょっと生々しすぎる気もする。
　なお、部首《麻》（p289）に分類される「麾《き》」は、〝軍隊などの指図に使う旗〟を表す漢字。とはいえ、毛織物でできているから「毛」が付いているものと思われるので、部首を《毛》とする漢和辞典もある。

皮

お肌を気にするのは人間だけ？

［名称］かわ、けがわ、ひのかわ
［意味］①動物の皮 ②皮膚の状態

　現在では「ミカンの皮《かわ》」「バナナの皮《かわ》」のようにも用いる【皮《ひ》】は、本来は動物の体を包む〝かわ〟を表す。古代文字では図のような形で、「又」の部分は〝手に取る〟ことを表す「又」（p179）の古代文字「」。動物の〝かわ〟を手で引きはがしているようすを表しているという。
　《皮》を部首とする漢字には、〝あかぎれ〟を表す【皸《くん》】や、〝にきび〟を意味する【皰《ほう》】などがある。このように、部首《皮》は人間の〝皮膚の状態〟を表すことが多い。「しわ」と訓読みする【皺《しゅう》】は、紙や布などについても用いるが、本来は皮膚の〝しわ〟を指していたのではないかと思われる。
　もともとの意味からすると、〝動物の皮で作られたもの〟を指す漢字があってもよさそうだが、加工された皮を表す部首には、ほかに《革》（次項）や《韋（なめしがわ）》（次々項）がある。この二つと区別するため、部首としては単に「かわ」と呼ばれるだけでなく、〝加工する前の毛が付いたままのかわ〟という意味の「けがわ」という名前のほか、音読みをかぶせた「ひのかわ」という呼び名もある。
　なお、「頗《すこぶ》る」と訓読みする「頗《は》」は、意味の上で「皮」とは関係がなく、部首としては《頁（おおがい）》（p169）に分類されている。

革

やわらかいけど頼りになる！

［名称］かわ、かわへん、かくのかわ、つくりがわ
［意味］①皮を加工したもの ②履きもの ③遊牧民族

【革《かく》】は、「革《かわ》のベルト」のようには用いるが、「膝の革《かわ》がむける」のようには使わない。〝加工品としての動物の皮〟を指す漢字である。
　古代文字では図のような形で、切り広げた動物の〝皮〟を指すと考えられている。なるほど、トラやクマの〝皮〟の敷物の形に見えなくもない。が、「皮」の古代文字「」と似通う部分もあり、〝両手〟を表す「臼《きょく》」（p188）の古代文字「」のような形も見える。動物の〝皮〟を両手で切り広げている形かもしれない。
　部首としては、〝皮を加工したもの〟つまり〝革製品〟を指すのが基本。【靭《じん》】は本来、〝皮を加工して丈夫にしたもの〟を指す漢字。強くてやわらかいところから、「強靭《きょうじん》」のよ

うに〝しなやかな〟という意味で用いられる。

【鞄《ほう》】を訓読み「かばん」の意味で使うのは、日本語独自の用法だが、もともと〝ものを包むのに用いる革製品〟を指す漢字ではある。【鞠《まり》】は〝革のボール〟。動物の毛で作ったものは「毬《まり》」（p251）で表す。「刀の鞘《さや》」のように使う【鞘《しょう》】に《革》が付いているということは、中国の刀には革のカバーが付いていたのだろう。

多くの革製品がある中で、まとまって存在しているのは、〝馬具〟に関する漢字。【鞍《くら》】【鞭《むち》】がその代表。ほかにも、現在ではまず使われないものの、〝馬の胸にかける革ひも〟を指す【鞅《おう》】、〝馬の尻にかける革ひも〟をいう【鞦《しゅう》】などがある。それぞれ「むながい」「しりがい」と訓読みする。

また、「弥勒菩薩《みろくぼさつ》」の「弥勒《みろく》」は、古代インド語に対する当て字で、「勒《ろく》」は、本来は〝馬の頭にかける革ひも〟を意味する漢字。訓読みすれば「おもがい」となる。部首は《力》（p109）に分類されているが、意味の上からは《革》としている辞書もある。

馬に乗って駆けめぐる…

ところで、「くつ」と訓読みする【靴《か》】は、本来は〝革の履きもの〟を指す。部首《革》には、〝履きもの〟に関する漢字も多い。【鞾《か》】は、「靴」と読み方も意味も同じ漢字。【鞋《あい》】もその例で、「草鞋」と書いて、二文字合わせて「わらじ」と読む。

「青鞜《せいとう》」は、日本初の女性による雑誌のタイトルとして有名だが、この【鞜《とう》】は、〝くつ〟や〝くつ下〟のこと。現在ではまず使われないが、〝くつ下〟や〝足袋〟を指す【韈《べつ》】という漢字もある。ここまで来ると、部首《革》は〝革製品〟を離れて〝履きもの〟を表している、と考えた方がよさそう。〝足袋に付ける留め具〟を指す【鞐《こはぜ》】は日本で作られた漢字で、これも〝履きもの〟関連の漢字である。

革の履きものを履くのは、もともとは中国の北方に住んでいた遊牧民族の習慣。馬具に関する漢字が多いことと合わせて、部首《革》には遊牧民族のイメージがあると思われる。「韃靼《だったん》」とは、モンゴルの一部族「タタール」に当て字したもの。中国史には「靺鞨《まっかつ》」という遊牧民族も登場する。これらの【韃《だつ》】【靼《たん》】【靺《まつ》】【鞨《かつ》】に《革》が付いているのも、《革》が遊牧民族と深い関係にあることを表している。

さらに、「鞦韆《しゅうせん》」とは〝ぶらんこ〟を指す熟語で、これももともとは北方の遊牧民族から伝わったものだという。ちなみに、【韆《せん》】は「鞦韆」だけで使われる漢字である。

なお、部首《革》は、ほとんどの場合は漢字の左側、「へん」と呼ばれる位置に現れる。そこで、部首の名前としては、「かわ」「かわへん」と呼ばれる。ただし、これでは、〝加工する前の皮〟を指す《皮》（前項）と区別がつかないので、〝加工した皮〟という意味合いで「つくりがわ」ということもあれば、音読みをかぶせて「かくのかわ」ということもある。

韋

［名称］なめしがわ
［意味］①なめした皮　②その他

実は私もお仲間なんです…

動物の〝皮〟を表す漢字としては、「皮」「革」の二つがよく使われ、それぞれ部首《皮》（前々項）《革》（前項）となる。それらに対して、【韋《い》】は、現在では古代インド語に対する当て字「韋駄天《いだてん》」くらいでしか使わない、マイナーな漢字だが、実はこれも動物の〝皮〟を意味し、しかも部首にもなる。特に〝毛を取り去ってやわらかくした皮〟を指し、〝なめした皮〟というところから、部首としては「なめしがわ」と呼ばれている。

〝なめした皮〟に関係する漢字の部首となるが、その例は少ない。【韜《とう》】は〝なめした皮で作った袋〟を指す漢字。何かを袋に入れるところから、〝隠す〟という意味にもなる。また、「韜晦《とうかい》」とは、〝知識や才能を見せびらかさない〟こと。【韛《はい》】もなめし皮の袋で、鍛冶屋さんなどが火を起こすとき、火元に空気を送るために使う〝ふいごう〟を指す。

このほか、【韓《かん》】も部首を《韋》とする漢字。本来は〝井戸の囲い〟を指す漢字だったというが、なぜ《韋》が付いているかについては、諸説があってよくわからない。

なお、微妙な違いだが、「韋」は、「丄」を「⺊」として「韋」とも書かれる。後の方が本来の正式な形で、漢和辞典では律儀にも、この二つを区別して掲げている。ただし、実際には「韋」の形が使われていることが多い。

牙

［名称］きば、きばへん
［意味］きば

分類なんてくそくらえ！

動物の〝きば〟の特徴といえば、長くて鋭いことだろう。ただ、大昔の中国の人びとにとっては、ギザギザにかみ合っているのが印象的だったらしい。「犬牙《けんが》」という熟語で、〝二つのものが複雑に入り組んでいる〟ことを表す場合もある。【牙《きば》】の古代文字は、図のような形。〝二つのものが〝かみ合う〟ようすを表す絵から生まれた漢字だと考えられている。

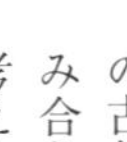

漢和辞典では部首の一つに立てられているが、現在でも使われる漢字で《牙》を部首とするものは、「牙」以外にはないと言ってもいい。ならば部首とするのをやめればよさそうなものだが、漢字「牙」を形の上から便宜的にほかの部首に分類するのもむずかしい。そのため、部首《牙》は漢字「牙」のためだけに、これからも存続し続けると思われる。

取り扱いに困るといえば困るが、一つ一つの漢字は、部首によって分類されるために生まれてきたのではない。この点、人間が出身や職業によって分類されるために生まれてきたのではないのと同じである。

なお、「邪魔《じゃま》」の「邪《じゃ》」、「優雅《ゆうが》」の「雅《が》」、植物の「芽《め》」などでは、「牙」の「𠃊」の部分を「⺃」として「牙」と書き、画数も1画多い。これらの漢字も、以前は「牙」の部分を「牙」と書くのが正式。部首としては、それぞれ《阝(おおざと)》(p82)《隹(ふるとり)》(p239)《艹(くさかんむり)》(p270)に分類される。

ちなみに、部首《牙》が「きばへん」とも呼ばれるのは、「邪」や「雅」で、漢字の左側、いわゆる「へん」の位置に置かれているからだと思われる。

角

[名称]つの、つのへん、かく
[意味]①つの ②つので作ったもの

何のために使うのかなあ…

「三角形《さんかっけい》」「角《かど》を曲がる」のように使う【角《かく》】は、本来は、動物に生えている〝つの〟を表す。古代文字では図のような形で、〝つの〟の絵から生まれた漢字だと考えられている。

部首の名前としては、「つの」と呼ばれたり、漢字の左側の「へん」の位置に現れることが多いので、その場合は「つのへん」といわれたりする。また、音読みそのままの「かく」という名前で呼ぶこともある。

部首としても〝つの〟を表す。「触《ふ》れる」と訓読みする【触《しょく》】は、以前は【觸《しょく》】と書くのが正式。本来は〝動物がつので何かをつつく〟こと。【觝《てい》】は、〝動物同士がつので突き合う〟という意味。「觝触《ていしょく》」とは〝つっかえてうまく収まらない〟ことを表す熟語だが、現在では「抵触《ていしょく》」と書くのが一般的になっている。このあたりの漢字では、つのを使う動物の姿が、よくとらえられている。

また、「解決《かいけつ》」の【解《かい》】は、成り立ちとしては〝刀で牛の体やつのを切り分ける〟ことだと考えられている。

このほか、動物の〝つの〟を使って杯を作ることがある。現在ではあまり使われないが、【觴《しょう》】はその〝杯〟を指す漢字。また、いわゆる「角笛《つのぶえ》」を作ることもあり、【觱《ひち》】がその例。東洋音楽には「觱篥《ひちりき》」という笛があるが、現在では「篳《ひち》篥《りき》」と書くことが多い。

羽

[名称]はね
[意味]①羽 ②羽を使う動作 ③その他

人間にはできないこと

【羽《う》】は、古代文字では図のように書き、二枚一組で描かれた鳥の〝はね〟の絵から生まれた漢字。以前は「羽」と書くのが正式だったので、この部首の漢字はすべて、以前は正式には「羽」の部分を「羽」と書いた。漢和辞典では、《羽》の漢字は部首《羽》(次項)の中に含めて扱われるのが一般的である。

動物の体

部首としても〝はね〟を表すのが基本で、【翼《つばさ》】がその例。「みどり」と訓読みする【翠《すい》】は、本来は〝カワセミ〟という鳥の羽の色を表す。「おきな」と訓読みして使われる【翁《おう》】も、本来は〝鳥の首筋の羽毛〟。大昔の中国語では〝年を取った男性〟を表すことばと発音が似ていたことから、当て字的に転用されるようになった、と考えられている。

部首《羽》に〝羽を使う動作〟に関係する漢字も含まれるのは、人間にはできない〝飛ぶ〟ことへのあこがれが反映されているのだろう。たとえば、「飛翔《ひしょう》」の【翔《しょう》】は、〝羽を広げて飛ぶ〟こと。【翻《ほん》】の本来の意味は、〝はばたく〟こと。転じて、訓読み「翻《ひるがえ》る」のように〝風に吹かれて揺れる〟という意味となり、さらに〝風がひっくり返す〟ところから、「翻訳《ほんやく》」のように使われる。「学習《がくしゅう》」の【習《しゅう》】についても、もともとは〝鳥が飛び方を覚える〟という意味だったとする説が優勢である。

なお、「翌日《よくじつ》」の【翌《よく》】の成り立ちについては、諸説があってよくわからない。

羽

[名称]はね
[意味]①羽 ②羽を使う動作 ③その他

魚にだってありますよ！

【羽《う》】は、「羽《う》」の以前の正式な書き方。もちろん、意味としては「羽」と全く同じで、部首としても《羽》(前項)と同じ。漢和辞典では、《羽》の漢字は部首《羽》に含めて扱われる。

部首《羽》が〝羽《はね》〟を表す例としては、【翅《し》】がある。鳥に限らず広く〝羽〟を指す漢字で、「鱗翅類《りんしるい》」とは、昆虫の〝チョウ〟や〝ガ〟のこと。「魚翅《ぎょし》」は、中華料理の〝ふかひれ〟。また、【翡《ひ》】は「翡翠《ひすい》」の形で用いられる漢字で、本来は羽が鮮やかな緑色をした鳥〝カワセミ〟のことである。

このほか、昔は羽毛を使って筆を作ったところから、〝筆〟を表す漢字【翰《かん》】が生まれた。「書翰《しょかん》」とは〝手紙〟のことだが、現在では「書簡《しょかん》」と書くのが一般的である。

「かげ」と訓読みする【翳《えい》】は、本来は〝羽でおおって隠す〟という意味で、〝羽を使う動作〟を表す例。「旗《はた》が翩翻《へんぽん》とひるがえる」というふうに使う【翩《へん》】は、もともとは〝羽で風を切る〟ことを表す。

ちょっと複雑なのが、「翫《もてあそ》ぶ」と訓読みする【翫《がん》】。この字は「習《しゅう》」(p256)の以前の正式な書き方「習」から派生した漢字。〝何度も繰り返し使ってなじむ〟ところから、〝おもちゃにする〟という意味で用いられるようになった。部首《羽》から見ると、孫にあたる漢字である。

もっと強引でびっくりするのは【耀《よう》】。以前は右上の「ヨ」を「羽」とした【耀《よう》】と書くのが正式だったことから、部首《羽》に分類される。これは、現在の漢和辞典には《光》(p23)という部首は存在しないので、形の上から便宜的に分

動物の体

類したもの。ただし、〝輝く〟という意味なので、〝羽〟とは意味の上での関係はない。

非

［名称］あらず
［意味］①何かに反する　②二つに分かれる

右と左に翼を広げて…

「非常《ひじょう》」とは〝ふだん通りではない〟こと、「是非《ぜひ》」とは〝正しいことと正しくないこと〟。このように、【非《ひ》】は、〝○○ではない〟ことや〝正しくない〟ことを表す漢字である。

古代文字では図のような形。一説によれば、これは〝鳥の羽根が開いている形〟。「羽」の古代文字「羽」と比較すると、確かにそう見えなくもない。二枚の羽根が逆向きになっているところから〝○○ではない〟〝正しくない〟という意味になったという。部首《虫》（p246）に「非」を組み合わせた「蜚《ひ》」という漢字が〝飛ぶ〟ことを表すことを考えると、この説にはそれなりの説得力があるように思われる。

部首としては〝何かに反する〟ことを表すというが、その例は少ない。【靠《こう》】は、〝背中合わせにもたれ合う〟ところから、現在では「靠《もた》れる」と訓読みして使われる。

また、「靡《なび》く」と訓読みする【靡《び》】も、部首を《非》とする漢字。ただし、この漢字は本来は〝風に吹かれて草が倒れる〟という意味なので、部首としては、植物の〝あさ〟を表す《麻》（p289）に分類する方がふさわしい。この場合の「非」は、発音を表す記号だと考えられている。

部首《非》に含まれる漢字は以上くらいのもの。「悲《かな》しい」と訓読みする「悲《ひ》」や、「とびら」と訓読みする「扉《ひ》」、「排斥《はいせき》」の「排《はい》」などに含まれる「非」は、発音を表す記号。部首としては、それぞれ《心》（p215）《戸》（p74）《扌（てへん）》（p173）に分類される。ただし、「靡」も含めて、これらの「非」には〝二つに分かれる〟という意味がある、と考える説もある。

なお、漢字「非」は「非《あら》ず」と訓読みするので、部首《非》も「あらず」と呼ぶのが一般的である。

飛

［名称］とぶ
［意味］飛ぶ

少ないからこそ価値がある

漢字の中には、よく使われるが、ほかに似た形をした漢字があまりないものがいくつかある。【飛《ひ》】もその一つだが、その独特の形に加えて、〝空中を移動する〟という意味とあいまって、何ともいえない存在感がある。

古代文字では図のような形をしていて、やわらかな曲線美といい、左右対称ではないところといい、北欧のデザイン家具のような現代性さえ感じさせる。

動物の体

部首の一つだが、漢字の例は少ない。それなりに使われるものとしては【飜《ほん》】があるくらい。「翻《ほん》」（p256）と意味も読み方も同じ漢字で、本来は〝はばたく〟ことを表す。

部首としての発展性には欠けるわけだが、それが逆に《飛》の希少性を高めているともいえる。便宜的にほかの部首に分類するのも、その形からするとむずかしい。個性というものについて、いろいろと考えさせる部首である。

禸

［名称］ぐうのあし、じゅうのあし
［意味］動物

ユニークすぎてちょっと、ねえ…

よっぽどの漢字好きでないと知らないと思われる、超マイナーな部首の一つ。

漢字【禸《じゅう》】は〝動物の足跡〟を表すというが、実際に使われることはまずない。古代文字では図のように書き、〝動物の後ろ足と、丸く巻いたしっぽ〟の絵だと考えられている。

部首としては〝動物〟を表すが、その例は少ない。現在でも比較的よく使われるものとしては、【禽《きん》】があるくらい。本来は〝鳥やけもの〟を表す漢字だが、現在では〝鳥〟を指して使われる。「猛禽《もうきん》」とは、〝肉食性の鳥〟のこと。

また、【禹《う》】は、中国古代の伝説的な帝王の名前で、本来は〝大きなトカゲ〟を表す漢字。水の神様として崇拝された想像上の〝トカゲ〟らしい。また、「離《り》」に含まれる【离《ち》】も、同じような想像上の〝ヘビ〟を指す。

このほか、【禺《ぐう》】は〝大きなサル〟のこと。漢字として用いられることは少ないが、「偶《ぐう》」「隅《ぐう》」「愚《ぐ》」などでは、読み方を表す記号として使われている。部首《禸》を「ぐうのあし」と呼ぶのは、この漢字の下半分、いわゆる「あし」の位置に現れるからかと思われる。もう一つの呼び方「じゅうのあし」は、漢字「禸」の音読みに由来するものか。あるいは、本来は〝動物の足跡〟を指す漢字なので「獣《じゅう》の足《あし》」と名付けたのかもしれない。

〝後ろ足としっぽ〟だけを絵にして〝動物〟を表すというのは、なかなかユニークな発想。漢字の数が少なくてそれが十分に生かされていないのは、ちょっと残念である。

なお、古代文字の形から、厳密には左上の隅を交差させて「禸」と書くべきだとする考え方もある。また、字によって真ん中が「厶」と書かれたり「ム」と書かれたりするが、部首としては同じもの。画数も、どちらの場合も5画とする。

釆

［名称］のごめ、のごめへん
［意味］①ばらばらにする ②その他

いったいどちらに見えますか？

漢字の数が少なく、一般にもあまり知られていないマイナー部首の一つ。「の

動物の体

ごめ」という名前は、カタカナの「ノ」と漢字の「米《こめ》」に分解できるところから。漢字の左側、いわゆる「へん」の位置に置かれた場合には「のごめへん」ともいう。

【釆《はん》】は、実際にはほとんど使われることがない漢字。古代文字では図のような形で、〝動物の足跡〟の形だとか、〝穀物の種をまいた形〟だとか解釈されている。意味としては〝ばらばらにする〟ことで、〝動物の足跡〟説では、〝爪が開いている〟ところからこの意味が生まれた、と説明される。

一方、〝種まき〟説では、《田》(p79)を付け加えた「番《ばん》」が、本来は〝耕作地に種をまく〟という意味だったと考える。それにさらに部首《扌(てへん)》(p173)を組み合わせたのが、「種《たね》を播《ま》く」のように訓読みする「播《は》」だということになる。

《釆》を部首とする漢字の代表は、「解釈《かいしゃく》」「釈放《しゃくほう》」の【釈《しゃく》】。以前は【釋《しゃく》】と書くのが正式で、〝ばらばらに解きほぐす〟ことや〝ゆるめる〟ことを表す。ほかに、〝焼きものの表面に塗る塗料〟を指す【釉《ゆう》】という漢字があるが、成り立ちについてははっきりとした説がない。

また、「采配《さいはい》」「風采《ふうさい》」のように用いる【采《さい》】は、以前は【采《さい》】と書くのが正式で、部首《釆》に分類されている。ただし、意味としては〝選び取る〟ことや〝いろどり〟なので、〝ばらばらにする〟こととは関係がない。形が似ているから便宜的に分類された部首だが、あまりに便宜的なので、最近の漢和辞典では、部首を《爫(つめかんむり)》(p191)や《木》(p260)としているものも多い。

隶

[名称]たい、たいづくり、れいづくり、れいのつくり
[意味]つかまえる

ニャン!とかワン!とか怒られそう

とてもマイナーな部首だが、「逮《たい》捕《ほ》」の「逮《たい》」に使われているので、見慣れた形ではある。漢字【隶《たい》】は、〝つかまえる〟という意味。古代文字では図のような形をしていて、右側には〝手に取る〟ことを表す「又」(p179)の古代文字「」が見える。その左側にあるのは、〝動物のしっぽ〟だという。合わせて、そもそもは〝動物のしっぽをつかむ〟という意味だと考えられている。

「逮捕」の「逮」にはその意味がよく残っているが、残念ながらこの漢字の部首は《辶(しんにょう)》(p89)。《隶》を部首とする漢字としては、「奴隷《どれい》」の【隷《れい》】くらいしかない。以前は、「士」の部分を「木」とした【隸《れい》】と書くのが正式で、〝つかまえられて働かされる人〟を指す。

漢字の数が少ないからか、部首としての呼び名も安定しない。音読みに基づいて「たい」と呼んだり、「隷」の右側、いわゆる「つくり」の位置に置かれるので「れいのつくり」「れいづくり」と呼んだりする。また、両者が掛け合わさっ

た「たいづくり」という、ちょっとおいしそうな名前もある。

卵

最初のころがなつかしい…

［名称］たまご
（現在では存在しない部首）

漢字「卵《たまご》」は、現在の漢和辞典では部首《卩（ふしづくり）》（p200）に分類される。ただし、《卩》は主に〝ひざまずく〟という意味を表し、「卵」とは関係がない。形の上からの便宜的な分類である。

ところが、紀元一世紀ごろに作られ、部首による漢字分類を初めて行った『説文解字《せつもんかいじ》』という辞書には、《卵》という部首が存在する。それがなくなったのは、「卵」から派生した漢字はあまりないからだろう。

〝卵から生まれる〟という意味の「孵《ふ》」は、現在では部首《子》（p32）に分類されている。「孵化《ふか》」「孵卵器《ふらんき》」「ひなが孵《かえ》る」のように現在でも十分、使われることがある漢字なので、「卵」と合わせて部首《卵》を復活させるのも、おもしろいかと思われる。

植物

植物は、おおざっぱにいって〝木〟と〝草〟に分けられる。ただし、部首としては、〝木〟を表す《木》には植物を利用する漢字が多いのに対して、〝草〟を表す《艹（くさかんむり）》には、植物を細かく観察している漢字が含まれている。また、《禾（のぎ）》《米》《麦》などの穀物は部首として独立し、さらに《竹》は、〝木〟や〝草〟とは異なる植物として、独自の地位を主張しているようである。

木

一本ずつ増やしていくと？

［名称］き、きへん
［意味］①樹木 ②さまざまな種類の樹木 ③材木 ④木製の道具・器具 ⑤木造の建築物やその部品 ⑥樹木・材木に関する行動 ⑦その他

漢字【木《き》】の意味を厳密に説明するのはむずかしいが、〝幹が比較的太くしっかりしている植物〟を指す。そうではない植物は、一般には「草《くさ》」という漢字で表される。部首としては、漢字の左側、

「へん」と呼ばれる位置に現れることが多い。その場合には「きへん」という名前で親しまれている。

《木》を部首とする漢字は非常に多く、漢和辞典を代表する巨大な部首の一つ。意味としては、もちろん〝樹木〟を表すのが基本となる。

たとえば、「木」を二つ組み合わせると【林《はやし》】で、〝樹木がたくさん生えている場所〟を表す。三つ組み合わせると【森《しん》】となるが、これを「もり」と訓読みして〝樹木がたくさん密集して生えている場所〟を指して使うのは、日本語独自の用法。本来は、微妙な違いだが、〝たくさんの樹木が茂っているようす〟を指す。ちなみに、日本語独自の用法として「もり」と訓読みする漢字には、【杜《と》】もある。

ちなみに、「木」を四つ組み合わせた漢字は、残念ながら存在しないらしい。ただ、《囗（くにがまえ）》（p83）には「圞《ゆう》」という漢字があって、〝草木の茂る庭〟を表すという。さらには、読み方も意味も同じで、「薗《ゆう》」という複雑な形をした漢字が、部首《艹（くさかんむり）》（p270）に存在している。

印を付けたり枝を折ったり…

【本《ほん》】は、「木」の下の方に横線を付けて、〝樹木の根元の方〟を指すのが本来の意味。逆に上の方に横線を付けて、〝樹木の先っぽ〟を意味するのが【末《すえ》】。樹木の一部分を指す漢字はほかにもたくさんあり、【根《ね》】【枝《えだ》】がわかりやすい例。【梢《こずえ》】は、以前は【梢《こずえ》】と書くのが正式で、〝枝の先端〟を指す。「箇《か》条《じょう》書《が》き」のように用いる【条《じょう》】は、本来は〝まっすぐ伸びた枝〟のこと。以前の正式な書き方は【條《じょう》】で、《木》が変わった位置に現れる漢字となっている。

「標《ひょう》識《しき》」の【標《ひょう》】は、もともとは〝高い枝先〟を表す漢字で、転じて〝目印〟という意味で使われる。【栞《しおり》】は、そもそもは〝枝を折って通り道の目印にしたもの〟を指す漢字。訓読みでは「耳朶《みみたぶ》」のように用いられる【朶《だ》】は、本来は〝花がついて垂れ下がった枝〟をいう。

「果《か》実《じつ》」の【果《か》】は、〝木の実〟を表す。【核《かく》】は、本来は〝木の実の真ん中にある、種を含む部分〟。また、〝樹木の皮がとがったもの〟を表すのが【棘《とげ》】である。

ここまで、当然のように「樹《じゅ》木《もく》」ということばを使ってきたが、【樹《じゅ》】は、〝大地から生えている木〟のこと。つまり、生きている状態の〝木〟を指す。

そこで、〝樹木の状態〟を表す漢字を見てみると、「未《み》来《らい》」の【未《み》】は、古代文字では図のような形で、〝樹木が伸びていく姿〟だと考えられている。「栄《さか》える」と訓読みする【栄《えい》】は、以前は【榮《えい》】と書くのが正式。成り立ちとしては、〝明るい花が樹木いっぱいに咲いている〟ことを表す。「清《せい》楚《そ》」の【楚《そ》】は、もともとは〝樹木が生い茂っている〟という意味らしい。

若い樹木の枝はしなやかで、曲げても簡単に折れたりはしない。「柔《じゅう》軟《なん》」の【柔《じゅう》】は、そのことを表す漢字。しかし、

樹木もやがて老いていき、「枯《か》れる」と訓読みする【枯《こ》】や、「朽《く》ちる」と訓読みする【朽《きゅう》】の登場となる。

なお、「様相《ようそう》」「人相《にんそう》」などの「相」は、もともとは〝木の状態を見る〟ことを表し、転じて〝状態〟を表すようになった。そこで、〝見る〟ことに関係する部首《目》（p142）に分類するのが、一般的となっている。

どれから先に食べようかな！

部首《木》は非常に多くの漢字を含む巨大な部首だが、その中でも大きなウェイトを占めるのは、さまざまな種類の〝樹木〟を表す漢字である。

【桃《もも》】や【栗《くり》】【柿《かき》】【梨《なし》】などは、折々においしい果実を付ける。食べられる実のなる樹木としては、ほかにも【梅《うめ》】や【棗《なつめ》】のほか、【李《り》】は〝スモモ〟、【橙《だいだい》】は〝オレンジ〟などたくさんある。

【橘《たちばな》】の実は、日本のものは酸っぱすぎて食用には適さないが、中国のものは食べられるらしい。【桜《さくら》】も、本来はサクランボを付ける種類のものを指すし、【榛《はしばみ》】の実は、いわゆるヘーゼルナッツ。なお、「梅」は以前は【梅《うめ》】と、「桜」は以前は【櫻《さくら》】と書くのが正式であった。

【杏《あんず》】も果樹の一つだが、「あんず」は「杏子《あんず》」とも書く。この「子」は、〝実〟のことで、アンズの実が食べられることを端的に示している。このように、「子」を付け加えて用いられるものとして、ほかに「柚子《ゆず》」の【柚《ゆう》】、「椰子《やし》」の【椰《や》】などがある。「蜜柑《みかん》」の【柑《かん》】も、本来は〝コウジ〟という果実のなる樹木を指し、「こうじ」は「柑子《こうじ》」と書かれる。「柑」を「こう」と読むのは、音読み「かん」が変化したもの。

果樹を表す漢字の中には、二文字一組で使われるものもある。【枇《び》】【杷《わ》】を組み合わせた「枇杷《びわ》」が、その代表的な例。【橄《かん》】【欖《らん》】を組み合わせた「橄欖《かんらん》」は、〝オリーブ〟のこと。【檸《ねい》】【檬《もう》】は〝レモン〟を表し、「檸檬」と書いて「レモン」と読む。「杞憂《きゆう》」の【杞《き》】は昔の中国の国名だが、本来は【枸《く》】と合わせて、実をつけ込んで「枸杞酒《くこざけ》」を作る〝クコ〟という樹木を表す。「杞」は、この場合には「こ」と音読みする。

また、【檎《ご》】は「林檎《りんご》」という形で使うのが基本で、やはり二文字一組で果樹を表す例。「石榴《ざくろ》」の形で使う【榴《りゅう》】も似たような例で、日本語「ざくろ」は、音読み「せきりゅう」が変化したもの。ただし、日本では「柘榴《ざくろ》」と書くこともある。この【柘】は「しゃ」と音読みする漢字だが、日本ではさらに、「柘植《つげ》」のように二文字一組にして、〝ツゲ〟を表す。

なお、【柰《な》】は「奈《な》」（p25）の本来の形で、もともとはリンゴの一種。また、【某《ぼう》】は、本来は「梅」と意味も発音も同じ漢字だったらしい。「某《ぼう》さん」「某所《ぼうしょ》」のように用いるのは、大昔の中国語で何かをなんとなく指すのに使うことばと発音が似ていたことから、当て字的に用いられたものである。

食べられなくても大丈夫

一方、【杉《すぎ》】や【桐《きり》】は、実を食べることはできないが、建築材や家具の材料として用いられる。この種の樹木を表す漢字も多く、【櫟《くぬぎ》】

【欅《けやき》】【樺《かば》】【楡《にれ》】【樅《もみ》】などもその例。【梧《ご》】はふつうは「梧桐《ごとう》」の形で用いられる漢字で、家具の材料などに使われる〝アオギリ〟のこと。【楠《くすのき》】は腐りにくいので、昔は船の材料として用いられたという。そのクスノキから採れる防腐剤「樟脳《しょうのう》」の【樟《しょう》】も、〝クスノキ〟を表す漢字。このほか、【楷《かい》】も建築材として使われる樹木だが、枝ぶりがきちきちしているところから、「楷書《かいしょ》」のように〝きちんとしている〟ことを表すようになった。

何かの材料になるということでいえば、【柳《やなぎ》】は枝を編んでかごなどを作るし、〝カワヤナギ〟という樹木を指す【楊《よう》】は、昔は「爪楊枝《つまようじ》」に使われた。【棉《わた》】からは実に含まれる繊維を使って糸を作るし、【楮《こうぞ》】は和紙の原料としてよく用いられる。「棕櫚《しゅろ》」という二文字一組で用いられる【棕《しゅ》】【櫚《ろ》】からは、樹皮の繊維を編んでたわしや縄が作られる。

樹木の利用法はまだまだある。【梔《くちなし》】はふつうは「子」を付けて「梔子《くちなし》」という形で使われる漢字。〝クチナシ〟の実からは黄色い染料が採れる。「檳榔樹《びんろうじゅ》」の形で用いられる【檳《びん》】【榔《ろう》】は〝ヤシ〟の仲間で、やはり実からピンク色の染料が採れる植物である。

【桑《くわ》】の葉っぱは、生糸を作る昆虫カイコのえさになるし、【松《まつ》】だって、樹液から油を作ったり、幹を「松明《たいまつ》」として利用したりする。「山椒《さんしょう》」の【椒《しょう》】は、一文字でもサンショウを表し、香辛料として使われる。

二文字一組で使われる【桔《き》】【梗《きょう》】は、部首《木》が付いているのに〝草〟を指す珍しい例。「桔梗《ききょう》」は秋の七草の一つで、根が漢方薬の材料になる。ただし、「梗」の本来の音読みは「こう」で、「脳梗塞《のうこうそく》」のように〝硬くなる〟という意味で使われることもある。

ところ変われば…

ところで、樹木を表す漢字には、中国語と日本語とでは別のものを指しているものも多い。たとえば【柏《はく》】は、日本では「かしわ」と訓読みして、葉っぱを「柏餅《かしわもち》」などに使うが、中国では建築材としても使われる常緑樹。日本では「むく」と訓読みして〝ムクノキ〟を指す【椋《りょう》】も、中国語では別の樹木である。

上質な材木として人気がある〝ヒノキ〟を表す【檜《かい》】も、厳密にいえば、中国では別の樹木。なお、この漢字は省略して【桧《かい》】と書かれることも多い。

中国での【楢《ゆう》】は、古い文献に出てくるだけなので、どんな樹木なのかはよくわからない。が、日本では、「なら」と訓読みして建築材としても使われる樹木を指す。【梛《な》】も同じく中国での意味はよくわからないが、日本では「なぎ」と訓読みする樹木の名前である。

【桂《けい》】も、日本語の「かつら」とは本来は別で、香料が採れる樹木。【栴《せん》】は、「栴檀《せんだん》」の形で用いられる漢字。もともとは香木の一種だが、日本では〝オウチ〟とも呼ばれる別の樹木を指して用いられる。

また、「あずさ」と訓読みする【梓《し》】は、日本では「梓弓《あずさゆみ》」ということばもあるように、昔、弓を作るのに使った樹木のこと。しかし、本来は〝キササゲ〟という樹木。また、【槻《つき》】【檀《まゆみ》】も、日本では弓の材料となる樹木だが、中国語では別の樹木を指しているらしい。

辞書編集者の悩みは深い…

日本では樹木の名前を表しているのに、もともとは樹木の名前ではなかった漢字もある。訓読みでは「椎茸《しいたけ》」のように使う【椎《つい》】は、本来は〝木づち〟のこと。形が似ているからか、「脊椎《せきつい》」のように〝背骨の一つ一つ〟を指すこともある。美しい森となって人びとに愛される「ぶな」と訓読みする【橅《ぼ》】は、中国では「模型《もけい》」の「模《も》」と同じで、〝木の型〟のことである。

【槙《てん》】は、以前は【槇《てん》】と書くのが正式。日本語では樹木の名前「まき」と訓読みするが、本来は〝枝の先端〟を指す。【梶《び》】も同じく〝枝の先端〟を意味する漢字だが、日本語では「かじ」と訓読みして樹木の名前を表したり、〝船の進行方向を決める道具〟を指して用いたりする。

【檮《とう》】はそもそもは〝切り株〟のことだが、日本語では「かし」と訓読みして、やはり樹木の名前。【橿《きょう》】も「かし」と訓読みするが、これについては、中国では別の木の名前を指すとする説と、中国でも〝カシ〟を指すとする説がある。

ちなみに、「とい」「ひ」と訓読みして〝水を流すための木製の管〟を指す【樋《とう》】は、もともとは樹木の名前。本来は樹木の名前だったものが、日本語ではそうではなくなった例である。

ある漢字がどのような樹木を指すかは、突き詰めていくと、時代や地域によっても変わる可能性もある。そのため、辞典によって説明が異なることも少なくない。漢和辞典としては、頭の痛い分野の一つである。

なお、【栃《とち》】や【樫《かし》】【榊《さかき》】【柾《まさき》】も樹木の名前を表す漢字だが、これらは日本で作られたオリジナルの漢字。【椙《すぎ》】は「杉《すぎ》」と読み方も意味も同じだが、これも日本語独自。【椛】も日本で作られた漢字で、「樺《かば》」の略字として使われたり、「もみじ」と訓読みして用いられたりする。

ちなみに、部首《木》は、【椿《つばき》】【榎《えのき》】【楸《ひさぎ》】【柊《ひいらぎ》】と四季を表す漢字すべてと組み合わさるおもしろい部首でもある。ただし、「楸」以外は、中国では日本とは別の種類の樹木を表す。

切って削って何かを作ろう!

さて、ここまでを振り返ってみると、部首《木》の漢字には、果実を食べたり幹や枝を材料に使ったりと、何かの役に立つ樹木が圧倒的に多い。【楓《かえで》】のように、もっぱら見て楽しむ樹木は、意外と少ない。なじみ深いものとしては、ほかには「木槿《むくげ》」の形で用いられることが多い【槿《きん》】があるくらいか。人間にとっての自然とは、本来、観賞するものではなく、利用するものであったことが改めて実感される。

ただ、考えてみれば、果実を食べるのは鳥だってすること。人間と樹木との関わりのポイントは、原材料として利用し、さまざまなものを生み出すところにこそある。漢字にもそれは当然ながら反映されていて、部首《木》の世界には、樹木を切り出して利用する〝材木〟に関係する漢字が大量に含まれている。その基本となるのが【材《ざい》】で、加工するために〝切り出された樹木〟を表す。

細長い〝材木〟は【棒《ぼう》】。それを体を支えるのに使えば【杖《つえ》】になり、ものに取り付けて手で持つ部分にすると【柄《え》】となる。餅つきに使う【杵《きね》】も棒の一種だし、「棍棒《こんぼう》」の【棍《こん》】は〝ずんぐりした棒〟をいう。

また、棒を地面に打ち込めば【杭《くい》】になる。現在では「桓《かん》武《む》天皇」くらいでしか使われないが、【桓《かん》】も、もともとは〝境界を示すために地面に打ち込んだ棒〟。薄っぺらいものを数える際に用いる【枚《まい》】も、本来は〝短い棒〟を表す。ちなみに、〝材木のとがった角〟を表す【棱《りょう》】という漢字もあるが、現在では、部首が《禾（のぎへん）》（p277）に変化した「稜《りょう》」の方が、一般的に使われる。

一方、平たい〝材木〟は【板《いた》】。これに文字を書くと【札《ふだ》】になる。「検査《けんさ》」の【検《けん》】は、以前は【檢《けん》】と書くのが正式。成り立ちには諸説があるが、〝重要書類に封をする際に用いた木の札〟を指すとする説が有力である。

「檄《げき》を飛《と》ばす」の【檄《げき》】は、本来は〝お役所が命令などを記すのに使った木の札〟。【榜《ぼう》】は〝立て札や看板〟を表す漢字で、「標榜《ひょうぼう》」とは〝看板として掲げる〟ことをいう。なお、「将棋《しょうぎ》」の【棋《き》】は、本来は〝四角形の木の板〟のことで、転じて、その板の上で行うゲームを指す。

使い方はいろいろです！

棒や板から発展すると、さまざまな〝木製の道具・器具〟が生まれる。たとえば、「木槌《きづち》」の【槌《つち》】は〝ものを打ち付ける道具〟。【栓《せん》】は〝容器や管などに取り付けて開け閉めする器具〟のことで、【楔《くさび》】は〝ものを固定するために差し込む器具〟。「権《けん》利《り》」の【権《けん》】は、以前は【權《けん》】と書くのが正式。成り立ちには諸説あるが、本来は〝重さを量る道具〟を指していたらしい。「模型《もけい》」の【模《も》】は、〝木製の型〟のこと。

木製の容器を表す漢字も多い。【杯《さかずき》】や【椀《わん》】といった比較的小さいものもあれば、【桶《おけ》】や【樽《たる》】、「水槽《すいそう》」の【槽《そう》】、「米櫃《こめびつ》」の【櫃《ひつ》】などの比較的大きなものもある。【枡《ます》】は、日本で作られた漢字で、〝お米やお酒などの分量を量る容器〟のこと。【桝《ます》】と書いても、同じものを指す。

【概《がい》】は、以前は【槪《がい》】と書くのが正式。本来は〝枡でお米などを量るときに、余分な部分をすり落とすための木の棒〟のこと。転じて、「概説《がいせつ》」「大概《たいがい》」のように〝おおよその〟という意味で使われるようになった。ちなみに、〝たらい〟を指す【槃《はん》】という漢字もあるが、現在では、古代インド語に対する当て字として、仏教の〝悟りの境地〟のことをいう「涅《ね》槃《はん》」で使われるくらいである。

　道具や器具の中には、もちろん家具も含まれる。【机《つくえ》】や【棚《たな》】がその例。「棚」は、以前は正式には【棚《たな》】と書いた。【案《あん》】も本来は〝机〟を表す漢字。〝机の上で考える〟ところから、「提案《ていあん》」のような〝考え〟という意味が生まれた。また、【枕《まくら》】に《木》が付いているのは、昔の〝まくら〟は木製だったから。ちょっと縁起はよくないが、「棺桶《かんおけ》」の【棺《かん》】や「霊《れい》柩車《きゅうしゃ》」の【柩《きゅう》】も、広い意味では家具の一種だろう。


道具のことなら任せなさい！

　ほかにも、【槍《やり》】や【楯《たて》】のような武器もあれば、髪をとかす【櫛《くし》】もある。【楽《がく》】は、以前は【樂《がく》】と書くのが正式。古代文字では図のような形で、〝木の取っ手がついた楽器〟の絵だという。「授業《じゅぎょう》」の【業《ぎょう》】は、本来は〝いろいろな楽器を掛けておく、ギザギザの木の板〟を表していたと考える説が有力。ギザギザのイメージから、〝苦労して行うこと〟を意味するようになったらしい。

　【枷《かせ》】は〝体に取り付けて動けなくする器具〟。【桎《しつ》】【梏《こく》】も同じ意味の漢字で、「社会の桎梏《しっこく》に縛られる」のように比喩的に用いられる。「機械《きかい》」の【機《き》】は〝複雑なしくみを持つ装置〟だが、【械《かい》】の方は、やはり本来は〝体に取り付けて動けなくする器具〟。この意味の漢字がたくさんあるのは、〝かせ〟がそれだけよく使われていたということだろうか。

　このほか、【棹《さお》】【櫂《かい》】は、どちらも〝船を漕ぐ道具〟のこと。

　雪の上をすべる【橇《そり》】という漢字もある。ついでながら、〝木で作った囲い〟を表す【枠《わく》】は、日本で作られた漢字である。

　ところで、〝果樹〟を表す漢字には、〝果実〟を意味する「子」を付け加えて使われるものがあったが、同じように、〝道具・器具〟を表す漢字にも、「子」を添えて使われるものが存在する。「椅子《いす》」の【椅《い》】、「梃子《てこ》」の【梃《てい》】、「杓子《しゃくし》」の【杓《しゃく》】などがその例。この場合の「子」は、〝道具・器具〟であることを表すはたらきをしていると説明される。

　「梯子《はしご》」の形で使われる【梯《てい》】は、一文字でも〝はしご〟を表す漢字。「資格《しかく》」「人格《じんかく》」「厳格《げんかく》」などの【格《かく》】は意味を説明しにくい漢字だが、根本には〝はっきりと区切る〟という意味合いがあり、これも「格子《こうし》」をイメージするとわかりやすい。なお、「格」を「こう」と読むのは、音読みが「かく→かう→こう」と変化したものである。


もっと大きなものを作りたい…


　以上のような〝道具・器具〟を表す漢字とはまた別に、部首《木》の中には、〝木造の建築物〟に関連する漢字もある。【橋《はし》】がその代表的な例。「桟橋《さんばし》」の【桟《さん》】は、以前は【棧《さん》】と書くのが正式で、もともとは〝木を組んで崖などに作った通り道〟を指す漢字。また、「楼閣《ろうかく》」の【楼《ろう》】は、以前は【樓《ろう》】と書くのが正式で、〝二階建て以上の建築物〟をいう。

　なお、「火《ひ》の見櫓《みやぐら》」のように使う【櫓《やぐら》】も〝材木を高く組み上げた建築物〟を指すが、「ろ」と音読みして〝船を漕ぐ道具〟を指すこともある。

ただし、世の中にはいろいろな建築物がある割には、部首《木》には、〝建築物〟そのものを指す例はあまり多くはない。さまざまな種類の建築物を表す漢字は、《宀（うかんむり）》（p71）や《广（まだれ）》（p69）の方が本家。むしろ、《木》には、【柱】《はしら》のように〝建築物の部品〟を指す漢字が多く含まれている。

たとえば、「橋桁《はしげた》」の【桁】《けた》は、本来は〝柱の上に渡した横木〟のこと。「棟木《むなぎ》」の【棟】《むね》は、〝屋根の一番高い部分〟。「極《きょく》端《たん》」の【極】《きょく》についても、本来は〝棟木〟を指す漢字だったと考える説が優勢である。

【横】《よこ》は、以前は、「卄」の形を「廿」にした【横】《よこ》と書くのが正式。もともとは、門に横向きに取り付けた〝かんぬき〟を指す。「中枢《ちゅうすう》」の【枢】《すう》は、以前は【樞】《すう》と書くのが正式で、〝扉の回転軸〟や〝扉の回転軸の軸受け〟のこと。転じて、〝ものごとの運動の中心〟という意味で使われる。

また、【欄】《らん》は、以前は「東」を「柬」とした【欄】《らん》と書くのが正式で、そもそもの意味は〝手すり〟。落ちないように手すりでまわりを囲むところから、「欄外《らんがい》」のような意味が生じた。同じようにまわりを囲むのでも、【柵】《さく》は、出入りできないようにするためのもの。【檻】《おり》の場合は、逃げられないようにするのが目的となる。これらの〝建築物の部品〟を表す漢字には、材木が素材として役立つことが、よく現れているといえるだろう。

なお、【梁】《りょう》は、「はり」と訓読みして〝柱の上に渡した横木〟を指すこともあるが、「橋梁《きょうりょう》」のように〝橋〟を表すのが、本来の意味。〝水〟を表す部首《氵（さんずい）》（p318）が含まれていることが、それを示している。

ここまで、部首《木》の漢字の世界を、地面から生えている〝樹木〟と、それを切り出した〝材木〟という、大きく二つの観点から眺めてきたわけだが、「朱色《しゅいろ》」の【朱】《しゅ》は、その中間に位置する漢字。本来は〝樹木を切り倒した後に残った部分〟を指し、後に、切り倒したばかりの切り口の〝鮮やかな赤色〟をいうようになった。その結果、もとの意味を表す漢字として作られたのが【株】《しゅ》で、訓読みでは「切《き》り株《かぶ》」のように用いる。

また、【柴】《しば》は〝切り取った枝〟。【朴】《ぼく》【樸】《ぼく》は、どちらも〝切り出したばかりの材木〟を表す漢字で、〝手を加えていない〟〝飾り気がない〟という意味で用いられる。「素朴《そぼく》」「素樸《そぼく》」がその例。ただし、「朴」は「ほお」と訓読みして樹木の〝ホオノキ〟を指すこともある。

ついでながら、【杣】《そま》は日本語オリジナルの漢字で、〝材木を切り出す山〟を表す。

暮らしは木々とともにある

以上のほか、〝樹木・材木に関する行動〟を表す漢字もある。【植】《しょく》は「植《う》える」と訓読みするし、「栽培《さいばい》」の【栽】《さい》は〝樹木を育てる〟こと。

【樵《しょう》】は、〝樹木を伐採する〟ことを表す漢字で、訓読みして「木樵《きこり》」の形で使われることが多い。「こり」は、〝樹木を伐採する〟という意味の古語「こる」に由来する。「分析《ぶんせき》」の【析《せき》】は、本来は〝材木を割る〟という意味。「架《か》線《せん》」の【架《か》】は〝材木を差し渡す〟ことで、「構造《こうぞう》」の【構《こう》】は〝材木を組み合わせる〟こと。【校《こう》】も、もともとは〝材木を交差させて組み上げる〟という意味だったと思われる。「学校《がっこう》」のように使われるようになった経緯については、諸説があってはっきりしない。

また、「束《たば》ねる」と訓読みする【束《そく》】は、〝いくつかの材木をひとまとめにして縛る〟ことを指す。ちなみに、「梱包《こんぽう》」の【梱《こん》】は〝荷造りする〟という意味だが、これは日本語独自の用法。本来は、〝木でできた門の敷居〟を指す。

「棲《す》む」と訓読みする【棲《せい》】も、〝樹木に関する行動〟の例。ただし、本来は行動するのは人間ではなく、〝鳥が木に巣を作る〟ことを表す漢字。転じて、〝人間が暮らす〟という意味でも用いられる。意味も読み方も「棲」と同じ漢字に【栖《せい》】がある。

ちなみに、「巣《す》」も《木》から派生した漢字だが、以前は「巢《す》」と書くのが正式で、部首は形の上から便宜的に《巛(まがりがわ)》(p327)に分類されていた。現在の形には《巛》は含まれていないので、《ツ(つ)》(p364)に分類されている。

なお、【村《そん》】は、〝木がたくさん生えていて、人間が暮らしている場所〟を指す。

流れ者もけっこういるぜ!

なお、多くの部首と同じように、《木》にも、形の上から便宜的に分類された漢字も含まれている。巨大な部首であるだけに、その数もまた少なくない。

たとえば、「廃棄《はいき》」の【棄《き》】は、もともとは〝生まれてきたばかりの子どもを捨てる〟という意味だったという。古代文字では図のような形で、下の方には、〝両手〟を表す《廾(にじゅう)》(p187)の古代文字「」が見える。

【来《らい》】は、以前は「來《らい》」と書くのが正式。部首としては、形の上から便宜的に《人》(p14)に分類されている。本来の意味は穀物の〝ムギ〟。古代文字では図のような形で、〝ムギ〟の絵から生まれた漢字だと考えられている。訓読み「来《く》る」のような意味で使うのは、大昔の中国語では〝来る〟という意味のことばと発音が似ていたことから、当て字的に用いられたものと考えられている。その結果、〝ムギ〟を表す漢字として、新たに「麥《むぎ》」が作られた。「麦《むぎ》」の以前の正式な書き方である。

また、【東《ひがし》】については、《木》と「日」を組み合わせて〝木の向こうから太陽が昇る方向〟を指す漢字だ、と昔から考えられてきた。しかし、古代文字では図のように書くので、《木》と「日」に分解する

のはむずかしい。現在では、これはもともとは〝上下を縛った袋〟を表す漢字で、大昔の中国語では方角の〝ひがし〟を指すことばと発音が似ていたことから、当て字的に転用されたものと説明されている。

なお、「染《そ》める」と訓読みする【染《せん》】も、部首としては《木》に分類されるが、意味から考えると、〝水〟を表す《氵(さんずい)》(p318)を部首とする方がふさわしいかもしれない。「行方《ゆくえ》が杳《よう》としてつかめない」のように用いる【杳《よう》】も、本来は〝暗くて見えない〟という意味なので、《日》(p332)を部首とする方が適切か。【梟《ふくろう》】も同様に考えると《鳥》(p237)を部首としたいところだが、《鳥》の一部分が欠けているので、やむをえず《木》に分類されている。

最後に、成り立ちがはっきりしないものを挙げておく。「検査《けんさ》」の【査《さ》】は、成り立ちには諸説があり、現在のような意味になった経緯もよくわからない。「模様《もよう》」の【様《よう》】も同様。以前の正式な書き方は【樣《よう》】で、もともとはある樹木の実を指したともいうが、異説もある。

「楕円《だえん》」の【楕《だ》】についても、〝形の崩れた木〟〝斜めに切った木の切り口〟〝丸くて細長い木の器〟など、本来の意味には諸説がある。仏教で使う「梵字《ぼんじ》」の【梵《ぼん》】は、古代インド語に当て字するために作られた漢字だとも、そもそもは〝風〟という意味だったともいう。

艸

[名称]くさ
[意味]草

かなり強引なのですが…

【艸《そう》】は、古代文字では図のように書き、〝二本の草が生えている形〟。

漢字としては「草《そう》」と読み方も意味も同じで、部首としても〝草〟を表す。ただし、ほとんどの場合は、漢字の上部に置かれて、省略されて《艹(くさかんむり)》(次項)になるので、《艸》をそのままの形で含んでいる漢字は、ほとんどない。

それでもあえて例を挙げると、【芔《き》】は〝草〟を表し、【茻《もう》】は〝草がたくさん生えている〟という意味、といった具合。「芔」は、〝草花〟という意味の熟語「花卉《かき》」で使われる「卉《き》」の本来の形。「卉」は、部首《廾(にじゅう)》(p187)に分類されている。

現在でも使われている漢字としては、家畜のえさとしての〝干し草〟を表す【芻《すう》】がある。「反芻《はんすう》する」とは、牛が干し草を何度もかみ直すように〝何度も繰り返して考える〟こと。意味の上で〝草〟と関係があるが、「艸」が縦に分かれて収まっているので、部首を《艸》とするのはかなり強引。せめて、〝草が生える〟ことを意味する部首《屮(てつ)》(p290)に分類した方がよいように思われる。

艹

［名称］くさかんむり、そうこう
［意味］①草 ②さまざまな植物 ③植物の一部分 ④植物の成長・状態 ⑤植物に関係する行動 ⑥植物を使って作り出すもの ⑦その他

《艸(くさ)》(前項)が漢字の上部、「かんむり」の位置に置かれたときの形。漢和辞典では、《艹》の漢字も部首《艸》の中に含めて扱うのが一般的。《艹》は3画だが、漢和辞典の部首配列では6画の《艸》のところに一緒になっているので、注意が必要である。

《艸》の形を単純化したものなので、本来は、真ん中で二つに分けて、4画の《艹》と書くのが正式な形。ただし、昔から続けて書く《艹》の形も使われてきていて、現在ではこちらの方が主流となっている。

目を楽しませるものよりも…

部首としては〝草〟を表すのが基本で、【草《くさ》】はもちろんその代表。「くさかんむり」という名称は、「草」の「かんむり」の位置に現れることから。また、漢字「艸《そう》」が〝草〟を表すところからだとも考えられる。なお、ちょっと古い辞書に載っている「そうこう」という名前は、「草冠」を音読みした「そうかん」が変化したものである。

《艹》は、非常に多くの漢字を生み出す、漢和辞典で最大級の部首である。その主力を担うのは、〝草〟を中心としてさまざまな種類の〝植物〟を具体的に示す漢字。あまりに数が多すぎて、どこから手を付ければよいか迷ってしまうが、まずは、花が印象的なものから始めてみよう。

【菊《きく》】や【葵《あおい》】は、大きく華やかな花を咲かせる。一方、【菫《すみれ》】や【萩《はぎ》】【薊《あざみ》】といった可憐な花もある。【藤《ふじ》】【葛《くず》】も、花が美しいつる性の植物。【萱《かん》】は、その花を眺めると心配事を忘れるという〝ワスレグサ〟を表し、「萱草《かんぞう》」とはワスレグサの仲間をまとめて指す。なお、「藤」は、以前は正式には【藤《ふじ》】と書いた。

美しさでいえば、愛好家の多い【蘭《らん》】を忘れてはいけない。以前は、「東」を「柬」にした【蘭《らん》】と書くのが正式で、もともとは〝フジバカマ〟を指す漢字だったようである。

【蓮《はす》】は、以前は「辶」を「⻌」とした【蓮《はす》】と書くのが正式。花も美しいが、「蓮根《れんこん》」の印象も強い。【薺《なずな》】は春先に淡い花を咲かせるが、春の七草の一つとして、おかゆに入れて食べることもある。

訓読みでは「菜《な》の花《はな》」のようにも用いられる【菜《さい》】は、以前は【菜《さい》】と書くのが正式で、「野菜《やさい》」のように〝食べられる草〟全般を指す方が本来の意味。どうやら、早くも「花より団子」状態になってきたようである。

おなかにたまるものがいい！

そこで、方向を転換して、食べられる草を挙げてみよう。ただし、主食としての穀物は、《米》(p280)《麦》(p281)《豆》(p283)のように、それぞれが独立した部首となる。そこで、《艹》に含まれるものは、野菜が中心になる。

代表的な例は【芋《いも》】で、本来は特に「里芋《さといも》」を指す。〝イモ〟を意味する漢字には、【薯《しょ》】【藷《しょ》】もあり、「馬鈴薯《ばれいしょ》」は〝ジャガイモ〟、「甘藷《かんしょ》」は〝サツマイモ〟をいう。

【茄《か》】は〝ナス〟を指す漢字で、ふつうは〝実〟を表す「子」を添えて、「茄子《なす》」の形で用いられる。【葱《ねぎ》】も、食卓には欠かせない野菜。【蕪《かぶ》】や【蕗《ふき》】【芹《せり》】【蕨《わらび》】なども、折々の食卓を彩ってくれる。【薇《び》】は山菜の一種で、日本では〝ゼンマイ〟を指して使うことがある。

ちょっと珍しいところでは、【菱《ひし》】は水辺に生える植物。その実はまさに「菱形《ひしがた》」をしていて、ゆでると食べられる。【蒜《ひる》】も、食用となる香草。「大蒜」と書いて「にんにく」と読むこともある。なお、「韮《にら》」も野菜の一つだが、《韮(にら)》(p284)というかなりマニアックな部首があるので、そちらに分類されるのが一般的である。

野菜からは少し外れるが、【芥《かい》】は〝カラシナ〟を指す漢字。その実から作る調味料が〝カラシ〟で、「芥子」の二文字で「からし」と読む。また、「蓼《たで》食う虫も好き好き」とはいうものの、【蓼《たで》】も和食の香辛料として使われる。

からいのとは逆に、甘い〝サトウキビ〟を表すのが【蔗《しょ》】。また、甘いといえば果物の【苺《いちご》】もあり、【莓《いちご》】と書いても、意味も読み方も同じである。

【茶《ちゃ》】は、ふつうは食べるのではなく、飲みものにする。【茗《めい》】も本来は〝お茶〟を表すが、日本語では「みょう」と音読みして、「茗荷《みょうが》」の形で野菜の一つを表すことが多い。

舟だって作れるんです!

食べられなくても飲めなくても、役に立つ草はたくさんある。【藍《あい》】や【茜《あかね》】は、染料の原材料になる。【菅《すげ》】は編んで「菅笠《すげがさ》」にするし、【茅《かや》】は「茅葺《かやぶ》き」の屋根になる。【菰《こも》】は、むしろを編むのに使う草。現在ではふつうは「まこも」と呼ばれ、「真菰《まこも》」と書き表す。ついでながら、中国人の姓に見られる【蔣《しょう》】も、同じ植物を表す漢字。省略して【蒋《しょう》】と書くこともある。

畳の材料になる草は【藺《い》】で、ふつうは「藺草《いぐさ》」の形で使われる。【芯《しん》】も本来は〝イグサ〟を表す漢字で、昔は、灯火の中心にある火を付ける部分に使われたところから、広く〝中心〟を指すようになった。

〝イグサ〟を表す漢字には、もう一つ【莞《かん》】もあるが、現在では、「莞爾《かんじ》としてほほえむ」のように〝にっこりする〟ようすを表す擬態語として使われる。これは、大昔の中国語では〝にっこりする〟ようすを表すことばと発音が似ていたところから、当て字的に転用されたものと思われる。

【葦《い》】は、訓読みでは「あし」。ストロー状の茎を持つ水辺の草で、軽いので、簡便な舟を作る材料などとして使われる。【蘆《ろ》】も同じ草を指し、やはり「あし」と訓読みする。地名や姓などで用いられる【芦《ろ》】は、「蘆」を省略して書いた漢字である。

このほか、【蒲《がま》】も水辺に育つ草で、綿状のいわゆる「蒲《がま》の穂《ほ》」は、昔は「蒲団《ふとん》」の詰め物などに使われた。

見るといろいろ感じるでしょ?

何かの役に立つわけではないが、独特の雰囲気を醸し出す植物もある。【芒《すすき》】や【荻《おぎ》】が茂る野原は、なんともいえずわびしい。【葎《むぐら》】も同じで、「葎《むぐら》の宿《やど》」といえば〝荒れ果てた家〟を指す。【蔦《つた》】を這わせた壁は四季折々に美しいし、【苔《こけ》】の生えた庭には風情がある。【茨《いばら》】は〝トゲのある背の低い木〟を広く指す漢字で、「茨《いばら》の道《みち》」のようにたとえとして使われる。「いばら」と訓読みする漢字には【荊《けい》】もあり、「荊棘《けいきょく》」とは〝イバラのトゲ〟のことをいう。

【蓬《ほう》】は、日本では「よもぎ」と訓読みして草餅の材料にする植物だが、中国では〝アカザ〟という草の一種を指す。枯れて風に吹かれて転がるのを「転蓬《てんぽう》」といって、漢詩では、秋のどことなく落ち着かない思いを表す風物詩。ちなみに、「蓬莱《ほうらい》」とは仙人が住むという伝説上の山の名前だが、【萊《らい》】も〝アカザ〟の一種を表す漢字である。

以上のほか、現在の科学的な分類では植物ではないが、【茸《きのこ》】も《艹》のメンバー。漢字を生み出した人びとは、〝キノコ〟も〝草〟の一種だと考えていたのだろう。「鯨《くじら》」は哺乳類なのに《魚》(p240)が付いているのと同じである。

もともとは〝キノコ〟を表していた漢字は、ほかにもある。「細菌《さいきん》」の【菌《きん》】も、その一つ。また、日本語では「しば」と訓読みする【芝《し》】も、本来は〝キノコ〟の一種。ついでながら、水の中に生える【藻《も》】も、現在の生物の分類では、植物とは別のカテゴリーに属している。

一人でいるのはさみしいなあ…

ところで、《艹》の漢字には、二文字合わせてある植物を表すものも多い。「葡萄《ぶどう》」の形で使う【葡《ぶ》】【萄《どう》】をはじめ、「芭蕉《ばしょう》」の【芭《ば》】【蕉《しょう》】、「芙蓉《ふよう》」の【芙《ふ》】【蓉《よう》】などがその例。【茉《まつ》】【莉《り》】を組み合わせた「茉莉」は、人名では「まり」と読むことが多いが、「まつり」と読むのが本来の音読みで、〝ジャスミン〟を表す。

【茱《しゅ》】【萸《ゆ》】は、〝グミ〟という植物を表すので、「茱萸」と書いて「ぐみ」と読んでしまうことが多い。【苜《もく》】【蓿《しゅく》】も同様に、「苜蓿」と書いて「うまごやし」と読まれる。

【菖《しょう》】は一文字でも〝ショウブ〟を指すが、「菖蒲《しょうぶ》」の二文字で使われるのが一般的。【芍《しゃく》】は、「芍薬《しゃくやく》」という形で用いられる。【薔《しょう》】はもともとは水草の〝タデ〟を表す漢字だというが、「薔薇《しょうび》」の二文字になると〝バラ〟を表す。「薔薇」と書いて「ばら」と読むのは、あまりにも有名だろう。

《艹》以外の漢字と結びついて使われるものもある。【蕎《きょう》】は、一文字でも〝ソバ〟を指すが、一般的には「蕎麦」の二文字で「そば」と読む。「茘枝《れいし》」とは果物の〝ライチ〟のこと。【茘《れい》】は、一文字だと〝アヤメ〟の一種を指すという。

二文字一組である植物を指すものの中には、現在ではかな書きすることが多く、あらためて漢字で書くとびっくりするようなものもある。〝コンニャク〟を【蒟《こん》】【蒻《にゃく》】の二文字で書くのなどはまだましな方で、〝ホウレン草〟は、【菠《は》】【薐《りょう》】を使って「菠薐草《ほうれんそう》」と書く。「ほうれん」と読むのは、比較的新しい時代の中国語の発音が変化したもの。

また、〝ヒマシ油〟は【蓖《ひ》】という漢字を用いて「蓖麻子油《ひましゆ》」と書く。ついでながら、【萵《わ》】【苣《きょ》】は二文字で〝チシャ〟という草を表すので、「萵苣」と書いて「ちしゃ」と読む。〝チシャ〟とは、〝レタス〟のことである。

すっかり変わってしまったぜ…

ここまで、さまざまな種類の植物を表す漢字を次から次へと紹介してきた。

しかし、中には、そもそもはある植物を表す漢字だったのに、現在では別の意味で使われるものも存在している。

たとえば、【苦《く》】は、本来は〝ニガナ〟という植物を表す漢字だが、その味から、訓読み「苦《にが》い」「苦《くる》しい」のような意味となった。「苛酷《かこく》」の【苛《か》】についても、本来は〝とげで肌を傷つける植物〟だとか〝刺激の強い味がする植物〟を指した、という説がある。

訓読みでは「荷物《にもつ》」のように使われる【荷《か》】は、もともとは〝ハス〟を表す漢字。大昔の中国語では〝ものを担ぐ〟ことを表すことばと発音が似ていたことから、当て字的に使われて意味が変化したものと考えられている。また、現在ではあまり使われない漢字だが、「苟《いやしく》も」と訓読みして〝もし仮に〟という意味を表す【苟《こう》】についても、本来はある種の植物を指していたと考える説が強い。

なお、〝火葬にする〟ことを改まっていう「荼毘《だび》に付《ふ》す」の「荼毘」は、古代インド語に対する当て字。【荼《だ》】は、もともとは〝ニガナ〟を指す漢字である。

単なる〝草〟では終わらない

さて、話は変わるが、一般的には、幹や枝がしっかりしている植物を「木」、そうでない植物を「草」と呼ぶ。漢字の世界でいうと、部首《木》（p260）はもちろん〝木〟を表し、部首《艹》は、〝草〟を表す、というふうにだいたいは分けることができる。

ただし、《艹》には、【花《はな》】【葉《は》】【芽《め》】のように、草木を問わず〝植物の一部分〟を指す漢字がたくさん含まれている、という特徴がある。【茎《くき》】ももちろんその一例。以前は【莖《くき》】と書くのが正式であった。

ほかにも、【蕾《つぼみ》】は〝咲く前の状態の花〟。【萼《がく》】は〝花びらの外側にあって、蕾のときに花全体を守っているもの〟。たいていの萼は花が咲くと目立たなくなり、実になったときには【蔕《へた》】へと姿を変える。

理科の植物観察のようになってくるが、〝おしべ〟や〝めしべ〟を指す【蕊《ずい》】という漢字もある。【蘂《ずい》】と書いても、同じ意味。「しべ」と訓読みして「雄蕊《おしべ》」「雄蘂《おしべ》」のように使われる。さらには、〝おしべの先端にあって花粉を生み出す部分〟を【葯《やく》】という。

【莢《さや》】は、マメ科の植物で〝豆を包んでいる袋〟のこと。「お菓子《かし》」の【菓《か》】は、本来は〝草や樹木の実〟を指す。【蔓《つる》】は〝やわらかくて、何かに巻き付いて成長する茎〟。また、見慣れない漢字だが、【薹《とう》】は〝葉をほとんど付けず、花だけを付ける茎〟のこと。「蕗《ふき》の薹《とう》」は食材にもなるのでよく知られている。

このように、《艹》は、植物を細かい部分でよくとらえている。そこで、〝草〟を表すという本来の意味を超えて、〝草〟と〝木〟の区別を問わず、〝生きもの〟としての植物に関心が高い部首だということもできる。《木》は〝材木〟に関する漢字を多く含み、植物を〝利用するもの〟として見ている側面があるのとは、対照的である。

植物の成長のサイクル

そのような観点からすると、《艹》には〝植物の成長〟や〝植物の状態〟を表す漢字が多く含まれていることも、注目される。

たとえば、近年、訓読み「萌《も》える」がよく使われる【萌《ほう》】は、〝芽を出す〟こと。「萌」は、【蓢《ほう》】と書かれることもある。

〝育ち始めたばかりの植物〟は、【苗《なえ》】で表す。「茂《しげ》る」と訓読みする【茂《も》】は、〝成長して枝葉をたくさん付ける〟こと。成長した植物は、やがて花を咲かせる。【華《はな》】は、本来は〝咲き乱れる花〟を指す漢字。【英《えい》】は、特に〝美しく咲く花〟をいう。

〝花がよい香りを漂わせる〟ことを表すのが、「芳香《ほうこう》」の【芳《ほう》】。「薫《かお》る」と訓読みする【薫《くん》】は、以前は【薰《くん》】と書くのが正式で、本来は〝草を燃やして香りを漂わせる〟こと。【芬《ふん》】は〝香りが強く漂う〟という意味で、「芬々《ふんぷん》たるバラの香《か》」のように使われる。

枝葉を茂らせ、花を咲き誇らせた植物も、生命力が衰える時がやってくる。それを表すのが、「萎《しお》れる」と訓読みする【萎《い》】。【落《らく》】も、もともとは〝葉が散る〟ことをいう。

とはいえ、季節がめぐると、植物はまた活力を取り戻す。「蘇《よみがえ》る」と訓読みする【蘇《そ》】の成り立ちについては諸説があるが、植物のそういう性質と関連づけて考えるのが自然ではないかと思われる。

自然のままに任せていると…

【蕃《ばん》】は、「茂」と同じ意味の漢字だが、〝茂り放題〟というイメージがあり、〝文明が発達していない〟という意味にもなる。昔は、「蕃族《ばんぞく》」のように〝異民族〟を指すのに用いられた。

一方、【萃《すい》】は〝植物が集まって生える〟ことを表す漢字。こちらは〝よいものが集まる〟というイメージがあるようで、「抜萃《ばっすい》」のように〝すぐれたもの〟という意味で使われる。ただし、現在では「抜粋《ばっすい》」と書くのがふつうである。

また、「荒野《こうや》」の【荒《こう》】は、〝雑草が生い茂る〟こと。「顔面《がんめん》蒼白《そうはく》」の【蒼《そう》】は〝黒みを帯びた青色〟を指す漢字だが、もともとは〝生い茂った草の色〟だったのではないかと思われる。「蘊蓄《うんちく》」の【蘊《うん》】は、本来は〝熱気がこもる〟ことを意味する漢字で、生い茂った草の〝草いきれ〟を感じさせる。

少し角度を変えると、「御苑《ぎょえん》」の【苑《えん》】は〝草木が茂る庭〟。

訓読みでは「その」と読む。固有名詞で使われることがある【薗《その》】も、ほぼ同じ意味。さらには、同じ意味を表す【囿《ゆう》】という複雑な漢字もある。【荘《そう》】は、以前は【莊《そう》】と書くのが正式で、〝草が茂っているような〝いなかの住居〟。草が茂りすぎると【藪《やぶ》】になり、日光を遮ると【蔭《かげ》】ができる。

「遮蔽《しゃへい》」の【蔽《へい》】は、本来は〝草におおわれて見えなくなる〟ことを表す漢字。【蒙《もう》】ももともとは似たような意味で、転じて〝頭のはたらきが鈍い〟ことをも表す。「啓蒙《けいもう》」とは、〝知識のない人に知識を与える〟こと。

このほか、「茫然《ぼうぜん》」の【茫《ぼう》】は、本来は〝草や木の生えた大地が広がっている〟こと。「薄《うす》い」と訓読みする【薄《はく》】も、そもそもは〝草の生えた広い大地〟を表すというが、現在のような意味になった理由は、よくわからない。

また、「莫大《ばくだい》」の【莫《ばく》】は、古代文字では図のような形で、〝草の生えた広い大地に太陽が沈む〟ことを表す。

大昔の中国語では否定の意味を表すことばと発音が似ていたので、当て字的に〝○○ではない〟という意味で用いられる。代わりに、〝太陽が沈む〟ことを表すために《日》(p332)を付け加えたのが、「暮《ぼ》」である。

なお、【蕭《しょう》】は、「蕭々《しょうしょう》」の形で用いられて、〝雨がさみしく降ったり、風がさみしく吹いたりするようす〟を表す擬態語。《艹》が付いているからには、雨に打たれたり風に吹かれたりする植物のイメージがあることと思われる。

以上のように見てくると、《艹》には〝草木が生い茂る〟という意味合いを持つ漢字が多いことに気づく。「葬《ほうむ》る」と訓読みする【葬《そう》】もその例で、〝草木が生い茂る中に死体を置く〟ところから生まれた漢字だという。人間が植物に対して抱くイメージの根底には、〝人間の手が届かない〟という思いがあるのかもしれない。

ときには手入れもしなくては！

とはいえ、植物の営みに人間が関与することも、もちろんある。「園芸《えんげい》」の【芸《げい》】は、以前は【藝《げい》】と書くのが正式で、〝草木を育てる〟という意味。ただし、「芸」は昔は「うん」と音読みし、〝ヘンルーダ〟という香草を表す漢字として使われていた。

「種《たね》を蒔《ま》く」のように訓読みする【蒔《じ》】や、「草《くさ》を薙《な》ぐ」のように訓読みする【薙《ち》】も、人間が草や木の生活に手を加える例。「貯蓄《ちょちく》」の【蓄《ちく》】は、本来は〝収穫した野菜を取っておく〟ことだという。「収蔵《しゅうぞう》」の【蔵《ぞう》】は、以前は【藏《ぞう》】と書くのが正式。本来は〝草を取っておく〟という意味だという説があるが、〝草でおおって隠しておく〟ことだともいう。

【茹《じょ》】の本来の意味は、〝野菜を食べる〟こと。日本では変化して、「茹《ゆ》でる」と訓読みして使われる。「蒸発《じょうはつ》」の【蒸《じょう》】は、もともとは〝草を燃やして湯気を生じさせる〟ことを意味していたかと思われる。

人間が植物から作り出すものを表す漢字は、部首《木》の方に多いが、《艹》にもないわけではない。【藁《わら》】は〝草を刈り取って乾燥させたもの〟。「藁葺《わらぶ》き屋根《やね》」のように用いる【葺《しゅう》】は、〝草で屋根をおおう〟という意味。〝藁で何かを包んだもの〟を「藁苞《わらづと》」というが、【苞《ほう》】は〝藁で包む〟こと。また、【薪《たきぎ》】は、〝燃料にするために切り出した木〟を表す。

【蓆《むしろ》】は〝草を編んで作った敷物〟で、【蓑《みの》】は〝草を編んで作った雨具〟。ちなみに、「頭蓋骨《ずがいこつ》」の【蓋《がい》】は、訓読みすれば「ふた」で、これも本来は草を編んで作った〝ふた〟を指していたらしい。

【苫《とま》】はもう少し大がかりで、〝草を編んで作った簡単な屋根〟。さらにしっかりしたものが【蔀《しとみ》】で、〝太陽の光や雨風などをさえぎるための板戸〟を指す。なお、【藩《はん》】は、本来は〝生け垣〟を指す漢字。江戸時代の「〇〇藩《はん》」のように用いるのは、王や皇帝・天皇の家を敵から守るところから、転じたものである。

このほか、植物から作り出すものとして、忘れてはならないのが【薬《くすり》】。以前は【藥《くすり》】と書くのが正式であった。

いったいどういうご関係？

以上、《艹》の漢字を眺めてきたわけだが、その広大な世界は、さまざまな種類の草を中心として、植物の営み全体に広がっている。ただ、中には、現在では植物との関係がよくわからなくなってしまった漢字も、含まれている。

たとえば、「著作《ちょさく》」「顕著《けんちょ》」の【著《ちょ》】は、もともとの意味は〝くっつける〟ことだったと考えられているが、植物との関係はよくわからない。〝書物としてまとめる〟〝はっきりさせる〟などの意味は後に生じたもので、その結果、本来の意味は、「著」のくずし字が変化した「着《ちゃく》」（p232）で表すようになっている。なお、以前は、「者」に点を一つ加えた【著《ちょ》】と書くのが正式であった。

また、「推薦《すいせん》」の【薦《せん》】については、そもそもは〝鹿に似た動物が食べる草〟を表していたとされるが、異説もあって、成り立ちははっきりしない。「放蕩息子《ほうとうむすこ》」の【蕩《とう》】の本来の意味は〝草がゆらゆら揺れる〟ことだとか、〝水がゆらゆら揺れる〟ことだとか考えられている。そこで、この漢字の部首を《氵（さんずい）》（p318）とする漢和辞典もある。

【蒐《しゅう》】は〝集める〟という意味だが、植物とどう関係するかははっきりしない。「蒐集《しゅうしゅう》」のように使われるが、現在では「収集《しゅうしゅう》」と書くのが一般的。また、「骨董品《こっとうひん》」の【董《とう》】は、〝正しい〟〝正しくする〟という意味。これも成り立ちには諸説があって、よくわからない。

なお、仏さまの一種「菩薩《ぼさつ》」は、古代インド語に対する当て字。【菩《ぼ》】はもともとは香草の一種を指していたというが、【薩《さつ》】は古代インド語の発音を表すために生まれた漢字。《艹》が付いているのは、「菩」とそろえるためではないかと考えられる。

女性もいればサソリもいまして…

最後に、成り立ちとしては《艹》とは関係がないが、形の上から便宜的に部首が《艹》となっているものを挙げておく。

【若】《じゃく》は古代文字では図の右側のような形で、〝巫女〟の絵から生まれた漢字だと考えられている。図の左側は、「軽蔑」《けいべつ》の【蔑】《べつ》の古代文字。《艹》の部分の下には「目」の古代文字「罒」が書かれていて、《艹》の形は〝眉毛〟の変形。本来は〝目がよく見えない〟ことを表す漢字だったらしい。

また、似た形を含む「薨去」《こうきょ》の【薨】《こう》は、〝身分がとても高い人が亡くなる〟こと。成り立ちとしては、部首《夕》（p337）に分類される「夢」《ゆめ》に近く、やはり〝見えなくなる〟ことに関係がある漢字である。

このほか、【萬】《まん》は「万」《まん》の以前の正式な書き方。

古代文字では図のように書き、そもそもは〝サソリ〟を表すという。大昔の中国語では数の〝一万〟を表すことばと発音が似ていたことから、当て字的に転用されたものと考えられている。

また、〝垢抜けしている〟ことをいう古語「﨟《ろう》たける」で使われる【﨟】《ろう》は、「臘」《ろう》（p206）が変形して生まれた漢字。〝十二月〟を表すところから〝年を重ねる〟という意味となり、〝経験を積んで洗練されている〟ことを指して用いられるようになった。ただし、〝垢抜けしている〟という意味で用いるのは、日本語独自の用法である。

禾

食べられるものだけ集めました

［名称］のぎ、のぎへん
［意味］①穀物、穀物の一部 ②穀物の状態 ③穀物に関する行動 ④その他

人間は植物をさまざまに利用して暮らしているが、我々にとって主食として最も重要なものは、イネだろう。【禾】《か》は、古代文字では図のように書き、〝実った穂が垂れているイネ〟の絵から生まれた漢字。漢字としては〝イネ〟を指すが、部首としては〝穀物〟一般を表す。

【稲】《いね》はその代表で、以前は【稻】《いね》と書くのが正式。【稗】《ひえ》も〝穀物〟の一種。【穀】《こく》ももちろんその例で、以前は、「禾」の上に横棒が一本入った【穀】《こく》と書くのが正式であった。

「のぎ」という呼び名は、カタカナの「ノ」と漢字の「木」に分解できるところから。ただし、〝イネの穂先〟のことを指す「のぎ」という日本語もある。漢字の左側、いわゆる「へん」の位置に現れることが圧倒的に多く、その場合には「のぎへん」ともいう。

〝穀物の一部分〟を表す漢字もある。【種】《たね》は、もともとは穀物の〝タネ〟。【穂】《ほ》は、以前は【穗】《ほ》と書くのが正式で、本来は〝密集して実っている穀物の種〟のことである。

〝穂〟に関係する漢字は意外と多く、「優秀」《ゆうしゅう》の【秀】《しゅう》は、

もともとは〝穂が伸びる〟という意味。【穎《えい》】は〝穂先が飛び抜けて伸びている〟ところから、〝飛び抜けてすぐれている〟という意味で使われる。「穎才《えいさい》」がその例だが、現在では「英才《えいさい》」と書くのが一般的。なお、「穎」は、「禾」が「示」に変形して「頴《えい》」と書かれることもある。「頴」の部首は《示》（p37）にするのがよさそうだが、なぜか《頁（おおがい）》（p169）とするのが、漢和辞典の伝統となっている。

【秒《びょう》】は、本来は〝細くとがった穂先〟を指す。非常に細かいところから、〝時間や角度などの細かい単位〟として使われる。【稍《しょう》】も似た意味の漢字で、〝少ない〟という意味から転じて、「やや」と訓読みして用いられることがある。

これらの漢字を並べてみると、人間がいかに〝穀物の穂〟に執心してきたかが、実感される。当たり前といえば当たり前のことだが、《禾》は、植物としてではなく、食糧としての穀物を表す部首だということができる。

きちんと成長してるかなあ…

とすれば、〝穀物の状態〟を気にする漢字が生まれるのも、当然のことだろう。「程度《ていど》」の【程《てい》】の本来の意味は、〝穀物の育ち具合〟。「幼稚《ようち》」の【稚《ち》】は、〝まだ育ち始めたばかりの穀物〟。【秋《あき》】は、〝穀物が実る季節〟。〝穀物がいっぱいに実る〟ことを表すのが、「豊穣《ほうじょう》」の【穣《じょう》】で、以前は正式には【穰《じょう》】と書いた。【稔《ねん》】も同じ意味の漢字で、「稔《みの》る」と訓読みする。

【秦《しん》】は昔の中国の国名だが、もともとは〝穀物が茂る〟という意味だったらしい。「稀《まれ》な」と訓読みする【稀《き》】は、〝穀物がまばらにしか実らない〟こと。逆に〝穀物が密生している〟ことを表すのが【稠《ちゅう》】で、「稠密《ちゅうみつ》」という熟語がある。

なお、【稿《こう》】は、珍しく〝穀物の茎〟に関する漢字で、もともとは刈り取ったあとの穀物の茎〝わら〟を指す。「原稿《げんこう》」のように〝下書き〟を指すようになった経緯については、諸説がある。ちなみに、〝わら〟を家畜のえさとしたのが【秣《まつ》】で、「まぐさ」と訓読みして使われることがある。

実ったあとが大問題！

穀物が実ったとなれば、それをどうするかが次の関心事となる。部首《禾》に含まれる〝穀物に関する行動〟を表す漢字のほとんどは、そんな観点から解釈できる。

実った穀物を刈り取るのが、「収穫《しゅうかく》」の【穫《かく》】。【稼《か》】は、本来は、穀物を植えたり刈り取ったりという〝農作業をする〟ことを表す漢字。訓読み「稼《かせ》ぐ」に見られる〝働いて収入を得る〟という意味で使うのは、日本語独自の用法である。

なお、【秊《ねん》】は、《禾》の下に「人」を組み合わせた形が変形したもの。〝穀物を育てて刈り入れる周期〟を表す。これがさらに変形したのが、「年《ねん》」である。

「税金《ぜいきん》」の【税《ぜい》】に《禾》が付いているのは、昔は穀物で納めるのが基本だったから。【租《そ》】もほぼ同じ意味の漢字で、「租税《そぜい》」という熟語で用いられる。なお、「税」は、以前は正式には【稅《ぜい》】と書いた。

「積《つ》む」と訓読みする【積《せき》】は、もともとは〝刈り取った穀物を重ねて置く〟こと。その〝重ね方がきちんとしている〟ことを表すのが、「秩序《ちつじょ》」の【秩《ちつ》】。【稟《りん》】は、《禾》が漢字の下部に置かれる珍しい例で、〝収穫した穀物を収める蔵〟を指す。転じて、〝受け取る〟という意味で使われ、「稟議《りんぎ》」とは〝命令を受けて議論する〟こと。この漢字は「ひん」と音読みされることもあり、「天稟《てんぴん》」とは〝天から授かる〟ことをいう。また、【私《し》】は、本来は〝収穫した穀物を自分のものにする〟という意味だった、と考えられている。

「学科《がっか》」「教科《きょうか》」の【科《か》】は、もともとは〝収穫した穀物を分類する〟こと。「対称《たいしょう》」の【称《しょう》】は、以前は【稱《しょう》】と書くのが正式。〝釣り合う〟という意味で、そもそもは〝収穫した穀物の重さをてんびんで量る〟ことを表す。その〝てんびん〟を指す漢字が【秤《びん》】で、「天秤《てんびん》」のように使われる。

「移動《いどう》」の【移《い》】は、もともとは〝穀物の穂が風に揺れる〟ことを表すというが、〝収穫した穀物を運ぶ〟ことだと考える方が、素直かもしれない。「穢《けが》れる」と訓読みする【穢《わい》】の本来の意味については、〝穀物の間に雑草が生える〟ことだとか、〝穀物を刈り取ったあとが雑然としている〟ことだ、などの説がある。

農業が社会を作った

このほか、「穏《おだ》やか」と訓読みする【穏《おん》】は、以前は【穩《おん》】と書くのが正式。成り立ちについては、「隠《いん》／隱《いん》」（p310）との関係からいろいろな説が立てられているが、はっきりしたことはよくわからない。「稽古《けいこ》」の【稽《けい》】は、もともとは〝考える〟という意味だが、なぜ《禾》が付いているかについては、いろいろな説が入り乱れている。

ついでながら、「禿《は》げる」と訓読みする【禿《とく》】では、《禾》は〝穀物の粒のように丸い〟ことを表すというが、説得力はイマイチかと思われる。そのせいもあって、〝人間〟を表す部首《儿（ひとあし）》（p22）に分類する辞書もある。

〝穀物〟に関連する部首には、《米》（次項）や《麦》（次々項）などもある。それらと比べると、《禾》には〝穀物を食べる〟ことに関わる漢字は少なく、〝穀物を作り、収穫して管理する〟漢字が多い。古代の社会は、集団で農業を営むことによって発展してきた。《禾》は、そのことを色濃く反映している部首である。

なお、「秘密《ひみつ》」の【秘《ひ》】は、以前は「祕《ひ》」と書くのが正式。《禾》は、〝神〟を表す部首《示》（p37）が変化したもの。「山の稜《りょう》線《せん》」の【稜《りょう》】は、本来ならば部首を《木》（p260）とした「棱《りょう》」と書くべき漢字。〝材木のとがった角〟を指すのが本来の意味である。

また、「和《わ》」「利《り》」「季《き》」「委《い》」は、意味の上からそれぞれ部首は《口》（p149）《刂（りっとう）》（p101）《子》（p32）《女》（p28）に分類される。「香《こう》」や「黍《きび》」にも《禾》が付いているが、これは独立した部首《香》（p65）《黍》（p283）として扱うのが、漢和辞典の伝統である。

米

［名称］こめ、こめへん、よねへん
［意味］①米 ②穀物 ③食べるために穀物を加工する ④メートル ⑤その他

採れたお米を食べるには?

【米】《こめ》はもちろん、イネの実〝こめ〟を表す漢字。古代文字では図のような形をしていて、穂についた実に関心があることがよく現れている。部首としても意味は同じで、【糯】《だ》は〝もち米〟のこと。【粳】《こう》はそれに対して普通の〝米〟を指す漢字で、訓読みでは「うるち」と読む。

ただし、【粟】《あわ》のように〝米〟以外の〝穀物〟を表す漢字の部首にもなる。【粱】《りょう》は〝あわ〟の一種で、「高粱《こうりょう》」は、中国の東北部で広く栽培されているモロコシという穀物。中国語の発音に近づけて「コーリャン」と読むこともある。

イネをはじめとする〝穀物〟を表す部首には、《禾（のぎ）》（前項）もある。比較すると、《米》には〝食べるために穀物を加工する〟ことに関係する漢字が多いのが、特徴的である。

穀物を食べるのには、手間がかかる。まずは、〝一つ一つの穀物の実〟つまり【粒】《つぶ》を、穂から取り外す。次に、実を包んでいる殻を取り外す。その〝穀物の殻〟を指すのが【籾】《もみ》で、これは日本で独自に作られた漢字。【粗】《そ》は、本来は、〝籾を取り去った米〟つまり〝玄米〟のこと。まだ外皮が付いたままであるところから、訓読み「粗《あら》い」のような意味で使われるようになった。

玄米を臼《うす》に入れてつくと、外皮が取り除かれて白米が残る。その〝外皮〟を表すのが【糠】《ぬか》で、〝混じりけがなくなった白米〟を指すのが、「純粋《じゅんすい》」の【粋】《すい》。以前は【粹】《すい》と書くのが正式であった。【精】《せい》は、以前は正式には【精】《せい》と書き、もともとは〝玄米をついて白米にする〟という意味。〝質の悪い部分を取り除く〟ところから、「精密《せいみつ》」のように〝細かい部分まで行き届いている〟という意味でも使われる。

なお、「料《りょう》」は、もともとは〝穀物の分量をひしゃくで量る〟ことを表す漢字。部首としては、〝ひしゃく〟を表す《斗（とます）》（p122）に分類されている。

それではいただきます!

さて、いよいよお米なりその他の穀物なりを食べるわけだが、多めの湯で煮ると【粥】《かゆ》になる。この漢字は《米》が真ん中に居座っている珍しい形。大昔は「鬻《かゆ》」と書かれていて、下側の《鬲（れき）》（p120）は、ものを煮炊きする容器〝かなえ〟を表す。左右の「弓」は〝立ち上る湯気〟の形らしい。

また、【糊】《こ》は、本来は〝濃いめのお粥〟を指す漢字。かなり水分を少なくして接着剤として利用すると、訓読み「のり」となる。その〝くっつくと離れにくい〟性質を表すのが、「粘《ねば》る」と訓読みする【粘】《ねん》である。

【粽】《ちまき》は、〝もち米を笹の葉などに包んで蒸した食べもの〟。また、炊いた穀物を乾燥させて作る保存用の食料を「ほしいい」といい、漢字では【糒《び》】で表す。このほか、穀物は細かく砕いて食べることもある。その砕いたものを表すのが【粉《こな》】である。

そして、こういった〝食べもの〟一般を広く表すのが、「食糧《しょくりょう》」の【糧《りょう》】。さらに、汚い話で恐縮だが、食べたものが排泄されて出てくると【糞《ふん》】になる。

穀物は、お酒の原材料にもなる。「粕漬《かすづ》け」の【粕《かす》】は、〝お酒を造ったあとに残る絞りかす〟のこと。〝お酒を造るために用いる醱酵させた穀物〟を表す漢字には「麴《こうじ》」（p282）もあるが、日本語オリジナルの【糀】も、「こうじ」と訓読みする。「麴」の部首が〝ムギ〟を表す《麥（むぎ）》（次々項）なのに対して、「糀」は《米》を部首としているのには、日本酒が米から作られることが反映しているのかもしれない。

なお、「砂糖《さとう》」の【糖《とう》】に《米》が付いているのは、もともとは〝穀物を加熱して作った飴〟を指していたからだという。

入れたり出したり当て字にしたり

以上のように、部首《米》は〝食べる〟という観点から〝穀物〟をとらえている部首だといえる。ただ、それ以外の例もないわけではない。たとえば、「化粧《けしょう》」の【粧《しょう》】は、米を砕いておしろいとして使ったことから生まれた漢字。

また、現在ではほとんど用いられないが、〝お米を買い取る〟ことを意味する【糴《てき》】という漢字もある。この字の「入」の部分を「出」に変えたのが【糶《ちょう》】で、〝お米を売る〟ことを表す。こちらは、日本語では「糶《せ》る」と訓読みして、〝競売にかける〟という意味で用いることがある。

最後に、〝穀物〟とは意味の上では関係がないものを挙げておく。中国で「メートル」に「米突《ミートゥ》」と当て字したことから、漢字「米」は〝メートル〟という意味でも使われる。ここから、【粁《キロメートル》】【糎《センチメートル》】【粍《ミリメートル》】といった漢字が生まれている。これらはみんな、日本で作られた漢字。日本語オリジナルの漢字としては、「久米《くめ》」を一文字にしてしまった【粂《くめ》】もあり、主に固有名詞で使われる。

なお、部首としては、漢字の左側の「へん」と呼ばれる場所に置かれることが多く、その場合は「こめへん」という。また、「米」は訓読みでは「よね」とも読むので、「よねへん」という名前もある。「よね」とは〝米〟のことである。

麦

［名称］むぎ、ばくにょう、むぎへん
［意味］①麦 ②麦から作られるもの

お酒とラーメンに関係あり！

穀物の〝ムギ〟を表す【麦《ばく》】は、部首としては〝ムギ〟や〝ムギから作られるもの〟を表す。【麺《めん》】がその代表で、現在では穀物の粉から作った〝めん〟を指すが、本来は〝麦の粉〟を表す。ただし、漢字「麦」は以前は「麥」と書くのが正式だったので、「麺」も、以前は

「麺《めん》」と書くのが正式。部首も《麥》(次項)の形となる。

また、〝お酒などを造るときに用いる、麦を醗酵させたもの〟を表す【麴《こうじ》】という漢字もある。こちらは、現在でも「麹《こうじ》」の形が正式なものとして使われている。

このように、部首《麥》の漢字はみな、《麥》の部分を省略して《麦》として書かれることがある。漢和辞典では、《麦》の漢字も部首《麥》の中に含めて扱うのがふつう。《麦》は7画だが、漢和辞典の部首配列では11画の《麥》のところに一緒になっているので、注意が必要である。

なお、現在では、《麦》は「麦」の形で使われることが多い。その場合には、漢字の左から下側にかけての「にょう」といわれる位置に現れるので、音読みをかぶせて「ばくにょう」と呼んでいる。ただし、昔は、たとえば「麺」を「麺」と書くことも多かった。このように、漢字の左側、いわゆる「へん」の位置に書かれた《麦》は、「むぎへん」という。

麥

[名称]むぎ、ばくにょう、むぎへん
[意味]①麦 ②麦から作られるもの

粉にするのがスタンダード

イネと並ぶ代表的な穀物といえば、ムギだろう。〝ムギ〟を表す本来の漢字は、実は「来《らい》」。以前は正式には「來《らい》」と書き、古代文字では「」という形。これは、もともと〝麦の穂〟の絵から生まれた漢字。大昔の中国語では、〝来る〟という意味のことばの発音と似ていたことから、当て字的に転用されて〝来る〟という意味が生じた、と考えられている。

「麦《むぎ》」の以前の正式な書き方【麥《むぎ》】は、その結果として、本来の〝ムギ〟という意味を表す漢字として改めて作られたもの。古代文字では図のような形で、上半分に、「来」の古代文字が含まれている。

部首としては、〝麦〟に関係することを表す。特に〝小麦〟を表すために、《麥》にまたぞろ「來」を組み合わせた【麳《らい》】という漢字も存在するが、現在ではまず用いられない。また、【麰《ぼう》】は〝大麦〟を指すが、こちらも、現在では使われることはなかろうと思われる。

部首《麥》が力を発揮するのは、〝麦から作られるもの〟を表す場合。【麵《めん》】は、「麺《めん》」の以前の正式な書き方。もともとは〝麦の粉〟を表す漢字で、転じて、穀物の粉から作った〝めん〟を指して使われる。【麴《こうじ》】は、〝お酒などを造るために、麦を醗酵させたもの〟。

また、【麩《ふ》】は、本来は小麦を粉にしたときに出るくず〝ふすま〟を表す漢字だが、日本では、小麦粉から作った食べもの〝ふ〟を指す。【麭《ほう》】も、小麦粉から作った食べものの一つを表す漢字だが、「麵麭」の二文字一組で「パン」と読んで使われることがある。

なお、現在では、《麥》は「麦」の形で使われることが多い。

その場合は、漢字の左から下側にかけての「にょう」の位置に置かれるので、音読みをかぶせて「ばくにょう」という。ただし、昔は、たとえば「麵」は「麪」と書かれることが多かった。このように、漢字の左側、いわゆる「へん」の位置に置かれた《麥》は、「むぎへん」と呼ぶ。

黍

[名称]きび
[意味]①キビ ②粘りけがある

地味だけれど粘りはあります！

現在ではあまり使われない漢字だが、【黍《しょ》】は、穀物の一つ〝キビ〟を表す。古代文字では図のような形をしていて、実が垂れ下がった穀物の絵に、「水」の古代文字「」を添えたもの。この「水」は、〝水を吸って育つ〟ことを表すともいうが、〝酒の原材料になる〟ことを表すという説もある。

部首としては、餅や団子にして食べることが多いからか、〝粘りけがある〟という意味を表すことがある。【黏《ねん》】がその代表だが、現在では、読み方も意味も同じ「粘《ねん》」を使う方が一般的。また、【黐《ち》】は、鳥をつかまえるために使うねばねばした物質〝とりもち〟を指す漢字。訓読みでは、「鳥黐《とりもち》」のように使ったり、〝とりもち〟の原料が採れる〝モチノキ〟を「黐《もち》の木《き》」と書いたりする。

このほか、いささか強引にも思えるが、【黎《れい》】の部首も《黍》。「黎明《れいめい》」のように使われて〝ほの暗い〟ことを意味する漢字だが、〝キビ〟や〝粘りけがある〟こととどのような関係があるのかは、諸説があってはっきりしない。

穀物を表す部首としては、漢字の数は最も少ない。そのせいか、部首としての呼び名も、単に「きび」といわれるだけである。

豆

[名称]まめ、まめへん
[意味]①まめ ②たかつき ③その他

食器をそのまま食べられる？

「まめ」と訓読みして用いる【豆《とう》】は、もちろん穀物の〝まめ〟を表す漢字で、〝まめ〟に関係する漢字の部首となる。代表的な例は【豌《えん》】で、「豌《えん》豆《どう》」とはお豆の一種〝エンドウ〟のこと。また、【豉《し》】は、〝大豆を発酵させて作った食品〟を指す。「豆豉《とうし》」は中華料理の調味料の一つで、最近では、中国語の発音に近づけて「トウチ」と読むことも多い。

ただし、漢字「豆」は古代文字では図のように書き、長い脚が付いた食器〝たかつき〟の絵から生まれた漢字。本来の意味も〝たかつき〟で、大昔の中国語では〝まめ〟を指すことばと発音が似ていたことから、当て字的に転用されるようになったという。

植物

そこで、部首としても〝たかつき〟に関係する意味を表すことがある。「豊《ゆた》か」と訓読みする【豊《ほう》】は、以前は【豐《ほう》】と書くのが正式。〝たかつき〟の上に食べものをたくさん盛り上げた形で、〝たくさんある〟という意味を表す。

このほか、【豈《がい》】は、古代文字では図のような形。ある種の〝太鼓〟の絵から生まれた漢字だったが、大昔の中国語では〝どうして○○だろうか〟という意味を表すことばと発音が似ていたので、当て字的に用いられるようになった。訓読みでは「豈《あ》に」と読み、「豈《あ》にはからんや」とは、〝どうして予想できただろうか〟、つまり〝まったく意外なことに〟という意味。

なお、「喜《き》」や「鼓《こ》」に含まれる「壴《しゅ》」（p27）は、やはりある種の〝太鼓〟を表し、「豈」と近い成り立ちの漢字である。

瓜

［名称］うり
［意味］ウリ

二文字でよければいっぱいあるのに…

【瓜《うり》】は古代文字では図のように書き、〝つるからぶらさがったウリの実〟の絵から生まれた漢字。部首としても〝ウリ〟を表す。「瓢簞《ひょうたん》」の【瓢《ひょう》】がその例で、一文字でもウリの一種〝ヒョウタン〟を表す。

【瓣《べん》】は、「花弁《かべん》」の「弁《べん》」（p188）の以前の正式な書き方。本来は〝ウリの実の中にある種〟を指し、転じて〝花びら〟という意味で使われるようになったという。

部首《瓜》の漢字は少なく、現在でも使われるものは以上くらいのもの。「胡瓜《きゅうり》」「西瓜《すいか》」「南瓜《かぼちゃ》」「糸瓜《へちま》」「苦瓜《にがうり》」などなど、ウリの仲間の植物で身近なものはたくさんあるのに、どれも漢字一文字では表されないのは、ちょっと意外。これらの植物の多くはインドや東南アジアが原産地だということと、関係があるのかもしれない。

なお、「瓜」の画数は、現在では6画だが、以前は「厶」の部分を「ム」のように2画で数えて、5画としていた。そのため、漢和辞典では、《瓜》は5画の部首として配列されるのが一般的なので、注意が必要である。

また、「孤《こ》」や「弧《こ》」なども含めて、「瓜」の形は以前は「瓜」と書くのが正式だった、とする漢和辞典も多い。とはいえ、4画のように見える《内（ぐうのあし）》（p258）を5画で数える例もある。字の形の違いというよりは画数の数え方の違いと考えた方が、穏当であるように思われる。

韭

［名称］にら
［意味］ニラ

匂いが高じて部首となる！

野菜の一つ〝ニラ〟は、漢字ではふつう【韮《にら》】と書く。この漢字の部首は《艹（くさかんむり)》(p270)かと思いきや、《韭》とするのが漢和辞典の伝統。そもそも、【韭《にら》】だけで〝ニラ〟を表し、古代文字では

図のような形で、〝地面から伸びているニラ〟の絵だという。ちなみに、「辣韭《らっきょう》」は「辣韮《らっきょう》」とも書き、ニラの一種〝オオニラ〟の根である。

《韭》は、〝ニラ〟に関係することを表す。ただし、漢字の数はとても少なく、現在でも使われるものはほとんどない。【韱《せん》】は、ある種の〝ニラ〟を表す漢字。〝細長いもの〟というイメージがあり、《糸》(p47)を組み合わせた「纖《せん》」は、「繊《せん》維《い》」の「繊《せん》」の以前の正式な書き方。「籤《くじ》引《び》き」も、細長い竹の棒の先に文字や印を書いたものを使うのが、もともとのやり方。また、〝細かく切り刻む〟という意味合いを持つこともあり、〝徹底的にやっつける〟ことをいう「殲滅《せんめつ》」の「殲《せん》」の中にも、含まれている。

部首《韭》の存在は、中国の食生活の中で〝ニラ〟がいかに重要であるかの現れだろう。あの独特の匂いの存在感は、確かに抜群。野菜炒めが食べたくなる部首である。

竹

[名称]たけ、たけかんむり
[意味]①竹 ②竹の種類や状態、特徴 ③竹を使って作るもの ④その他

木でもなければ草でもない?

植物の〝タケ〟は、見た目は幹がしっかりしていて〝樹木〟のようだが、植物学的にはイネの一種に分類される。つまり、〝木〟と〝草〟の中間のような性質があるわけで、そのせいか、漢字【竹《ちく》】も、《木》(p260)でも《艹(くさかんむり)》(p270)でもない、独特の形をしている。古代文字では図のように書き、

絵から生まれた漢字。部首としては、ほぼ確実に漢字の上部、いわゆる「かんむり」の位置に現れるのが特徴。「たけかんむり」と呼ばれている。

多くの漢字の部首となるが、〝竹の種類や状態、特徴〟などを表すのが基本。【笹《ささ》】は〝竹〟の一種だし、【篠《しの》】も〝シノダケ〟という竹の一種。〝生え始めたばかりの竹〟を表すのが【筍《たけのこ》】。また、【篁《こう》】は、〝竹〟がむらがって生えているところ、つまり〝竹やぶ〟を表す漢字。訓読みでは「たかむら」と読む。また、「簇《むら》がる」と訓読みする【簇《そう》】という漢字もあり、「簇《そう》生《せい》」という熟語がある。

「季《き》節《せつ》」「関《かん》節《せつ》」の【節《せつ》】は、以前は【節《せつ》】と書くのが正式。「ふし」と訓読みするように、本来は〝竹の幹の区切られた一つ一つ〟を指す。また、「筋《きん》肉《にく》」「筋《すじ》を通《とお》す」のように使う【筋《きん》】も、もともとは〝竹の繊維〟のこと。これらも竹の特徴をとらえた漢字だが、竹の最大の特徴といえば、中が空洞になっていること。【管《くだ》】や【筒《つつ》】は、そこから生まれた漢字である。

昔は文字を書いたものさ…

こういった特徴を生かして、竹は生活のさまざまな場面で利用されている。そこで、部首《竹》の漢字には、〝竹を使って作るもの〟が大量

に含まれている。

竹をそのまま棒として用いるのが【竿《さお》】。繊維に沿って細長く切ると【笞《むち》】としても使える。【策《さく》】も、本来は〝細長い竹の棒〟を表す漢字。それに文字を書き記して政治上の意見などを述べたところから、「政策《せいさく》」「解決策《かいけつさく》」のような使い方が生まれた。

事実、紙が発明される前は、細長く切った竹の札は、文字を書き記す素材の代表であった。それを表すのが【簡《かん》】で、そのような竹の棒を「竹簡《ちっかん》」、木の棒を「木簡《もっかん》」という。ただし、「簡単《かんたん》」のような意味が生じた経緯については、諸説があってはっきりしない。

「箇条《かじょう》書《が》き」の【箇《か》】は、本来は竹簡や木簡を数える際に使われた漢字。注意書きを記すために使った竹簡や木簡を指すのが、「処方箋《しょほうせん》」の【箋《せん》】。綴り合わせてまとまった分量の文字を書くと、「長篇小説《ちょうへんしょうせつ》」の【篇《へん》】になる。事務的なことがらを記録したのが、「出席簿《しゅっせきぼ》」の【簿《ぼ》】。「戸籍《こせき》」の【籍《せき》】も似たような意味だが、特に〝登録台帳〟のようなものを指して使うことが多い。

なお、〝順序〟を示す際に用いられる【第《だい》】は、そもそもは〝竹簡や木簡を順序よく並べたもの〟を指すと考えられている。「等《ひと》しい」と訓読みする【等《とう》】についても、部首《竹》が付いているのは、竹簡や木簡の長さには一定の基準があったからだ、と考える説が強い。

竹簡や木簡とはやや異なるが、【符《ふ》】は、本来は〝契約などの文字を記した竹の札を二つに割り、関係する双方が保管して後日の証拠とするもの〟。転じて、「符号《ふごう》」「音符《おんぷ》」のように〝何かを表す記号〟という意味で使われる。「籤引《くじび》き」「抽籤《ちゅうせん》」のように用いる【籤《せん》】も、もともとは、細長い竹の棒の端に文字や印を付けて使った。

また、〝易者さんが占いに用いる竹の棒〟を指すのが【筮《ぜい》】で、「筮竹《ぜいちく》」という熟語がある。「算数《さんすう》」の【算《さん》】に《竹》が付いているのは、昔は竹の棒を使って「計算《けいさん》」をしたことからである。

ところで、〝文字を記す〟ということに関連して忘れてはならないのは、【筆《ふで》】の存在。「聿《いつ》」（p136）だけでも〝ふで〟を表すが、手に持つ部分を竹で作るから、《竹》を組み合わせてある。また、現在でも印鑑などに使われる古代文字を「篆書《てんしょ》」というが、この【篆《てん》】に《竹》が付いているのは、〝筆〟と関係があるからだと思われる。

組み合わせて　いろんなものに

筆記用具以外でも、竹の用途は幅広い。棒の状態ならば、たとえば、二本組み合わせて【箸《はし》】にする。一本を細くとがらせると【箴《はり》】になる。「箴言《しんげん》」とは〝針で刺すように真実を突いた、鋭い教訓〟。また、【笏《しゃく》】とは、聖徳太子が手に持っているような、〝昔の礼装に使われた板〟のこと。さらには、加工して【簪《かんざし》】にもする。「竹篦返《しっぺがえ》し」の【篦《へい》】は、日本語では「へら」と訓読みするが、本来は、髪をとかす〝くし〟を指す漢字である。

　細い竹の棒を何本も組み合わせると、さらにいろいろなものができあがる。【簾《すだれ》】や【筵《むしろ》】は、昔は細い竹の棒で作られていたらしい。訓読みでは「簀《す》の子《こ》」のように使う【簀《さく》】も、本来は〝細い竹の棒を編んで作った敷物〟。ちなみに、「金箔《きんぱく》」の【箔《はく》】も、もともとは〝すだれ〟を表す漢字である。

　単純に束ねて【箒《ほうき》】として使うのも、もちろんよし。少し変わったところでは、帽子のように頭にかぶる【笠《かさ》】も、細い竹の棒を編んで作ったものを指すのが本来の使い方である。

立体にすると さらに役立つ！

　細い竹の棒を編んで、立体的ないれものを作ることもある。【籠《かご》】が、その代表的な例。【籃《らん》】も〝かご〟を表す漢字で、「揺籃《ようらん》」とは〝ゆりかご〟のこと。また、「篝火《かがりび》」のように訓読みして使う【篝《こう》】も、本来は〝かご〟を意味する漢字。さらに、〝かご〟ほどきっちりとは作らず、わざと隙間を残して仕上げると、【笊《ざる》】や【篩《ふるい》】ができあがる。【箕《み》】も似たようなもので、こちらは農作業で穀物の籾《もみ》を取り分けるときに使う。

　もう少ししっかりしたいれものが欲しい場合には、【箱《はこ》】がある。「はこ」と訓読みする漢字はほかにもあり、【筐《きょう》】もその一つ。パソコンなどの本体の〝はこ〟のことを「筐《きょう》体《たい》」という。【筥《きょ》】は、本来は特に〝丸いはこ〟を指すが、「文《ふ》筥《ばこ》」のように使われることがある。

【笈《きゅう》】は、「おい」と訓読みする漢字で、〝背中に背負うはこ〟のこと。ランドセルのようなもので、特に書物を入れて運ぶのに用いられることが多い。「笈《おい》を負《お》う」といえば〝故郷を離れて遊学する〟ことを表す。「箪笥《たんす》」も大きないれものの一種だが、もともとは、【箪《たん》】は〝小型で円形のはこ〟を、【笥《す》】は〝大きくて四角いはこ〟を指すという。

　なお、「解答《かいとう》」の【答《とう》】に《竹》が付いているのは、もともとは〝はこの本体とふたがぴったり合う〟という意味だったからだという説が優勢。竹はよくよく、〝はこ〟と縁が深いようである。

　このほか、【籬《まがき》】は〝竹を編んで作った垣根〟。もっと大きなものとして、竹を組んで作る【筏《いかだ》】がある。なお、「範《はん》囲《い》」「模範《もはん》」の【範《はん》】の成り立ちには諸説があるが、本来は〝竹で作った枠や模型〟を指すともいう。

　このように並べてくると、部首《竹》は〝編み上げる〟ことと関係が深いことがわかる。「籐《とう》の椅子《いす》」などを作る【籐《とう》】は、竹とは別の植物だが、〝編み上げる〟ところが共通しているから《竹》が付いているのだろう。

竹の文化の幅広さ

　もっとも、〝編み上げる〟ことばかりが竹の利用法ではない。中身が空洞になっている点を生かして、竹は【笛《ふえ》】としても使われる。〝笛〟の種類はいろいろあり、【笙《しょう》】は、雅楽で用いる笛の一種。【笳《か》】は、中国の北方に住んでいた異民族が使った〝葦笛《あしぶえ》〟。

【篳《ひち》】【篥《りき》】は二文字合わせた「篳篥《ひちりき》」の形で、やはり雅楽で用いる管楽器の一種を表す。

楽器を表す漢字は、ほかにもある。【箏《そう》】は〝琴〟の一種。昔は、本体部分を竹で作ってあったらしい。また、「筑後《ちくご》」「筑紫《ちくし》」といった固有名詞で見かける【筑《ちく》】も、楽器の一つ。こちらは、竹の棒で弦を鳴らすものだという。

一方、竹は弓矢の〝矢〟としても使われる。現在ではあまり使われないが、【箭《せん》】は、〝矢〟そのものを指す漢字。【筈《はず》】とは、矢の一番端にある〝弓の弦につがえるためのくぼみ〟。現在では「矢筈《やはず》」の形で用いることが多い。また、【箙《えびら》】は〝矢を入れておく容器〟のことである。

以上、部首《竹》が表す〝竹を使って作られたもの〟は、筆記用具や装身具、日用品から楽器や武器まで、実に幅広く存在している。漢字文化圏とは〝竹の文化圏〟でもある。《木》でも《艹》でもない、《竹》という部首が存在するのも、当然のことだろう。

最後に、《竹》を部首としながら、意味の上では〝竹〟とは関係が薄いものを挙げておく。

「建築《けんちく》」の【築《ちく》】は、本来は〝木の板や棒を使って土を突き固める〟ことを表す漢字で、部首としては《木》（p260）に分類する方がふさわしい。【笑《しょう》】は、古代文字では

図のような形で、もともとは〝髪を結い上げた巫女《みこ》〟の絵から生まれた漢字らしい。訓読み「笑《わら》う」のような意味は、神様を楽しませるところから生まれたものだという。

「危篤《きとく》」「篤志《とくし》」のように使う【篤《とく》】は、〝病気が重い〟〝熱心で一途な〟という意味。「竹《ちく》」と「篤《とく》」の音読みが似通っていることから、「竹」は発音を表す記号に過ぎないと考えられている。また、「天竺《てんじく》」とは〝インド〟を指すことばだが、【竺《じく》】も同じように「竹《ちく》」と「竺《じく》」の音読みが似通っていて、「竹」は発音を表す記号に過ぎないと説明されている。

麻

［名称］あさ、あさかんむり
［意味］①麻　②その他

実は意味はないんですけど…

植物の〝アサ〟を表す【麻《ま》】は、以前は「林」を「𣏟」とした「麻《ま》」と書くのが正式。部首の一つだが、漢和辞典では、《麻》の漢字も部首《麻》（次項）に含めて扱われるのがふつうである。

《麻》の形を部首とする漢字としては、【麿《まろ》】がある。これは日本語独自の漢字で、自分を指したり人名に用いられたりする「まろ」ということばを書き表すために、「麻《ま》」と「呂《ろ》」を組み合わせて作られたもの。

また、「摩擦《まさつ》」の「摩《ま》」や「魔術《まじゅつ》」の「魔《ま》」、「磨《みが》く」と訓読みする「磨《ま》」にも「麻」が含まれているが、この「麻」は読み方を表す記号。部首としてはそれぞれ、《手》（p172）《鬼》（p34）《石》

（p298）に分類される。ただし、これらの漢字も、以前は「麻」の部分を「麻」と書くのが正式であった。

このように、「麻」はほかの漢字と結びついて新しい漢字を生み出すが、部首として一定の意味を持っているわけではない。いっそのこと、形の上から便宜的に《广（まだれ）》（p69）に含めてしまえばよさそうなものだが、そうもならない。「まだれ」の「ま」は「麻」の音読みだから、名前の上では、《麻》が《广》を乗っ取ってしまっている感さえあって、《麻》は、この世界でなぜだか幅を利かせている部首である。

なお、部首の名前の「あさかんむり」の「かんむり」は、漢字の上部に置かれる部首を指す呼び方。《麻》の場合は、漢字の上部から左側にかけて現れるので、「たれ」と呼ぶ方がふさわしいと思われる。

麻

［名称］あさ、あさかんむり
［意味］①麻　②その他

もっときちんと整理してよ！

【麻《ま》】は、「麻《ま》」の以前の正式な書き方で、古代文字では図のような形。「𣏟」の部分は「はい」と音読みする漢字で、「林」ではなく、植物の〝アサ〟が二本、並んでいる姿だという。漢和辞典では、《麻》（前項）の漢字も部首《麻》に含めて扱うのがふつうである。

《麻》を部首とする漢字の代表的な例は【麾《き》】。〝軍隊などで指図をするときに使う旗〟を表す漢字で、その〝旗の下〟を指す「麾下《きか》」は、〝ある人に指図を受ける立場〟をいう。つまり、「麾」は、意味としては植物の〝アサ〟とは特に関係はない。旗が布からできていることを考えると、むしろ《毛》（p251）を部首とする方がよさそうである。

また、【麼《マ》】は、中国語で疑問のニュアンスを表すことばを書き表すために使われる漢字。こちらも、「麻」は発音を表すはたらきをしているだけで、意味の上で植物の〝アサ〟とは関係がない。《幺（いとがしら）》（p52）という部首があるので、そちらに分類するのも一案かと思われる。

このほか、【麿《まろ》】は「麿《まろ》」の正式な書き方で、自分を指したり人名に用いられたりする「まろ」ということばを書き表すために、「麻《ま》」と「呂《ろ》」を組み合わせて日本で独自に作られた漢字。これまた、植物の〝アサ〟とは無関係である。

このように、《麻》を部首とする漢字はいくつかあるが、そのほとんどは、植物の〝アサ〟とは関係がなく、形の上から便宜的に分類されたものとなっている。

一方、「一世風靡《いっせいふうび》」の「靡《び》」は、訓読みすれば「靡《なび》く」で、本来は〝風に吹かれて草が倒れる〟ことを表す漢字。部首を《非》（p257）とするのがふつうだが、茎がやわらかい〝アサ〟と関係が深い。意味の上からは部首《麻》に分類する方がふさわしいと思われる。

以上のように、《麻》《麻》をめぐる漢字の意味と部首との関係は、原則を外して入り乱れている感がある。最近では、それを解消するために、「麾」「麼」「靡」の部首を変更している辞書もある。漢和辞典の伝統に切り込むその態度は、まさに「快刀乱麻《かいとうらんま》」であろう。

なお、部首の名前としては「あさかんむり」とも呼ばれるが、《麻》が漢字の上部、いわゆる「かんむり」の位置に置かれることはない。漢字の上から左側にかけて、「たれ」と呼ばれる場所に現れるのがふつうである。

屮

［名称］てつ、めばえ、くさのめ
［意味］①草の芽 ②その他

ちょっとくらい残しておいてよ…

【屮《てつ》】は、古代文字では図のような形をしていて、〝植物の芽〟の絵から生まれた漢字。〝植物の芽〟を表すが、現在ではまず使われることはない。部首の一つとして、音読みそのままの「てつ」と呼ばれたり、意味から「めばえ」「くさのめ」などといわれたりする。

《屮》を部首とする漢字は、非常に少ない。【屯《とん》】はその貴重な例で、「駐屯《ちゅうとん》」のように〝ある場所に止まって動かない〟という意味を表す。ただ、この漢字が成り立ちの上で《屮》と関係があるかどうかは、諸説があって決めがたい。

このほか、「屮」を二つ並べたのが「艸《そう》」。〝草〟という意味の漢字だが、《艸》（p269）そのものが部首となる。ちなみに、「屮」を三つ並べた「芔《き》」も〝草〟を表す。四つ並べた「茻《もう》」という漢字もあり、これは〝草がたくさん生えている〟という意味。ただし、どちらも部首は《艸》である。

また、「芻《すう》」は〝干し草〟を指す漢字なので、意味の上では「屮」と関係が深い。が、こちらもやはり、部首としては《艸》に分類されている。なんだか全部持って行かれてしまった感じで、ちょっとかわいそうな部首である。

なお、【屮《さ》】は、とてもよく似た形をしているが、「屮」とは別の漢字。大昔には「左《さ》」と同じように使われたらしい。部首としては、形の上から便宜的に《屮》に分類されている。

生

［名称］いきる、うまれる
［意味］①生む、生まれる ②その他

命の恵みは植物から

【生《せい》】は、古代文字では図のように書かれ、〝地面の上に顔を出した、植物の芽〟の絵から生まれた漢字。「生《う》まれる」と訓読みするが、それが動物ではなく植物の発芽と関係が深いというのは、なかなかにおもしろい。中国人の生命観の根源は、植物寄りなのだろうか。

部首の名前としては、訓読みに基づいて「いきる」「うまれる」などと呼ばれる。意味としては、〝生む／生まれる〟ことを表す。「出産《しゅっさん》」の【産《さん》】がその例で、以前は【產《さん》】と書くのが正式。また、「甦《よみがえ》る」と訓読みする【甦《そ》】は、〝もう一度、生まれ直す〟といった意味合い。ここにも、春になると芽を出す〝植物〟の影を見ることもできるだろう。

このほか、【甥《せい》】もこの部首に分類される。日本語では「おい」と訓読みして〝兄弟姉妹の息子〟を指すが、本来は〝姉妹の息子〟だけを表す。意味の上では《男》（p79）を部首としたいが、現在の漢和辞典にはそんな部首は存在しないので、便宜的に部首《生》に分類されている。

斉

［名称］せい、さい
［意味］完成した状態にする

これでいよいよできあがり！

【斉《せい》】は、「一斉《いっせい》」「国歌斉唱《こっかせいしょう》」のように、全体を同じように〝きちんとそろえる〟という意味を表す漢字。古代文字では「亝」と書き、成り立ちとしては〝穀物の穂が生えそろった形〟だというが、異説もある。

部首としては、音読みに基づいて「せい」と呼ばれる。また、「斉」には「さい」という音読みもあるので、「さい」と呼ばれることもある。以前は「齊《せい》」と書くのが正式だったので、漢和辞典では、《齊》（次項）の形を正式な部首として立て、《斉》はその中に含めて扱うのがふつう。《斉》は8画だが、漢和辞典の部首配列では14画の《齊》のところに一緒になっているので、注意が必要である。

《斉》の形を部首とする漢字には、【斎《さい》】がある。現在では、「斎藤《さいとう》」などの固有名詞で見かけることが多いが、本来の意味は〝重要な儀式の前に心身を清める〟ことを表す。

このほか、部首は《氵（さんずい）》（p318）だが、「救済《きゅうさい》」の「済《さい》」にも「斉」の形が含まれている。「済」は、本来は〝川を渡り終える〟という意味。また、部首は《刂（りっとう）》（p101）だが、「薬剤《やくざい》」の「剤《ざい》」も同じで、もともとの意味は〝薬の材料を切りそろえる〟こと。それぞれ、以前は「濟《さい》」「劑《ざい》」と書くのが正式であった。

これらを総合すると、《斉》《齊》には、〝完成した状態にする〟という意味があると考えられる。とはいえ、《斉》《齊》を合わせても、漢字の例はごくわずか。いっそのこと、形の上から便宜的に《亠（なべぶた）》（p360）に吸収してしまった方がすっきりすると思われる。

齊

［名称］せい、さい
［意味］完成した状態にする

意外とはたらき者なんですが…

部首の中でも、形の上では一般に最もなじみの薄いものの一つ。【齊《せい》】は、《斉》

〈前項〉の以前の正式な書き方で、〝きちんとそろえる〟という意味を表す。古代文字では図のような形。昔から〝穀物の穂が生えそろった形〟だと考えられてきたが、

最近では〝巫女《みこ》が挿しているかんざしがそろっている形〟だという説もある。

《齊》を部首とする漢字としては、**【齋《さい》】**がある。「斎《さい》」の以前の正式な書き方で、〝重要な儀式の前に心身を清める〟という意味。また、現在ではあまり使われないが、**【齎《せい》】**は〝必要なものを持ってくる〟ことを表し、「齎《もたら》す」と訓読みすることがある。このほか、野菜などの〝和えもの〟を表す**【齏《せい》】**という漢字もある。

部首は異なるが、「齊」の形を含む漢字はほかにもある。「返済《へんさい》」の「済《さい》」の以前の正式な書き方「濟《さい》」は、本来は〝川を渡りきる〟ことを表し、部首は《氵(さんずい)》(p318)。「錠《じょう》剤《ざい》」の「剤《ざい》」の以前の正式な書き方「劑《ざい》」は、もともとは〝薬の材料を切りそろえる〟ことで、部首は《刂(りっとう)》(p101)。また、部首《雨》(p329)には、〝晴れる〟ことを意味する「霽《せい》」という漢字もある。

これらの漢字からすると、部首《齊》には〝完成した状態にする〟という意味があるのではないかと考えられる。ただし、この部首に分類されている「齋」は、〝神〟を表す部首《示》(p37)に「齊」を組み合わせたものの省略形だと考えられるし、「齎」の部首も〝経済的な価値〟を表す《貝》(p242)、「齏」の部首も〝にら〟を表す《韭(にら)》(p284)だとした方が、意味の上では落ち着く。ちょっと無理やり立てられた感じのある部首である。

なお、以上に挙げたもの以外でも、部首《月(にくづき)》(p205)の「臍《へそ》」や、《艹(くさかんむり)》(p270)の「薺《なずな》」など、「齊」の形を含む漢字は意外と多い。これらについては、とりあえず「齊」は読み方を表す記号だと考えておくのが、よさそうである。

第５部

自然環境に関する部首

大地／水と空／火と色

大地

大地は、《土》や《石》から構成される。大地の中から掘り出された金属を表す《金》は、さまざまな道具となって人間の生活を助け、宝石は《玉》となって人間の暮らしを彩る。さらに、《山》や《谷》、〝丘〟を表す《阝(こざとへん)》など、さまざまな起伏を見せる大地の上で、人びとは今日も、何らかの活動を続けているのである。

土

[名称]つち、つちへん、どへん、つちあし
[意味]①土 ②大地・土地 ③大地・土地に手を加える ④土で作った建築物 ⑤陶磁器 ⑥その他

乾いた大地に風が吹く

「つち」と訓読みする【土】《ど》は、数多くの漢字の部首となる。部首としては単に「つち」という名前のほか、漢字の左側、いわゆる「へん」の位置に現れることが多いので、「つちへん」とか「どへん」などという呼び名もある。また、漢字の下側の「あし」と呼ばれる部分に現れた場合には、「つちあし」といわれることもある。

部首《土》の基本となる意味は、もちろん〝土〟。「団塊《だんかい》の世代《せだい》」の【塊】《かい》は、訓読みすれば「かたまり」で、本来は〝土がかたまったもの〟。【塵】《ちり》は、〝細かい土の粒〟。【埃】《ほこり》や【垢】《あか》も、もともとは〝細かい土の粒〟を表す漢字である。

このように〝細かい汚れ〟というイメージを持つ漢字が含まれることには、漢字が生み出された北中国の内陸部の乾燥した気候が関係しているのかもしれない。なお、【塗】《と》も、そもそもは〝泥〟を指す漢字。壁土として使うところから、訓読み「塗《ぬ》る」のような意味で用いられる。

転じて、〝大地・土地〟をも表す。【地】《ち》はもちろんその例。「土壌《どじょう》」の【壌】《じょう》は、以前は【壤】《じょう》と書くのが正式で、特に〝耕作地〟を指すことが多い。「乾坤《けんこん》」という熟語で使われる【坤】《こん》も、〝大地〟のこと。「乾」はこの場合は〝天〟を指し、「乾坤」で〝天地〟つまり〝この世界全体〟を指す。

【坂】《さか》は、〝傾いている大地〟。「平坦《へいたん》」の【坦】《たん》は、〝大地が平らである〟こと。【坪】《へい》は、以前は正式には【坪】《へい》と書き、もともとは〝山の間の平らな土地〟を指す漢字だが、日本では「つぼ」と訓読みして、土地の広さの単位として用いられる。【壁】《へき》は訓読み「かべ」の印象が強いが、「絶壁《ぜっぺき》」のような例を考えると、あるいは〝垂直に伸びた大地〟を指していたのかもしれない。

【埼《さき》】は、〝海や湖などの中に突き出している陸地〟。部首を変えた「崎《さき》」や「碕《さき》」も、読み方も意味も同じ。【塙《こう》】は、本来は〝土が崩れにくい〟という意味だが、日本語では「はなわ」と訓読みして、〝山が特に高くなっている部分〟をいう。

このほか、【場《じょう》】は、〝何かが存在したり行われたりする土地〟。【埜《の》】は「野《の》」（p78）と意味も読み方も同じ漢字で、本来は〝人里の外に広がる土地〟を指す。

中には、部首《土》は〝地面〟を表す、と考えるとわかりやすい漢字もある。たとえば、「垂《た》れる」と訓読みする【垂《すい》】は、〝地面に向かって下がる〟こと。「墜落《ついらく》」の【墜《つい》】は、以前は【墜《つい》】と書くのが正式で、〝地面に向かって落ちる〟こと。「堕落《だらく》」の【堕《だ》】は、以前は【墮《だ》】と書くのが正式で、こちらも、本来は〝地面に向かって落ちる〟ことをいう。

【坐《ざ》】は〝地面に腰を下ろす〟ことで、「正坐《せいざ》」「坐《すわ》る」のように使うが、現在では「座《ざ》」（p70）を書くことが多い。また、「存在《そんざい》」の【在《ざい》】は、訓読みすれば「在《あ》る」。この場合の《土》は、〝地面の上のある場所〟のことだと考えられる。

自然のままでは住みにくい？

ところで、人間は古くから、〝大地・土地に手を加える〟ことで、住みやすい場所を確保してきた。「開墾《かいこん》」の【墾《こん》】は、〝自然を切り開いて人間が生活できるようにする〟という意味。「平均《へいきん》」の【均《きん》】は、本来は〝土地を平らにする〟こと。「埋《う》める」と訓読みする【埋《まい》】も、土地に手を加える例。「充填《じゅうてん》」の【填《てん》】も〝埋める〟という意味だし、「証拠湮滅《しょうこいんめつ》」のように用いる【堙《いん》】は、〝土をかぶせて見えなくする〟ことを表す。

なお、【堯《ぎょう》】は、部首《儿（ひとあし）》（p22）に分類される「尭《ぎょう》」の以前の正式な書き方。本来は〝土を高く積み上げる〟という意味で、「たかし」「たか」などと読んで人名で使われることがある。

「栽培《さいばい》」の【培《ばい》】は、本来は〝植えた草木の根元に土を足す《ぞう》〟こと。転じて、〝草木を育てる〟という意味となった。「増《ぞう》加《か》」の【増《ぞう》】は、以前は正式には【增《ぞう》】と書き、もともとは〝土を積み上げていく〟こと。【堆《たい》】も同じ意味で、「土砂《どしゃ》が堆積《たいせき》する」のように用いる。

土が〝崩れにくい〟ことを指すのが、「堅《かた》い」と訓読みする【堅《けん》】。逆に、〝土が崩れる〟ことを表すのが「破壊《はかい》」の【壊《かい》】で、以前は正式には【壞《かい》】と書いた。また、「圧力《あつりょく》」の【圧《あつ》】は、以前の正式な書き方では【壓《あつ》】で、もともとは〝土を積み上げて押しつぶす〟という意味だと思われる。

黄色い土を積み上げて…

漢字が誕生した中国北部の内陸部には、「黄土《こうど》」と呼ばれる細かい土が堆積している。この土を積み上げ、固めていくことで、中国古代の人びとは生活の場を築き上げてきた。

〝積み上げて固めた土〟の絵から、やがて図のような古代文字が生まれた。これが変化したのが「土」。そこで、部首《土》の中には、〝土で築

いた建築物〟に関係する漢字が数多く含まれている。
土を積み上げ、固めてならして作った〝建物の土台〟を表すのが、「基礎《きそ》」の【基《き》】。その上に建てたしっかりした建物が【堂《どう》】。【塾《じゅく》】は、もともとは〝屋敷の門の脇にある小部屋〟を指す漢字で、そこで子どもたちを教育したところから、「学習塾《がくしゅうじゅく》」のような使い方が生まれた。

訓読みでは「垣根《かきね》」のように用いる【垣《えん》】は、そもそもは〝敷地を外部から分けるために、土を積み上げて作った区切り〟。【堵《と》】も同じものを指す漢字で、転じて〝敷地の内部〟のことも指す。「安堵《あんど》」とは、もともとは〝自分の敷地の中で落ち着いて暮らす〟こと。ちなみに、【塀《へい》】は、以前は【塀《へい》】と書くのが正式。日本で作られた漢字で、本来は〝土壁〟を指していたと思われる。

土地があると縄張り意識が生じるのは、人間の本能のようなもの。「境界《きょうかい》」の【境《きょう》】は、〝土地の区切り〟そのものを表す漢字。現在では「さかい」と訓読みして固有名詞で使われることが多い【堺《かい》】も、もともとは「界《かい》」（p80）と意味も読み方も同じ漢字で、〝土地の区切り〟のこと。「地域《ちいき》」の【域《いき》】は、〝土地の区切りの内側〟を指す。

【坊《ぼう》】は、「宿坊《しゅくぼう》」のように使うのが本来の用法で、〝区切られた部屋〟のこと。京都のように碁盤の目状に区切った街の〝一区画〟を指すこともあるので、そもそもは〝土地を四角く区切る〟という意味だったと思われる。また、〝土地の区切りに作った土壁〟を指すのが【埒《らち》】。「埒《らち》があかない」とは、本来は〝区切りがはっきりと付かない〟ことをいう。

大きなものも造ります！

やや話が脇道にそれたので、〝土で築いた建築物〟の本道に戻る。「堤防《ていぼう》」の【堤《てい》】は、〝土手〟のこと。「城郭《じょうかく》」の【城《じょう》】は、本来は〝敵の侵入を防ぐためにめぐらした土手〟で、日本の「お城《しろ》」とはちょっと異なる。「万里《ばんり》の長城《ちょうじょう》」をイメージするとわかりやすい。

【塁《るい》】も〝防御用の土手〟を指す漢字で、以前は【壘《るい》】と書くのが正式。「土塁《どるい》」のように用いられる。転じて、攻撃や防御の拠点となる〝基地〟をもいい、野球で「一塁《いちるい》」のように使われるのはその例。「要塞《ようさい》」の【塞《さい》】も、同じような〝とりで〟を指す漢字だが、「入《い》り口《ぐち》を塞《ふさ》ぐ」のように〝土を積み上げて通れないようにする〟という意味にもなる。この場合は「そく」と音読みし、「閉塞感《へいそくかん》」がその例となる。
また、本来は〝水の流れを調節するための土手〟を指すのが【堰《えん》】。訓読みでは「せき」と読み、「河口堰《かこうぜき》」のように用いられる。

〝土を積み上げた建築物〟として忘れるわけにはいかないのが、「古墳《こふん》」の【墳《ふん》】。【塚《つか》】も似たような意味で、ともに〝土を盛り上げて作ったお墓〟を指す。なお、「塚」は、以前は点を一つ加えた【塚《つか》】と書くのが正式。

逆に、〝土を掘って作ったお墓〟を指す漢字には【壙《こう》】があり、考古学などでは「壙穴《こうけつ》」「土壙《どこう》」のように用いる。なお、

【墓《ぼ》】は、本来は〝死者を葬るための穴〟のことをいう。【塔《とう》】も、もともとは〝お釈迦様の骨を収めるために、土を積み上げて築いた建物〟。【壇《だん》】も本来は〝土を盛り上げて築いた、宗教的な行事を行う場所〟で、「祭壇《さいだん》」にその意味が残っている。

〝土を掘って作るもの〟に関係する漢字は、ほかにもある。「炭坑《たんこう》」の【坑《こう》】は、〝土を掘って作った穴〟。「防空壕《ぼうくうごう》」の【壕《ごう》】は、〝敵の攻撃を防ぐために掘った穴や溝〟。ただし、【堀《くつ》】は、本来は〝穴を掘る〟という意味。「ほり」と訓読みして〝敵の攻撃を防ぐために掘った溝〟を指して用いるのは、日本語独自の用法。なお、【塹《ざん》】も〝大地を掘る〟ことを指す漢字で、「塹壕《ざんごう》」のように用いられる。

こうやって、人間がさまざまな目的で築いた建築物も、時が経てば失われてしまう。特に、土で作られた建築物は、石や金属などで作られた建築物に比べると、寿命が短い。「廃墟《はいきょ》」の【墟《きょ》】や「城址《じょうし》」の【址《し》】に《土》が付いているのは、土で作られた建築物のはかなさを思わせる。どちらも、〝建築物が存在した跡〟を指す漢字である。

こねて形を整える

〝土を使って作るもの〟としては、〝陶磁器〟もある。ただし、〝陶磁器〟に関係する部首としては、ほかに《皿》(p116)や《瓦》(p118)もあるので、《土》にはその例は少ない。あえて挙げると、【壜《びん》】は〝陶製の大きな容器〟。また、【坩《かん》】【堝《か》】は、ものを溶かすのに使う陶製の容器〝るつぼ〟を表す漢字で、「坩堝」と書いて、二文字合わせて「るつぼ」と読む。

〝陶磁器〟そのものを表す漢字はこれくらいだが、【埴《しょく》】は、陶磁器を作る原材料となる〝粘土〟のこと。訓読みでは、「埴輪《はにわ》」のように「はに」と読む。【塑《そ》】は、〝粘土を使ってものの形を作る〟という意味。「塑像《そぞう》」とは、〝粘土で作った像〟を指す。また、〝金属を溶かして器などを作るとき、そのもとになる形を粘土で作ったもの〟が【型《かた》】である。

このほか、書道で用いる【墨《すみ》】は、以前は【墨《すみ》】と書くのが正式。煤を練り固めたものなので、火こそ使わないものの、〝陶磁器〟と似たようなものだといえるかもしれない。

土の上にそびえ立つ文明

以上のように、部首《土》の世界には、大地に手を加えたり、土を使って建物を築いたり、陶磁器を作ったりという人間の活動が反映している。中でも建築物に関する漢字が目立つのは、中国の文明が〝土の文明〟であることを、よく映し出している。漢字がヨーロッパで生まれていたとしたら、これらの漢字は部首《石》(次項)によって表されていたかもしれない。

最後に、これまでの分類では取り上げにくい漢字を挙げておく。【塩《しお》】は、以前は「鹽《しお》」と書くのが正式。「鹽」の部首は《鹵(ろ)》(p62)で、この部首は〝岩塩〟を表す。「塩」は「鹽」の略字なので、《土》と直接の関係はないが、〝岩塩〟も〝土〟の中から出てくるものには違いない。

現在では人名以外ではあまり見かけないが、【圭《けい》】は、〝王や皇帝が領地を与えるときに、その証拠として授ける宝石〟のこと。後に〝宝石〟を表す部首《王》(p305)が付け加えられて「珪《けい》」という漢字が生まれたが、意味は同じである。

また、「堪《た》える」と訓読みする【堪《かん》】は、成り立ちがはっきりしない漢字。本来の意味については、〝土の重さに耐える〟ことだとか〝土で作られたかまどが、火の熱に耐える〟ことだとかの説がある。

さらに、「報告《ほうこく》」の【報《ほう》】と「執行《しっこう》」の【執《しつ》】は、〝手かせ〟を表す「幸《こう》」から派生した漢字。《土》とは意味の上での関係はなく、形の上から便宜的に分類されたもの。「幸」と合わせて、新たに《幸》(p107)という部首を立てた方がすっきりするようにも思われる。

石

［名称］いし、いしへん
［意味］①石 ②金属・宝石以外の鉱物 ③石の硬い性質 ④その他

あちこちに転がってるので…

【石《いし》】は、古代文字では図のように書き、〝がけの下に転がっている石〟の絵から生まれた漢字だ、と考える説が優勢。部首としても、〝石〟に関係する意味を持つことを表す。漢字の左側、いわゆる「へん」の位置に現れることが多く、その場合は「いしへん」と呼ばれるが、それ以外の場合は単に「いし」という。

【砂《すな》】は、〝石が細かくなったもの〟。【礫《れき》】は、もう少し大きな〝小石〟を表す漢字で、「砂礫《されき》」という熟語がある。「盤《ばん》石《じゃく》の構え」の【磐《ばん》】は、〝大きくて安定した石〟。この流れからすると、「いわ」と訓読みする「岩《がん》」の部首も《石》としたいところだが、この漢字は、もともとは「いわお」と訓読みする「巌《がん》」の略字という扱いだったので、部首は《山》(p307)とするのが一般的である。

「珊瑚礁《さんごしょう》」の【礁《しょう》】は、〝水中に隠れている石〟。【磯《いそ》】は、〝石の多い水辺〟。【磧《せき》】は「かわら」と訓読みする漢字で、〝小石の転がる河原〟のことだが、〝小石の多い乾いた大地〟を指すこともある。

【碌《ろく》】は、〝小石が転がっているようす〟から転じて、〝平凡な〟という意味で使われる。「碌《ろく》でもない」とは〝平凡ですらない／平凡以下〟ということ。また、【磊《らい》】は〝石がごろごろ転がっているようす〟を表す漢字。転じて、〝性格が豪快でおおざっぱなようす〟をいう「磊落《らいらく》」という熟語がある。

石が多いと、移動しにくい。そのことを表すのが【碍《がい》】で、「障碍《しょうがい》」のように用いられる。この漢字は「げ」と音読みすることもあり、「融通無碍《ゆうずうむげ》」のようにも使われる。ただし、読み方も意味も同じ【礙《がい げ》】を使うことも多い。

このように、大きさや場所に応じていろいろな漢字を生み出すのは、部首《石》の特徴。《土》(前項)や《金》(次項)とは違って、〝形をもってある場所に存在している〟という実感を伴う部首である。

オレたちだって役に立つぜ！

石は鉱物としてさまざまな価値を人間にもたらすが、そのうち、〝金属〟は部首《金》で表される。また、〝宝石〟を表す部首には《玉》（p304）やその変形の《王》（p305）がある。というわけで、部首《石》には〝金属・宝石以外の鉱物〟を表す漢字が含まれることになる。

そこで、「玉石混淆《ぎょくせきこんこう》」という四字熟語があるように、「石」は〝価値のないもの〟のたとえとしても使われる。漢字が誕生したと考えられている紀元前一三〇〇年ごろの中国では、すでに金属や宝石がさまざまに用いられるほど、文明が発達していた。石から見れば、漢字の出現はちょっと遅かったのかもしれない。

とはいえ、部首《石》の漢字たちだって、そう捨てたものでもない。たとえば、【硫《りゅう》】は、一文字でも「硫黄《いおう》」を表す漢字。ちなみに、日本語「いおう」は「湯泡《ゆあわ》」の変化したものともいわれ、「硫黄」と書き表すのは当て字の一種である。【硝《しょう》】は、火薬の原材料となる「硝石《しょうせき》」のことで、以前は正式には【硝《しょう》】と書いた。【砒《ひ》】は毒物の「砒素《ひそ》」で、【硼《ほう》】は、殺菌作用のある「硼酸《ほうさん》」。「硅素《けいそ》」という形で使われる【硅《けい》】は、〝シリコン〟のこと。〝宝石〟を意味する部首《王》を使って「珪《けい》」と書いても、読み方も意味も同じである。

「磁石《じしゃく》」の【磁《じ》】は〝鉄を引きつける性質〟を指すが、昔はそういう性質を持つ鉱物の一種だと考えられていたらしい。【碧《へき》】は「みどり」と訓読みする漢字で、本来は〝緑色の美しい宝石〟。〝宝石〟を表すのに部首が《玉》《王》でなく《石》になっている、数少ない例である。

戦争には使うけれど…

一方、〝石で作ったもの〟を表す漢字もある。「茶碗《ちゃわん》」の【碗《わん》】や、訓読みでは「砥石《といし》」のように用いる【砥《し》】、「囲碁《いご》」の【碁《ご》】、「すずり」と訓読みする【硯《けん》】などは、現在でも身の回りで使うもの。「碇泊《ていはく》」の【碇《てい》】は、船の〝いかり〟。【碓《たい》】は〝石の臼《うす》〟で、現在では主に固有名詞で「うす」と訓読みして使われる。【砧《きぬた》】は、〝布をたたいてやわらかくするときに用いる、石の台〟のこと。

日常生活からは離れるが、「石碑《せきひ》」の【碑《ひ》】も、もちろん石で作ったもの。以前は、「由」の真ん中の縦棒を下の左払いまでつなげた【碑《ひ》】と書くのが正式であった。

「基礎《きそ》」の【礎《そ》】は、本来は〝建物の柱の土台にする石〟。ただし、部首《石》には、〝建物〟に関する漢字はほかにはほとんど見られない。代わりに、部首《木》（p260）や《土》には、建築物にまつわる漢字が多く、中国の建築物のあり方を反映している。

もっとも、戦争に使う大規模な建物には石もよく用いられたようで、【砦《とりで》】がその例。なお、「大砲《たいほう》」の【砲《ほう》】に《石》が付いているのは、そもそもは石を飛ばす武器を指していたからである。

　ところで、木や土とは異なる石の特質はといえば、形が変化しにくいことだろう。【硬《こう》】は、そのことを表す。「確実《かくじつ》」の「硬《かた》い」と訓読みする【確《かく》】も、似たような成り立ちの漢字だと思われる。

変化しないのもよしあしで…

　硬い石に強い力を加えると、変形することなくつぶれてしまう。「破壊《はかい》」の【破《は》】は、そのことを表す漢字。「砕《くだ》く」と訓読みする【砕《さい》】は、以前は【碎《さい》】と書くのが正式で、〝石をこなごなにする〟という意味である。

　その硬さをうまく利用するのが、「磨《みが》く」と訓読みする【磨《ま》】。「研究《けんきゅう》」の【研《けん》】も似たような意味で、どちらももとは〝石をこすったり、石でこすったりして、表面をつるつるにしたりすりつぶしたりする〟ことを表す。なお、「研」は、以前は【硏《けん》】と書くのが正式。

　また、「切磋琢磨《せっさたくま》」という四字熟語で使われる【磋《さ》】も、〝石の表面をつるつるにする〟こと。〝宝石〟を表す部首《王》を使って「瑳《さ》」と書いても、意味も読み方も同じである。

　最後に、意味の上では《石》とは関係がなさそうなものを挙げておく。【碩《せき》】は、本来は〝頭が大きい〟という意味を表す漢字で、「碩学《せきがく》」とは〝知識が豊富な学者〟のこと。《石》は、この漢字では発音を表す記号だと考えられている。〝頭部〟を指す部首《頁（おおがい）》（p169）に分類する方がふさわしい。また、【磔《たく》】は、訓読みすれば「はりつけ」。《石》が何を意味するかについては、諸説があってよくわからない。

金

［名称］かね、かねへん
［意味］①金属の種類 ②金属の製造・加工 ③金属製の道具・器具 ④お金 ⑤その他

　中国では、紀元前二〇〇〇年ごろにはすでに青銅器が用いられていたらしい。一方、漢字は、現在のところ、紀元前一三〇〇年ごろまでしかさかのぼることはできない。漢字が誕生したころには、金属はすでにいろいろな場面で利用されていたことと思われる。

土の中に点々と…

　【金《きん》】は、〝金属〟を表す漢字。古代文字では図のように書かれ、〝土の中に埋まっている金属〟を表すとする解釈が優勢。点が、砂金のような金属を示しているという。

　部首として、〝金属〟に関係する多くの漢字を生み出す。【銀《ぎん》】や【銅《どう》】は〝金属の種類〟を表す例。【鉄《てつ》】ももちろんその一つで、以前は【鐵《てつ》】と書くのが正式。このグループには、他に【鉛《なまり》】や【錫《すず》】などがある。「真鍮《しんちゅう》」とは、金色をした〝銅と亜鉛の合金〟。【鍮《ちゅう》】は、古い辞書によれば、本来は〝金に似た銅〟なるものを指す漢字だったらしい。

　このほか、【鉑《はく》】は、本来は〝金箔〟を表す漢字だったが、現在の中国語では〝プラチナ〟を指して使われる。現代では、金属元素を表すためにさまざまな部首《金》の漢字が使われていて、〝アルミニウム〟を表す【鋁《りょ》】、〝ラジウム〟を表す【鐳《らい》】なども、元からあった漢字を転用したもの。また、〝チタン〟を表す【鈦《タイ》】、〝マンガン〟を表す【錳《モン》】のように、金属元素を表すために新たに作られた漢字もある。

こういった金属が含まれている石を表すのが、「鉱石《こうせき》」の【鉱《こう》】で、以前は正式には【鑛《こう》】と書いた。ただ、人間が実際に利用するには、かなりの手間がかかる。それを反映して、部首《金》には、〝金属の製造・加工〟を表す漢字が数多く含まれることになる。

手間はかかるが用途は豊富

まず、〝金属を熱して溶かし、不純物を取り除く〟のが「精錬《せいれん》」の【錬《れん》】で、以前は正式には【鍊《れん》】と書いた。〝熱した金属をたたいて強度を上げる〟のが、「鍛《きた》える」と訓読みする【鍛《たん》】。そうやって〝純度や強度を上げた鉄〟を表すのが「鋼鉄《こうてつ》」の【鋼《こう》】で、〝鉄鉱石から取り出したままの状態の鉄〟を指すのが、「銑鉄《せんてつ》」の【銑《せん》】である。

【鋳《ちゅう》】は、以前は【鑄《ちゅう》】と書くのが正式。〝金属を熱して溶かし、型に流し込む〟ことを指し、「貨幣《かへい》の鋳造《ちゅうぞう》」のように使われる。【錮《こ》】は、〝溶かした金属を流し込んで、すきまをふさぐ〟という意味。転じて〝閉じ込める〟という意味になり、「禁錮《きんこ》」という熟語があるが、現在では「禁固《きんこ》」と書くことが多い。〝金属を溶かす〟ことを意味する漢字には【銷《しょう》】もあり、「意気銷沈《いきしょうちん》」のように使うことがあるものの、現在では「意気消沈《いきしょうちん》」と書く方が一般的である。

「鍍金《ときん》」の【鍍《と》】は、いわゆる〝メッキをする〟こと。「鍍金」と書いて、「めっき」と読むこともある。ちなみに、「ブリキ」は、錫《すず》でメッキをした鋼《はがね》のことで、もともとはオランダ語。これを、日本では独自に【錻《ぶ》】という漢字を作って、「錻力《ブリキ》」と書き表すことがある。

「録音《ろくおん》」の【録《ろく》】は、以前は【錄《ろく》】と書くのが正式。本来は〝金属の表面に文字を刻みつける〟こと。「座右《ざゆう》の銘《めい》」の【銘《めい》】は、もともとは〝金属の表面に刻み込まれた文字〟を指す。

〝金属の表面に模様を彫ったり宝石を埋め込んだりする〟ことを表すのは【鏤《る》】で、「鏤《ちりば》める」と訓読みする。【鈿《でん》】は〝金属の表面に宝石などを埋め込んで飾る〟という意味で、「螺《ら》鈿細工《でんざいく》」がその例。「錯乱状態《さくらんじょうたい》」の【錯《さく》】も本来は似たような意味で、そこから〝入り乱れる〟ことを表すようになったと思われる。

なお、金属に生じる「さび」を漢字で書くと【錆《せい》】となるが、これは、〝銅などが青くなる〟ところから生まれた日本語独自の用法。この漢字の本来の意味は、「精密《せいみつ》」の「精《せい》」と似て、〝詳しい〟こと。〝さび〟を意味するもともとの漢字は、【銹《しゅう》】である。

これがなくてはいくさにならぬ！

ところで、金属は、木や石、土などに比べて格段に頑丈な素材である。そこで、さまざまな道具・器具の材料となる。金属が力を発揮する分野としてまず挙げられるのは、〝武器〟であろう。【鋒《ほう》】は、「きっさき」と訓読みする漢字で、〝刀などの先端〟を表す。【鉾《ほこ》】は、〝先端がとがった刀〟。【鍔《がく》】は、本来は〝刀の刃〟を指す漢字。日本語では「つば」と訓読みして、〝刀の握りのすぐ先に付けて、手がすべらないようにする板〟のことをいう。

長い棒の先端に刃を付けた武器〝やり〟は、漢字ではふつうは「槍《やり》」と書くが、【鑓《やり》】と書くこともある。〝矢の先端部分〟を表す漢字は【鏃《やじり》】。【鏑《かぶら》】も本来は〝矢の先端部分〟のことで、後に、「鏑矢《かぶらや》」のように〝音を鳴らすために放つ矢〟を指すようになった。

一方、丈夫な金属は、攻撃を防ぐための素材としても、もちろん有効であった。【鎧《よろい》】は、そのことを表す。

このほか、ずっと後の時代になって使われるようになった【銃《じゅう》】に部首《金》が付いているのは、弾が金属製だからではないかと思われる。〝皆殺しにする〟というぶっそうな意味を持つ【鏖《おう》】に部首《金》が付いている理由ははっきりしないが、あるいは〝武器〟を表す例かとも思われる。

平和のためにも使えます

金属製の道具が力を発揮する分野としては、農業や漁業などもある。土を掘り返す【鍬《くわ》】や【鋤《すき》】は、農具の例。【鎌《かま》】は、以前は微妙に違って【鎌《かま》】と書くのが正式で、穀物を刈り取るのに使う。【銛《もり》】は〝魚を突き刺してつかまえる道具〟。【鉤《かぎ》】は、〝魚を引っ掛けるのに使う道具〟で、それを使って魚をつかまえることを表すのが、「釣《つ》る」と訓読みする【釣《ちょう》】である。

部首《金》の世界には、大工道具も豊富に存在していて、金属を用いることによって木材の利用が飛躍的に進んだことがよくわかる。【鋸《のこ》】や【鑢《やすり》】、【鉋《かんな》】や【鑿《のみ》】【錐《きり》】などがその例。【釘《くぎ》】や【鎹《かすがい》】のように、ものを固定するために打ち付けるものもあり、「画鋲《がびょう》」の【鋲《びょう》】もその一つ。このほか、「金鎚《かなづち》」の【鎚《つち》】や、左官屋さんが使う【鏝《こて》】も、〝大工道具〟の例として数えることができる。

金属製の道具としては、「はり」と訓読みする【針《しん》】も身近なもの。【鍼《しん》】も同じものを指す漢字だが、主に東洋医術で使われる「はり」を指して用いられる。

また、【鋏《はさみ》】も日常的に使われる道具だが、本来はペンチのような〝ものを挟んでつかむ道具〟を指していた。似たような道具を指す漢字には【鉗《かん》】もあり、〝外科医が用いるペンチのような道具〟を「鉗子《かんし》」という。

以上のように〝金属製の道具〟を表す漢字を並べてみると、ものを突き刺したり切ったりするのに使うものが多い。金属製の道具の最もすぐれている点はそこにある。〝先がとがっていて突き刺したり切ったりしやすい〟ことを表す【鋭《えい》】と、その逆を意味する【鈍《どん》】がともに部首《金》の漢字である事実は、そのことをよく表している。なお、「鋭」は、以前は正式には【鋭《えい》】と書いた。

ほかにもこんな特徴が…

もちろん、金属製品にはほかのメリットもある。たとえば、磨くと光をよく反射することを利用したのが【鏡《かがみ》】。【鑑《かん》】も、訓読みすれば「かがみ」。転じて、「鑑定《かんてい》」「鑑賞《かんしょう》」のように〝何かに照らし合わせて判断する〟という意味でも使われる。

〝道具〟からは少し離れるが、金属の輝きを重んじるものもある。【錦《にしき》】とは、〝金や銀で作った糸を織り込んだ織物〟。【釧《せん》】は、現在では北海道の「釧路《くしろ》」以外ではなかなか見かけないが、一文字で「くしろ」と訓読みする漢字で、装飾品の〝腕輪〟のこと。部首《金》が付いているからには、もともとは金属製のものを指したのだろう。【釦《こう》】は、本来は〝衣服に付けるボタン〟のこと。機械のスイッチボタンなどに対して使うのは、あまりふさわしくない。なお、この漢字を「ボタン」と読むのは、訓読みである。

ちょっと変わったところでは、金属の重さを利用するものもある。【錘《すい》】は〝おもり〟を指す漢字で、「紡錘《ぼうすい》」とは、〝糸をつむぐときに使うおもりのような道具〟。【錨《いかり》】は、〝船が動かないようにするおもり〟。「文鎮《ぶんちん》」の【鎮《ちん》】は、以前は【鎭《ちん》】と書くのが正式で、〝何かを押さえつけておく道具〟を指す。

部首《金》の漢字の中に、扉や門に関係するものがまとまって存在しているのも、興味深い。たとえば、〝キー〟を表す【鍵《かぎ》】。キーを差し込む〝ロック〟を指す漢字には【鑰《やく》】があるが、現在ではあまり使われず、「鍵」で〝ロック〟も表すことが多い。

また、「くさり」と訓読みする【鎖《さ》】は、以前は「⺌」を「小」にした【鎻《さ》】と書くのが正式。「閉鎖《へいさ》」のように〝くさりで扉や門が開かないようにする〟という意味でも使われる。「鋪《ほ》装《そう》」のように使うことがある【鋪《ほ》】は、〝平らなものを敷き詰める〟という意味だが、もともとは〝門のノッカーを取り付ける平たい金属の板〟を指していたという。

以上は、広い意味で〝金属製の道具〟を表す漢字だが、もう少し視野を広げると、〝金属製の器具〟を指す漢字も目に入ってくる。

ものを入れたり叩いたり

【鍋《なべ》】は、〝金属製の容器〟の代表格。形はちょっといびつだが、【釜《かま》】の部首も《金》である。現在では陶器のイメージが強い【鉢《はち》】も、昔は金属製のものだったらしい。

また、【鐙《とう》】も、さかのぼると容器の一種を指す漢字。《金》に「登」が組み合わさっているところから、後に〝馬の上に登るときに足をかける金具〟を表すようになった。訓読みでは「あぶみ」と読む。

日本では「銚子《ちょうし》」の形で〝とっくり〟を指す【銚《ちょう》】も、本来は金属製の〝なべ〟の一種。同じく、もともとは金属製の〝なべ〟の一種を表していた【鎬《こう》】を、日本語では「鎬《しのぎ》を削《けず》る」のように用いる。「しのぎ」とは、〝刀の側面の高くなっている部分〟をいう。

【鍾《しょう》】は、お酒を入れる〝つぼ〟の一種。お酒を集めて入れておくところから〝集める〟という意味で使われる。「鍾《しょう》愛《あい》」とは、〝あるものに愛情を集中する〟こと。

また、【鐘《かね》】や【鈴《すず》】のように、〝金属製の楽器〟を指す漢字もある。【鉦《しょう》】も「かね」と訓読みするが、本来は、取っ手がついていて手に持って鳴らす〝かね〟を指す。また、「銅《どう》鐸《たく》」の【鐸《たく》】は、「鈴」の大きなものをいう。

最後に、忘れてはならないのは、〝金属〟はいわゆる〝お金〟としても用いられること。「金銭《きんせん》」の【銭《せん》】は、そのことを端的に現す漢字。以前は正式には【錢《せん》】と書いた。【錠《じょう》】も、本来は、お金として用いるため〝一定の大きさに固めた金属〟を指す。「錠剤《じょうざい》」のような使い方は、その名残。さらには、〝お金が増える〟という意味の【鑫《きん》】という漢字もあり、中国では屋号などに使われることがある。

以上のように眺めてみると、金属がいかにいろいろな場面で用いられてきたかが、よくわかる。ただし、機械だとか乗り物だとかいった、現在、金属がよく使われている分野は、部首《金》の世界には登場しない。当たり前のことだが、漢字が反映しているのは、産業革命以前の世界の姿なのである。

なお、【鈔《しょう》】は〝少しだけ取る〟という意味で、「鈔本《しょうほん》」とは〝もとの本から抜粋して作った本〟。なぜ《金》が付いているかはよくわからない。ついでながら、【鉹《し》】という漢字もあるが、〝お金が多い〟という意味ではなく、金属製の容器の一種や、〝小刀〟を指す。

玉

［名称］たま
［意味］①宝石 ②宝石で作られた貴重品

値段はかなり張りますよ

宝石の輝きは、時代や地域を問わず、人びとを魅了してきた。中国では古くから、美しい緑色をした〝ヒスイ〟が特に愛され、さまざまに加工して用いられてきた。【玉《ぎょく》】は、本来はその〝ヒスイなどの宝石〟を表す漢字である。

部首として〝宝石〟に関係する多くの漢字を生む。ただし、ほとんどの場合は、漢字の左側の「へん」と呼ばれる位置に「王」という形で現れる。そのため、漢和辞典では、部首《王》（次項）の漢字も部首《玉》の中に含めて取り扱うのが、一般的である。

というわけで、《玉》がそのままの形で部首となっている例は少ない。【璧《へき》】は、〝ドーナツ型に加工された宝石〟の一種で、貴重なものとして儀礼に用いられた。「完璧《かんぺき》」とは、本来はその大切な宝石を〝完全な状態に保つ〟こと。また、【璽《じ》】は〝宝石で作られた印鑑〟。「玉璽《ぎょくじ》」とは、〝王や皇帝・天皇が用いる印鑑〟を指す。

このほか、厳密には《王》のところで取り上げるべきかもしれないが、「玉」とは点の位置が異なる【玊《きゅう》】という漢字もある。ただし、意味については、「玉」と同じだとか、〝玉を磨く職人〟だとかの説があって、よくわからない。

「へん」の位置に来ると点がなくなるというのも不思議な話だが、「玉」の古代文字は図のように書き、宝石をひもでつなぎ合わせた形だと考えられている。つまり、実は点がない方がもともとの形。点は、形がそっくりな「王」と区別するため、後になって付け加えられたものである。

王

［名称］たまへん、おうへん、おう
［意味］①王 ②さまざまな種類の宝石 ③宝石を加工する ④宝石の美しさ ⑤弦楽器

呼び名がちょっとややこしい？

部首《玉》(前項)は、漢字の左側、いわゆる「へん」の位置に置かれた場合には、《王》という形になる。部首《王》の漢字の大半はこのタイプであり、そのため、漢和辞典では《王》の漢字も部首《玉》の中に含めて扱うのがふつう。《王》は4画だが、漢和辞典の部首配列では5画の《玉》のところに一緒になっているので、注意が必要である。

部首の名前としては、《玉》が「へん」になった形なので「たまへん」と呼ぶのが伝統。ただし、見た目は「王」であるところから、最近では「おうへん」という名前も使われる。さらに、《玉》とは関係のない《王》の形を含む漢字もあり、その場合は「おう」と呼ぶしかないと思われる。

「国王《こくおう》」の【王《おう》】は、古代文字では図のような形で、王の位を象徴する〝下向きに刃が付いた大きな刃物〟の形だと考えられている。つまり、《玉》と成り立ちの上で関係があるわけではないが、漢和辞典では、これを部首《玉》の中に収録している。そこで、総画数4画の「王」の部首が5画の《玉》になるという、ちょっと奇妙な現象が起きている。

なお、「皇帝《こうてい》」の「皇《こう》」は「王」から派生した漢字だが、部首としては《白》(p346)に分類されるのがふつうである。

部首としての《王》は、〝宝石〟を意味するのが基本となる。「真珠《しんじゅ》」の【珠《しゅ》】が、その代表的な例。ほかにも、【珂《か》】は宝石の〝シロメノウ〟、【瑛《えい》】は〝透明な宝石〟、【玖《く》】は〝黒い宝石〟、【瑶《よう》】は〝ヒスイに似た宝石〟などさまざまな漢字があり、これらは、現在では主に固有名詞で使われている。なお、「瑶」は、以前は正式には【瑤《よう》】と書いた。

部首《王》の漢字の中には、二文字を組み合わせて具体的な宝石を指すものも多い。「琥珀《こはく》」の【琥《こ》】【珀《はく》】、「瑪瑙《めのう》」の【瑪《め》】【瑙《のう》】、「珊瑚《さんご》」の【珊《さん》】【瑚《ご》】などがその例。「瑠璃《るり》」という形で用いる【瑠《る》】【璃《り》】も宝石の一種だが、〝ガラス〟を指すこともある。【琉《る》】は、「瑠」と同じように「琉璃《るり》」という形で使われるほか、「りゅう」と音読みして、沖縄の古くからの呼

大地

び名「琉球《りゅうきゅう》」でも用いられている。

ガラスは、昔は宝石並みに貴重なものであったらしい。【玻《は》】は、「玻璃《はり》」という熟語の形で〝ガラス〟を意味する漢字。【珐《ほう》】【瑯《ろう》】は、「珐瑯《ほうろう》」の二文字で、〝さび止めなどに使われるガラスの一種〟を表す。

もらうといいことありそうだ!

宝石を加工する過程を表す漢字もある。〝才能を磨く〟という意味の四字熟語「切瑳琢磨《せっさたくま》」の【瑳《さ》】【琢《たく》】がその例。どちらも、本来は〝宝石を磨く〟ことを表す。ただし、「瑳」は、部首を《石》（p298）にした「磋《さ》」と書くこともある。また、「琢」は、以前は点を一つ加えた【琢《たく》】と書くのが正式であった。

【球《きゅう》】は、そもそもは〝丸く形を整えられた宝石〟。【班《はん》】のもともとの意味は、〝つながった宝石を切り分ける〟ことだという。「瑣末《さまつ》」の【瑣《さ》】は、本来は〝細かい宝石のくず〟を指す漢字で、宝石を磨いたときに出るものかと思われる。

加工された宝石は、主に装飾品として使われる。【環《かん》】は、本来は〝ドーナツ型に加工された宝石〟の一種で、腕輪のような装飾品として用いられた。

【瑞《ずい》】は、もともとは〝王や皇帝が領地を与えるときに、その証拠として授ける宝石〟のこと。転じて〝よいことが起こる前兆〟という意味となり、「瑞兆《ずいちょう》」のように用いられる。【珪《けい》】も「瑞」と同じような宝石を指す漢字だが、現在では「珪石《けいせき》」という鉱物を指して使われる。なお、部首を《石》として「硅《けい》」と書いても、読み方も意味も変わらない。

また、【珈《か》】【琲《はい》】も、本来は〝宝石で作られた装飾品〟の一種を指していた漢字。「珈琲《コーヒー》」のように使うのは、日本語オリジナルの当て字だが、どこかに〝宝石〟のイメージが残っているのかもしれない。

見れば見るほどうっとりと…

〝宝石の美しさ〟に関係する漢字もある。【理《り》】の本来の意味は、〝宝石の表面に浮き出た美しい模様〟。「理論《りろん》」「整理《せいり》」のような〝筋道立っている〟という意味は、ここから変化したもの。また、「現《あらわ》れる」と訓読みする【現《げん》】も、もともとは〝宝石の輝きがはっきり見える〟ことを表していたのではないかと思われる。

【玲《れい》】【瓏《ろう》】は、二文字合わせて〝宝石が透き通っている〟ことを表す。「八面玲瓏《はちめんれいろう》」とは、〝どこから見ても清らかで美しい〟ことをいう四字熟語。【琳《りん》】【琅《ろう》】は、「琳琅《りんろう》」という熟語で〝宝石が触れあって鳴る美しい音〟を表し、〝詩や文章が美しい〟という意味でも用いられる。

美しい宝石は、めったに存在しない。そのことを表すのが、「珍《めずら》しい」と訓読みする【珍《ちん》】。また、その美しさを愛して〝手にとって楽しむ〟のが、「玩《もてあそ》ぶ」と訓読みする【玩《がん》】である。ちなみに、こういった〝美しい宝石に付いた傷〟を表すのが【瑕《か》】で、「瑕疵《かし》」とは〝小さな欠点〟をいう。

以上のように、部首《王》には、〝宝石〟に関係するきらびやかな漢字たちが集まっている。〝宝石〟を表す部首が、部首《石》とは別個に独立して存在しているのは、宝石がいかに重要視されていたかの現れだろう。宝石は単なる装飾品ではなく、宗教的な意味を持ったり、権力を示したりする道具だったのである。

なお、「こと」と訓読みして弦楽器の一種を指す【琴《きん》】も、形の上から便宜的に部首《王》に分類される。この漢字の古代文字は図のような形をしていて、「玨」のもとになっている部分は、〝弦を張ってある形〟だとか〝琴柱《ことじ》が立っている形〟だとかいう。

「琴」の兄貴分のような漢字が【瑟《しつ》】で、〝大型の琴〟を表す。「琴瑟相和《きんしつあいわ》す」とは、琴と瑟の二重奏のように〝とても仲が良い〟ことをいう。似たような漢字としては、二文字一組で用いられる【琵《び》】【琶《わ》】もある。これらの漢字では、部首《王》は〝弦楽器〟を指していることになる。

山

［名称］やま、やまへん、やまかんむり
［意味］①山、山に関係する地形 ②山が高い

いろんなところに現れる！

【山《やま》】は、古代文字では図のような形で、〝やま〟の絵から生まれた漢字。部首としては、〝山〟や〝山に関係する地形〟を表すのが基本である。

「やま」と呼ばれるほか、漢字の左側に現れた場合に「やまへん」ともいわれるのは、ほかの多くの部首と同じ。だが、漢字の上部に置かれることも多く、その場合には「やまかんむり」とも呼ばれる。《宀（うかんむり）》（p71）《艹（くさかんむり）》（p270）《竹（たけかんむり）》（p285）など、「かんむり」と呼ばれる部首は、ほかの位置にはほとんど現れないのがふつう。その中で、漢字のあちこちに現れる《山》は、ちょっと異色な「かんむり」となっている。

「山岳《さんがく》」の【岳《がく》】は、《山》が漢字の下部に現れる例で、〝高くて険しい山〟を指す。ただし、以前は【嶽《がく》】と書くのが正式で、こちらは「やまかんむり」の例。また、訓読みでは「おか」と読む【岡《こう》】は、逆に〝低くてなだらかな山〟。「岡」と読み方も意味も同じ漢字に【崗《こう》】があるが、現在では、岩石の「花崗岩《かこうがん》」くらいでしか用いられない。

【峰《みね》】は、〝山の高くとがった部分〟。【峯《みね》】と書いても、読み方も意味も変わらない。「分水嶺《ぶんすいれい》」の【嶺《れい》】も、意味はほぼ同じ。やはり「みね」と訓読みする【岑《しん》】は、本来は〝小高く突き出た山〟のことだという。

【巓《てん》】は〝山のてっぺん〟を指す漢字で、「山巓《さんてん》」という熟語がある。また、「崩《くず》れる」と訓読みする【崩《ほう》】は、以前は【崩《ほう》】と書くのが正式で、本来は〝とがった山の先端が両側へと落ちる〟ことだという。

〝山の切り立った斜面〟を表すのが【崖《がけ》】。〝両側が切り立っている場所〟を指すのが、「峡谷《きょうこく》」の【峡《きょう》】で、以前は【峽《きょう》】

と書くのが正式。「夾《きょう》」（p24）には〝挟む〟という意味がある。【岸《がん》】は、現在では「きし」と訓読みして広く〝水際〟を指して用いるが、もともとは〝水にけずり取られて切り立ったようになっている陸地〟のことをいう。

　姓や地名によく使われる【崎《さき》】は、〝海や湖などの中に突き出た陸地〟を指す漢字。《山》を「かんむり」にして【嵜《さき》】と書いたり、部首を変えて「碕《さき》」や「埼《さき》」と書いたりしても、読み方も意味も同じ。【岬《こう》】も、「みさき」と訓読みすると「崎」とほぼ同じ意味だが、もともとは〝山に挟まれた場所〟という、「峡」に近い意味を持つ。

【島《しま》】は、〝海や湖などの中にある陸地〟。本来は、鳥が羽を休めるものを指すという。【嶋《しま》】【嶌《しま》】と書いても、読み方も意味も同じ。〝小さな島〟を表す漢字には【嶼《しょ》】があり、「島嶼《とうしょ》」とは〝大小さまざまな島々〟をいう。

　なお、「分岐点《ぶんきてん》」の【岐《き》】は、〝枝分かれしている山道〟のこと。また、現在では「嵌《は》める」と訓読みして使う【嵌《かん》】は、もともとは〝山の奥まった部分〟を指す。「秘密《ひみつ》」の「密《みつ》」も、〝人が近づけないような山奥〟を意味する漢字だが、部首としてはなぜか《宀》に分類するのが、漢和辞典の伝統となっている。

高いからこそ登りたい…

なだらかな山も魅力はあるが、昔から、人びとは高い山に惹きつけられてきた。部首《山》にも、〝山が高い〟ことに関係するさまざまな漢字が含まれている。たとえば、「崇拝《すうはい》」の【崇《すう》】は、神様でも住んでいそうなくらいに〝山が高い〟こと。【嵩《すう》】は、「崇」と読み方も意味も同じ漢字。日本語では、「嵩張《かさば》る」のように、「かさ」と訓読みして〝分量〟という意味でも使われる。

「対峙《たいじ》する」のように使う【峙《じ》】は、本来は〝山がそびえ立つ〟こと。転じて〝じっと立ったまま動かない〟という意味になった。【屹《きつ》】も〝山がそびえ立つ〟という意味で、「屹立《きつりつ》」という熟語がある。

「峻険《しゅんけん》」は〝山が険しい〟という意味の熟語で、【峻《しゅん》】だけでも〝山が険しい〟という意味。「峻険」の代わりに「峻嶮《しゅんけん》」と書くこともあり、この【嶮《けん》】も同じ意味。【峨《が》】は〝山が険しいようす〟をいい、「峨々《がが》たる山」のように用いられる。

〝山が険しいようす〟を表現する漢字はほかにもあり、「嵯峨《さが》」という形で使う【嵯《さ》】や、「巍々《ぎぎ》たる峰《みね》」のように用いる【巍《ぎ》】もその例。現在では主に固有名詞に見られる【崔《さい》】や【崚《りょう》】も同じである。

【巌《がん》】は、以前は【巖《がん》】と書くのが正式。本来は〝山がごつごつと切り立っているようす〟を表す漢字で、転じて〝ごつごつした大きな石〟という意味になり、訓読みでは「いわお」と読む。【岩《がん》】は、もともとは「巌」の略字として使われてきたが、現在では、「いわ」と訓読みして、「巌」よりは少し小さなものを指して用いられる。

　ところで、〝山〟に関係する意味を表す部首には、《阜（おか）》（次項）やその変形《阝（こざとへん）》（次々項）もある。比較してみると、《阜》《阝》には〝人工的に土を盛り上げたもの〟が含まれるのに対して、《山》は〝自然そのままの山〟を指すことがわかる。部首《山》には、時には人間を拒絶するような世界が広がっているのである。

なお、【嵐《らん》】は、もともとは〝山の上のすがすがしい空気〟を表す漢字。日本語では、「あらし」と訓読みして〝山から吹いてくる激しい風〟を指して使われる。また、【峠《とうげ》】は、〝上りきった山道が下りへと変わるところ〟ということから、日本で独自に作られた漢字である。

阜

［名称］おか
［意味］丘や山

盛り土なのか はしごなのか？

【阜《ふ》】は、現在では地名の「岐阜《ぎふ》」以外には使われる機会が少ない漢字。意味としては、大地が盛り上がった〝丘や山〟を表す。

現在、ふつうに使われている漢字の中には、この漢字がそのままの形で部首になる例はない。が、漢字の左側、いわゆる「へん」の位置に置かれたときには《阝》（次項）という形になって、さまざまな漢字の部首となる。

ただ、形の上では、漢字の右側に現れる《邑（ゆう）》（p81）が変形した《阝》と同じ。そこで、《邑》の変形を、意味としては〝人びとが住む場所〟を表しているところから「おおざと（大里）」と呼ぶのに対して、《阜》の変形には「こざとへん（小里偏）」という名前を付けて、区別している。とはいえ、《阜》には〝里〟と関係する意味はない。

「阜」は古代文字では図のように書かれ、〝階段のように積み上げた盛り土〟の絵から生まれた漢字だと考える説が優勢。ただし、古代文字の研究で知られる白川静は、これを〝中国古代の信仰で、神が降りてくるはしご〟の絵だと解釈する。その結果、白川漢字学では、《阝（こざとへん）》の漢字には、従来の説とはかなり異なる独自の説明が施されることになっている。

なお、漢和辞典では、《阝（こざとへん）》の漢字も部首《阜》の中に含めて取り扱うのがふつうである。

阝

［名称］こざとへん
［意味］①丘や山 ②丘や山の状態 ③移動をさえぎる ④上り下りする ⑤その他

左の方が 小さいですよ！

部首《阜》（前項）が、漢字の左側、いわゆる「へん」の位置に置かれたときの形。《邑（ゆう）》（p81）が漢字の右側に置かれたときの形《阝》と、見た目は同じ。そこで、《邑》の変形を、〝人びとが住む場所〟を意味しているところから「おおざと（大里）」というのに対して、《阜》の変形は、区別する意味で「こざとへん（小里偏）」

大地

と呼ばれている。ただし、《阜》は、意味の上で〝里〟とは関係はない。

漢和辞典では、《阝》の漢字も部首《阜》の中に一緒にして扱うのが一般的。《阝》は3画だが、漢和辞典の部首配列では8画の《阜》のところに含まれているので、注意が必要である。

部首としては、〝丘や山〟〝丘や山の状態〟を表すのが基本。「丘陵地帯《きゅうりょうちたい》」のように使う【陵《りょう》】が代表的な例で、〝丘〟そのものを指す。【陸《りく》】も、水面を基準にすれば、確かに〝丘や山〟に見えるだろう。【阪《さか》】は、「坂《さか》」と読み方も意味も同じ漢字で、〝丘や山などの斜面〟を指す。

【陀《だ》】は、そもそもは〝丘〟を表す漢字だったらしいが、「阿弥陀《あみだ》」「仏陀《ぶっだ》」など、古代インド語に対する当て字として用いられることが多い。【陝《せん》】は、中国の省名「陝西省《せんせいしょう》」以外ではまず使われない漢字だが、もとをたどれば、やはり〝丘や山〟が関係していたのだろう。

「険《けわ》しい」と訓読みする【険《けん》】は、以前は【險《けん》】と書くのが正式で、〝丘や山などが切り立っている〟こと。「隆盛《りゅうせい》」の【隆《りゅう》】は、本来は〝丘や山などが盛り上がる〟という意味。以前は、「生」の上に横棒を一本加えた【隆《りゅう》】と書くのが正式であった。

【隘《あい》】は、〝丘や山などが迫っている〟ことを表す漢字で、「隘路《あいろ》」とは〝狭くて通り抜けにくい道〟のこと。〝狭苦しい〟という意味の漢字には【陋《ろう》】もあり、「陋屋《ろうおく》」は、自分の家をへりくだって指す場合にも用いられる。

「片隅《かたすみ》」のように訓読みして使う【隅《すみ》】は、本来は〝丘や山の奥まった部分〟のこと。「界隈《かいわい》」の【隈《わい》】も、似たような意味。

【阿《あ》】ももともとは〝丘や山が曲がりくねった部分〟を指す漢字だが、転じて〝考えをねじ曲げる〟という意味となる。「阿諛《あゆ》」とは、自分の考えをねじ曲げて〝相手の機嫌に合わせる〟ことをいう。

向こうに行くのがたいへんだ！

このように見てくると、部首《阝（こざとへん）》の漢字には、〝丘や山にさえぎられる〟という意味合いを含むものが多い。それをよく表すのが、「かげ」と訓読みする【陰《いん》】で、〝丘や山のうち、日がさえぎられている部分〟をいう。【陽《よう》】は逆に、〝丘や山のうち、日が当たっている部分〟のことをいう。

〝丘や山〟を表す部首としては、ほかに《山》（p307）もあるが、《阝（こざとへん）》は、このように〝さえぎる〟という意味合いを持つことが多いところに特色がある。「隔《へだ》てる」と訓読みする【隔《かく》】や、「阻《はば》む」と訓読みする【阻《そ》】などもその現れ。「隠《かく》す」と訓読みする【隠《いん》】もその一例で、以前は【隱《いん》】と書くのが正式であった。

「限界《げんかい》」の【限《げん》】は、〝あるところでさえぎって、そこから先とは区別する〟こと。そのさえぎるところ、つまりは〝境界〟を指すのが【際《さい》】で、「国際的《こくさいてき》」とは〝国の境界を越えて行き来する〝ことをいう。これらの漢字での《阝(こざとへん)》は、もともとは〝何かをさえぎるために作られた土壁や堤〟を指していたのではないかと思われる。

本来は〝土壁や堤を作って敵がやってくるのをさえぎる〟ことを表していたのが、「防《ふせ》ぐ」と訓読みする【防《ぼう》】。「障《しょう》壁《へき》」の【障《しょう》】も、〝土壁や堤を越えて入ってくるのをさえぎる〟こと。また、「陣地《じんち》」の【陣《じん》】と「陳列《ちんれつ》」の【陳《ちん》】は、もともとはとてもよく似た意味と発音を持つ漢字。その成り立ちには諸説あるが、〝敵を防ぐために土壁や堤を築いたり、軍隊を並べたりする〟ことと関係すると考えると、すっきりするように思われる。

「隣《となり》の家」のように訓読みする【隣《りん》】は、そもそもは〝土壁の向こう側〟を指す漢字。ただし、この漢字は、本来は部首を〝人が住む土地〟を意味する《阝(おおざと)》にした「鄰《りん》」(p82)と書かれるべきものだ、という説もある。また、「病院《びょういん》」の【院《いん》】は、本来は〝敷地にりっぱな土壁をめぐらした建物〟のことである。

このほか、【隙《すき》】は〝土壁や堤の割れ目〟のこと。「隧道《すいどう》」の【隧《すい》】はやや違って〝土を掘って作った道〟を指すが、その道の両側は〝土壁〟になっている、と見ることができる。

上り下りも一苦労

ところで、以上の漢字では、丘や山、土壁や堤などは〝水平方向〟への移動を〝さえぎる〟存在である。これに対して、〝垂直方向〟への移動、つまり〝丘や山、土壁や堤を上り下りする〟ことに焦点を当てた漢字もある。

代表的な例は、「降《お》りる」と訓読みする【降《こう》】。「陥落《かんらく》」の【陥《かん》】は、以前は【陷《かん》】と書くのが正式で、〝穴の中に落ちる〟こと。「隕石《いんせき》」の【隕《いん》】も、〝落ちる〟ことを表す。

【隊《たい》】は、以前は正式には【隊《たい》】と書き、これも本来は〝落ちる〟ことを表す漢字。それが〝集団〟を意味するようになった経緯ははっきりしないが、その結果、もとの意味を表すために改めて作られたのが、「墜落《ついらく》」の「墜《つい》」である。

一方、〝上へ移動する〟ことを表す《阝(こざとへん)》の漢字は、現在、日常的に使われている漢字の中には見当たらない。が、【陞《しょう》】や【陟《ちょく》】は、訓読みではそれぞれ「陞《のぼ》る」「陟《のぼ》る」と読む漢字である。

丘や山、土壁や堤などを上り下りするには、〝段〟を付けておくと便利である。本来はその〝段〟を表していたのが、「階段《かいだん》」の【階《かい》】。また、【陛《へい》】も、もともとは〝宮殿に上るための階段〟を指す漢字。「陛下《へいか》」とは〝宮殿の階段の下にいる役人〟のことで、その宮殿に住む王や皇帝、天皇などを遠回しに指すことばとして使われる。

なお、「随時《ずいじ》」の【随《ずい》】は、訓読みすれば「随《したが》う」で、〝くっついて移動する〟という意味。以前は【隨《ずい》】と書くのが正式で、本来は〝移動〟を表す部首《辶(しんにょう)》(p92)に、発音を表す「隋《ずい》」が組み合わさった漢字だと解釈されている。

そこで、ふつうは《阝(こざとへん)》に分類するが、部首を《辶》に改めている辞書もある。ちなみに、【隋《ずい》】は、昔の中国の国名を表す漢字として使われることがある。

神が天から降りてくる

以上、《阝(こざとへん)》の漢字は、丘や山、そして土壁や堤といった〝高く盛り上がった土〟を中心に整理して眺めることができる。ただし、漢字の成り立ちについて独自の学説を打ち立てた白川静は、《阝(こざとへん)》のもとになった古代文字「」を、〝中国古代の信仰で、神が降りてくるはしご〟の絵だと解釈している。

たとえば、「陶器《とうき》」の【陶《とう》】は、従来は〝土を重ねる〟という意味だとされてきたが、白川説では〝神にささげる焼きもの〟だという。また、「除《のぞ》く」と訓読みする【除《じょ》】については、従来の説では〝邪魔な土をどける〟ことだとか、〝階段〟の一種を表すなどという。一方、白川説では、〝神が降りてくるはしごの下でおはらいをする〟ことだと説明している。「陪審員《ばいしんいん》」の【陪《ばい》】は〝付き従う〟という意味なので、〝高く盛り上がった土〟と絡めて説明するのは、なかなかむずかしい。それを白川説では、〝神が降りてくるはしごのある場所に、一緒に出向く〟ことだとする。「附属《ふぞく》」の【附《ふ》】のもともとの意味は、従来の説では〝小さな丘〟だとか〝土を盛り上げる〟ことだが、白川説によれば、〝新しい神を、これまでの神に合わせてまつる〟ことだという。

厂

[名称]がんだれ

[意味]①がけ ②土の量が多い ③《广》の変形 ④その他

考えるだけでもクラクラする!

現在では実際に漢字として用いられることはまずないが、【厂《がん》】は〝がけ〟を横から見た絵から生まれた漢字。部首としては、〝がけ〟を表すのが基本となる。

【厓《がい》】がその例で、〝がけ〟を表す漢字。ただし、この漢字も現在では実際に使われることは少なく、《山》(p307)を付け加えた「崖《がい》」が用いられるのがふつう。また、〝水〟を意味する部首《氵(さんずい)》(p318)を組み合わせた「涯《がい》」は、〝水際のがけ〟のことで、転じて〝何かが終わるところ〟〝はて〟という意味で用いられる。

【原《げん》】は、大昔は【原《げん》】と書いた漢字で、もともとの意味は〝がけの下からわき出る泉〟。転じて、「原初《げんしょ》」のように〝最初の〟という意味で用いられる。「高原《こうげん》」「野原《のはら》」のような意味は、大昔の中国語では〝広く平らな土地〟を指すことばと発音が似ていたため、当て字的に転用されたものだと考えられている。

また、〝災難〟を意味する【厄《やく》】は、〝ひざまずいた人〟を表す「㔾」(p202)を《厂》に組み合わせて、本来は〝がけで人がうずくまっている〟ことを表す。ちなみに、「仄《ほの》か」と訓読みする「仄《そく》」は、〝人ががけのそばで身を傾けている形〟。〝片方に寄る〟ところから変化して、〝なんとなく〟〝ほんの少し〟という意味になったと思われる。ただし、ふつうは部首《人》(p14)に分類される。

「分厚《ぶあつ》い」のように訓読みして用いられる【厚《こう》】は、本来は〝高く切り立っているがけ〟だという。また、【厭《えん》】は「厭《あ》きる」と訓読みする漢字で、〝土の重み〟と関連させて、もともとは〝上から押さえつけられて嫌になる〟ことだと考える説が優勢である。

このように、《厂》には〝土の量が多い〟という意味合いがあるらしい。【厖《ぼう》】も〝量が多い〟という意味。巨大な〝がけ〟を目の前にして、途方に暮れているようなイメージだろうか。「厖大《ぼうだい》」という熟語があるが、現在では「膨大《ぼうだい》」と書く方が一般的である。

考えてみれば、〝山〟を表す部首とは別に〝がけ〟を表す部首が存在するということ自体が、なかなか興味深いこと。《厂》が表す〝がけ〟からは、黄河のような大河が削り取った、巨大な〝がけ〟をイメージするべきなのかもしれない。

点が付いても許してね

ところで、《厂》によく似た部首に、〝建物〟を表す《广(まだれ)》(p69)がある。この二つは、昔からよく混同されてきていて、現在は《厂》で書くのが定着している漢字の中にも、本来は《广》で書くべきものが存在している。

たとえば、「厨房《ちゅうぼう》」の【厨《ちゅう》】は、以前は「廚《ちゅう》」と書くのが正式で、〝台所〟を指す。「うまや」と訓読みする【厩《きゅう》】も、以前は「廏《きゅう》」と書くのが正式で、〝馬を飼う小屋〟のこと。【厠《し》】は「かわや」と訓読みして〝トイレ〟を指す漢字。これまた建物の一部だから、《广》を使って「廁《し》」と書くのが本来の形である。

なお、割合の〝一〇〇〇分の一〟を表す【厘《りん》】は、成り立ちははっきりしないが、本来は「釐《り》」(p78)の略字だったと考えられている。

最後に、部首の名前「がんだれ」は、漢字「雁《がん》」の上から左側にかけて、いわゆる「たれ」の位置に見られることからの命名。ただし、「雁」の部首は《隹(ふるとり)》(p239)で、〝がけ〟とは直接の関係はない。

谷

[名称]たに、たにへん
[意味]谷

【谷《たに》】は、〝山と山との間〟を指す漢字。部首としては単に「たに」と呼ばれるほか、漢字の左側の「へん」と呼ばれる位置に現れた場合には、「たにへん」といわれることもある。

スケールにはご注意を！

数は少ないが、〝谷〟に関係する漢字の部首となる。代表的なものは【谿《けい》】で、〝谷間を流れる川〟を表す。「谿谷《けいこく》」のように使われるが、現在では「渓谷《けいこく》」と書く方が一般的である。【谺《か》】は、本来は〝谷が深くてがらんとしているようす〟を表す漢字らしい。日本語では、そこに響く音のイメージから、「こだま」と訓読みして使われる。また、【豁《かつ》】は、〝谷が大きく開けている〟こと。「豁達《かったつ》」とは〝のびのびしている〟ことをいうが、「闊達《かったつ》」と書かれることも多い。

「谺」「豁」の二つから考えると、部首《谷》が表すものは、日本語「たに」のイメージよりはかなり大きいのではないかと思われる。実際、現在ではまず使うチャンスはないものの、【谹《こう》】【谽《かん》】【谾《こう》】といった漢字も、〝谷が深い〟とか〝がらんとしている〟という意味を持っている。

また、「余裕《よゆう》」の「裕《ゆう》」や、「浴《あ》びる」と訓読みする「浴《よく》」など、「谷」を含むほかの漢字を眺めても、〝狭い〟というよりは〝広い〟というイメージ。古代文字では図のように書き、〝両側から迫っている〟雰囲気が漂ってはいるが、日本の自然のスケールでは考えない方がよさそうである。

穴

［名称］あな、あなかんむり
［意味］①穴 ②穴に関する動作・状態

とっても巨大なものもある！

「あな」というと、なんとなく下の方へ伸びているものを想像してしまうが、実際には、トンネルのように水平方向に伸びているものも含まれる。【穴《けつ》】は、古代文字では図のような形で、〝ほらあなの入り口〟の絵から生まれた漢字。入り口そのものは、水平方向に口を開けているようである。〝建物〟を表す部首《宀（うかんむり）》（p71）を含んでいるところからすると、単なる〝ほらあな〟ではなく、人が住む〝ほらあな〟だったのかもしれない。

部首としても、〝穴〟を表すのが基本。単に「あな」という名前もあるが、ほとんどの場合は漢字の上部、いわゆる「かんむり」の位置に現れるので、「あなかんむり」とも呼ばれている。

代表的な例は、「洞窟《どうくつ》」の【窟《くつ》】。【窓《まど》】は、〝壁に開けた穴〟。現代風の大きな〝窓〟ではなく、分厚い土壁に開けられた、やっと光が差すくらいの〝窓〟をイメージする方がぴったりくる。【竈《そう》】は、訓読みすれば「かまど」で、〝料理のときに火をくべる穴〟。【窯《よう》】は訓読みすれば「かま」で、〝陶器や炭などを作るときに火をくべる穴〟をいう。

ここまでは水平方向のイメージだが、もちろん、下向きの〝穴〟を表す漢字もある。【穽《せい》】は〝落とし穴〟のことで、「陥穽《かんせい》」とは〝落とし穴〟のちょっと堅苦しい表現。固有名詞で「くぼ」と訓読みして使うことが多い【窪《わ》】は、〝地面がくぼんで穴になる〟という意味。【窩《か》】は〝くぼんでいる場所〟を指す漢字で、「眼窩《がんか》」とは〝頭蓋骨の中で、眼球が収まっ

谷／穴／凵

ているくぼみ"のことである。

以上のような"穴"と比べると、【空】はあまりにも大きい。この漢字の部首が《穴》であるのは、"空"全体が一つの大きな"穴"であると考えられたから。また、【穹】は"弓"のようにドーム状になった"テント"のことだが、"蒼穹"とは"青空"を指す。転じて、"穴に関する動作・状態"をも表す。「穿鑿」の【穿】は、「穿つ」と訓読みする漢字で、"穴を開ける"こと。「研究」の【究】は、「究める」と訓読みする漢字で、"穴からのぞく"こと。

あっちでこそこそこっちでゴソゴソ

【窺】は、"穴からのぞく"ことから、転じて"こっそりのぞきみする"漢字で、"窺う"と訓読みである。

このほか、【窮】は、"穴の中で身動きがとれなくなる"こと。「窮屈」の【窮】は、"穴の中で身動きがとれなくなる"こと。「窒息」の【窒】は、"穴がふさがって息ができなくなる"という意味。【窄】は"狭くなる"ことを表す漢字で、「狭窄」という熟語がある。

このほか、「窃盗」の【窃】は、以前は【竊】と書くのが正式で、もともとは"穴蔵の米を虫が食い荒らす"という意味だったという。また、《穴》に「鼠」を組み合わせた【竄】は、"ネズミが穴を掘る"ところから"こそこそ逃げ回る"ことを表す。「改竄」では、"こっそり文字を書き換える"という意味で使われている。

以上のように、部首《穴》は、全体的に、薄暗く、こそこそした雰囲気を漂わせている。日本語では【窶れる】と訓読みする【窶】は、本来は"貧しい生活をする"という意味。"穴

の中で暮らす"というイメージがあるのかもしれない。なお、「突然」の【突】は、以前は「大」を「犬」にしたと書くのが正式。本来は、犬が穴の中から飛び出してくることを表すと考えられているが、"いけにえの犬をお供えしたかまどの煙突"だと解釈する説もある。

【凵】

[名称] かんがまえ、かんにょう、うけばこ、したばこ
[意味] ①くぼみ ②箱

はっきりしないが落ち込みますよ…

【凵】は、実際にはほとんど使われることのない漢字。そこで、成り立ちについてもはっきりせず、"地面のくぼみ"の絵だとか、"上が開いた箱"を描いたものだとか考えられている。《凵》を部首とする漢字の数は多くはないが、その両方で解釈できるものが含まれている。

【出】は、古代文字では図のような形で、"くぼみ"の上に「足」を表す「止」が書かれた形。もともとは"くぼみから外に移動する"という意味だと考えられる。おみくじでおなじみの【凶】についても、"くぼみの中に落ち込む"ことだとするのが、昔からある解釈。ただし、古代文字の研究で有名な白川静は、これを"死者の胸に付けた印"だと説明する。確かに、「胸」には【凶】が含まれている。

【凹《おう》】は、訓読みでは「凹《くぼ》む」「凹《へこ》む」と読み、〝くぼみ〟の絵から生まれた漢字。【凸《とつ》】は、逆に〝中央が突き出た形〟から生まれた漢字。「凸」は《凵》とは関係がないし、厳密に考えれば「凹」も《凵》とは別個に生まれた漢字だと思われるが、ともに、便宜的に部首《凵》に分類されている。

一方、「手紙を投函《とうかん》する」の【函《かん》】は、「はこ」と訓読みする漢字。〝箱〟に関係する意味を持つ例である。

なお、「画《が》」にも《凵》が含まれているが、この漢字は以前は「畫《が》」と書くのが正式で、部首は《田》（p79）。ただし、最近では「画」の部首を《凵》としている漢和辞典もある。

部首の名前としては、「函《かん》」の音読みをかぶせて「かんがまえ」という。「かまえ」は、漢字の三方あるいは四方を取り巻く部首のこと。また、「かんにょう」という呼び名もあるが、「にょう」は漢字の左側から下にかけて表れる部首を指すので、《凵》の形とは一致しない。このほか、〝何かを受ける箱〟というところから、「うけばこ」と呼ばれたり、漢字の下部に現れる〝箱〟だから「したばこ」といわれたりすることもある。

大地

水と空

《水》は変形して《氵（さんずい）》となり、非常に多くの漢字を生み出す。そこには、悠久の大河から涙の一滴まで、さまざまな〝水〟が表現されていて、壮観である。一方、《日》の傾きから人びとは〝時間〟を表す漢字を作り、満ちては欠ける《月》からは、〝暦〟に関する漢字を生み出した。壮大な自然は、人間にさまざまなことを考えさせてくれたのである。

水

［名称］みず
［意味］①水　②液体

形がないものを描くために

はるか昔、人びとは水を求めて大きな川のほとりに集まり、その地に古代文明をはぐくんだ。とすれば、漢字を創り出した中国古代の人びとが、〝水〟を表す手段として〝川の流れ〟を選んだのは、当

然の成り行きだったろう。図は、【水《みず》】の古代文字。〝川の流れ〟の絵から生まれた漢字である。

部首として非常にたくさんの漢字を生み出すが、ほとんどの場合、漢字の左側、「へん」と呼ばれる場所に置かれて、変形して《氵(さんずい)》(次々項)となる。そのため、《水》の形をそのまま残している漢字は少ない。漢和辞典では、《氵》の漢字も《水》の中に合わせて扱うのが伝統的だが、最近では、《氵》を独立させている辞書もある。

また、《氺(したみず)》(次項)は、部首《水》が漢字の下側に置かれて変形したもの。ただし、《氺》が部首となっている例は少なく、漢和辞典では部首《水》の中に含めて扱うのがふつうである。

【氷《こおり》】は、昔は「冰《こおり》」と書かれ、部首は〝こおり〟を表す《冫(にすい)》(p328)だった。「永久《えいきゅう》」の【永《えい》】は、古代文字では図の右側のような形で、〝二手に分かれている川の流れ〟の絵から生まれた漢字。〝遠くまで流れる〟ところから、〝長く続く〟という意味となった。また、図の左側は、【泉《いずみ》】の古代文字。〝岩の間から水がしたたるようす〟を描いた絵から生まれた、と考えられている。現在の形は、これが変形したものである。

このほか、【漿《しょう》】は〝液体〟を指す漢字。「血漿《けっしょう》」とは〝血液の成分のうち、液体の部分〟。それ以外が「血球」である。

また、現在ではあまり使われることはないが、【淼《びょう》】は〝海や川などが遠くまで広がっているようす〟を表す。

【沓《とう》】は、「水」の下に〝話す〟ことを表す「曰」(p162)を加えた漢字。もともとは〝流れる水のように話す〟という意味だった、と考えられているが、異説もある。日本語で「くつ」と訓読みして用いるのは、〝靴〟や〝靴下〟を表す「鞜《とう》」の略字として使われたものである。

氺

［名称］したみず
［意味］①水 ②その他

立派な名前があるものの…

部首《水》(前項)が、漢字の下側に置かれて変形した形。「下」にある《水》だというわけで、「したみず」という。

「安泰《あんたい》」の【泰《たい》】がその例で、古代文字では図のような形。「水」の古代文字「」に加えて、〝両手〟を表す「廾《きょう》」(p187)の古代文字「」が含まれている。もともとの意味については、〝水で体を洗う〟〝水をたっぷり流す〟〝水におぼれた人を救い上げる〟などの説がある。

このほか、【求《きゅう》】の部首も《氺》だが、古代文字では図のような形で、意味の上で〝水〟との関係はない。〝切って広げた動物の皮〟の絵から生

まれた漢字だと考えられていて、訓読み「求《もと》める」のような意味が生まれた経緯については、諸説がある。

　以上のように、《氺》が部首となる漢字は少ない。そのため、漢和辞典では、部首《水》の中に合わせて取り扱うのが一般的。《氺》は5画だが、漢和辞典の部首配列では4画の《水》のところに含まれているので、注意が必要である。

氵

［名称］さんずい
［意味］①川 ②湖、海など ③水が流れる ④水の変化 ⑤水と人間との関わり ⑥液体 ⑦その他

部首《水》(前々項)が漢字の左側に置かれたときの形。「水」が変化した3画の部首なので、「さんずい(三水)」と呼ばれている。漢和辞典では《水》の中に含めて扱うのが伝統的なスタイルだが、《氵》の漢字は非常に数が多いので、最近では、《氵》を独立させているものもある。《氵》の画数は3だが、漢和辞典の部首配列では4画の《水》のところに含まれているので、注意が必要である。

最大級のメジャーな部首

　部首《氵》の漢字は、大きく三つのグループに分けることができる。一つ目は、「水」の古代文字「」が〝川の流れ〟の絵であったところから生まれてくる、〝川〟や〝湖、海〟などに関係するグループ。二つ目は、同じく「水」の古代文字に現れている〝水の流れ〟や、そこから発展した〝水の変化〟を表すグループ。そして最後は、そういった〝水〟と人間がどのように関わるかを示すグループである。

あれもこれも中国の地名

　〝川〟を表す漢字の代表は、「河川《かせん》」の【河《か》】。「入江《いりえ》」のように訓読みして用いる【江《こう》】も、本来は〝川〟のこと。ただし、どちらもそもそもは「黄河《が》」「長江《ちょうこう》」という特定の川の名前を表す。このように、中国では川の名前を表すのに、《氵》がよく使われる。

　【漢《かん》】も、実はその例の一つ。この名前の川の流域から勢力を広げた「漢」という王朝が中国を統一し、四〇〇年もの間、中国全土を支配したため、「漢字《かんじ》」「漢文《かんぶん》」のように〝中国〟全体を指して使われるようになった。なお、以前は、「廾」の形を「廿」とした【漢《かん》】と書くのが正式であった。

　また、「なんじ」と訓読みして用いる【汝《じょ》】も、もともとは川の名前。大昔の中国語では〝相手〟を指す代名詞と発音が似ていたことから、当て字的に転用されて使われるようになった。

　このほか、やはり川の名前だった【洛《らく》】は、後にその川岸に作られた町「洛陽《らくよう》」が都となったため、〝都〟の代名詞のように使われる。日本語でも「上洛《じょうらく》」といえば、〝京都へ行く〟こと。また、【湘《しょう》】も、もとはといえば中国の川の名前。神奈川県南部の「湘南《しょうなん》」はその流域にちなんだものというが、神奈川県の旧国名「相模《さがみ》」の「相」に《氵》を付けたものでもあるかもしれない。なお、中国の「浙江省《せっこうしょう》」という省名

で使われている【浙《せつ》】も、川の名前である。

名前ではなく、一般的な〝川〟に関係する漢字としては、「源流《げんりゅう》」の【源《げん》】がある。【淵《ふち》】は、〝川の流れが深く、ゆったりとしているところ〟。「洞窟《どうくつ》」の【洞《どう》】は、〝水の流れによって作られた穴〟。「渓谷《けいこく》」の【渓《けい》】は、以前は【溪《けい》】と書くのが正式で、〝谷川〟のこと。【澗《かん》】も同じく〝谷川〟を指すが、現在ではあまり用いられない。

【沢《たく》】は、以前は【澤《たく》】と書くのが正式。「さわ」と訓読みして〝谷間を流れる小さな流れ〟をいうが、これは日本語独自の用法。本来は〝湿地帯〟を指す。

日本語と中国語とで意味の異なる漢字は、ほかにもある。【瀬《らい》】や【灘《たん》】は、本来の意味は〝川の急流〟。日本語では、「瀬」は「せ」と訓読みして〝川や海の渡りやすい場所〟を、「灘」は「なだ」と訓読みして〝波風の荒い海域〟を指して用いる。なお、「瀬」は、以前は【瀨《らい》】と書くのが正式であった。

【滝《そう》】は、以前は【瀧《そう》】と書くのが正式。これも、もともとは〝水の急な流れ〟を表す漢字で、訓読み「たき」のように〝水が垂直に近い角度で流れ落ちる場所〟をいうのは、日本語のオリジナル。「たき」に相当する本来の漢字は【瀑《ばく》】で、「ナイヤガラ瀑布《ばくふ》」のように使われる。

いったいどこまで続いているやら…

〝川〟から始まった《氵》の世界は、【池《いけ》】や【沼《ぬま》】、そして【湖《みずうみ》】などへと広がっていく。その行き着く先が【海《うみ》】で、以前は【海《うみ》】と書くのが正式。「海洋《かいよう》」の【洋《よう》】は、〝広い海〟のことをいう。

こういった〝自然〟としての水の風景は、はるか遠くへと広がっていることが多い。「漫然《まんぜん》」の【漫《まん》】は、〝水がとりとめもなく広がっているようす〟を表す。「ひろし」「ひろ」と読んで人名でよく使われる【浩《こう》】は、〝水が遠くまで広がっているようす〟。【洸《こう》】は〝広々とした水面がきらめいているようす〟を、【滉《こう》】は〝水が広く深いようす〟を表すが、どちらも、現在では人名以外ではあまり用いられない。

また、「深《ふか》い」と訓読みする【深《しん》】は、本来は川や湖、海などについて使う漢字だと思われる。その反対が「浅《あさ》い」と訓読みする【浅《せん》】で、以前は正式には【淺《せん》】と書いた。深さや浅さを数値として知るのが、「測定《そくてい》」の【測《そく》】。ついでながら、海上の距離の単位「海里《かいり》」を、一文字で【浬《り》】と書き表すこともある。

川や湖、海などには、【波《なみ》】が立つ。この漢字は、音読みでは「波浪《はろう》」「波濤《はとう》」「波瀾《はらん》」のような熟語となるが、【浪《ろう》】【濤《とう》】も、意味としては〝波〟を表す。なお、「濤」の代わりに、形を省略した【涛《とう》】が使われることもある。

【漣《さざなみ》】は、〝小さな波〟。また、〝波〟とは別に、〝海の満ち引き〟を指す漢字として、「しお」と訓読みする【潮《ちょう》】【汐《せき》】がある。「潮」は主に朝に見られるもの、「汐」は主に夕方に見られるものをいう。なお、「潮」は、以前は「月」を「月」とした【潮《ちょう》】と書くのが正式であった。

《氵》には、水辺の風景を描き出した漢字も多い。代表的なものは、「砂浜《すなはま》」の【浜《はま》】。以前は正式には【濱《はま》】と書いた。【渚《なぎさ》】や【汀《みぎわ》】もだいたい同じ意味だが、「浜」に比べると特に〝波打ち際〟という意味合いが強い。なお、「渚」は、以前は点を一つ加えた【渚《なぎさ》】と書くのが正式であった。

水と陸とが接するところ

「中洲《なかす》」の【洲《す》】は、〝川の中に顔を出した陸地〟。「干潟《ひがた》」の【潟《かた》】は、〝潮の満ち引きによって海になったり陸になったりする土地〟。「田子《たご》の浦《うら》」の【浦《うら》】は〝浜辺〟のこと。「大阪《おおさか》湾《わん》」の【湾《わん》】は、以前は【灣《わん》】と書くのが正式で、〝入江〟をいう。

「生涯《しょうがい》」の【涯《がい》】は〝何かが終わるところ〟という意味で、本来は〝水際の崖〟を指す。「瀕死《ひんし》の重傷《じゅうしょう》」の【瀕《ひん》】は、〝波打ち際〟から転じて、〝差し迫っている〟という意味となる。ついでながら、「すな」と訓読みする【沙《さ》】は、本来は〝水辺の小さな石の粒〟を指す。

なお、〝湖や海などで、陸地から離れたところ〟を【沖《おき》】で表現するのは、日本語独自の用法。この漢字は音読みでは「ちゅう」で、もともとは〝水の流れがゆっくりになる〟という意味である。

さて、ここまでは〝川〟から〝湖や海〟などへと発展したグループを見てきたわけだが、自然の中での〝水〟といえば、もう一つ、思い浮かぶのは〝雨〟である。しかし、〝雨〟に関する漢字の多くは、部首《雨》（p329）に含まれていて、《氵》の中には少ない。現在でも比較的よく使われるものとしては、「濛々《もうもう》と煙が立ちこめる」の【濛《もう》】が、もともとは〝小雨〟を指す漢字。また、「沛然《はいぜん》と雨が降る」の【沛《はい》】は、〝勢いよく雨が降るようす〟をいう。

流れゆく川のように…

次に、第二のグループとして〝水が流れる〟ことに関係する漢字を見ていこう。

その代表は、もちろん【流《りゅう》】。また、【激《げき》】は、本来は〝勢いよく流れる〟ことをいう。また、〝ある目標に向かって流れ込む〟ことを意味するのが、「注《そそ》ぐ」と訓読みする【注《ちゅう》】である。

「活発《かっぱつ》」の【活《かつ》】は、もともとは〝水が勢いよく流れる〟こと。「滔々《とうとう》と川《かわ》が流《なが》れる」の【滔《とう》】は、〝勢いよく水が流れるようす〟を表す。【瀉《しゃ》】は、〝高いところから低いところへ水が勢いよく流れる〟という意味。「一瀉千里《いっしゃせんり》」とは、〝文章などを一気に勢いよく仕上げる〟ことのたとえ。

また、「派生《はせい》」の【派《は》】は、本来は〝水の流れが分かれる〟という意味。「沿線《えんせん》」の【沿《えん》】は〝流れに従って進む〟ことを表す。「演技《えんぎ》」の【演《えん》】は、そもそもは〝川がある方向に流れる〟という意味だったらしい。転じて、〝意味や役割を説明したりある方向に発展させたりする〟という意味となり、〝人前でやって見せる〟ことを表すようになったという。

一方、〝水がうまく流れない〟ことを表す漢字もある。「溜《た》まる」と訓読みする【溜《りゅう》】や、「滞《とどこお》る」と訓読みする【滞《たい》】がその例。「滞」は、以前は正式には【滯《たい》】と書いた。

「渋《しぶ》る」と訓読みする【渋《じゅう》】は、以前は【澁《じゅう》】と書くのが正式で、本来は〝水がうまく流れない〟こと。〝邪魔されてうまく流れない〟ことを表すのが【沮《そ》】。「意気沮喪《いきそそう》」という四字熟語があるが、現在では「意気阻喪《いきそそう》」と書く方が一般的である。

水が流れないと、〝新鮮さを失い、不純物が底にたまる〟ことになる。そのことを表すのが、「澱《よど》む」と訓読みする【澱《でん》】。「沈澱《ちんでん》」のようにも使われるが、現在では「沈殿《ちんでん》」と書くことも多い。なお、〝沈澱物〟を指す漢字としては「残滓《ざんし》」の【滓《し》】があり、訓読みでは「おり」と読む。

【淀《でん》】は、「澱」と意味も読み方も同じ漢字だが、日本語では「淀《よど》み」と訓読みして、特に〝川の水が流れずにたまっている部分〟を指して使われる。「とろ」と訓読みして地名で見かける【瀞《せい》】も、〝川の流れがゆるやかな場所〟のことだが、そもそもは〝清らかな〟という意味の漢字らしい。ちなみに、〝水たまり〟を表す【潦《ろう》】や【瀦《ちょ》】という漢字もある。

たまった水が行き着く先は？

一方、水がうまく流れないと、〝だんだん水量が増えていく〟ことになる。本来はそのことを表していたのが【漸《ぜん》】で、「漸《ようや》く」と訓読みして〝だんだん〟という意味で用いられる。

また、「滋養《じよう》」とは〝栄養を豊富にする〟という意味で、【滋《じ》】も、もともとは〝水が増える〟ことを表す漢字だった、と考えられている。「添《そ》える」と訓読みする【添《てん》】についても〝水の量を増やす〟ことだったという解釈があるが、異説もある。

増えていった水は、やがていっぱいになる。それを表すのが「満杯《まんぱい》」の【満《まん》】で、以前は正式には【滿《まん》】と書いた。「漲《みなぎ》る」と訓読みする【漲《ちょう》】や、「静かな水を湛《たた》えた湖」のように訓読みして使う【湛《たん》】も、〝水がいっぱいになる〟という意味。その限界を超えて水が流れ出てしまうのが、「溢《あふ》れる」と訓読みする【溢《いつ》】で、さらには「洪水《こうずい》」の【洪《こう》】や、「氾濫《はんらん》」の【氾《はん》】【濫《らん》】のような事態に至ることになる。

「決《き》める」と訓読みする【決《けつ》】は、もともとは〝堤防を切って水を流す〟という意味。「潰《つぶ》れる」と訓読みする【潰《かい》】も、〝堤防が崩れる〟こと。この二つを合わせた「決潰《けっかい》」という熟語に本来の意味がよく現れているが、現在では「決壊《けっかい》」と書くことも多い。

勢いよくあふれてしまうのではなく、〝水が少しずつ流れ出る〟ことを表す漢字もある。「漏《も》れる」と訓読みする【漏《ろう》】、同じく「洩《も》れる」と訓読みする【洩《えい》】が、その例。この二文字を合わせた「漏洩《ろうえい》」という熟語がある。また、「排泄《はいせつ》」の【泄《せつ》】も、〝少しずつ流れ出る〟ことを表す。

「滴《したた》る」と訓読みする【滴《てき》】は、〝水が粒になって流れ落ちる〟こと。「分泌《ぶんぴつ》」の【泌《ひつ》】は、もともとは〝狭い穴から水が少しずつ流れ出る〟という意味。なお、この漢字は、「分泌《ぶんぴ》」のように「ひ」と音読みすることもある。

少しの間も止まらない…

ところで、「行く河の流れは絶えずして、しかも、もとの水にあらず」とは、鴨《かも》長明《ちょうめい》の『方丈記』の書き出し。まことにその通りで、流れる水は、常に変化し続けている。そこで、《氵》には、さまざまな〝水の変化〟を表す漢字も含まれる。

「湧《わ》く」と訓読みする【湧《ゆう》】は、〝水が流れる〟直前の段階。【涌《ゆう》】は、「湧」と読み方も意味も同じ漢字。「滾々《こんこん》と泉《いずみ》が湧《わ》き出《で》る」の【滾《こん》】は、〝水が尽きないようす〟をいう。

逆に、「涸《か》れる」と訓読みする【涸《こ》】は、〝水がなくなる〟こと。「消失《しょうしつ》」の【消《しょう》】も、本来は〝水がなくなる〟ことだし、「減少《げんしょう》」の【減《げん》】は、もともとは〝水量が少なくなる〟こと。〝水がない大地〟を指すのが【漠《ばく》】で、「砂漠《さばく》」がその例。なお、「消」は、以前は正式には【消《しょう》】と書いた。

水の流れは、しばしばしぶきを上げる。【潑《はつ》】は、〝水がはねる〟という意味。「潑剌《はつらつ》」は、〝生き生きと水をはね上げるようす〟を表す。なお、「潑剌」の「剌」は、《氵》を付け加えて【溂《らつ》】と書くこともある。この字は、この熟語だけでしか使われない、日本で作られた漢字である。

話は少し横道にそれるが、「潑剌」のように、《氵》の漢字を二つ組み合わせて水の動きを表す熟語は、ほかにもある。【滂《ぼう》】【沱《だ》】は、〝水のしずくが激しく流れ落ちるようす〟で、「滂沱《ぼうだ》として涙《なみだ》が流《なが》れる」のように用いる。日本語では「淋《さみ》しい」と訓読みして用いる【淋《りん》】も、本来は【漓《り》】と組み合わさって似たような意味で使われ、「流血淋漓《りゅうけつりんり》」とは〝血がぽたぽたと流れる〟ことをいう。【澎《ほう》】【湃《はい》】は〝波がぶつかって激しい音を立てるようす〟。「批判《ひはん》の声《こえ》が澎湃《ほうはい》として起《お》こる」のように用いるのが、その例である。

話を元に戻すと、水の流れはあぶくを作ることもある。それを指すのが、「あわ」と訓読みする【泡《ほう》】。「泡沫《ほうまつ》」の【沫《まつ》】の方も「泡」とほぼ同じ意味だが、より小さなあぶくをいう。

さらに、複雑な水の流れは、回転する【渦《うず》】を作ることもある。現在では人名以外ではあまり使われない【洵《じゅん》】も、本来は〝水がうずを巻く〟という意味だったらしい。

きれいな水と汚れた水

以上のような〝水の動き〟に対して、ある瞬間の〝水の状態〟を表す漢字もある。たとえば、「清《きよ》らか」と訓読みする【清《せい》】は、以前は【淸《せい》】と書くのが正式で、〝水がきれいである〟こと。「清潔《せいけつ》」の【潔《けつ》】も、同じ意味。「浄水器《じょうすいき》」の【浄《じょう》】は、以前は【淨《じょう》】と書くのが正式で、〝水をきれいにする〟こと。「澄《す》む」と訓読みする【澄《ちょう》】は、〝水が透き通る〟こと。「貞淑《ていしゅく》」の【淑《しゅく》】も、もともとは〝きれいな水〟のことだったという。

一方、〝水がきれいでない〟という意味の漢字としては、「汚濁《おだく》」の【汚《お》】と【濁《だく》】が代表的なもの。「冒瀆《ぼうとく》」の【瀆《とく》】は、本来は〝きれいでない水が流れる水路〟のこと。「混《ま》じる」と訓読みする【混《こん》】も、〝純粋ではない〟という意味だから〝きれいでない〟例の一つだといえる。「混沌《こんとん》」の【沌《とん》】は、〝いろいろなものが入り混じっているようす〟。「渾身《こんしん》の力《ちから》をこめる」の【渾《こん》】は、もともとは〝不純物もすべてひっくるめる〟という意味である。

水が土と混じり合うと【泥《どろ》】になる。本来は〝どろ〟を表す漢字には、もう一つ、【涅《ね》】もある。古代インド語に対する当て字として用いられ、仏教の〝悟りの境地〟を表す熟語「涅槃《ねはん》」が、その例である。

このほか、〝水に溶け込んでいるものが多い〟という状態を表すのが、「濃《こ》い」と訓読みする【濃《のう》】。その逆が、「淡《あわ》い」と訓読みする【淡《たん》】。【澹《たん》】も〝淡い〟という意味で、「恬澹《てんたん》」と書くことも多い。また、人名で使われる【淳《じゅん》】は、もともとは〝あっさりしている〟こと。ただし、現在では「恬淡《てんたん》」と書くことも多い。また、人名で使われる【淳】は、もともとは〝濃い〟という意味。〝人情が濃い〟ことをも指す。

なお、水は、ふつうは人間の体温よりも温度が低い。それは、「涼《すず》しい」と訓読みする【涼《りょう》】に《氵》が付いているのは、そのため。【冽《れつ》】は〝冷たくて透き通っている〟という意味の漢字で、「清冽《せいれつ》」という熟語がある。また、【凄《せい》】は〝寒気を感じる〟こと。「凄《すさ》まじい」と訓読みして用いられる。

ただし、〝温度が低い〟という意味合いを持つ《氵》は、〝氷〟を意味する部首《冫（にすい）》（p328）で書かれることも多い。昔は、「涼」を「凉《りょう》」と書くこともあったし、「清冽」や「凄まじい」は、現在では「清洌《せいれつ》」「凄《すさ》まじい」と書く方が一般的である。

出会うものを変化させつつ…

水は、ほかのものを移動させたり変化させたりもする。「浮《う》かぶ」と訓読みする【浮《ふ》】や、「漂《ただよ》う」と訓読みする【漂《ひょう》】は、〝移動させる〟漢字の例。【汎《はん》】も本来は〝浮かんで漂う〟という意味だが、遠くまで漂うところから〝どこまでも広がる〟という意味となり、「汎用《はんよう》」のように用いられる。

また、〝水面より下になって見えなくなる〟ことを表す漢字も、まとまって存在する。「沈《しず》む」と訓読みする【沈《ちん》】が、その代表。「沈没《ちんぼつ》」の【没《ぼつ》】もほぼ同じ意味で、微妙な違いだが、以前は【沒《ぼつ》】と書くのが正式。【淪《りん》】【湎《めん》】になると〝深く沈む〟〝おぼれる〟という意味となり、「沈淪《ちんりん》」「沈湎《ちんめん》」といった熟語がある。また、「証《しょう》拠《こ》湮滅《いんめつ》」の【湮《いん》】は、〝見えなくする〟こと。現在では「証《しょう》拠《こ》隠滅《いんめつ》」と書くことが多い。

〝水がものの中に入り込んだり、水の中にものを入れたりする〟ことを表すのが、「浸水《しんすい》」「水《みず》に浸《ひた》す」のように使う【浸《しん》】。「漬《つ》ける」と訓読みする【漬《し》】も、〝全体を水の中に入れる〟こと。【淹《えん》】も本来は〝全体を水の中に入れる〟という意味だが、お茶の葉やコーヒーにお湯を注ぐところから、日本語では「淹《い》れる」と訓読みして用いられる。

「沁《し》みる」と訓読みする【沁《しん》】は、〝水が少しずつ入り込む〟こと。【滲《しん》】は「滲《にじ》む」と訓読みする漢字で、〝水が少しずつ広がる〟ことや〝水が少しずつ出てくる〟ことを指す。「淫《みだ》ら」と訓読みする【淫《いん》】の成り立ちには諸説あるが、一説には、本来は〝水がどんどんしみこむ〟ことだという。

「濡《ぬ》れる」と訓読みする【濡《じゅ》】は、〝水がかかったり中まで入り込んだりする〟こと。「滑《すべ》る」と訓読みする【滑《かつ》】に《氵》が付いているのは、濡れると滑りやすくなるからである。

また、「湿気《しっけ》」の【湿《しつ》】は、以前は【濕《しつ》】と書くのが正式で、〝水分が多い〟ことを表す漢字。【潤《じゅん》】もほぼ同じ意味で、「温《おん》暖湿潤《だんしつじゅん》」のように用いられる。

【涵《かん》】は、〝水分をたっぷり含ませる〟という意味で、「涵《かん》養《よう》」という熟語がある。現在では「渥美《あつみ》」という固有名詞で見かけるくらいだが、【渥《あく》】ももともとは似た意味の漢字で、転じて〝気配りが行き届いている〟ことをも表す。

このほか、〝氷が水になる〟ことや〝水の中にものが混じり込んで一体となる〟ことを表す【溶《よう》】も、水がものを変化させる例として挙げられる。

水を使ってさっぱりしよう！

ここまで、かなりの数の漢字を取り上げてきたわけだが、《氵》の世界はまだまだ続く。次に取り上げるのは、〝水〟と人間の関わりから生まれた漢字である。

人間が〝水を使う〟際の基本となるのは、【汲《きゅう》】が表す「水《みず》を汲《く》む」という行動だろう。ただ、《氵》の世界の中では、最も目立つのは〝水で何かをきれいにする〟ことを表す漢字である。【洗《せん》】【濯《たく》】のほか、「お洒落《しゃれ》」の【洒《しゃ》】もその一つ。「洗滌《せんでき》」という熟語で使う【滌《でき》】も、やはり同じ意味。ただし、この熟語は「せんじょう」とも読まれるので、現在では「洗《せん》浄《じょう》」と書く方が一般的となっている。また、恐縮ながら、「浣腸《かんちょう》」の【浣《かん》】も、〝水できれいにする〟ことを指す。

「浴《あ》びる」と訓読みする【浴《よく》】は、もともとは〝体を洗う〟こと。「沐浴《もくよく》」の【沐《もく》】は、主に〝頭を洗う〟こと。〝口の中を洗う〟のが【漱《そう》】で、訓読みでは「口《くち》を漱《すす》ぐ」のように用いる。

「濾過《ろか》」の【濾《ろ》】は、〝水を紙や布などに通して、混じっている粒などを取り除く〟ことで、「濾《こ》す」と訓読みする。略して【沪《ろ》】と書くこともある。【漉《ろく》】も同じ意味の漢字で、やはり「漉《こ》す」と訓読みするが、日本語では「紙《かみ》を漉《す》く」のように、〝水に溶けた紙の原材料をすくい取る〟という意味で使うことがある。

また、〝水に混じった粒などをより分ける〟ことを表すのが【淘《とう》】【汰《た》】。「不良品《ふりょうひん》は淘汰《とうた》される」のように用いられる。

さらにいろいろ手をかけて…

「温《あたた》かい」と訓読みする【温《おん》】は、以前は【溫《おん》】と書くのが正式で、本来は〝水のあたたかさ〟に関して使う漢字。ただ、〝容器〟を表す「皿」も含んでいるところからすると、そもそもは〝容器に入れて水を熱する〟ところから生まれたのだろう。

そのようにしてできあがるのが【湯《ゆ》】。もっと熱くなると「沸騰《ふっとう》」の【沸《ふつ》】の出番となり、その結果、立ち上ってくる〝水蒸気〟を表すのが【汽《き》】。これらのように〝水を熱する〟ことに関係する漢字も、人間の水への関わりを示す例である。

〝水を使う〟ということでいえば、〝田畑で使うために水を引く〟ことも重要である。【沃《よく》】はその例で、「肥沃《ひよく》な土《と》地《ち》」とは〝養分も水分も豊富な土地〟のこと。「灌漑《かんがい》」という熟語で使われる【灌《かん》】【漑《がい》】も、両方とも〝田畑で使うために水を引く〟こと。ただし、「灌」には〝水をかけてきれいにする〟という意味もあり、「湯灌《ゆかん》」のようにも使われる。

水を引くために、人間は地形にも手を加える。【溝《みぞ》】は、本来は〝人間が掘った水路〟。【渠《きょ》】も同じ意味で、「暗渠《あんきょ》」とは〝地下水路〟のこと。ちなみに、【濠《ごう》】は、「お城の濠《ほり》」のように、〝敵の侵入を防ぐために作られた水路〟を指す。

そうやって苦労をして〝水を引く〟のは、人間は〝水〟がなくては生きていけないから。それが不足した状態を表すのが、「渇《かわ》く」と訓読みする【渇《かつ》】。以前は、「匂」を「匃」とした【渴《かつ》】と書くのが正式であった。

このほか、水を使うちょっと変わった例としては、「滅《ほろ》ぼす」と訓読みする【滅《めつ》】がある。もともとは〝水をかけて火を消す〟こと。また、「基準《きじゅん》」の【準《じゅん》】は、本来は〝水を入れて水平をはかる器具〟を指す。

川や海を越えて進もう！

以上のような漢字では人間は水を利用しているわけだが、川や湖、海などは人間の行く手を阻むものでもある。そこで、〝水の中や水の上を移動する〟ことは特別な意味合いを持ち、多くの漢字を生み出すことになる。

「渡《わた》る」と訓読みする【渡《と》】は、〝水の向こう側まで移動する〟こと。「返済《へんさい》」「救済《きゅうさい》」の【済《さい》】は、以前は【濟《さい》】と書くのが正式で、そもそもは〝水を渡る〟という意味。転じて、〝苦労して成し遂げる〟ことや〝苦しんでいる人を助ける〟ことを表すようになった。

【渉《しょう》】の本来の意味は、〝水を歩いて渡る〟こと。「交渉《こうしょう》」のように〝境界を越えて関係する〟という意味で用いられる。なお、以前は「少」を「少」にした【涉《しょう》】と書くのが正式であった。

「泳《およ》ぐ」と訓読みする【泳《えい》】は、〝水の中を動き回る〟ことを表す。【潜《せん》】は、以前は【潛《せん》】と書くのが正式で、「潜《もぐ》る」と訓読みする。泳いだり潜ったりがうまくできないと、「溺《おぼ》れる」と訓読みする【溺《でき》】を用いるはめになる。

〝水の上を移動する〟場合には、主に船を用いることになる。「船《ふね》を漕《こ》ぐ」のように訓読みして使う【漕《そう》】は、その例の一つ。「大漁《たいりょう》」の【漁《りょう》】は、〝船に乗って魚をつかまえる〟こと。【泊《はく》】の本来の意味は、〝船を止める〟こと。〝船を止めて夜を過ごす〟ところから、「宿《やど》に泊《と》まる」のように使われるようになった。

必ずしも船を使うとは限らないが、【溯《そ》】は、訓読みでは「溯《さかのぼ》る」と読み、〝川の上流に向かって進む〟こと。【游《ゆう》】は、船を使ったり泳いだりして〝川や水路をあちこち移動する〟こと。「游泳《ゆうえい》」のように使われるが、現在では「遊泳《ゆうえい》」と書くこと。

方がふつうである。

船での移動に関する漢字としては、〝船着き場〟を表す【港《みなと》】もある。【湊《みなと》】も同じような意味だが、「港」の方が近代的な施設を備えているイメージがある。【津《つ》】は〝渡し場〟を指す漢字で、「津々浦々《つつうらうら》」は、そもそもは〝あちこちの渡し場や海辺〟を指す。

また、【澪《れい》】の本来の意味ははっきりしないが、日本語では「澪標《みおつくし》」の形で用い、〝船が通りやすい場所を示すために立てた木の柱〟をいう。

田畑に水を引くためのものであれ、船が通るためのものであれ、川や水路は、放っておくと底に泥がたまる。「浚《しゅん》渫《せつ》」という熟語で用いられる【浚《しゅん》】【渫《せつ》】は、〝水底の泥を取り除く〟という意味の漢字。「浚《さら》う」「渫《さら》う」と訓読みすることもある。

こういった作業や堤防の修理など、水の流れをきちんと管理するのは、社会全体で協力して行わなければならないことである。「政治《せいじ》」「自治《じち》」の【治《じ/ち》】に《氵》が付いているのは、そのことをよく表している。また、「法律《ほうりつ》」の【法《ほう》】の成り立ちについてはいろいろな説明があるが、部首《氵》には、〝水〟の社会性ともいうべき意味合いが含まれているのかもしれない。

あらゆるところで活動するもの

以上、〝川〟〝水が流れる〟〝人間と水の関わり〟という観点から、《氵》の漢字を整理して眺めてきた。だが、この三つ以外にも、《氵》は〝液体〟を表すことがある。【液《えき》】がもちろんその代表だが、【汁《しる》】や【油《あぶら》】もその例。【漆《うるし》】も、本来は〝ウルシの樹液〟を指す。

また、我々の肉体から出てくる、【汗《あせ》】や【涎《よだれ》】にも《氵》が付く。特に、目から流れる〝なみだ〟に関連する漢字はいろいろある。【涙《なみだ》】はもちろんその代表で、以前は【淚《なみだ》】と書くのが正式。【泪《なみだ》】は、「涙」と読み方も意味も同じ漢字。【涕《てい》】も〝涙〟のことで、【洟《い》】は〝鼻水〟のことをいう。また、「泣《な》く」と訓読みする【泣《きゅう》】は、もちろん〝涙を流す〟こと。

こうしてみると、部首《氵》の世界が非常に広大であることに、改めて驚かされる。黄河や長江のような長大な川にも、我々の〝なみだ〟にも、同じように《氵》が付いているというのは、当たり前といえば当たり前だが、不思議といえば不思議ではないだろうか。《氵》は、〝水〟というものの存在の大きさを教えてくれる部首なのである。

なお、「状況《じょうきょう》」の【況《きょう》】に《氵》が付いている理由は、諸説があってよくわからない。また、「沽券《こけん》に関《かか》わる」の【沽《こ》】は、〝売り買いする〟という意味。「沽券」とは本来は〝売買の証文〟のことで、転じて〝ある人の評価〟を指すようになった。この「沽」になぜ《氵》が付いているのかについても、説得力のある説明はなかなかない。

川

［名称］かわ、さんぼんがわ
［意味］川

ほとんどあっちに行っちゃってね…

【川《かわ》】は古代文字では図のように書かれ、「水」の古代文字「」の両側に、“岸”を表す線が付いた形。部首の一つではあるが、“川”に関係する漢字の多くは、部首《水》(p316)や、その変形《氵(さんずい)》(前項)に含まれている。そのためもあって、《川》を部首とする漢字は非常に少なく、本来は“川の中にある陸地”を指す【州《しゅう》】が挙げられるくらいである。

「順《じゅん》」も「川」を含む漢字だが、ふつうは部首《頁(おおがい)》(p169)に分類される。とはいえ、この漢字での「川」は“流れに従う”という意味合いがあると思われ、一方の《頁》の意味ははっきりしない。部首を《川》とする方が落ち着くようにも思われる。

なお、漢字「川」は、大昔には「巛」とも書かれた。そこで、漢和辞典では部首としては《巛》(次項)を立て、部首《川》はその中に含めて扱うのが一般的になっている。ただし、部首の名前としては、《川》は、単に「かわ」と呼ぶか「さんぼんがわ(三本川)」といい、《巛》は「まがりがわ(曲がり川)」と呼んで区別するのが、習慣である。

巛

［名称］まがりがわ
［意味］①川 ②流れに従う ③その他

曲がりながらも進んでいくよ

【巛《せん》】は、「川」の大昔の形で、現在では漢字として使われることはまずない。漢和辞典では《巛》の形を部首として立て、《川》(前項)の形を部首とする漢字はその中に含めて扱うのがふつう。ただし、《巛》は「まがりがわ(曲がり川)」と、《川》は「かわ」や「さんぼんがわ(三本川)」と呼ばれ、名前の上では区別するのが習慣になっている。

伝統的な漢和辞典では、「巡《めぐ》る」と訓読みする【巡《じゅん》】の部首を《巛》とする。また、部首は《頁(おおがい)》(p169)だが、「順番《じゅんばん》」の「順《じゅん》」も「川」を含んでいる。そこで、《川》《巛》には“流れに従う”という意味があるかと思われる。とはいえ、現在では、「巡」の部首を、“移動”を意味する部首《辶(しんにょう)》(p89)とする漢和辞典もある。

このほか、「巣《す》」の以前の正式な書き方【巢《す》】も、この部首に分類される。この漢字は、古代文字では図のように書き、“木の上に作られた鳥のねぐら”の絵から生まれた漢字。部首を《巛》とするのは、形の上からの便宜上の分類である。

冫

［名称］にすい
［意味］①氷　②冷たい　③その他

1画減ると温度も下がる

氷は透明なものだが、中に白い筋が模様のように入っている。その筋を描いた絵から生まれた漢字が、〝氷〟を表す「仌《ひょう》」。この字自体は、形の上から便宜的に部首《人》（p14）に分類されているが、変形して《冫》となり、〝氷〟を意味する部首となる。

《氵》（p318）が「さんずい（三水）」と呼ばれるのに対して、《冫》は、形は似ているが2画なので、「にすい（二水）」という。この名前の通り〝氷〟は〝水〟の一種ではあるが、〝水〟にはない雰囲気を持っていることも事実。そこにピントを合わせた部首《冫》は、引き締まったイメージを持つ、なかなか魅力的な漢字たちの集まりとなっている。

《冫》に「水」を組み合わせた漢字が【冰《ひょう》】。これが少し変形したのが、現在、一般的に使われている「氷《ひょう》」である。「凍《こお》る」と訓読みする【凍《とう》】や「凝結《ぎょうけつ》」の【凝《ぎょう》】は、〝氷が固まる〟こと。【冴《ご》】は、本来は〝凍りつく〟ことを指す漢字だが、日本語では〝氷のように澄みきる〟ところから、「冴《さ》える」と訓読みして使う。

【凌《りょう》】は、もともとは〝大きな氷の山〟を表す漢字だったらしい。〝山を乗り越える〟ところから、訓読み「凌《しの》ぐ」のような意味が生まれたと思われる。また、【冶《や》】は〝金属を溶かす〟ことをいう漢字で、「冶金《やきん》」という熟語がある。これも、〝氷が溶ける〟ことに由来する漢字だと考えられている。

美しさと厳しさと…

〝氷〟から転じると、〝温度がとても低い〟という意味にもなる。「冷《つめ》たい」と訓読みする【冷《れい》】のように。「凜《りん》とした態度」の【凜《りん》】は、〝冷たくて身が引き締まる〟ことで、右下の「禾」を「示」として【凛《りん》】と書かれることもある。また、【冽《れつ》】は〝冷たくて透き通っている〟という意味で、「清冽《せいれつ》な泉《いずみ》」のように用いられる。このあたりは、冷たい中に美しさを感じさせる。

一方、冷たさは厳しさも併せ持つ。「凄《すさ》まじい」と訓読みする【凄《せい》】は、〝寒気を感じる〟という意味。「凋落《ちょうらく》」の【凋《ちょう》】は、〝寒くなって木々の葉が枯れる〟こと。訓読みでは「凋《しお》れる」「凋《しぼ》む」と読む。

「冬《ふゆ》」も以前は【冬《ふゆ》】と書くのが正式で、《冫》が漢字の下部に現れる例。同様に、「寒《かん》」も以前は「寒《かん》」と書くのが正式。ただし、部首としてはなぜか《宀（うかんむり）》（p71）に分類してしまうのが、漢和辞典のよくない伝統となっている。

なお、《冫》と《氵》は形が似ているため、混同されることもある。「冽」は「洌《れつ》」、「凄」は「淒《せい》」とも書かれる。逆に、現在ではふつうは《氵》で書く「涼《りょう》」も、昔の文献などでは【凉《りょう》】と書かれていることがある。

以上のほか、【准《じゅん》】は、本来は、「準《なぞら》える」と訓読みする

「準《じゅん》」(p325)の略字。「準」の「十」が省略され、さらに「氵」が「冫」に変化した。現在では、「条約を批准《ひじゅん》する」とか「准《じゅん》教授《きょうじゅ》」「准看護師《じゅんかんごし》」などの場合だけ使われている。

雨

［名称］あめ、あめかんむり、あまかんむり
［意味］①雨 ②天候

鳥は驚き人は願う

【雨《あめ》】という漢字を見ていると、なんとなく、窓ガラスを流れ落ちる雨粒を想像する。だが、漢字が生み出された時代に窓ガラスがあったわけではない。古代文字では図のような形をしていて、一番上の枠のような形は〝雲〟を表しているらしい。

部首としては、「あめ」と呼ばれるほか、必ずといっていいほど漢字の上部、「かんむり」の位置に現れるので、「あめかんむり」「あまかんむり」という名前で親しまれている。

《雨》は、〝雨〟に関係する漢字の部首となる。例としては、雨を降らせる【雲《くも》】が代表的なもの。【雫《だ》】は、本来は〝雨が滴るようす〟を表す漢字らしいが、日本語では「しずく」と訓読みして用いられる。また、【零《れい》】も、もともとは〝雨のしずくが落ちる〟こと。数の〝0〟を指して使うのは、〝しずく〟の形からの連想だという説がある。

【霖《りん》】は〝何日も降り続く雨〟のことで、「霖雨《りんう》」という熟語がある。【霏《ひ》】は「霏々《ひひ》として雨粒《あまつぶ》が舞《ま》う」のように使う漢字で、〝雨や雪などが乱れ降る〟ようすを表す擬態語。また、【霍《かく》】は、〝鳥〟を意味する「隹《すい》」(p239)が含まれているところから、本来の意味は〝雨に驚いた鳥があわてて飛び去る〟ことだという。転じて、〝何かが急に起こる〟ことを表す。「霍乱《かくらん》」とは〝下痢〟のことをいう、なかなか味わい深い表現である。

このほか、「需要《じゅよう》」の【需《じゅ》】は〝求める〟という意味だが、もともとは〝雨乞いをする〟こと。「霊魂《れいこん》」の【霊《れい》】は、以前は【靈《れい》】と書くのが正式で、巫女《みこ》が行う〝雨乞いの儀式〟を指すのが本来の意味だと考えられている。

晴れているのに雨が付く？

気温が下がると、〝雨〟は【雪《ゆき》】に変わる。場合によっては【霙《みぞれ》】や【霰《あられ》】、【雹《ひょう》】などになることもある。また、地上に降りると、【霜《しも》】や【露《つゆ》】にもなる。このように、部首《雨》にはさまざまな〝天候〟に関する漢字が含まれている。

【霧《きり》】や【霞《かすみ》】、【靄《もや》】もその例。「雰囲気《ふんいき》」の【雰《ふん》】は、もともとは〝細かい霧が立ちこめる〟ことを表す漢字。〝細かい土ぼこりが立ちこめる〟ことを意味する【霾《ばい》】という漢字もあり、訓読みでは「霾《つち》ふる」と読む。現在ではなかなか使うチャンスはないが、〝黄砂の国〟中国らしい漢字である。

【雷《らい》】は、ゴロゴロと鳴る〝いかづち〟を指す漢字。一方、ピカッと光る〝いなびかり〟を表すのは【電《でん》】で、現在では〝電

気〟を指して使われる。「晴天《せいてん》の霹靂《へきれき》」の【霹《へき》】【靂《れき》】は、二文字一組で〝かみなり〟を表す。また、「震動《しんどう》」の【震《しん》】は天気とは関係がなさそうに思えるが、もともとは〝かみなり〟によってものが〝びりびりと細かく動く〟ことだという。

最後に、以上のようなさまざまな天候に対して、スカッと〝晴れ渡る〟ことを表すのが【霽《せい》】。「光風霽月《こうふうせいげつ》」とは〝明るい風や晴れ渡った月〟のことで、〝さわやかな人柄〟のたとえとして用いられる。

气

重要なんだけど使い道がない？

[名称]きがまえ
[意味]①水蒸気　②なんとなく立ちこめているもの　③気体

【気《き》】は説明の難しい漢字だが、〝この世界に充満していて、あらゆる活動の源になるエネルギー〟を指す。以前は【氣《き》】と書くのが正式で、本来は〝米を蒸すときに出る水蒸気〟を指すらしい。

その「気」の部首にもなる【气《き》】は、古代文字では図のような形で、〝水蒸気が立ち上るようす〟を表す絵から生まれた漢字だと考えられている。漢字としては〝水蒸気〟を意味するというが、現在ではまずお目にかかることはない。部首としては〝なんとなく立ちこめているもの〟を表すが、「気／氣」以外には、現在でも使われる漢字はほとんどない。

とはいえ、それではそっけないので例をもう少し挙げるとすると、【氛《ふん》】は、「雰囲気《ふんいき》」の「雰《ふん》」とほぼ同じ意味の漢字。「妖氛《ようふん》」とは〝悪いことが起こりそうな気配〟をいう。

さらに、近代科学がヨーロッパから入ってきて以降は、部首《气》をもとにして、科学的な意味での〝気体〟を表す漢字が作られた。〝フッ素〟は「弗《ふつ》」を組み合わせて【氟《ふっ》】、〝アンモニア〟は「安《あん》」を組み合わせて【氨《あん》】などというのは、発音とリンクしていてわかりやすい例。ほかにも、〝酸素〟を表す【氧《よう》】、〝窒素〟を意味する【氮《たん》】などがあるが、現在ではどれも使う必要のない漢字ばかりである。

なお、部首の名前「きがまえ」の「かまえ」とは、漢字の三方あるいは四方を取り巻くような部首を指す。ただ、《气》は漢字の上と右側の二方だけ。それでも「きがまえ」と呼ばれるのは、〝心構え〟という意味の「気構え《きがまえ》」と掛けたものか。部首の名前には、ときどき、このようなしゃれっ気が見られることがある。

風

あらゆるものを吹き飛ばせ！

[名称]かぜ
[意味]風

【風《かぜ》】は、成り立ちとしては、「凡」と「虫」を組み合わせた漢字。「凡」の古代文字は「」で、〝風を受けてふくらむ帆〟の絵から生まれた漢字

だという。一方の「虫」は、〝風に乗って天に昇る竜〟。風の神様だと考えられる。

というわけで、漢字「風」そのものは部首《虫》（ｐ246）に分類してもいいのだが、「風」をもとにして〝風〟に関する漢字が作られているので、独立した部首《風》として扱われる。

「颯爽《さっそう》」の【颯《さつ》】は、〝風が吹き抜けるようす〟。「飄々《ひょうひょう》と生《い》きる」の【飄《ひょう》】は、〝風に吹かれる〟ことを表す。現在でも日常的に使われる機会がある漢字はこれくらいだが、ほかにも、さまざまな〝風〟を意味する漢字がある。

たとえば、【颱《たい》】は〝台風〟のこと。「台風《たいふう》」を昔は「颱風《たいふう》」と書くこともあった。【颶《ぐ》】も、台風のような〝暴風〟のことで、「颶風《ぐふう》」という熟語がある。このような〝激しい風〟を表す漢字がいっぱいある一方で、【颸《し》】は〝涼しい風〟を意味する漢字で、まさに一服の清涼剤となっている。

なお、【颪《おろし》】は〝山から吹き下ろす風〟を表す日本製の漢字。ちなみに、形がよく似た「嵐《あらし》」は、部首《山》（ｐ307）に分類されている。

几

［名称］かぜかまえ
［意味］風

新入りですがよろしく！

昔ながらの漢和辞典には、《几》という部首はない。しかし、近年になって、その存在が認められるようになってきた。その理由を説明するには、まずは【凡《ぼん》】の成り立ちから始める必要がある。

「凡」は、以前は【凡《ぼん》】と書くのが正式。古代文字では図のような形で、〝風を受けてはらむ帆〟の絵から生まれた漢字だと考えられている。〝大きく広がる〟ところから、〝すべての〟という意味で使われるようになった。その結果、もとの意味を表すために改めて作られたのが「帆《ほ》」である、と考えられている。

その「凡」に、〝風に乗って天に昇る竜〟を意味する「虫」が組み合わさってできたのが「風《かぜ》」。「鳥」が組み合わさってできたのが、〝風に乗って飛ぶ伝説上の鳥〟を指す「鳳《ほう》」（ｐ238）。これらの漢字では、「凡」は〝風〟を意味していると考えられるが、部首としてはそれぞれ、《風》（ｐ330）《鳥》（ｐ237）に分類される。

ところが、「鳳」と結び付いて「鳳凰《ほうおう》」の形で使われ、やはり〝風に乗って飛ぶ伝説上の鳥〟を表す【凰《おう》】になると、部首の分類には困ってしまう。「風」や「鳳」にならって「皇」を部首にしようにも、そんな部首はない。また、「凡」は省略されて「几」の形になっている。そこで、形の上から便宜的に《几（つくえ）》（ｐ127）を部首とするのが、伝統的な漢和辞典のスタンスとなっている。

一方、日本で作られた漢字の中には、冬になると吹く【凩《こがらし》】や、〝風が吹かない状態〟をいう【凪《なぎ》】、〝風に乗って飛ばすおもちゃ〟を指す【凧《たこ》】など、「几」という形にほかの漢字を組み合わせて、〝風〟に関係する意味を表す漢字がいくつか存在する。これらの漢字も、漢和辞典では便宜的に部首《几（つくえ）》に分類しているものが多い。

しかし、これらの「几」は、「凡」の省略形で〝風〟を表すと考えることができる。そこで、最近では、「凰」「凩」「凪」「凧」などを部首《几（つくえ）》の中に収めつつも、これらに見られる《几》の形を「かぜかまえ」と呼んで、名前の上で区別するようになってきている。この立場からすると、「凡」の部首も、当然、《几（つくえ）》ではなく《几（かぜかまえ）》だということになる。

形がそっくりである以上、この二つを別の部首として扱うのは、漢和辞典で漢字を検索する上では、あまり得策ではない。ただ、表す意味が異なることを名称として区別しておくことは、大事なことだと思われる。

なお、部首の名前の「かまえ」とは、漢字の三方あるいは四方を取り巻くように現れる部首を指す。

日

［名称］にち、にちへん、ひ、ひへん
［意味］①太陽 ②光の状態・動き ③星 ④天候、気候 ⑤時間 ⑥その他

朝はあるけど夕べはない？

部首の中には、《氵（さんずい）》（p318）や《竹》（p285）のように、漢字の中で現れる位置がほぼ決まっているものが多い。《日》は、それらとは対照的に、さまざまな位置に出没するのが特徴。「景」「暮」「晴」「旧」のように上下左右のどこにでも現れるし、「旬」「昼」「旭」のようなパターンもある。

古代文字では図のように書く【日《にち》】は、〝太陽〟の絵から生まれた漢字。部首としては、音読みに従って「にち」、訓読みに基づいて「ひ」と呼ばれる。また、漢字の左側、いわゆる「へん」の位置に置かれた場合には、特に「にちへん」「ひへん」ともいう。

《日》と形のよく似た部首に《曰（いわく）》（p162）がある。形がスマートなのが《日（ひ、にち）》で、やや平べったいのが《曰（いわく）》。両者を区別するのが漢和辞典の伝統だが、特に漢字の上部や下部に置かれたときには、見分けろという方が無理な話。最近では、この二つをひとまとめにして取り扱う辞典もある。

部首としても、〝太陽〟を表すのが基本となる。【旭《あさひ》】は、〝朝の太陽〟。〝太陽が空高く上がっていく〟ことを指すのが「上昇《じょうしょう》」の【昇《しょう》】で、転じて広く〝上に移動する〟という意味で使われる。また、「激昂《げっこう》」の【昂《こう》】は〝気持ちが高ぶる〟という意味だが、もともとは〝太陽が昇る〟ことを表す。

ついでながら、〝夕日〟そのものを一文字でズバリと指す漢字はないらしい。その代わり、〝夕方、太陽が沈んでいく〟ことを表す漢字として【暮《ぼ》】がある。訓読みでは「日《ひ》が暮《く》れ

る」のように使うほか、「暮《く》らす」のように〝日々を過ごす〟という意味でも用いられる。

暗いときだってありますよ

《日》は、〝太陽〟から転じて、〝光の状態・動き〟をも表す。中でも多いのは、〝光が強い〟ことを表す漢字。「明《あか》るい」と訓読みする【明《めい》】がその代表的な例。「曜日《ようび》」の【曜《よう》】も、本来は〝輝く〟という意味である。

「昭和《しょうわ》」の【昭《しょう》】も〝明るい〟ことを表し、人名では「あきら」「あき」と読む。【晃《こう》】【晄《こう》】【晟《せい》】【暉《き》】なども、現在では「あきら」「あき」と読んで人名で使われるのがほとんど。これらも、もともとは〝明るい〟という意味の漢字である。

【昌《しょう》】は、〝明るい〟から変化して、〝勢いが盛んになる〟ことを表す。人名で「まさ」と読むのは、〝勢いが以前より勝《まさ》る〟ところから。【旺《おう》】も似たような意味で、「元気旺盛《げんきおうせい》」のように用いられる。

明るければ、ものがはっきりと見える。「頭脳明晰《ずのうめいせき》」の【晰《せき》】は、〝頭のはたらきがはっきりしている〟こと。ただ、明るいのがいつもいいこととは限らない。〝明るくてがらんとしている〟ことを表すのが【曠《こう》】。「曠野《こうや》」は、〝がらんと広がった野原〟をいう。

一方、【暗《あん》】に代表されるように、〝光が弱い〟ことを意味する漢字もある。「曖昧《あいまい》」の【曖《あい》】【昧《まい》】がその例で、どちらも〝暗くてはっきりしないようす〟を表す。「大晦日《おおみそか》」のように使う【晦《かい》】も、本来は月が完全に欠けた〝新月〟を指す漢字で、つまり〝真っ暗な夜〟をいう。

なお、「彼《かれ》の行方《ゆくえ》は杳《よう》として知《し》れない」のように用いる「杳《よう》」は、部首としては《木》（p260）に分類されているが、〝暗くて見えない〟という意味なので、《日》を部首とする方がしっくりくるように思われる。

このほか、「映像《えいぞう》」の【映《えい》】は、〝光が当たって反射する〟こと。「風景《ふうけい》」の【景《けい》】は、〝光に当たって見えるもの〟。「暴力《ぼうりょく》」の【暴《ぼう》】の本来の意味は、〝動物の皮を切り開いて、光に当てて乾かす〟こと。後に、〝荒々しい〟という意味や、「ばく」と音読みして「暴露《ばくろ》」のような〝さらけ出す〟という意味をも表すようになった。そのため、さらに《日》を付け加えて〝光を当てる〟という意味をはっきりさせたのが、「曝《さら》す」と訓読みする【曝《ばく》】。また、【晒《さい》】も同じ意味で、「晒《さら》す」と訓読みして用いられる。

なお、「水晶《すいしょう》」の【晶《しょう》】も〝明るい〟という意味の漢字だが、この場合の《日》は、〝太陽〟ではなく〝星〟のこと。その証拠に、【星《ほし》】は古代文字では図のような形で、《日》の部分はもとは「晶」である。

部首《日》が〝星〟を表す例はほかにもあって、〝牡牛座のプレアデス星団〟を指す【昴《すばる》】は、その代表。ついでながら、現在では人名くらいでしか使われないが、【昊《こう》】は〝太陽が輝く空〟を指す。

天気は変わり時は流れる

ところで、太陽に関して気になることといえば、お天気である。そこで、部首《日》には〃天候〃や〃気候〃を表す漢字も含まれる。「晴《は》れる」と訓読みする【晴《せい》】、「曇《くも》る」と訓読みする【曇《どん》】が、〃天候〃を表す例。「晴」は、以前は正式には【晴《せい》】と書いた。

訓読みでは「日暈《ひがさ》」のように用いる【暈《うん》】は、〃雨のあとなどに太陽のまわりに見える、ぼんやりとした光の輪〃。転じて「暈《ぼ》かす」「眩暈《げんうん》」など〃はっきりしない〃という意味にもなる。このほかの〃天候〃を表す漢字の多くは、部首《雨》（p329）に含まれている。

「暖《あたた》かい」と訓読みする【暖《だん》】や、「暑《あつ》い」と訓読みする【暑《しょ》】は、〃気候〃を表す例。以前は、「暖」は「爫」を「⺤」にした【暖《だん》】と、「暑」は「者」に点を付けた【暑《しょ》】と書くのが正式。また、【旱《かん》】は〃雨が降らないで水不足になる〃こと。「旱魃《かんばつ》」のように使われるが、現在では「干魃《かんばつ》」と書く方が一般的である。

昇っては傾き、沈んでいく太陽は、時の流れの象徴でもある。【時《とき》】に《日》が付いているのは、そのことをよく表している。このように、部首《日》には、〃時間〃に関係する漢字が、数多く存在している。「暫《しばら》く」と訓読みする【暫《ざん》】は、〃ある程度の時間が経つ〃こと。「ひま」と訓読みする【暇《か》】は、〃特にすることがない時間〃。現在ではまず見かけることはないが、〃日時計〃を意味する【晷《き》】という漢字もある。

なお、「早《はや》い」と訓読みする【早《そう》】は、〃時間がまだそれほど経過していない〃こと。ただし、古代文字では図のような形。最近では、この形は〃太陽〃とは関係がないとする説が有力である。

【暁《あかつき》】は、以前は【曉《あかつき》】と書くのが正式で、〃太陽が昇るころ〃。【曙《あけぼの》】も似たような意味で、以前は、正式には「者」に点を付け加えた【曙《あけぼの》】と書いた。〃夜明け〃をいう漢字はほかにもあり、「元旦《がんたん》」の【旦《たん》】もその一つ。【晨《しん》】も似たような意味で、「晨鶏《しんけい》」とは〃夜明けに鳴くニワトリ〃をいう。

一方、【晩《ばん》】は、現在では〃夜〃を指して使うが、もともとは〃太陽が沈むころ〃。以前は、「儿」の左払いが上までつながった【晚《ばん》】と書くのが正式。似た意味の漢字に【昏《こん》】があり、「黄昏」と書いて、二文字合わせて「たそがれ」と読む。

現在ではあまり使う機会がないが、【晏《あん》】も本来は〃夕暮れ〃を指す漢字。「晏如《あんじょ》」とは〃落ち着いているようす〃をいう。このように使われるのは、〃太陽が活動をやめる〃ところからとも、〃日が暮れて家に帰って落ち着く〃ところからだともいう。

〃夜明け〃と〃夕暮れ〃を表す漢字が多いのに対して、その中間を指す漢字は少ない。【昼《ひる》】と、その以前の正式な書き方【晝《ひる》】のほかには、現在ではあまり使われないが、〃正午〃を指す【晌《しょう》】がある程度である。

もう少し長いスパンで〃時間〃を表す漢字もある。「今月《こんげつ》」

水と空

上旬《じょうじゅん》」の【旬《じゅん》】は〝一〇日間〟。【春《はる》】は四季の一つ。【暦《こよみ》】は、以前は【曆《こよみ》】と書くのが正式で、〝年月の流れを規則的に整理したもの〟。「昨日《さくじつ》」「昨年《さくねん》」の【昨《さく》】は、〝暦の上で一つ前〟。【昔《むかし》】はもちろん、〝以前〟のことを表す。

なお、「昵懇《じっこん》」の【昵《じつ》】は、〝親しくなる〟こと。《日》が付いているのは〝日に日に親しくなる〟からだ、という説もあるが、いかにも苦しい。説得力のある成り立ちの説明は、なかなか見当たらないようである。

スプーンもあれば トカゲも出てくる!?

以上の漢字は、意味の上で〝太陽〟と何らかの関係があるといえる。ただし、たまたま「日」のように見える部分を含むために、便宜上、部首《日》に分類されている漢字もある。

たとえば、「昆虫《こんちゅう》」の【昆《こん》】は、古代文字では図の右側のように書き、〝脚の長い虫〟の絵から生まれたとする説が有力。【是《ぜ》】の古代文字は図の左側のような形をしていて、もとは〝スプーン〟の絵だと考えられている。「是非《ぜひ》」のように用いるのは、大昔の中国語で〝その通りである〟という意味合いを表すことばと発音が似ていたことから、当て字的に転用されたものと考えられている。

「旨《うま》い」と訓読みする【旨《し》】については、《日》は「口」の変形だとか、「甘《あま》い」と訓読みする「甘《かん》」の変形だとかの説がある。

また、【智《ち》】は〝頭のすぐれたはたらき〟を表す漢字。《日》は、〝ものを言う〟ことを表す「曰《えつ》」(p162)の変形だと考えられている。「智慧《ちえ》」「叡智《えいち》」のように用いるが、現在では「知恵《ちえ》」「英知《えいち》」と書くのが一般的である。

さらには、学説によって〝太陽〟と関係があるとかないとか、解釈が分かれる漢字もある。たとえば、「貿易《ぼうえき》」の【易《えき》】は、古代文字では図のような形をしていて、〝日光が降り注ぐようす〟と〝トカゲ〟の絵という、まったく異なる二つの解釈がある。それぞれ、〝光が当たってものが変化する〟〝トカゲの肌の色が変わる〟ところから、〝変化する〟〝交換する〟という意味が生まれたとする。「容易《ようい》」のように「い」と音読みして〝簡単な〟ことを表すようになったのは、そこからさらに変化したものだと考えられている。

「普通《ふつう》」「普遍的《ふへんてき》」の【普《ふ》】については、もともとの意味は〝太陽が広く照らす〟ことだと考える説が根強いが、《日》を「曰《えつ》」の変形だとする解釈もある。「普」と形がよく似ている【晋《しん》】は、以前は【晉《しん》】と書くのが正式。現在では人名で使われるくらいだが、〝進む〟ことを意味する。本来は〝太陽が進む〟ことを表すともいうが、異説もある。

なお、「流暢《りゅうちょう》」の【暢《ちょう》】は、〝のびやかでよどみがない〟ことを表す。そこで、〝伸びる〟という意味を持つ「申《しん》」(p80)を部首としたいが、そんな部首は存在しない。やむなく、右上の《日》を部首としている次第である。

最後に、〝古い〟〝以前の〟という意味を表す【旧《きゅう》】は、以前は「舊《きゅう》」と書くのが正式で、部首は《臼(うす)》(p120)。「旧」は本来、この「臼」のくずし字だったが、「舊」の略字として使われるようになった。つまり、成り立ちからすると「旧」は《日》とは何の関係もないわけだが、意味の上からは、部首《日》が〝時間〟を表す例にはぴったり。なんともうれしい偶然である。

月

[名称]つき、つきへん
[意味]①月 ②暦 ③その他

過ぎゆく日々を数えながら…

「月」という形をした部首には、二種類ある。一つは、《肉》が変形して生まれた《月(にくづき)》(p205)。もう一つが、天体の〝つき〟を表す漢字【月《げつ》】が部首となった《月》。こちらは単に「つき」と呼ばれるほか、漢字の左側、いわゆる「へん」の位置に現れた場合には「つきへん」ともいう。

厳密なことをいえば、「にくづき」は「月」と書くのに対して、「つき」は中の二本の横棒を少し短くして「月」と書く。漢字「月《つき》」も、以前は正式には【月《つき》】と書いた。とはいえ、古代文字では図のような形なので、横棒の長さに必ずしも意味があるわけではない。また、手書きの場合は、それを常に厳密に守るのは困難であり、昔から、両方とも同じ形で書くことも多かった。

部首としても、天体の〝月〟を表す。「明朗《めいろう》」の【朗《ろう》】は、以前は【朗】と書くのが正式で、本来は〝月が明るく澄んでいる〟という意味。逆に〝月がぼんやりとしか見えない〟ことを表すのが【朦《もう》】【朧《ろう》】で、「朦朧《もうろう》」という熟語で使われるほか、「朧」は「朧月《おぼろづき》」のように「おぼろ」と訓読みすることもある。

「希望《きぼう》」の【望《ぼう》】には、〝満月〟という意味もある。「望月《もちづき》」とは〝満月〟のこと。また、〝完全に欠けた月が満ち始める最初の日〟を指すのが【朔《さく》】。ほかにも、お目にかかることはまずないが、〝三日月〟を表す【朏《ひ》】や、〝満ち始める直前の完全に欠けた月〟を指す【朓《ちょう》】といった漢字もある。

また、昔は月の満ち欠けを基準として暦を作ったところから、部首《月》は〝暦〟を表すことがある。「期日《きじつ》」の【期《き》】は〝きまった時間〟という意味で、カレンダーで数えるような、比較的長い時間について使われる。この点、一日の中での時間を指す漢字が多い部首《日》(前項)とは、対照的。昔の人びとは、太陽を見上げては一日の中での時間を知り、月を見上げては過ぎゆく日々を感じたのである。

ほんとに水に浮くのかなあ…

とすれば、【朝《あさ》】に《月》が含まれているのは、ちょっとイレギュラーに感じられる。実際、この漢字は、以前は「朝《あさ》」と書くのが正式で、《月》の部分は《舟》という形をしていた。この形は、「舟」の変形だと考えられていて、天体の〝月〟とは関係がない。とはいえ、

「朝」の成り立ちには諸説があり、〝舟〟との関係もはっきりしない。

「制服《せいふく》」「洋服《ようふく》」の【服《ふく》】も同様に、以前は「服《ふく》」と書くのが正式。これまた成り立ちにはいくつもの説があり、〝舟〟との関係はよくわからない。さらに、王や皇帝・天皇が自分を指すときに用いる【朕《ちん》】も、以前は「朕《ちん》」と書くのが正式だが、やはり〝舟〟とのつながりははっきりしない。

《月》(p99)は、「舟」が変形したものであるところから、「ふなづき」と呼ばれている。ただし、実際の意味合いとなるとよくわからないこともあり、部首としては《月(つき)》の中に含めて扱うのがふつうである。

なお、「勝利《しょうり》」の「勝《しょう》」、「沸騰《ふっとう》」の「騰《とう》」、「戸籍謄本《こせきとうほん》」の「謄《とう》」、そして「藤《ふじ》」などに含まれる「月」も「ふなづき」で、以前は「月」と書くのが正式。「勝」「騰」「謄」の部首は《月》のように見えるが、意味の上から、それぞれ《力》(p109)《馬》(p228)《言》(p157)に分類されている。

《月》を部首としてはいるが、意味の上で〝月〟とは関係のない漢字としては、ほかに【朋《とも》】がある。これも、以前は【朋《とも》】と書くのが正式だが、古代文字では図のような形で、「ふなづき」とも関係がない。これは、〝数珠つなぎにした貨幣を二つぶら下げた形〟で、似たものが並んでいるところから〝友人〟を指すようになった、と考えられている。

なお、【有《ゆう》】については、昔から月食と関連づけて成り立ちが考えられてきたため、部首も《月(つき)》だとされてきた。しかし、古代文字では図のような形をしていて、現在では〝手に肉を持つ形〟だと考えられている。そのため、部首を《月(にくづき)》に変更している漢和辞典もある。

夕

空に三日月が輝くころ

［名称］ゆう、ゆうべ、た
［意味］①夜　②その他

【夕《せき》】は〝三日月〟の絵から生まれた漢字。古代文字では図のような形で、「月」の古代文字「」とそれほど違わない。少し後の時代になると、中に点がある方が「月」、ない方が「夕」を表す場合もある。

訓読みでは「夕《ゆう》べ」と読むように、月が輝く時間帯〝よる〟を指す。漢字【夜《よる》】の部首を《夕》とするのは、形の上からはやや違和感があるが、意味を考えると納得できる。古代文字では図のような形で、「夕」の古代文字を明らかに含んでいる。

昔は月の満ち欠けを基準として暦を作ったことから、部首《月》(前項)には〝暦〟を表す傾向がある。それに対して、《夕》は〝夜〟を表すのが基本。たとえば、【夢《ゆめ》】はふつう、〝夜、

眠っている間に見るもの〟。現在ではあまり用いられないが、【夙《しゅく》】は〝夜明け〟を指す漢字で、「夙夜《しゅくや》」とは〝朝から晩まで〟をいう。

【外《がい》】の部首も《夕》だが、本来は〝月の欠けずに残っている部分〟を指すとか、もともとは〝大昔、占いに使った亀の甲羅〟のことだとかいう。〝夜〟と関係があるかどうか、判断が分かれているわけである。

【多《た》】も同様の例。《夕》を二つ重ねて〝日数がたくさんになる〟ことを表す、という説明もあれば、この《夕》は〝肉〟を表し、〝肉がいっぱいある〟という意味だとする解釈もある。また、「多」から派生した漢字に【夥《か》】があり、〝非常に多い〟という意味で、訓読みでは「夥《おびただ》しい」と読む。この漢字も、形の上から便宜的に部首《夕》に分類される。

なお、部首としては、訓読みに基づいて「ゆう」「ゆうべ」と呼ばれる。カタカナの「タ」に似ていることから「た」ということもあるが、ほかに名前の付けようがないならともかく、あまりにも深みのない呼び方であろう。

水と空

火と色

部首《火》とその変形《灬（れっか）》には、〝熱〟と〝光〟に関連する漢字が多く含まれていて、〝火〟がいかに強力なエネルギーであったかを物語る。また、〝光〟は、鮮やかな〝色〟を生み出す。特に《赤》と《黄》は、火の色から生まれた漢字。《青》《白》《黒》と合わせて、中国で昔から重んじられてきた五つの色が、仲良く部首となっている。

火

［名称］ひ、ひへん
［意味］①火、火の状態　②光を発する　③熱を発する　④その他

荒れ狂う紅蓮の力

中国では昔から、木・火・土・金・水の五つを、世界を構成する基本的な要素だと考えてきた。これらはそれぞれが部首となっているが、その中で、〝火〟だけは物質ではない。〝火〟はエネルギー

として、物質と肩を並べるほどの大きな力を持っているのである。

漢字【火】《ひ》は、古代文字では図のように書かれ、燃えさかる〝火〟の絵から生まれた漢字。そのエネルギーゆえに、部首になって多くの漢字を生み出す。部首としては、訓読みに基づいて単に「ひ」と呼ばれるほか、漢字の左側、いわゆる「へん」の位置に現れることが多く、その場合には「ひへん」という。

また、漢字の下部に置かれた場合には、変形して《灬(れっか)》(次項)となることが多い。漢和辞典では、《灬》の漢字も部首《火》に含めて扱うのが伝統的だが、最近では《灬》を独立させているものもある。

部首としては、〝火〟や〝火の状態〟を表すのが基本となる。【炎】《ほのお》は、〝燃えさかる火〟を強調して示す漢字。【焔】《えん》もほぼ同じ意味で、「火焔瓶」《かえんびん》のように使われる。ちなみに、現在ではまず使われないものの【焱】《えん》という漢字もあり、これも〝ほのお〟を表す。

「燃《も》える」と訓読みする【燃】《ねん》は、〝火がつく〟こと。〝火の勢いでものが裂ける〟ことを表すのが、「炸裂」《さくれつ》の【炸】《さく》。「爆発《ばくはつ》」の【爆】《ばく》は、さらに激しく〝火の勢いでものが飛び散る〟ことを指し、「熾烈」《しれつ》の【熾】《し》は〝火の勢いが強い〟ことをいう。

激しくない〝火〟もある。【燐】《りん》は、怪談に出てくる〝火の玉〟を指す漢字。後に、燃えやすい化学物質〝リン〟を指すようになった。「燐寸」と書いて「マッチ」と読むことがある。

訓読みでは「焚《た》き火《び》」のように使う【焚】《ふん》は、〝火をつける〟こと。「煽《あお》る」と訓読みする【煽】《せん》は、〝空気を送って火の勢いを強める〟こと。【燎】《りょう》は、〝たくさんの火をつける〟という意味を表すことが多い。「燎原《りょうげん》の火《ひ》」とは〝野焼きの火〟のことで、〝勢いよく広がっていく〟もののたとえとして用いられる。

少し角度は変わるが、【煙】《けむり》も火の状態の一つ。【烟】《けむり》と書いても、意味も読み方も変わらない。【煤】《すす》は、〝ものが燃えるときに出る、黒くて細かい物質〟。「はい」と訓読みする【灰】《かい》は、〝ものが燃えたあとに残ったもの〟。以前は、「厂」の形を「𠂇」とした【灰】《かい》と書くのが正式であった。

「灰燼」《かいじん》の【燼】《じん》は、火の勢いがほとんど収まったあとに〝まだ燃え残っている燃えさし〟をいう。また、〝火が消える〟ことを表す漢字には、【熄】《そく》がある。「終熄」《しゅうそく》という熟語で使われるが、現在ではふつう、「終息」《しゅうそく》と書く。

闇を照らす輝き

ところで、〝火〟の力とは、具体的には、〝光を発する〟ことと〝熱を発する〟ことの二つだろう。部首《火》にも、このそれぞれに関係する漢字が含まれている。

「燦然《さんぜん》と輝《かがや》く」の【燦】《さん》や、「煌《きら》めく」と訓読みする【煌】《こう》は、〝光を発する〟ことを表す代表的な例。「才気煥発」《さいきかんぱつ》という四字熟語で使われる【煥】《かん》は、〝強い光を発する〟という意味。

【炯《けい》】は〝ピカッと光る〟ことを表す漢字で、「眼光炯々《がんこうけいけい》」とは〝目の光が鋭い〟ことをいう。

「ガス焜炉《こんろ》」の【焜《こん》】も、もともとは〝光り輝く〟という意味。現在では人名で使われるくらいだが、【燿《よう》】も「燿《かがや》く」と訓読みする漢字。このほか、「輝《かがや》く」と訓読みする「輝《き》」も、大昔には【煇《き》】と書いた。

また、〝光を発する道具〟を指す漢字も多い。「蠟燭《ろうそく》」の【燭《そく》】がその代表。「灯火《とうか》」の【灯《とう》】は、以前は【燈《とう》】と書くのが正式で、〝ともし火〟を指す。また、【炬《きょ》】は〝かがり火〟のことで、「炬火《きょか》」という熟語で使われる。

【營《えい》】は、「営業《えいぎょう》」の「営《えい》」の以前の正式な書き方。もともとの意味は〝軍隊がかがり火をたく〟ことで、「兵営《へいえい》」「軍営《ぐんえい》」などに、その意味が残る。【烽《ほう》】は、昔、敵の来襲を知らせるためにたいた〝のろし〟。「烽火」と書いて「のろし」と読むこともある。

熱の利用はまず食事から

一方、〝熱を発する〟ことに関係する漢字としては、〝熱によってものを変化させる〟ことを表すものが多い。「焼《や》く」と訓読みする【焼《しょう》】が代表的な例で、以前は正式には【燒《しょう》】と書いた。ただ、中でも目立つのは、料理の場面で用いられる漢字である。

たとえば、「炊飯器《すいはんき》」の【炊《すい》】、「炒《いた》める」と訓読みする【炒《しょう》】。「炙《あぶ》る」と訓読みする【炙《しゃ》】もその例。「焙煎《ばいせん》」や「焙《ほう》じ茶《ちゃ》」のように使う【焙《ばい／ほう》】も似たような意味だが、〝鍋やフライパンなどに入れてあぶる〟場合に使うことが多い。

【燗《かん》】は、本来は〝煮る〟という意味だが、日本語では〝お酒を温める〟ことを指して用いる。また、とても複雑な形をした漢字【爨《さん》】は、意味としては〝ごはんを炊く〟ことで、「飯盒炊爨《はんごうすいさん》」のように用いる。このように並べてくると、火の力を利用することで、まずは食生活が豊かになったことが実感される。

火の熱が次に活躍するのは、工業的な場面。【熔《よう》】は、〝加熱して鉱物を溶かす〟という意味。「熔鉱炉《ようこうろ》」がその例だが、現在では「溶鉱炉《ようこうろ》」と書く方が一般的。「煉瓦《れんが》」の【煉《れん》】は、〝加熱して純度や強度を上げる〟こと。「烙印《らくいん》」の【烙《らく》】や「灼熱《しゃくねつ》」の【灼《しゃく》】は、どちらも〝真っ赤になるまで金属を加熱する〟ことを表す。

このほか、「乾燥《かんそう》」の【燥《そう》】は、〝火で熱して水分を蒸発させる〟こと。【煖《だん》】は〝火で熱して温度を上げる〟という意味。「煖炉《だんろ》」がその例だが、現在では「暖炉《だんろ》」と書くことが多い。【熨《うつ》】は「熨《の》す」と訓読みする漢字で、〝火の熱で衣服などのしわを伸ばす〟ことを表す。「火熨斗」は三文字まとまって「ひのし」と読む熟語で、現在でいう〝アイロン〟のこと。このほか、「燻製《くんせい》」の【燻《くん》】のように、〝煙を当ててものを変化させる〟ことを表す漢字もある。

なお、【爛《らん》】は、「爛《ただ》れる」と訓読みすると〝火の熱でぼろぼろに崩れる〟という意味。一方、「目《め》が爛々《らんらん》と輝《かがや》く」のように、〝光を発する〟ことを指して使われることもある。

〝光を発する道具〟があったのと同様に、〝熱を利用するもの〟もある。【炉《ろ》】は、以前は【爐《ろ》】と書くのが正式で、〝燃料を燃やして熱を利用するための装置〟。【炭《すみ》】は、〝熱を利用するための燃料〟。厳密には、以前は「厂」の形を「广」とした【炭《すみ》】と書くのが正式であった。

なお、暖房器具の「こたつ」は、漢字では「火燵《こたつ》」「炬燵《こたつ》」と書くが、【燵《たつ》】はこのことばを書き表すために日本で独自に作られた漢字。「お灸《きゅう》」の【灸《きゅう》】も、この仲間に入れていいだろう。

時には警鐘を鳴らすことも…

以上、人間は、〝火〟の発する〝光〟と〝熱〟を、いろいろな形で利用してきた。それが文明発展のエネルギーとなったことは、間違いない。

ただし、〝火〟は、ときには人間の浅はかな知恵をあざわらうかのように、猛威を振るうことがある。そこから生まれたのが、「災害《さいがい》」の【災《さい》】。部首《火》にこの漢字が含まれていることは、文明に対する警鐘でもあるのだろう。

なお、「煩雑《はんざつ》」「煩《わずら》わしい」のように用いる【煩《はん》】も、部首は《火》。「頁」は〝頭部〟を指すので、組み合わせて、もともとは〝燃えるように頭が痛い〟という意味だったという説もあるが、異説もある。意味の上からは〝頭〟の方が関係が深いので、部首も《頁（おおがい）》（p169）に変更した方がすっきりすると思われる。

灬

［名称］れっか、れんが、よってん
［意味］①火、火の状態 ②光を発する ③熱を発する

下に並んで燃えさかる

部首《火》（前項）は、漢字の下部に置かれた場合、多くは変形して《灬》となる。漢和辞典では、《灬》の漢字も部首《火》の中に含めて扱うのが伝統的だが、形が大きく異なるので、最近では《灬》を独立させている辞書もある。

部首としては、〝激しく燃えている火〟という意味で「れっか（烈火）」と、「火」が変形して横に並んでいるところから「れんが（連火）」と呼ばれる。また、点が四つ並んでいるところから、「よってん」といわれることもある。

部首としての意味は《火》と同じで、〝火〟や〝火の状態〟を表すのが基本となる。【然《ぜん》】は、本来は〝燃える〟という意味の漢字。大昔の中国語ではものごとの状態を表すことばと発音が似ていたことから、当て字的に転用されて「自然《しぜん》」「偶然《ぐうぜん》」のように使われるようになった。その結果、もとの意味を表すために改めて《火》を付け加えて作られたのが、「燃《ねん》」である。また、「強烈《きょうれつ》」の【烈《れつ》】は、もともとは〝火の勢いが強い〟ことを表す。

〝火〟の性質の一つ、〝光を発する〟ことを表す漢字もある。「照《て》らす」と訓読みする【照《しょう》】はそのものズバリで、〝光を発

する〟こと。また、「ひろ」と読んで人名で使われることがある【熙《き》】は、〝隅々まで照らす〟という意味を表す。

【点《てん》】も、「点灯《てんとう》」という熟語があるので〝光〟に関する例のように見える。が、以前の正式な書き方では「點《てん》」（p348）で、部首は《黑》（p348）であった。「黑」も「灬」を含む漢字ではあるが、「點」と〝火〟との関係は間接的なものにとどまる。ついでながら、「沈黙《ちんもく》」の「黙《もく》」も、以前は「默《もく》」と書くのが正式。「默」の部首は《黑》なので、「黙」の部首も《黒》（p347）とする辞書が多い。

《灬》の漢字の中で比較的、多数を占めるのは、〝火〟のもう一つの性質、〝熱を発する〟ことに関係する漢字である。代表的な例は、もちろん【熱《ねつ》】。また、「焦《こ》げる」と訓読みする【焦《しょう》】は、〝熱によって黒く変化する〟こと。「煮《に》る」と訓読みする【煮《しゃ》】は、〝食材を水に入れて加熱する〟こと。以前は、「者」に点を加えた【煮《しゃ》】と書くのが正式であった。

【熟《じゅく》】も、もともとは〝煮る〟という意味。「柿《かき》が熟《じゅく》す」のように、広く〝食べられるようになる〟ことをも表す。「割《かっ》烹《ぽう》」の【烹《ほう》】も、〝煮る〟こと。「煎茶《せんちゃ》」の【煎《せん》】も同じ意味だが、「煎《い》る」と訓読みすると、意味が変化して〝少量の油を使って、軽く炒める〟ことを表す。

以上のほか、《灬》には、形の上から便宜的に分類されている漢字も、多く存在している。

踊る人とゾウと鳥

【無《む》】は、古代文字では図のような形で、〝両袖に飾りを付けて踊る人〟の絵から生まれた漢字だと考えられている。訓読み「無《な》い」のような意味で使うのは、大昔の中国語では〝ない〟ことを表すことばと発音が似ていたことから、当て字的に転用されたものと考えられている。

また、「行為《こうい》」のように〝何かを行う〟ことを意味する【為《い》】は、以前は「爲《い》」と書くのが正式で、部首は《爫（つめかんむり）》（p191）。古代文字では「」で、〝ゾウの鼻先に手を加えた形〟。本来の意味は〝ゾウを調教する〟ことだったという。

【烏《からす》】は、「鳥《とり》」から派生した漢字。「鳥《とり》」の〝目〟にあたる部分を抜いて、全体が黒くてどこが目なのか見分けがつかない鳥を指す、というおもしろい説がある。

【燕《つばめ》】は、古代文字では図のような形。〝ツバメ〟の絵が変化してできた漢字で、しっぽにその特徴が現れている。〝鳥〟の絵から生まれた漢字としては、【焉《えん》】もあり、当て字的に転用されて、「終《しゅう》焉《えん》」のように使われるようになった。

なお、「鳥」や「魚」にも「灬」が含まれているが、これらももちろん、〝火〟とは関係がない。

また、【熊《くま》】は「能《のう》」（p208）に《灬》を付け加えた漢字だが、なぜ《灬》が付いているのかは、よくわからない。「能」が本来は〝クマ〟を指す漢字だったという説がある。

光

［名称］ひかり
（現在では存在しない部首）

「光《ひかり》」は、大昔は「炗《ひかり》」と書かれた漢字で、〝人間〟を表す部首《儿（ひとあし）》（p22）の上に、「火」を載せた形。とすれば、漢字「光」が部首《儿》に分類されているのも、当然のことのように思われる。

漢和辞典にも光を！

だが、「輝《かがや》く」と訓読みする「輝《き》」の部首が《車》（p95）だということになると、話は別だろう。これは、「光」という部首が存在していないため、形の上から便宜的に分類されたものである。

実は、紀元後一世紀ごろに作られ、部首による漢字の分類を初めて行った『説文解字《せつもんかいじ》』という辞書には、「輝」という漢字は掲載されていない。その代わりに、読み方も意味も同じ「煇」という漢字が収録されていて、部首は《火》（p338）であった。

後にその《火》が「光」に変わったため、部首も「光」としたいが、そんな部首は存在しない。そこで、しかたなく《車》を部首としているわけである。同様の事情で、「耀《よう》」の部首は《羽》（p255）となっている。

しかし、中国の古い辞書の中には、部首《光》を立てているものもある。「輝」は日常的によく使われる漢字。古人の知恵に倣うことも、時には必要ではないかと思われる。

赤

［名称］あか、あかへん
［意味］①赤い　②その他

〝赤いもの〟と聞いて何を思い浮かべるか。もちろん、人によってそれぞれだろうが、〝火〟を思い浮かべる人は、けっして少なくはないだろう。

キラキラしたり恥ずかしかったり…

【赤《せき》】の古代文字は図のような形で、「火」の上に「大」を組み合わせたもの。昔から〝大きな火〟を表すと説明されてきたが、「大」（p24）は〝両手を広げた人間〟の絵から生まれた漢字。そこで、漢字研究で知られる白川静は、もともとは〝炎によって人のけがれを払う〟ことを表す、と解釈している。

成り立ちはともかくとして、「赤」は色が〝あかい〟ことを表す漢字で、それは部首になっても変わらない。【赫《かく》】は〝赤く輝く〟という意味で、「赫々《かくかく》たる名声《めいせい》」のように用いられる。【赭《しゃ》】は、絵の具の材料にする〝赤土〟のこと。中国では「代《たい》」という名前の地方で良質のものが産出するので、〝赤茶色〟のことを指す「代赭色《たいしゃいろ》」ということばがある。また、訓読みでは「赭《あか》ら顔《がお》」のように用いることがある。

〝顔を赤くする〟ことを表す漢字としては、ほかにも【赧《たん》】があり、訓読みでは「赧《あか》らめる」と読む。また、現在ではまず使うチャンスはないが、《赤》に「色」を組み合わせて〝真っ赤な〟という意味を表す【赩《きょく》】という漢字もある。〝輝き〟であったり〝土〟であったり〝顔色〟であったりと、いろいろな〝赤〟を表すのは、部首《赤》の特徴である。

このほか、「恩赦《おんしゃ》」の【赦《しゃ》】は、訓読みすれば「赦《ゆる》す」。意味の上では《赤》とは直接の関係はなく、〝状態を変化させる〟という意味合いを持つ《攵（のぶん）》（p184）を部首とする方がわかりやすい。ただし、白川説に従って、「赤」の本来の意味を〝炎によって人のけがれを払う〟ことだと考えると、「赦」の持つ〝罪を許す〟という意味とはきちんと関係があることになる。

なお、部首としては、訓読みに基づいて「あか」と呼ばれるほか、漢字の左側、いわゆる「へん」の位置に現れることが多いので、その場合には「あかへん」とも呼ばれている。

黄

少なくっても重要だから…

［名称］き、きいろ
［意味］黄色い

色が〝きいろい〟ことを表す【黄《こう》】は、以前は、「艹」の部分を「廿」とした「黃《こう》」と書くのが正式。部首としては、訓読みに基づいて単に「き」とも呼ばれるが、《木》（p260）と紛らわしいので「きいろ」という名前が使われることが多い。漢和辞典では、《黄》の漢字も部首《黃》（次項）に含めて扱うのが一般的。《黄》は11画だが、漢和辞典の部首配列では12画の《黃》のところに含まれているので、注意が必要である。

《黃》の形を部首としている漢字は、「黃」そのもの以外には存在しない。範囲を《黄》の形にまで広げても、日常的に使われる漢字はほとんどない。色を表す部首は小さな部首ばかりだが、その中でも、《黄》《黃》は特に、部首としての発展性に乏しいといえる。

ところで、中国では伝統的に、赤・黄・青・白・黒の五つを、基本となる重要な色だと考えられてきた。この五色の漢字は、どれもが部首になっている。そういう文化的な背景がなかったら、「黄／黃」などは、形の上から便宜的に《八》（p354）あたりに分類されていたに違いない。部首とは漢字の分類であり、そこには、漢字を生み出した人びとの習慣や考え方が、色濃く反映されているのである。

黃

［名称］き、きいろ
［意味］①黄色い　②その他

どこまでも広がる大地

【黃《こう》】は、微妙な違いだが、「黄《こう》」の以前の正式な書き方。古代文字で

は図のように書く。「矢」の古代文字「」と似ているところから、〝火を付けた矢〟の絵から生まれた漢字だと考えられている。とすれば、「黄／黄」の表す色は、〝火の色〟だということになる。

漢和辞典では《黄》(前項)の形も含めて、部首《黄》として扱うのがふつう。部首としては、単に「き」とも呼ばれるが、《木》(p260)と紛らわしいので「きいろ」という名前が使われることが多い。

部首《黄》の漢字の多くは〝黄色い〟ことに関係する意味を持つが、現在でも日常的に使われるものは、一つもない。かろうじて使われる可能性があるのは、〝学校〟を意味する【黌《こう》】で、江戸幕府の「昌平坂学問所《しょうへいざかがくもんじょ》」のことを「昌平黌《しょうへいこう》」といったりする。ただし、この漢字での《黄》は発音を表しているだけで、意味を表す部首ではない。

そのほか、「横《よこ》」の以前の正式な書き方「横《よこ》」や、「広《ひろ》い」と訓読みする「広《こう》」の以前の正式な書き方「廣《こう》」にも、「黄」が含まれている。この二つから考えると、「黄」には、〝水平方向の広がり〟という意味合いがあるのかもしれない。

中国では〝黄色〟は大地の色でもある。漢字「黄／黄」の成り立ちは大地とは関係がないものの、〝黄色い大地〟の広がりが漢字のイメージに影響を与えていたとしても、おかしな話ではないように思われる。

青

部首でない方が活躍できる?

[名称] あお、あおへん
[意味] ①青い ②落ち着いている

【青《せい》】は、色が〝あおい〟ことを表す漢字。以前は「青《せい》」と書くのが正式で、漢和辞典では《青》の形を部首とする漢字も、部首《青》(次項)の中に含めて扱うのが一般的である。

《青》がそのまま部首となっている漢字は少なく、「静《しず》か」と訓読みする【静《せい》】が代表的なもの。「靖《やす》んずる」と訓読みする【靖《せい》】の部首も《青》だが、本来は〝落ち着いて立つ〟ことを意味する漢字なので、《立》(p25)を部首とする方がふさわしいかもしれない。この二つからすると、部首《青》には〝落ち着いている〟という意味があると考えられる。

ところで、「清《きよ》らか」と訓読みする「清《せい》」や、「晴《は》れる」と訓読みする「晴《せい》」にも、「青」が含まれている。これらの漢字での「青」は、〝澄み切っている〟という意味があると思われる。ほかにも、「精《せい》」は、部首《米》(p280)が付いている通り、本来の意味は〝余分な部分を取り除いた白米〟を指す。

とすれば、「青」には〝落ち着いて澄み切っている〟という意味合いがあると考えられる。「心」が変形した部首《忄(りっしんべん)》(p219)が付いている「情《じょう》」も、〝心の中心となる、落ち着いて澄み切ったもの〟だと解釈することもできるだろう。なお、これらの漢字の「青」も、以前は「靑」と書くのが正式であった。

部首としては「あお」という名前があるほか、「静」のように漢字の左側、いわゆる「へん」の位置に置かれた場合には、「あおへん」と呼ばれることもある。

靑

［名称］あお、あおへん
［意味］①青い　②落ち着いている

【靑《せい》】は、「青《せい》」の以前の正式な書き方。漢和辞典では、《青》(前項)の漢字も、部首《靑》の中に含めて扱うのがふつうである。

植物が与えてくれる安らぎ

古代文字では図のように書き、〝植物の芽〟を意味する「生」(p290)の下に、〝地中に存在する塗料を掘り出す井戸〟を表す「丹」(p360)を組み合わせた形だと考えられている。もともとは〝生え始めたばかりの植物のような青い色〟を表す漢字である。

そこで、部首としても〝青い〟ことを表すのが基本だと思われるが、実際には、その例としては〝落ち着いた青〟を指す【艶《せい》】という漢字があるくらい。また、【靜《せい》】は、「静《しず》か」と訓読みする「静《せい》」の以前の正式な書き方で、【靖《せい》】は、「靖《やす》んずる」と訓読みする「靖《せい》」の以前の正式な書き方。この二つでは、《靑》は〝落ち着いている〟ことを意味していると解釈されている。

「清《せい》」「晴《せい》」「精《せい》」「情《じょう》」なども、以前は「青」の部分を「靑」と書くのが正式。これらを総合して、「青／靑」には、〝落ち着いて澄み切っている〟という意味合いがあるのではないかと考えらていれる。

《白》(次項)や《赤》(p343)、そして《黒》(次々項)《黑》(p348)では、その色を表す漢字が大半を占めている。それに対して、部首《青》《靑》では、主に〝落ち着いて澄み切っている〟という意味を表すのが特徴となっている。そこには、漢字を生み出した人びとが〝青〟という色に抱いていたイメージが、反映されているようである。

なお、部首としては「あお」という名前があるほか、漢字の左側、いわゆる「へん」の位置に置かれた場合には、「あおへん」と呼ばれることもある。

白

［名称］しろ、しろへん
［意味］①白く輝く　②その他

【白《はく》】は、古代文字では図のように書く。

美女と美少年

何の変哲もない形だが、それだけに、これが何を表し、色が〝しろい〟こととどう結びつくのかについては、諸説がある。〝中身の白いドングリ〟〝太陽が輝くようす〟〝月が輝くよう

す〟〝親指のつめ〟〝白いしゃれこうべ〟など、どれもそれらしく聞こえるから、困ったものである。

　部首としては、単に〝白い〟というよりは、〝白く輝く〟ことを表すと考える方が、しっくりくる。代表的な例は【的《てき》】で、本来は〝白く光ってはっきり見える〟ことを意味する漢字。訓読み「まと」のような意味は、〝はっきりと見て目標にする〟ところから生まれたもの。

　【皓《こう》】は、〝白く輝く〟という意味。「明眸皓歯《めいぼうこうし》」とは〝明るい瞳と白く輝く歯〟を表す四字熟語で、中国の詩人、杜甫《とほ》が、絶世の美女、楊貴妃《ようきひ》をうたう際に使ったことで有名。【晳《せき》】も似たような意味で、「白晳《はくせき》の美少年《びしょうねん》」といえば、〝肌が輝くように白い美少年〟のことである。

　このほか、現在ではあまり使う機会がないが、【皎《きょう》】は〝月光が白く輝く〟という意味で、「皎月《きょうげつ》」という熟語がある。また、【皚《がい》】は〝雪や霜が白く輝くようす〟を表す漢字。【皪《れき》】は、「的皪《てきれき》」という熟語で用いられて、〝白くくっきりとしている〟ことをいう。まことに、部首《白》は〝輝き〟に満ちた世界なのである。

美しき五月に…

　そこで、「皇帝《こうてい》」の【皇《こう》】も、〝まばゆいばかりの権威がある君主〟を指すと考えられるが、異説もある。また、【皐《こう》】は〝沼や湖などが多い土地〟を表す漢字で、〝太陽の光を受けて水面が白く輝く〟ところから生まれた漢字らしい。そう考えると、五月の古い呼び名「さつき」を「皐月《さつき》」と書き表すのも、よくわかる。

　なお、【百《ひゃく》】の部首も、ふつうは《白》に分類される。ただし、この字は、数の代表「一」に、発音を表す《白》を組み合わせたものだと考えられており、意味の上では《白》とは関係がない。ちなみに、〝二百〟を表す【皕《ひょく》】という漢字もあり、これも部首《白》に分類されている。

　また、「みな」と訓読みする【皆《かい》】の部首《白》については、「告白《こくはく》」の「白《はく》」のように〝話す〟という意味だとか、「曰《い》わく」と訓読みする「曰《えつ》」（p162）の変形だとか、「自《じ》」の変形だとか、さまざまな説がある。ただ、「比《ひ》」（p215）は〝人が並んでいる〟ことを表すので、意味の上では、こちらの方が部首としてはふさわしいかもしれない。

　なお、部首としては単に「しろ」という名前があるほか、漢字の左側、いわゆる「へん」の位置に現れることが多いので、その場合には「しろへん」とも呼ばれている。

黒

［名称］くろ
［意味］①黒い　②閉鎖的な

お先真っ暗ことばも出ない…

　色が〝くろい〟ことを表す【黒《こく》】は、以前は「黑《こく》」と書くのが正式。《黑》の形を部首とする漢字には、ほかに「黛《たい》」「黙《もく》」があるが、これらの《黒》も、以前は正式には《黑》（次項）と書いた。そこで、漢和辞典では、《黒》の漢字も、《黒》の中に含めて扱うのが一般的。《黒》は11画だが、漢和辞典の部首配列では12画の《黑》のところに一緒になっているので、注意が必要である。

【黛《たい》】は、部首《黒》が〝黒い〟ことを表す例。訓読みすれば「まゆずみ」で、化粧をするときに〝まゆ〟を描くのに用いる〝すみ〟のこと。ちなみに、「墨《すみ》」にも「黒」が付いているが、ふつうは部首《土》（p294）に分類される。

一方、「黙《だま》る」と訓読みする【黙《もく》】は、《灬（れっか）》（p341）が部首のように見えるが、以前は「默」と書くのが正式だったので、部首《黒》に分類するのが漢和辞典の伝統。〝ことばを発しない〟という意味なので、《黒》は、〝黒い〟ことから転じて、〝閉鎖的な〟ことを表していると考えられる。

なお、部首の名前としては、単に「くろ」と呼ばれている。

黒

［名称］くろ、くろへん
［意味］①黒い ②閉鎖的な

眉とほくろと入れ墨と

【黑《こく》】は、「黒《こく》」の以前の正式な書き方。「火」が変形した部首《灬（れっか）》（p341）が含まれているように、成り立ちとしては〝火〟と関係がある。古代文字では図のような形をしていて、一見、火星人みたいだが、下で燃えている〝火〟によって、上にあるものに〝すす〟が付くことを表すという。〝すす〟の色から、色が〝くろい〟ことを指すようになった。

〝黒い〟という意味を表す部首となる。部首としては「くろ」と呼ばれるほか、漢字の左側、いわゆる「へん」の位置に現れた場合には「くろへん」ともいう。

【點《てん》】は、「点《てん》」の以前の正式な書き方。本来は〝黒い小さな印〟を指す。【黛《たい》】は、「黛《たい》」の以前の正式な書き方で、〝まゆ〟を描くのに使う〝すみ〟を表す。また、「黴菌《ばいきん》」の【黴《ばい》】は、訓読みすれば「かび」。《黒》が付いているのは、黒ずんで見えるからである。

現在ではあまり使われないが、【黶《えん》】は〝ほくろ〟を表す漢字。部首を《面》（p171）に変えると〝えくぼ〟を意味する「靨《よう》」になるが、「黶」も「えん」と音読みして、〝ほくろ〟を指すことがある。また、【黥《げい》】は〝入れ墨〟のこと。この漢字が生まれたころの〝入れ墨〟は、黒一色だったのかもしれない。

このほか、【黝《ゆう》】は〝青黒い〟という意味。「黝《あおぐろ》い」とか「黝《くろ》い」などと訓読みすることもある。また、〝深い黒〟を表す【⿰黑色《うつ》】という漢字もある。

闇に閉ざされた世界？

ところで、【默《もく》】は、「沈黙《ちんもく》」の「黙《もく》」の以前の正式な書き方。また、「政党《せいとう》」の「党《とう》」も、以前は【黨《とう》】と書くのが正式で、もともとは〝仲間うちだけの〟というニュアンスを持つ。この二つから考えると、《黒》には、〝黒い〟から転じて〝閉鎖的な〟という意味があると思われる。

火と色

この意味の例はほかにもあり、【黯《あん》】もその一つ。「黯然《あんぜん》たる思《おも》い」のように〃心がふさがる〃ことを表すが、現在では「暗然《あんぜん》」と書くことが多い。また、これも現在ではあまり使わない漢字だが、【黜《ちゅつ》】は〃官職から退ける〃という意味で、〃仲間はずれ〃の一種。さらには、〃悪賢い〃という〃閉鎖的な頭のよさ〃を表す【黠《かつ》】という漢字もある。

〃黒〃にはつややかな美しい〃黒〃もあるはずだが、部首《黒／黒》の世界は、外からはうかがい知れない、暗いイメージになりがち。〃輝き〃に満ちている部首《白》(前々項)の世界とは、いい対照となっている。

玄

〔名称〕げん
〔意味〕①束ねてひねった糸 ②奥深い

ぎゅっと絞れば水が飛び散る！

「玄関《げんかん》」とは、本来は仏教の用語で、〃奥深い真理の世界への入り口〃のこと。また、〃奥深い美しさ〃を「幽玄《ゆうげん》の美」ということもある。このように、【玄《げん》】は〃奥深い〃という意味を表す漢字である。

古代文字では図のように書かれ、〃束ねてひねった糸〃の絵から生まれた漢字だと考えられている。その糸束を黒く染めるところから、そもそもは〃黒い〃ことを表し、その色合いの奥深さから、〃奥深い〃ことをも意味するようになった。〃あることの奥深くまで到達した人〃のことを「くろうと」というが、これを「玄人《くろうと》」と書き表すのは、「玄」に〃黒い〃という意味があることに由来している。

部首としては〃奥深い〃ことを表すが、その例は少ない。しいて挙げるなら、【妙《みょう》】がある程度。「妙《みょう》」と読み方も意味も同じで、〃奥深くてすぐれている〃ことを表す。

このほか、「率《ひき》いる」と訓読みする【率《そつ》】の部首も《玄》。以前は正式には【率《そつ》】と書き、古代文字では図のような形。〃染めるために水に浸した糸束を、引き絞っている形〃だという。「引率《いんそつ》」のような〃まとめる〃という意味は、ここから転じたもの。また、〃全体をまとめた場合のその中での割合〃をも表し、その場合は「りつ」と音読みして「確率《かくりつ》」のように用いられる。

「率」は、成り立ちの上では、部首《玄》としっかり関係しているが、現在では意味の上ではほとんど関係がなくなってしまった、というおもしろい例。ただし、《玄》の形が見つけにくいので、最近では、形の上から便宜的に、部首を《亠(なべぶた)》(p360)としている漢和辞典もある。

なお、〃糸束〃の絵から生まれた漢字には「幺《よう》」もあり、こちらも独立した部首《幺(いとがしら)》(p52)となる。さらには、「糸《いと》」も似たような成り立ちの漢字。「紅《くれない》」「紫《むらさき》」「緑《みどり》」など、部首《糸》(p47)には〃色〃を表す漢字がまとまって含まれている。「玄」も合わせて、さまざまな〃色〃を表す漢字が〝糸を染める〟という人工的な作業から生まれているのは、なかなかに興味深い。

色

思いは顔に出てしまう…

［名称］いろ、いろづくり

［意味］①性的な魅力がある　②外見や表情

現在では〝カラー〟という意味で用いられることが多い【色《しょく》】だが、「好色《こうしょく》」「色《いろ》っぽい」という使い方のほうが、本来の意味には近い。古代文字では図のように書き、〝ひざまずいた人〟を表す「卩《せつ》」（p200）の上に「人」を重ねた形。〝愛し合っている男女の姿〟の絵から生まれた漢字だ、という解釈が有力。〝性的な魅力があるようす〟から〝外見や表情〟という意味となり、やがて〝色合い〟を指すように変化していった、と考えられている。

部首の一つではあるが、《色》を部首とする漢字は少ない。代表的なものは【艶《えん》】で、以前は正式には【豔《えん》】と書いた。「妖艶《ようえん》な魅力《みりょく》」のように〝性的な魅力がある〟ことを表すのが本来の意味で、「艶《なま》めかしい」と訓読みする。訓読み「つや」のように〝色合いがよい〟ことを指すのは、そこから転じたものである。

また、現在ではほとんど使われないが、【艴《ふつ》】は、〝怒りが表情に出る〟ことを指す漢字で、「艴然《ふつぜん》」のように使われることがある。

ちなみに、「絶対《ぜったい》」の「絶《ぜつ》」にも「色」という形が含まれているが、以前は「絕《ぜつ》」と書くのが正式なので、右側は「色」とは異なると考える説が優勢である。

このほか、〝外見や表情〟を表す漢字がいくつかあるが、ほとんど使われることがないものばかり。また、〝真っ赤〟なことをいう「赩《きょく》」、〝落ち着いた青〟を指す「靘《せい》」、〝深い黒〟を表す「⿰黒色《うつ》」という漢字も存在するが、部首はそれぞれ、《赤》（p343）《青》（p346）《黒》（p348）に分類されている。

部首としては「いろ」と呼ばれるのがふつう。漢字の右側、いわゆる「つくり」の位置に置かれるところから、「いろづくり」という、なんとなく艶っぽい名前もある。

火と色

番外編

その他の部首

数／棒と点／カタカナ

数

現在の漢和辞典では、《一》《二》《八》《十》の四つが部首として扱われているが、形の上から漢字を分類するための便宜的な部首という意味合いが強い。とはいえ、《八》には〝両手で持つ〟ことを表す漢字が、《十》には〝集める〟ことに関係する漢字がまとまって存在していて、それぞれの部首の個性となっている。

一

[名称]いち
[意味]①数の〝1〟②位置の基準を示す記号
③その他

横棒一本さえあれば！

漢和辞典の最初に登場する部首。【一】《いち》は、横棒を一本引いて数の〝1〟を表す漢字。「二」《に》も同じ原理で作られているが、独立した部首《二》(次項)として扱われる。ところが、【三】《さん》の部首は、《一》に分類される。このあたりの理由は、ちょっとした謎である。

【上】《うえ》は、横棒の上に印を付けて〝上〟を指し、【下】《した》は、横棒の下に印を付けて〝下〟を示す。この二つでは、《一》は、位置の基準を示す記号となっている。

だが、部首《一》が特定の意味合いを持つのは、以上くらいのもの。そのほかの場合では、意味の上からは部首を決めにくい漢字のうち、横棒一本が目立つものを分類するために立てられた部首となっている。

【七】《しち》も数を表す漢字だが、《一》と直接の関係はない。成り立ちには諸説があるが、大まかにいえば、もともとは〝何かに切りつけた形〟だったと考えられている。数の〝7〟を表すのは、大昔の中国語では〝7〟を表すことばと発音が似ていたところから、当て字的に転用されたもの。その結果、〝切る〟ことを表すために、部首《刀》(p100)を付け加えて改めて作られたのが「切」《せつ》である。

「甲乙丙丁…」《こうおつへいてい》と続く十干《じっかん》の四番目〝ひのと〟を表す【丁】《てい》も、もともとは〝くぎ〟の絵から生まれた漢字が、当て字的に転用されたもの。〝くぎ〟を表す漢字としては、改めて「釘」《くぎ》が作られた。このように、部首《一》の漢字の中には、当て字的に転用されたと考えられている漢字が多い。

たとえば、十干の三番目〝ひのえ〟を表す【丙】《へい》は、古代文字では図のような形で、もともとは〝台座〟の絵から生まれた漢字。また、十二支の

"うし"を指して使われる【丑《うし》】は、"ひねる""ひっかける"といった意味だったらしい。

　このほか、"〇〇しない"という打ち消しを表す【不《ふ》】は、古代文字では図のように書き、花の"めしべ"や"がく"の絵から生まれた漢字だったと考えられている。

　「世界《せかい》」の【世《せ》】、「丈夫《じょうぶ》」の【丈《じょう》】、「且《か》つ」と訓読みする【且《しょ》】、「おか」と訓読みする【丘《きゅう》】などは、それぞれきちんとした成り立ちがあり、当て字的に転用されたわけではない。ただし、現在の部首には分類するにはふさわしいものがないので、便宜的に部首《一》に分類される。

　また、「雪之丞《ゆきのじょう》」のように昔の人名に出てくる【丞《じょう》】は、昔の官職の一つを指す漢字。本来は"水に落ちた人を助ける"という意味だったと考えられているが、これも、部首は《一》とするのがふつうである。

　形が省略された結果、もとの部首が含まれなくなってしまい、やむをえず《一》を部首とするようになった漢字も多い。【万《まん》】は、以前は「萬《まん》」と書くのが正式で、部首は《艹（くさかんむり）》（p270）。【与《よ》】は、以前は「與《よ》」と書くのが正式で、部首は《臼（うす）》（p120）。同様に、【両《りょう》】は以前は正式には「兩《りょう》」と書き、部首は《入》（p77）。「なみ」と訓読みする【並《へい》】は、以前は正式には「竝《へい》」と書き、部首は《立》（p25）であった。

数

二

[名称]に
[意味]①数の"2" ②その他

上下の棒が目に浮かぶ…

【二《に》】は、横線を二本引いて、数の"2"を表す漢字。「一《いち》」「三《さん》」と同じ原理で作られているが、部首《一》（前項）には分類されず、独立した部首として扱われる。ただし、特定の意味を表すわけではなく、意味の上からは部首を決めにくい漢字のうち、横棒二本が目立つものを形の上から分類するために立てられた、便宜的な部首。例外的に、漢字「二」から派生したと思われる、"4"を表す【亖《し》】という漢字もあるが、現在では「四《し》」を使う方が圧倒的に自然である。

　部首《二》の漢字の中で目立つのは、漢字の一番上と一番下に一本ずつの横棒を持つもの。代表的なものは【五《ご》】だが、成り立ちには諸説があってよくわからない。また、「互《たが》いに」と訓読みする【互《ご》】や、「亘《わた》る」と訓読みして使うことがある【亘《こう》】などもその例。【亙《こう》】は、「亘」と読み方も意味もよく似た漢字で、固有名詞などで使われることがある。

　【亜《あ》】は、以前は【亞《あ》】と書くのが正式。古代文字では図のような形で、"地下に掘った十字型の墓穴"の絵から生まれた漢字だと考えられている。「亜熱帯《あねったい》」のように"何かに似ているけれどそのもの

には及ばない〟という意味を表すが、この意味が生まれた経緯にはいろいろな説がある。

一番上と一番下に横棒を持つもの以外の例としては、「井戸《いど》」の【井《い》】があり、〝井戸の囲い〟の絵から生まれた漢字。ただし、形がよく似た「丼《どん》」は、部首《丶（てん）》（p359）に分類される。

「云々《うんぬん》」の【云《うん》】は、訓読みすれば「云《い》う」。もともとは〝雲〟の絵から生まれた漢字で、大昔の中国語では〝言う〟という意味のことばと発音が似ていたことから、当て字的に使われるようになった。そこで、本来の意味を表すために《雨》（p329）を付け加えて改めて作られたのが、「雲《うん》」である。

このほか、「些細《ささい》」の【些《さ》】は、成り立ちに諸説あり、《二》が何を表すかもよくわからない。【于《う》】は、現在の日本語ではまず用いられないが、漢文では英語の前置詞のようなはたらきをする漢字としてよく使われるし、また、中国人の姓に見かけることがある。これも、形の上から便宜的に部首《二》に分類されている。

よくよく見れば両手が見える

八

［名称］はち、はちがしら
［意味］①二つに分ける ②両手で持つ ③ものを載せる台 ④その他

【八《はち》】は、もともとは〝左右に二つに分ける〟ことを表す漢字。数の〝8〟を表すようになったのは、〝8割る2は4、4割る2は2〟という具合に、二つに分けやすいからだという。「分《ぶん》」は、「八」の本来の意味から派生した漢字だが、部首としては《刀》（p100）に分類される。

部首《八》には、特定の意味はない。が、この部首には「丌」という形を含む漢字がまとまって含まれていて、この形には二つの意味があると考えられる。

その一つは、〝両手〟を表す古代文字「𠬞」が変形したもの。たとえば、「共《とも》に」と訓読みする【共《きょう》】は、古代文字では図の右側のような形。本来は〝両手を一緒にして何かを支える〟ことを表す。

「兵器《へいき》」の【兵《へい》】も、古代文字では図の真ん中のような形で、本来は、〝武器を両手で持つ〟という意味。「道具《どうぐ》」の【具《ぐ》】は、以前は【具《ぐ》】と書くのが正式。古代文字では図の左側のように書き、そもそもは〝儀式で使う道具を両手で持つ形〟だったと考えられている。これらの漢字での「𠬞」は、〝両手で持つ〟ことを表していて、成り立ちとしては部首《廾（にじゅう）》（p187）と同じである。

一方、「丌」の形が、ものを載せる〝台〟を表す例もある。「辞典《じてん》」の【典《てん》】は、古代文字では図のような形で、「冊《さつ》」の古代文字「𠕁」の下に〝台〟を書いたもの。〝台の上に置かれた書物〟というところから、

"重要な書物"を指して使われる。

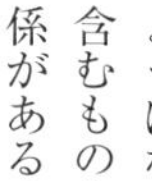

また、「其《そ》の本《ほん》」のように訓読みして使われる【其《き》】は、古代文字では図のような形で、"台の上に置いたある種のかご"の絵だと考えられている。大昔の中国語では"その"という意味を表すことばと発音が似ていたことから、当て字的に転用されて使われるようになった。ただし、「典」「其」の古代文字には「」を含むものもあり、成り立ちとしては"両手で持つ"ことと関係があるのかもしれない。

なお、【六《ろく》】も「八」の形を含んでいるが、古代文字では図のような形で、"建物"の絵から生まれた漢字。やはり当て字的に転用されて、数の"6"を表すようになったと考えられる。部首を《八》とするのは、形の上から便宜的に分類されたものである。

以上のほか、【兼《けん》】は、以前は【兼《けん》】と書くのが正式。古代文字では図のような形で、"穀物"を表す「禾」二つと、"手で持つ"ことを意味する「又」(p179)の古代文字「」を組み合わせた形。"穀物二本を一本の手で持つ"ところから、訓読み「兼《か》ねる」のような意味が生まれた。なお、「おおやけ」と訓読みする【公《こう》】の成り立ちについては、諸説があってはっきりしない。

部首としては、音読みに基づいて「はち」と呼ぶのが基本。「公」や「兼」などでは、漢字の「頭」の部分に見られるところから、「はちがしら」と呼ばれている。

十

［名称］じゅう
［意味］①数の"10"　②多い、集める　③その他

たくさんあると集めたくなる?

成り立ちには諸説があるが、【十《じゅう》】は、数の"10"を表す漢字。それを二つ並べた漢字が【卄《じゅう》】で、"20"を表すが、現在では【廿《じゅう》】と書く方が一般的。また、現在ではほとんど使われないが、"30"を表す【卅《そう》】、"40"を表す【卌《しゅう》】という漢字もある。

《十》を部首とする漢字の代表格は、「協力《きょうりょく》」の【協《きょう》】と「博物館《はくぶつかん》」の【博《はく》】。この二つの漢字では、《十》は"多い"とか"集める"といった意味を表していると考えられる。

部首《十》が何らかの意味を表しているのは、以上くらいのもの。ほとんどの場合は、意味の上からは部首が決めにくい漢字のうち、《十》の形を含むものが便宜的に分類されたものである。

「午後《ごご》」の【午《ご》】、「卒業《そつぎょう》」の【卒《そつ》】、「食卓《しょくたく》」の【卓《たく》】や、「一升《いっしょう》」のように容積の単位として使われる【升《しょう》】などは、みなその例。これらの漢字は、たとえば「卒」が《亠(なべぶた)》(p360)に、「升」が《廾(にじゅう)》(p187)になど、辞書によってはやはり便宜的に別の部首に分類されることもある。

なお、【千《せん》】は数を表すので《十》と関連がありそうだが、

数

いろいろあるどの説でも、成り立ちの上では《十》とは関係がないとされている。

「半分《はんぶん》」の【半《はん》】は、以前は【半《はん》】と書くのが正式。「卑《いや》しい」と訓読みする【卑《ひ》】は、以前は、「由」の真ん中の縦棒を下までつなげた【卑《ひ》】と書くのが正式。どちらもやはり、形の上から便宜的に部首《十》に分類されたものである。

【南《みなみ》】は、古代文字では図のような形。〝小屋〟の絵だとかある種の〝鐘〟の絵だとかと考えられている。大昔の中国語では、〝みなみ〟を指すことばと発音が似ていたことから、当て字的に転用されて使われるようになった。また、【卉《き》】は、〝草〟を表す漢字。「花卉《かき》」とは〝草花〟のこと。成り立ちとしては、〝植物〟を表す部首《艸(くさ)》(p269)に分類される「芔《き》」が、変形したものである。

なお、【卍《まんじ》】は、もともとは古代インドで使われた、〝めでたい〟ことを表すマーク。一〜二世紀ごろ以降、中国の仏教でも使われるようになった。部首は《十》とされるが、もともとは漢字ではないので、あまり意味のある分類ではない。漢和辞典では画数を6画とするが、これも無理に部首を《十》としたことが原因。書き順として、最初に《十》を書いてからまわりの線を書く、などというのも同じで、こだわりすぎるのはナンセンスかと思われる。

数

棒と点

漢字の中には、意味の上からは部首を決めにくいものも存在している。それらを分類するために立てられた部首は、《丨(たてぼう)》や《亅(はねぼう)》、《丶(てん)》や《亠(なべぶた)》のように、棒や点、あるいはその組み合わせといった、単純な形をしている。とはいえ、それらも、部首の世界のれっきとした構成員なのである。

丨

端から端まで一直線!

[名称]たてぼう、ぼう
[意味]①貫く ②その他

実際に使われることはまずないが、【丨《こん》】は、〝上から下まで貫く〟という意味を表す漢字だという。部首としては〝貫く〟という意味があると考えられる。

【中《ちゅう》】の成り立ちについては、四角の中を縦線で貫いて〝真ん中〟を表す、と考えるのがわかりやすい。【串《せん》】は、本来は〝刺し貫く〟ことを表す漢字。日本語では「くし」と訓読みして、〝刺し貫く棒〟を指して使われる。

このほか、「巨大《きょだい》」の【巨《きょ》】も、部首《丨》に分類されることが多い。ただし、以前は、上下の横棒を左に少し突き出させた「巨《きょ》」と書くのが正式で、部首は《工》(p131)であった。部首を《丨》とするのは、字の形が変化したことによる便宜的な分類。辞書によっては、《二》(p353)や《匚(はこがまえ)》(p123)に分類するものもある。

部首としては、その形から「たてぼう」と呼ばれるのがふつう。単に「ぼう」という名前もあるが、《一》(p352)だって〝棒〟だし、《亅(はねぼう)》(次項)という部首もある。違いをはっきりさせるという点から、「たてぼう」の方がおすすめである。

亅

[名称]はねぼう
(便宜的に立てられた部首)

引っ掛けたいけど使われない

【亅《けつ》】は、ものを引っ掛けるのに使う〝かぎ〟を表す漢字だというが、実際に使われることはまずない。部首として〝かぎ〟を表すこともなく、「了解《りょうかい》」の【了《りょう》】や「事件《じけん》」の【事《じ》】など、意味の上から部首を決めるのがむずかしい漢字のうち、この形が目印となるようなものを分類するために、便宜的に立てられる。

【予《よ》】の部首を《亅》とするのも、便宜的な分類。ただし、「予」は、本来は〝自分〟を指して使う漢字。「予定《よてい》」のように〝前もって〟という意味を表すのは、以前は正式には「豫《よ》」と書かれた別の漢字の略字として使われたもの。「豫」は、部首としては《豕(いのこ)》(p232)に分類される。

このほか、「戦争《せんそう》」の【争《そう》】は、以前は「爭《そう》」と書くのが正式で、部首は《爫(つめかんむり)》(p191)。現在の形には《爫》が含まれないので、便宜的に部首《亅》に分類されている。

なお、部首としては、下がはねている棒であるところから、「はねぼう」と呼ばれている。

了

[名称]りょう
(特別に立てられることがある部首)

昔むかしにはありましたが…

「了《りょう》」「予《よ》」の部首は、ふつうは《亅(はねぼう)》(前項)とする。また、「承《しょう》」の部首は、ふつうは《手》(p172)。昔の人名に使われることがある「丞《じょう》」は、部首《一》(p352)に分類されるのが一般的である。

これらの漢字は、どれも部首がわかりにくい。そこで、特に小中学生向けの漢和辞典などでは、《了》という部首を特別に立てることがある。とはいえ、これも、あくまで形の上からの便宜的な分類である。

なお、紀元後一世紀の終わりごろに作られ、初めて部首による漢字の分類を行った『説文解字《せつもんかいじ》』という辞書には、部首《了》が存在する。とはいうものの、「予」も「承」「丞」も、その中には含まれていない。

乙

［名称］おつ、おつにょう
（便宜的に立てられた部首）

私だけが残りました…

【乙《おつ》】は、「甲乙丙丁《こうおつへいてい》…」と続く十干《じっかん》の二番目〝きのと〟を表す漢字。本来は〝刃物〟や〝へら〟の絵だったとか、〝ジグザグにつかえながら伸びていく〟ことを表したなど、成り立ちには諸説がある。大昔の中国語では〝きのと〟を指すことばと発音が似ていたことから、当て字的に転用されたものと考えられている。

部首《乙》は、意味の上からは部首が決めにくい漢字のうち、この形が目印となるものを分類するため、便宜的に立てられたもの。ただし、漢和辞典では、形がなんとなく似ている《乚（つりばり）》（次項）も、部首《乙》の中に含めて扱うのがふつうである。

《乙》を部首とする漢字としては、たとえば【乞《きつ》】がある。もともとは〝気体〟を表す漢字だったと考えられており、成り立ちとしては《气（きがまえ）》（p330）と関係が深い。訓読み「乞《こ》う」のような意味が生じた経緯については、諸説がある。

また、「乾《かわ》く」と訓読みする【乾《かん》】に《乙》が含まれている理由についても、諸説があってはっきりしない。

このほか、かなり強引だが、【九《きゅう》】も部首としては《乙》に分類される。

本来の意味については、古代文字では図のように書くが、これまた、〝腕を曲げた形〟だとか〝曲がって終わる形〟だとか〝雌の竜〟の絵だとか、諸説があってよくわからない。

ちなみに、「九」と形が似ていることから、ふつうは部首《丶（てん）》（p359）に分類される「丸《まる》」の部首を、《乙》としている漢和辞典もある。ただし、部首をどちらにするにせよ、形の上からの便宜的な分類である。

部首としては「おつ」と呼ばれるのがふつう。また、「おつにょう」という言い方もある。「にょう」とは、この場合は「乚」のような形で終わる部首のことを指す。

なお、紀元後一世紀の終わりごろに作られ、部首による漢字の分類を初めて行った『説文解字《せつもんかいじ》』という辞書では、「甲乙丙丁…」の十干すべてが部首として立てられている。それらの中で、現在でも部首としての地位を保っているのは《乙》だけ。そういう意味では、当初の部首の世界を今に伝える、貴重な部首である。

乚

［名称］つりばり、おつにょう
（便宜的に立てられた部首）

母の体のあたたかさ

漢和辞典では、形が似ているところから《乙》（前項）と合わせて扱われる部首。《乙》の変形かと思いきや、実際にはそうではない。

代表的な漢字は、「牛乳《ぎゅうにゅう》」の【乳《にゅう》】。古代文字では図のような形をしていて、〝子どもを抱えて授乳している母親〟の絵から生まれた漢字。そこで、《乚》は〝母親の体〟の絵の変形だと解釈できる。

以前は【乳《にゅう》】と書くのが正式で、〝母親の手〟の絵が変形したのが、〝手でつかむ〟ことを表す《爫（つめかんむり）》（p191）である。

【乱《らん》】は、以前は【亂《らん》】と書くのが正式。「𤔔《らん》」だけで〝乱れる〟という意味があり、《乚》が何を表しているかは、いまひとつはっきりしない。

このほか、「なり」と訓読みする【也《や》】も、形の上から便宜的に、部首《乚》に分類されている。ちなみに、「孔《こう》」にも「乚」の形が見られるが、この漢字の部首は《子》（p32）とするのがふつうである。

部首としては、〝釣り針〟の形に似ているところから「つりばり」と呼ばれる。また、「乙」と似ているところから「おつにょう」という名前もある。「にょう」とは、一般には、《辶（しんにょう）》（p89）や《廴（えんにょう）》（p94）など、漢字の左側から下部にかけて現れる部首を指す、と説明されているが、実際には、《儿》（p22）を「にんにょう」と呼んだり、《攵》（p183）を「ぼくにょう」と呼んだりすることも多い。「乚」や「丶」で終わる部首は、広く「にょう」と呼ばれることがある、というのが現実に近い。

丶

［名称］てん、ちょぼ
［意味］①じっと止まって動かない　②その他

ほくろがあるのが目印よ

現在ではまず使う機会はないが、【丶《ちゅ》】は〝ともし火の炎〟の絵から生まれた漢字で、ともし火のように〝一か所に止まって動かない〟ことを表すという。そこから派生した漢字が「君主《くんしゅ》」の【主《しゅ》】で、〝中心にしっかり止まって動かない人物〟を指す。

ただし、部首としては、ほとんどの場合、もとの意味とは無関係。意味の上からは部首を決めにくい漢字のうち、点が目立つものを集めてみました、といった部首となっている。

【丼《どん》】は、「井《い》」の真ん中に目印として《丶》を加えたもの。本来は〝井戸の中の水〟を指すらしい。日本語で「どんぶり」と訓読みして用いるのは、井戸の中にものを投げ込んだときの〝どぶん〟という音に由来するとか、〝器の中に食べものが入っている形〟から日本で独自に生み出されたものだとかの説がある。

「丹頂《たんちょう》ヅル」の【丹《たん》】は、本来は〝地中に存在する赤色の塗料〟を指す漢字。成り立ちとしては「井」とほぼ同じで、「井」の真ん中に《丶》を加えた漢字が変形したもの。本来は〝掘った井戸の中に塗料が見える〟ことを表すという。

このほか、【丸《まる》】も、形の上から便宜的に部首《丶》に分類される。さらに、「の」と訓読みする【之《し》】の部首も、手書きでは最初の画を「丶」と書くので、部首を《丶》とするのが一般的。無理やりのような気がしないではないが、ほかに適当な部首も見当たらないのが、困ったところである。

部首の名前としては、「てん」と呼ばれることが多い。また、〝目印としての点〟のことを「ちょぼ」というところから、「ちょぼ」という名前もある。響きのかわいい呼び名だが、語源としては、「ちょぼ」という賭博で使われるサイコロの〝一の目〟の形に由来するという。

亠

［名称］なべぶた、けいさん、けいさんかんむり
［意味］①立派な建物　②その他

庶民の気持ちもわかってね！

真ん中につまみがついた〝鍋のふた〟のように見えるので、「なべぶた」と呼ばれて親しまれている部首。また、〝文鎮〟に似ているところから、昔は、〝文鎮〟の古い言い方「けいさん（卦算）」とも呼ばれた。漢字の上部、「かんむり」の位置に置かれるところから「けいさんかんむり」という名前もある。〝文鎮〟から〝鍋のふた〟への変化には、もともとはインテリのものだった漢字が、庶民のものにもなっていったことが現れているようで、おもしろい。

部首《亠》そのものは、特定の意味を表すわけではない。しかし、《亠》を部首とする漢字の中には、成り立ちの上では〝立派な建物〟を表す《高》（p74）と関係が深いものが、まとまって含まれている。

たとえば、【亭《てい》】は、〝旅人などが休憩する建物〟。【京《きょう》】は、〝立派な建物が建ち並ぶ都市〟。「享受《きょうじゅ》」の【享《きょう》】は、本来は〝先祖をまつる建物〟を指す漢字。転じて〝神や天などから受け取る〟ことを表す。また、現在では主に人名に使われる【亨《こう》】も、もともとは〝先祖をまつる建物〟だったとする説が優勢である。

なお、やはり人名で見かける【亮《りょう》】は、本来は〝明るい〟ことを表す漢字。成り立ちについては諸説があるが、やはり《高》や「京」と関係が深い。

これら以外の《亠》の漢字は、意味の上からは部首を決めにくい漢字のうち、この形が目印となるものを便宜的に分類したものばかりである。

「交差《こうさ》」の【交《こう》】は、古代文字では図の右側のような形で、〝脚を交差させた人〟の絵から生まれた漢字。図の左側は、漢文などで「また」と訓読みして使うことがある【亦《えき》】の古代文字で、〝人間の両脇に印を付けた形〟。本来は〝脇〟を意味し、大昔の中国語では〝○○も同じように〟という意味を表すことばと発音が似ていたことから、当て字的に転用されたものと考えられている。

また、十二支の最後〝いのしし〟を表す【亥《がい》】は、古代文字では図のように書かれ、〝いのしし〟の絵から生まれた漢字だという。

このほか、「亡《な》くなる」と訓読みする【亡《ぼう》】の部首も《亠》。以前は、上の横棒が左に突き出ない【亡《ぼう》】と書くのが正式で、本来の意味には、〝死体〟を表すとする説と、〝ものを隠す〟ことを意味するとする説がある。

なお、「亢進《こうしん》」の【亢《こう》】は、〝高くなる〟という意味。成り立ちは、諸説があってはっきりしない。

𠂉

［名称］のいち
（特別に立てられることがある部首）

形は妙だがけっこう役立つ！

部首がわかりにくい漢字を少しでもわかりやすくするために、特に小中学生向けの漢和辞典などで特別に立てられることがある部首の一つ。この形を含む漢字は意外と多く、本来は《十》（p355）を部首とする「午《ご》」、《干》（p107）を部首とする「年《ねん》」、《毋（なかれ）》（p32）を部首とする「毎《まい》」、《乙》（p358）を部首とする「乞《きつ》」などが、部首《𠂉》に分類されることがある。

部首の名前としては、カタカナの「ノ」と漢字の「一」に分解できることから、「のいち」と呼ばれている。

丷

［名称］そいち
（特別に立てられることがある部首）

両立できない相手がいます！

部首がわかりにくい漢字を少しでもわかりやすくするために、特に小中学生向けの漢和辞典などで特別に立てられることがある部首の一つ。ふつうは《一》（p352）を部首とする「並《へい》」、本来は《刂（りっとう）》（p101）を部首とする「前《ぜん》」、《八》（p354）を部首とする「兼《けん》」などが、部首《丷》に分類されることがある。

部首の名前としては、カタカナの「ソ」と漢字の「一」に分解できることから、「そいち」と呼ばれている。

なお、部首《丷》の代わりに、《ソ（そ）》（p365）という部首を特別に立てて、これらの漢字をそちらに分類している漢和辞典もある。

主

見つけにくいもんねえ…

［名称］あおのかんむり
（特別に立てられることがある部首）

部首がわかりにくい漢字を少しでもわかりやすくするために、特に小中学生向けの漢和辞典などで特別に立てられることがある部首の一つ。ふつうは独立した部首《青》（p345）になる「青《あお》」、同じく《麦》（p281）になる「麦《むぎ》」、本来は《貝》（p242）を部首とする「責《せき》」、《糸》（p47）を部首とする「素《そ》」、部首《毋（なかれ）》に分類される「毒《どく》」などが、部首《主》に分類されることがある。

部首の名前としては、「青」の上部、いわゆる「かんむり」の位置に現れるところから、「あおのかんむり」と呼ばれている。

𡗗

今までどうしてなかったんだろう！

［名称］はるのかんむり
（特別に立てられることがある部首）

部首がわかりにくい漢字を少しでもわかりやすくするために、特に小中学生向けの漢和辞典などで特別に立てられることがある部首の一つ。ふつうは《日》（p332）を部首とする「春《はる》」、本来は《大》（p24）を部首とする「奉《ほう》」や「奏《そう》」、《氺（したみず）》（p317）を部首とする「泰《たい》」、《禾》（p277）を部首とする「秦《しん》」などが、部首《𡗗》に分類されることがある。

これらのうち、「春」以外の「奉」「奏」「泰」「秦」は、古代文字にさかのぼると、《𡗗》の部分に〝両手を使う〟ことを表す《廾（にじゅう）》（p187）の古代文字「」が含まれている。また、現在ではあまり使われない漢字だが、《臼（うす）》（p120）に分類され、〝臼でつく〟ことを意味する「舂《しょう》」も、同じような例。特別に立てられることがある部首の中では唯一、意味や成り立ちの上で共通性が感じられ、正式な部首として扱われてこなかったのが、不思議なくらいである。

部首の名前としては、「春」の上部、いわゆる「かんむり」の位置に現れるところから、「はるのかんむり」と呼ばれている。

カタカナ

《ノ(の)》《ム(む)》は、カタカナの「ノ」「ム」と形はそっくりだが、昔の中国の辞書にも存在している部首。一方、《ッ(つ)》は、最近になって、形の上から漢字を分類するために日本で新たに立てられるようになった。そのほか、主に小中学生向けの漢和辞典では、カタカナに似た形の部首を特別に立てることがある。

ノ

［名称］の、のかんむり、はらいぼう
（便宜的に立てられた部首）

角度の違いはあるけれど…

【丿《へつ》】は、〝右から左へ曲がる〟という意味の漢字だというが、実際に使われることはまずない。逆に、〝左から右に曲がる〟ことを表す【乀《ふつ》】という漢字もあり、これも半ば強引に、部首《ノ》に分類されているが、やはり、実際に出会うことはなさそうである。

部首としては、意味の上からは部首を決めにくい漢字のうち、この形が目印になるものを分類するために、便宜的に立てられたもの。「久《ひさ》しい」と訓読みする【久《きゅう》】や、「の」と訓読みして使う【乃《ない》】が、代表的な例である。

これらとはやや形が異なり、「貧乏《びんぼう》」の【乏《ぼう》】のように、《ノ》が漢字の上部に置かれてかなり水平に近くなっているものも多い。【乎《こ》】もその例の一つ。「断乎《だんこ》として反対《はんたい》」「確乎《かっこ》たる信念《しんねん》」のように使われる漢字だが、現在では「断固《だんこ》」「確固《かっこ》」と書く方が一般的である。

「乗《の》る」と訓読みする【乗《じょう》】は、以前は【乘《じょう》】と書くのが正式。古代文字では図のように書き、〝木の上に人がのぼっている形〟だという。だとすれば、部首は《木》(p260)とする方がふさわしい。

また、【乖《かい》】は「乗」と形がよく似ているが、成り立ちとしては無関係。本来は〝背を向ける〟という意味なので、〝人が背を向け合った形〟から生まれた「北《きた》」(p121)と関係が深い。「乖離《かいり》」とは〝背を向けて離れる〟ことをいう。

以上のほか、「及《およ》ぶ」と訓読みする【及《きゅう》】も部首《ノ》に分類されるが、以前は形が微妙に違って、「及《きゅう》」と書くのが正式。部首は《又》(p179)であった。

カタカナの「ノ」に似ているところから、部首としては「の」と呼ばれるのが一般的。漢字の上部、いわゆる「かんむり」の位置に現れた場合には「のかんむり」ともいうが、「かんむり」と名付けるのはちょっと大げさかもしれない。また、手書きするときの〝左払い〟の形なので、「はらいぼう」という名前もある。

ム

［名称］む
（便宜的に立てられた部首）

集まったり離れたり

【参《さん》】は、以前は【參《さん》】と書くのが正式。古代文字では図のように書かれ、〝かんざしを三本、挿した人〟の絵から生まれたとする説が優勢。かんざしが集まって入り交じっているところから、「参加《さんか》」のような意味が生まれたという。《彡（さんづくり）》（p54）を部首としてもよさそうだが、成り立ちとしては《ム》が三つ集まっているところが重要なので、こちらを部首とするのがふつうである。

一方、「去《さ》る」と訓読みする【去《きょ》】は、古代文字では図のような形。これは〝ふたの付いた容器〟の絵で、本来は〝ふたを取り去る〟ことを表す、というのが一説。別の説では、これは〝人の下に祈りのことばを入れる箱を置いた形〟で、その箱を〝捨て去る〟のが本来の意味だったとする。どうであれ、《土》（p294）とは意味の関係はないので、《ム》を部首として分類する。

部首《ム》に含まれる漢字は、現在でも一般的に使われる漢字としては、以上くらいのもの。特定の意味はなく、分類のための目印として立てられた部首である。

部首の名前としては、カタカナの「ム」に似ているので「む」と呼ばれている。ちなみに、カタカナの「ム」は漢字「牟《む》」から生まれたものなので、部首《ム》とは関係はない。「牟」の部首は《牛》（p227）である。

ツ

［名称］つ、つかんむり
（便宜的に立てられた部首）

変わったんならしかたないね

現在、日常的に用いられる漢字の中には、以前は正式にはもっと複雑な形で書いたものがある。その中には、現在では省略されてしまった部分が、以前の正式な形では部首になっていたものもある。たとえば、「単語《たんご》」の【単《たん》】は、以前は「單《たん》」と書くのが正式で、部首は《口》（p149）であった。また、「厳《きび》しい」と訓読みする【厳《げん》】も、以前は「嚴《げん》」と書くのが正式で、やはり部首は《口》。どちらも、現在の形には《口》が含まれていないので、代わりに、便宜的な部首として新たに《ツ》を設けて分類するのがふつうである。

同様に、「営業《えいぎょう》」の【営《えい》】は、以前は「營《えい》」と書くのが正式で、部首は《火》（p338）。「鳥《とり》の巣《す》」のように訓読みして使う【巣《そう》】

は、以前は「巣《そう》」と書くのが正式で、部首は《巛（まがりがわ）》（p327）。この二つの漢字も、現在では便宜的に部首《ツ》に分類されるのが一般的となっている。

ただし、漢和辞典の中には、部首《ツ》を設けるのを潔しとしないものもある。その場合には、「単」は《十》（p355）、「厳」は《攵（のぶん）》（p184）、「営」は《口》（p149）、「巣」は《木》（p260）などに分類することになる。伝統を守るというのも、なかなかたいへんなことのようである。

カタカナの「ツ」に似ていることから、部首としては「つ」と呼ぶのが基本。漢字の上部、いわゆる「かんむり」の位置に置かれることから、「つかんむり」という名前もある。

なお、「学《がく》」や「栄《えい》」にも「ツ」の形が見られる。これらも、以前の正式な書き方が省略されたものだが、それぞれ部首は《子》（p32）《木》（p260）だったので、部首の分類には影響がない。「挙《きょ》」「覚《かく》」「誉《よ》」「労《ろう》」なども同じケースで、それぞれ、《手》（p172）《見》（p146）《言》（p157）《力》（p109）を部首とする漢字である。

ク

［名称］く

（特別に立てられることがある部首）

意外と便利なんですよ！

部首がわかりにくい漢字を少しでもわかりやすくするために、特に小中学生向けの漢和辞典などで特別に立てられることがある部首の一つ。もちろん便宜的な部首ではあるが、立ててみると便利なもので、意外と多くの漢字をここに分類することができる。

たとえば、《亅（はねぼう）》（p357）に分類される「争《そう》」、《㔾（ふしづくり）》（p202）に分類される「危《き》」などがその例。また、《儿（ひとあし）》（p22）に分類される「免《めん》」や、《豕（いのこ）》（p232）に分類される「象《ぞう》」、そして《ノ（の）》（p363）に分類される「久《きゅう》」なども、この部首に分類した方が便利であることは確かである。

なお、カタカナの「ク」に似ていることから、部首としては「く」と呼ばれている。

ソ

［名称］そ

（特別に立てられることがある部首）

ご同類があちこちに！

「兼《けん》」は、以前は「兼《けん》」と書くのが正式だったため、現在でも部首《八》（p354）に分類されている。しかし、現在の形には《八》が含まれないので、とてもわかりにくい部首となっている。

そこで、特に小中学生向けの漢和辞典などでは、特別に《ソ》の形を部首として立て、「兼」をそこに分類することがある。そうすると、本来は《十》（p355）を部首とする「半《はん》」や、

《弓》(p113)を部首とする「弟《おとうと》」、《一》(p352)を部首とする「並《へい》」、《刂(りっとう)》(p101)を部首とする「前《ぜん》」なども、ここに分類できることになる。

カタカナの「ソ」に似ているところから、部首としては「そ」と呼ばれている。なお、これと似た特設の部首として《丷(そいち)》(p361)があり、「兼」「前」「並」などをそちらに分類する辞書もある。

マ

[名称]ま
(特別に立てられることがある部首)

一文字だけ特別扱い?

部首がわかりにくい漢字を少しでもわかりやすくするために、特に小中学生向けの漢和辞典などで特別に立てられることがある部首の一つ。ただし、この部首に分類すると便利になる漢字は、本来は《亅(はねぼう)》(p357)を部首とする「予《よ》」くらいのものである。

「勇《ゆう》」にもこの形が含まれるが、本来の部首《力》(p109)も、それほどわかりにくいものではない。また、「矛《む》」は、それ自体が部首《矛》(p106)になるので、部首を変更するとほかの漢字への影響が出る。「予」一文字のために新たな部首を特別に立てるべきかどうかは、議論もあるところだろう。

カタカナの「マ」に似ているところから、部首としては「ま」と呼ばれている。

メ

[名称]め
(特別に立てられることがある部首)

もとのままでもよさそうな…

部首がわかりにくい漢字を少しでもわかりやすくするために、特に小中学生向けの漢和辞典などで特別に立てられることがある部首の一つ。本来は《巾(はば)》(p44)に分類される「希《き》」や、《月(にくづき)》(p205)に分類される「肴《さかな》」などが、この部首に分類されることがある。

とはいえ、どちらの漢字でも、本来の部首はきちんと意味の上から分類されたもの。この二文字のためだけに新たな部首を特別に立てる必要性は、それほどないと思われる。

カタカナのメに似ているところから、部首としては「め」と呼ばれている。

《著者紹介》

円満字 二郎（えんまんじ じろう）

1967年、兵庫県西宮市生まれ。大学卒業後、出版社で国語教科書や漢和辞典などの担当編集者として働く。2008年、退職してフリーに。

著書に、『漢字ときあかし辞典』『漢字の使い分けときあかし辞典』『四字熟語ときあかし辞典』（以上、研究社）、『漢和辞典的に申しますと。』（文春文庫）、『漢字の植物苑　花の名前をたずねてみれば』（岩波書店）、『雨かんむり漢字読本』（草思社文庫）などがある。

部首《ぶしゅ》ときあかし辞典《じてん》

2013年 5 月30日　初版発行
2021年 2 月19日　6 刷発行

著　者　円満字《えんまんじ》 二郎《じろう》

発行者　吉田尚志

発行所　株式会社 研究社
〒102-8152 東京都千代田区富士見2-11-3
電話　営業（03）3288-7777㈹　編集（03）3288-7711㈹
振替　00150-9-26710
http://www.kenkyusha.co.jp/

印刷所　研究社印刷株式会社

組版　円満字 二郎

装丁　金子泰明

KENKYUSHA
〈検印省略〉

ISBN 978-4-7674-3475-9　C0581
Printed in Japan

定価はカバーに表示してあります。

乱丁本・落丁本はお取り換えいたします。

部首名称索引

⑴名前を知っている部首について調べやすいよう、本書で取り上げた部首を名称の50音順に並べ、ページを示した。名称が同じ部首は、収録ページの順に並べた。

⑵名前がわからない部首について知りたい場合には、巻頭6～7ページの「部首画数索引」で調べることができる。

あ 行

あお	青	345
	靑	346
あおがえる	黽	249
あおのかんむり	龶	362
あおへん	青	345
	靑	346
あか	赤	343
あかへん	赤	343
あくび	欠	66
あごひげ	而	168
あさ	麻	288
	麻	289
あさかんむり	麻	288
	麻	289
あし	足	192
あしへん	𧾷	193
あな	穴	314
あなかんむり	穴	314
あまい	甘	60
あまかんむり	雨	329
あみ	网	132
あみがしら	罓	132
	㓁	133
	罒	133
あみめ	罒	133
あめ	雨	329
あめかんむり	雨	329
あらず	非	257
いう	言	157
いきる	生	290
いく	行	86
いし	石	298
いしへん	石	298
いたる	至	114
いち	一	352
いちじゅう	干	107
いちたへん	歹	211
いちのかい	頁	169
いと	糸	47
いとがしら	幺	52
いとへん	糸	47
いぬ	犬	224
いのこ	豕	232
いのこがしら	彑	232
	⺕	233
いのこへん	豕	232
いりがしら	入	77
いりやね	入	77
いる	入	77
いろ	色	350
いろづくり	色	350
いわく	曰	162
いんにょう	廴	94
うお	魚	240
うおへん	魚	240
うかんむり	宀	71
うけばこ	凵	315
うし	牛	227
うじ	氏	108
うしとら	艮	145
うしへん	牛	227
うす	臼	120
うま	馬	228
うまへん	馬	228
うまれる	生	290
うらない	卜	139
うり	瓜	284
え	工	131
えだにょう	支	182
えんがまえ	冂	43
えんにょう	廴	94
おい	老	33
おいがしら	老	33
	耂	34
おいかんむり	老	33
	耂	34
おう	王	305
おうにょう	尢	204
おうへん	王	305
おおいかんむり	襾	125
	覀	126
おおがい	頁	169
おおがえる	黽	249
おおざと	阝	82
おか	阜	309
おつ	乙	358
おつにょう	乙	358
	乚	359
おと	音	162
おとこ	男	27
おとへん	音	162
おに	鬼	34
おの	斤	103
おのづくり	斤	103
おのれ	己	202
おんな	女	28
おんなへん	女	28

か 行

か	香	65
かい	貝	242
かいへん	貝	242
かおり	香	65
かく	角	255
かくしがまえ	匸	124
かくのかわ	革	252
かける	欠	66
かぜ	風	330
かぜかまえ	几	331
かた	片	137
かたな	刀	100
かたへん	方	134
	片	137
がつ	歹	211
がつへん	歹	211
かどがまえ	門	75
かなえ	鼎	119
かなめのかしら	襾	125
	覀	126
かね	金	300
かねへん	金	300
かのほこ	戈	104
かばね	尸	209
	歹	211
かばねだれ	尸	209
かばねへん	歹	211
かみがしら	髟	166
かみかんむり	髟	166
かめ	亀	245
	龜	245

からい　辛 61
かわ　皮 252
　革 252
　川 327
かわへん　革 252
かわら　瓦 118
かん　甘 60
　干 107
かんがまえ　凵 315
がんだれ　厂 312
かんにょう　凵 315
き　己 202
　木 260
　黄 344
　黃 344
きいろ　黄 344
　黃 344
きがまえ　气 330
きにょう　鬼 34
　儿 127
きば　牙 254
きばへん　牙 254
きび　黍 283
きへん　木 260
ぎょう　行 86
ぎょうがまえ　行 86
ぎょうにんべん　彳 86
きょく　臼 188
ぎょへん　魚 240
きん　斤 103
きんべん　巾 44
く　ク 365
ぐうのあし　禸 258
くがまえ　勹 214
くさ　艸 269
くさかんむり　艹 270
くさのめ　屮 290
くち　口 149
くちへん　口 149
くに　囗 83
くにがまえ　囗 83
くび　首 168
くらべる　比 215
くるま　車 95
くるまへん　車 95
くろ　黒 347
　黑 348
くろへん　黑 348
け　毛 251
けい　彑 232
　彐 233
けいがしら　彑 232
　彐 233
けいがまえ　冂 43
けいさん　亠 360
けいさんかんむり
　亠 360
けかざり　彡 54
けがわ　皮 252
けつ　欠 66
けものへん　犭 225
げん　言 157
　玄 349
けんづくり　欠 66
こ　子 32
こう　爻 46
　香 65
　工 131
こがい　貝 242
こころ　心 215
こざとへん　阝 309
ことば　言 157
こども　子 32
こどもへん　子 32
こへん　子 32
こまぬき　廾 187
こめ　米 280
こめへん　米 280
ころも　衣 39
ころもへん　衤 40
こん　艮 145
こんづくり　艮 145
ごんべん　言 157

さ 行

さい　斉 291
　齊 291
さいわい　幸 190
さかさしょう　⺍ 56
さかなへん　魚 240
さけづくり　酉 62
さけのとり　酉 62
さじ　匕 121
さじのひ　匕 121
さと　里 78
さとへん　里 78
さむらい　士 27
さら　皿 116
さんずい　氵 318
さんづくり　彡 54
さんぼんがわ　川 327
し　支 182
しお　鹵 62
しおへん　鹵 62
しか　鹿 235
しかして　而 168
しかばね　尸 209
しかばねかんむり
　尸 209
しかばねだれ　尸 209
しかへん　鹿 235
しきがまえ　弋 115
しこうして　而 168
した　舌 164
したごころ　㣺 218
したばこ　凵 315
したへん　舌 164
したみず　氺 317
しにょう　支 182
しめす　示 37
しめすへん　礻 35
　示 37
じゅう　十 355
じゅうのあし　禸 258
じゅうまた　支 182
しょう　小 55
しょうがしら　小 55
しょうへん　爿 128
　丬 129
しょく　食 57
しょくへん　飠 58
　𩙿 59
しろ　白 346
しろへん　白 346
しん　辛 61
　臣 145
しんにゅう　辶 89
　辶 92
しんにょう　辶 89
　辶 92
しんのたつ　辰 111
すいにょう　夊 198
すき　耒 109
すきへん　耒 109
すでのつくり　旡 67
すん　寸 186
すんづくり　寸 186
せい　斉 291
　齊 291
そ　ソ 365
そいち　䒑 361
そうこう　艹 270
そうにょう　爪 190
　走 196

た 行

た　田 79
　夕 337
たい　隶 259
だい　大 24
たいづくり　隶 259
だいのまげあし　尢 204
たかい　高 74
たくみ　工 131
たくみへん　工 131
たけ　竹 285
たけかんむり　竹 285
たすき　戈 104
たたかいがまえ　鬥 189
ただしい　正 196
たつ　立 25
　辰 111
　竜 249
　龍 250
たつへん　立 25
たてかん　干 107
たてぼう　丨 356
たに　谷 313
たにへん　谷 313
たへん　田 79

たま 玉 304
たまご 卵 260
たまへん 王 305
ち 黹 53
血 213
ちいさい 小 55
ちから 力 109
ちかんむり 夂 198
ちち 父 31
ちへん 血 213
ちゃく 辵 89
ちょう 鬯 64
ちょぼ 丶 359
つ ⺍ 364
つかんむり ⺍ 364
つき 月 336
つきへん 月 336
つくえ 几 127
つくりがわ 革 252
つち 土 294
つちあし 土 294
つちのと 己 202
つちへん 土 294
つづみ 鼓 139
つつみがまえ 勹 214
つの 角 255
つのへん 角 255
つめ 爪 190
つめがしら 爫 191
⺤ 191
つめかんむり 爫 191
⺤ 191
つりばり 乚 359
て 手 172
てつ 屮 290
てへん 扌 173
てん 丶 359
と 戸 74
斗 122
卜 139
とうがまえ 鬥 189
どうがまえ 冂 43
とかんむり 戸 74
とだれ 戸 74
とびらのと 戸 74
とぶ 飛 257
どへん 土 294
とます 斗 122
とまた 支 183
とまる 止 194
とめへん 止 194
とめる 止 194
とら 虍 234
とらがしら 虍 234
とらかんむり 虍 234
とり 酉 62
鳥 237
とりへん 酉 62
鳥 237

な行

なおがしら ⺌ 56
ながい 長 167
镸 167
なかれ 毋 32
なつあし 夊 198
なつのあし 夊 198
なべぶた 亠 360
なめしがわ 韋 254
ならびひ 比 215
に 二 353
においざけ 鬯 64
にく 肉 205
にくづき 月 205
にし 西 126
にじゅう 廾 187
にじゅうあし 廾 187
にすい 冫 328
にち 日 332
にちへん 日 332
にゅう 入 77
にら 韭 284
にんにょう 儿 22
にんべん 亻 16
ぬいとり 黹 53
ねずみ 鼠 236
ねずみへん 鼠 236
ねづくり 艮 145
ねへん 礻 35
の 丿 363
のいち 𠂉 361
のかんむり 丿 363
のぎ 禾 277
のぎへん 禾 277
のごめ 釆 258
のごめへん 釆 258
のつ ⺤ 191
のぶん 攵 184

は行

は 歯 165
齒 165
はかり 斤 103
はかる 斗 122
ばくにょう 麦 281
麥 282
はこがまえ 匚 123
はしる 走 196
はち 八 354
はちがしら 八 354
はつがしら 癶 200
はな 鼻 147
はなへん 鼻 147
はね 羽 255
羽 256
はねぼう 亅 357
はは 母 31
はば 巾 44
ははのかん 毋 32
はばへん 巾 44
はへん 歯 165
齒 165
はらいぼう 丿 363
はるのかんむり 𡗗 362
ひ 匕 121
日 332
火 338
ひかり 光 343
ひき 疋 197
ひきへん ⺪ 197
ひつじ 羊 230
𦍌 231
ひつじへん 羊 230
ひと 人 14
ひとあし 儿 22
ひとがしら 𠆢 15
ひとやね 𠆢 15
ひのかわ 皮 252
ひへん 日 332
火 338
ひよみのとり 酉 62
ひらび 曰 162
ひる 干 107
ふしづくり 卩 200
㔾 202
ぶた 豕 232
ふで 聿 136
ふでづくり 聿 136
ふなづき 月 99
ふね 舟 98
ふねへん 舟 98
ふみづくり 文 55
ふゆがしら 夂 198
ふるとり 隹 239
ぶん 文 55
ぶんにょう 文 55
へん 片 137
ほう 方 134
ぼう 丨 356
ほうへん 方 134
ぼく 卜 139
ぼくづくり 攴 183
ぼくにょう 攵 183
ぼくのと 卜 139
ほこ 矛 106
ほこがまえ 戈 104
ほこづくり 戈 104
殳 183
ほこへん 矛 106
ほす 干 107
ほとぎ 缶 117
ほとぎへん 缶 117
ほね 骨 212
ほねへん 骨 212

ま行

ま マ 366
まいあし 舛 199
まがりがわ 巛 327
まきがまえ 冂 43

まげあし　尢　204
ます　舛　199
ますづくり　斗　122
また　又　179
まだれ　广　69
まめ　豆　283
まめへん　豆　283
み　身　209
みず　水　316
みずから　自　148
みへん　身　209
みみ　耳　148
みみへん　耳　148
みる　見　146
む　无　68
　ム　364
むぎ　麦　281
　麥　282
むぎへん　麦　281
　麥　282
むし　虫　246
むじな　豸　236
むじなへん　豸　236
むしへん　虫　246
むにょう　无　68
むのほこ　矛　106
むら　邑　81
め　目　142
　メ　366
めばえ　屮　290
めへん　目　142
めめ　爻　46
めん　面　171
もう　黽　249
もちいる　用　138
もん　門　75
もんがまえ　門　75

や行

や　矢　112
やく　龠　140
やくのふえ　龠　140
やへん　矢　112
やま　山　307
やまい　疒　129
やまいだれ　疒　129
やまかんむり　山　307
やまへん　山　307
ゆう　邑　81
　夕　337
ゆうべ　夕　337
ゆきがまえ　行　86
ゆみ　弓　113
ゆみへん　弓　113
よ　彐　181
よく　弋　115
よこめ　罒　144
よつてん　灬　341
よねへん　米　280
よんかしら　罒　133

ら行

らいすき　耒　109
りきづくり　力　109
りっしんべん　忄　219
りっとう　刂　101
りゅう　竜　249
　龍　250
りょう　了　357
るまた　殳　183
れいづくり　隶　259
れいのつくり　隶　259
れき　鬲　120
れきのかなえ　鬲　120
れっか　灬　341
れんが　灬　341
ろ　鹵　62

わ行

わかんむり　冖　42
わりごろも　衣　39
わりふ　卩　200
　㔾　202

漢字音訓索引

(1)本文中に【　】に入れて解説した漢字5015字を、音読み・訓読みの50音順に並べ、ページを示した。同じ読み方の漢字は画数順に配列し、適宜、画数を付した。
(2)原則として音読みはカタカナ、訓読みはひらがなで記した。また、「-」はそれ以後が送りがなであることを表す。
(3)音読み・訓読みともに、現在でも使われる機会の多い一般的なものだけに限った。また、繁雑になるのを避けるため、「あつめる／あつまる」のような語源が同じ訓読みは、代表的なもの以外は、場合に応じて省いた。
(4)旧字体の音訓は新字体と同じだが、分量の都合上、新字体にあるものを省略してしまったものもある。

あ

あ　吾 152
ア　7 亜 353
8 阿 310
亞 353
10 唖 152
11 啞 152
12 蛙 247
13 痾 130
15 鴉 237
19 鼃 249
あい　相 143
藍 271
アイ　9 娃 29
哀 151
10 挨 175
埃 294
13 愛 217
隘 310
15 鞋 253
16 噯 150
17 曖 333
24 靄 329
あいだ　間 76
閒 76
あ-う　6 会 15
合 155
11 逢 93
12 遇 91
13 會 163
14 遭 91
あえ-ぐ　喘 150
あ-えて　敢 185
あ-える　和 152
あお　8 青 345
靑 346
13 蒼 274
14 碧 299
あおい　葵 270
あお-ぐ　仰 21
扇 75
あおぐろ-い
黝 348
あお-る　呷 150
煽 339
あか　7 赤 343
9 紅 51
垢 294
あが　吾 152
あかがね　銅 300
あかし　証 161
證 161
あ-かす　明 333
飽 58
あがた　県 144
あかつき　暁 334
曉 334
あがな-う　購 244
贖 243
あかね　茜 271
あが-める　崇 308
あか-らめる
赧 344
あ-かり　明 333
あか-り　灯 340
燈 340
あ-がる　3 上 352
10 挙 172
12 揚 174
17 擧 172
20 騰 229
あか-るい　明 333
あき　秋 278
あぎと　鰓 240
あきな-う　商 156
あき-らか
8 明 333
9 洸 319
亮 360
10 晃 333
晄 333
晟 333
13 滉 319
あきら-める
諦 161
あ-きる　10 倦 18
13 飽 58
14 飽 59
あき-れる　呆 156
あ-く　8 空 315
明 333
12 開 77
アク　11 悪 217
12 握 173
惡 217
渥 324
24 齷 166
あくた　芥 271
あ-くる　明 333
あく-る　翌 256
あけ　朱 267
あけぼの　曙 334
曙 334
あ-ける　8 空 315
明 333
12 開 77
あ-げる　3 上 352
10 挙 172
12 揚 174
17 擧 172
あご　顎 169
あこが-れ　憧 221
あさ　11 麻 288
麻 289
12 朝 99
朝 336
あざ　字 33
痣 130
あさ-い　浅 319
淺 319
あざけ-る　嘲 152
あざな　字 33
あざな-う　糾 51
あさひ　旭 332
あざみ　薊 270
あざむ-く　欺 67
あざ-やか　鮮 242
あさ-る　猟 225
餮 57
あざわら-う
嘲 152
あ-し　悪 217
あし　7 足 192
芦 271
11 脚 207
13 葦 271
19 蘆 271
あじ　味 150
鯵 241
あした　晨 334
あず-かる　預 170
あずか-る　与 353
あずさ　梓 264
あずま　東 268

あせ 汗 326
あぜ 10 畔 79
畔 79
校 268
11 畦 79
あ-せる 褪 42
あせ-る 焦 342
あそ-ぶ 遊 90
あだ 4 仇 19
10 徒 88
23 讐 161
あたい 8 価 19
10 値 19
15 價 19
あた-える 与 353
與 189
あたか-も 恰 222
あたた-かい
12 温 324
13 溫 324
暖 334
暖 334
煖 340
あたま 頭 169
あたら-しい
新 104
あた-り 辺 92
邊 94
あ-たる 当 56
當 79
あつ 渥 324
アツ 5 圧 295
8 軋 96
14 斡 122
17 壓 295
23 齃 147
あつ-い 9 厚 313
11 淳 323
12 敦 184
暑 334
13 暑 334
15 熱 342
16 篤 288
あつか-う 扱 174
あつ-まる
12 集 240
14 聚 149
28 雧 240
あつら-える
誂 158
あて 宛 73
あで-やか 艶 350
あ-てる 6 充 23
当 56
8 宛 73
13 當 79
あと 7 址 297
9 後 87
11 痕 131
趾 194
13 跡 194
あな 孔 33
穴 314
あなが-ち 強 113
あなど-る 侮 19
侮 19
あ-に 豈 284
あに 兄 22
あね 姉 28
姐 28
あば-く 発 200
暴 333
あばら 肋 208
あば-れる 暴 333
あ-びる 浴 324
あぶ 虻 246
あぶ-ない 危 202
あぶみ 鐙 303
あぶら 8 油 326
10 脂 208
14 膏 208
あぶ-る 炙 340
焙 340
あふ-れる 溢 321
あま 天 24
尼 210
あま-い 甘 60
あまざけ 醴 63
あま-す 7 余 16
11 剰 103
12 剩 103
あまつさ-え
剰 103
剩 103
あまね-く 遍 92
普 335
あま-る 余 16
餘 59
あみ 網 52
あ-む 編 49
あめ 4 天 24
8 雨 329
14 飴 59
あや 11 彩 54
彩 54
12 絢 52
14 綾 52
あや-うい 危 202
あや-しい
7 妖 29
8 奇 24
怪 219
あやつ-る 操 177
あや-ぶむ 危 202
あやま-ち 過 91
あやま-る 誤 161
謝 158
あゆ 鮎 241
あゆ-む 歩 195
歩 195
あら-い 荒 274
粗 280
あら-う 洗 324
あらが-う 抗 178
あらかじ-め
予 357
豫 232
あらし 嵐 309
あ-らす 荒 274
あら-ず 非 257
あらそ-う 争 357
爭 191
あら-た 新 104
あらた-める
改 185
あられ 霰 329
あらわ 露 329
あらわ-す
8 表 39
11 著 276
現 306
12 著 276
18 顕 171
23 顯 171
あり 蟻 246
あ-る 6 在 295
有 337
8 或 105
ある-いは 或 105
ある-く 歩 195
歩 195
あるじ 主 359
あ-れる 荒 274
あわ 泡 322
粟 280
あわ-い 淡 323
あわせ 袷 41
あ-わせる 合 155
あわ-せる
6 并 108
8 併 19
幷 108
10 倂 19
あわ-ただしい
慌 222
あわ-てる 慌 222
あわび 鮑 242
あわ-れ 哀 151
あわ-れむ 憐 221
アン 6 安 72
行 86
7 杏 262
9 按 173
10 案 266
氨 330
晏 334
11 庵 70
13 暗 333
15 鞍 253
16 諳 158
17 餡 59
闇 76
鮟 241
21 黯 349
あんず 杏 262

い

い 4 井 354
6 亥 361
19 藺 271
イ 3 囗 83
已 203
5 以 14
6 伊 22
夷 24
衣 39
7 位 21
囲 83
矣 112
医 124
8 依 17
委 29
易 335
9 威 30
畏 81
胃 207
洟 326
為 342
10 韋 254
11 帷 45
異 81
痍 130
唯 153
尉 186
惟 219
萎 274
移 279
12 偉 17
圍 83
爲 191
椅 266
13 違 90
意 216
彙 233
葦 271

14 維 47
飴 59
15 遺 92
慰 217
蝟 248
熨 340
16 緯 47
縊 49
謂 157
17 鮪 241
18 醫 63
21 饐 60
いい 飯 58
い-う 4 云 354
7 言 157
16 謂 157
いえ 家 71
いえど-も 雖 240
い-える 癒 130
癒 130
いおり 庵 70
い-かす 生 290
活 320
いかずち 雷 329
いかだ 筏 287
いかり 碇 299
錨 303
いか-る 怒 217
いき 10 息 216
粋 280
14 粹 280
イキ 域 296
閾 76
いきお-い 勢 110
いきどお-る
憤 220
い-きる 生 290
活 320
い-く 6 行 86
8 往 87
10 逝 91
いく 幾 53
イク 育 208
郁 83
いくさ 戦 105
戰 105
いけ 池 319
い-ける 生 290
活 320
いこ-う 憩 216
いさお 勲 111
勳 111
いさか-い 諍 160
いさぎよ-い
潔 322
いささ-か 些 354
聊 149
いざな-う 誘 158
いさ-む 勇 110
勇 110
いさ-める 諫 159
いし 石 298
いしずえ 礎 299
いしだたみ
甃 119
いじ-める 苛 273
虐 234
いしゆみ 弩 113
いすか 鶍 238
いず-くんぞ
焉 342
いずみ 泉 317
い-ずる 出 315
いそ 磯 298
いそが-しい
忙 222
いそ-ぐ 急 218
いた 板 265
いた-い 痛 130
いだ-く 8 抱 177
16 懐 219
19 懷 219
いた-す 致 114
致 114
い-だす 出 315
いたず-ら 徒 88
いただき 頂 169
いただ-く 頂 169
戴 106
いたち 鼬 236
いた-ましい
惨 220
いた-む 11 悼 221
12 痛 130
13 傷 21
いた-める 炒 340
いた-る 至 114
到 103
いたわ-る 労 110
いち 市 45
イチ 1 一 352
4 弌 115
7 壱 27
12 壹 27
いちご 苺 271
莓 271
いちじる-しい
著 276
著 276
イツ 1 一 352
6 聿 136
11 逸 91
12 逸 93
13 溢 321
いつく-しむ
慈 217
いつ-つ 五 353
いつわ-る
11 偽 18
12 詐 159
14 僞 18
い-てる 凍 328
い-でる 出 315
いと 糸 47
絲 47
いと-う 厭 313
いとな-む 営 364
營 340
いとま 暇 334
いど-む 挑 174
いな 否 151
いなご 蝗 246
いなな-く 嘶 153
いにしえ 古 156
いぬ 4 犬 224
6 戌 105
8 狗 225
いぬい 乾 358
いね 稲 277
稻 277
いのこ 豕 232
いのしし 猪 225
豬 226
いのち 命 151
いの-る 8 祈 36
9 祈 38
11 祷 37
19 禱 38
いばら 茨 272
荊 272
いびき 鼾 147
いぶか-る 訝 161
いぶ-す 燻 340
いぼ 疣 130
いま 今 15
いまし-める
戒 105
誡 158
いま-だ 未 261
い-まわしい
忌 217
いみな 諱 157
い-む 忌 217
いも 芋 271
いもうと 妹 28
いや 7 否 151
8 弥 113
13 嫌 30
嫌 30
14 厭 313
いや-しい
8 卑 356
9 卑 356
15 賤 243
いやしく-も
苟 273
い-やす 癒 130
癒 130
いよいよ 愈 78
愈 216
いら 苛 273
いらか 甍 119
い-る 2 入 77
8 居 210
9 要 125
要 126
10 射 186
13 煎 342
15 鋳 301
22 鑄 301
い-れる 2 入 77
10 容 72
11 淹 323
いろ 色 350
いろど-る 彩 54
彩 54
いわ 岩 308
磐 298
いわ-う 祝 36
祝 38
いわお 厳 308
巖 308
い-わく 曰 162
いわし 鰯 241
いわ-んや 況 326
イン 3 廴 94
4 允 22
引 113
尹 211
匀 214
6 因 84
印 201
9 姻 29
咽 150
音 162
音 162
胤 208
10 員 155
殷 183
蚓 247
院 311
11 寅 73
陰 310
淫 323
12 飲 58

堙 295
湮 323
13 飲 59
隕 311
14 慇 217
蔭 275
隠 310
17 隱 310
19 韻 162
28 鸚 238
インチ 吋 154

う

う 卯 201
ウ 3 于 354
5 右 156
6 宇 71
羽 255
羽 256
芋 271
有 337
7 迂 93
8 盂 117
雨 329
9 紆 50
禹 258
10 烏 342
18 鵜 237
24 齲 166
う-い 憂 216
うい 初 101
うえ 上 352
う-える 10 飢 58
11 飢 59
12 植 267
15 餓 58
16 餓 59
うお 魚 240
うかが-う 伺 18
窺 315
うが-つ 穿 315
う-かぶ 浮 323
う-かる 受 180
う-かれる 浮 323
う-く 浮 323
うぐいす 鶯 237
うけが-う 肯 208
うけたまわ-る
承 173
う-ける 8 承 173
受 180
享 360
15 請 158
請 158
うご-く 動 110
うごめ-く 蠢 248
うさぎ 兎 23
うし 牛 227
丑 353
うじ 氏 108
蛆 246
うしお 潮 319
潮 319
うしとら 艮 145
うしな-う 失 25
喪 152
うし-ろ 後 87
うす 臼 120
碓 299
うず 渦 322
うす-い 薄 275
うず-く 疼 130
うずくま-る
蹲 194
うずたか-い
堆 295
うすづ-く 舂 121
うず-める 埋 295
塡 295
うずら 鶉 237
うそ 嘘 154
うそぶ-く 嘯 155
うた 10 唄 152
13 詩 157
14 歌 66
うたい 謡 157
謠 157
うた-う 11 唱 152
12 詠 158
14 歌 66
16 謡 157
18 謳 157
うたが-う 疑 197
うたげ 宴 72
うち 4 内 43
內 77
10 家 71
12 裡 41
う-つ 5 打 176
6 伐 17
10 討 161
15 撃 172
17 擊 172
ウツ 15 熨 340
18 黦 348
29 鬱 65
うつく-しい
美 231
うつけ 躻 209
うつ-す 写 43
寫 73
うった-える
訴 160
うつつ 現 306
うつむ-く 俯 21
うつ-る 9 映 333
11 移 279
15 遷 91
遷 93
うつわ 器 156
器 156
うで 腕 207
うと-い 疎 197
うなが-す 促 18
うなぎ 鰻 241
うな-される
魘 35
うなじ 項 170
うなず-く 肯 208
頷 170
うな-る 唸 152
うね 畝 79
うば 姥 28
うば-う 奪 25
うぶ 産 291
產 291
うべな-う 肯 208
諾 158
うま 午 355
馬 228
うま-い 旨 335
うまや 廏 69
厩 313
う-まる 埋 295
う-まれる
5 生 290
11 産 291
產 291
うみ 9 海 319
10 海 319
12 湖 319
17 膿 208
う-む 5 生 290
10 倦 18
11 産 291
產 291
うめ 梅 262
梅 262
うめ-く 呻 152
う-める 埋 295
塡 295
う-もれる 埋 295
うやうや-しい
恭 219
うやま-う 敬 185
うら 浦 320
裏 39
うらな-う 卜 139
占 139
うら-む 9 怨 217
恨 220
16 憾 221
うらや-む 羨 231
うら-らか 麗 235
うり 瓜 284
う-る 7 売 23
11 得 88
15 賣 244
うるう 閏 77
うるお-う 潤 324
うるし 漆 326
うるち 粳 280
うる-む 潤 324
うるわ-しい
麗 235
うれ-い 愁 216
憂 216
うれ-える 愁 216
憂 216
うれ-しい 嬉 30
う-れる 熟 342
うろこ 鱗 240
うわ 上 352
うわぐすり
釉 259
うわさ 噂 152
うわ-つく 浮 323
うわばみ 蟒 247
う-わる 植 267
ウン 4 云 354
7 吽 154
芸 275
10 耘 109
12 運 91
雲 329
13 暈 334
19 韞 60
蘊 274

え

え 6 江 318
8 枝 261
9 重 78
柄 265
14 榎 264
15 餌 60
エ 6 会 15
衣 39
回 84
8 依 17
10 恵 217
12 絵 52
惠 217
13 會 163
15 慧 216

お

おおやけ 公 355
おか 丘 353
岡 307
おか-す 5 犯 226
9 侵 18
冒 43
冐 144
おが-む 拝 173
拜 172
おき 沖 320
おぎ 荻 272
おきて 掟 179
おきな 翁 256
おぎな-う 補 42
お-きる 起 196
お-く 11 措 175
13 置 134
17 擱 175
おく 奥 25
奧 25
オク 9 屋 210
15 億 20
16 憶 219
17 臆 207
おくび 曖 150
おくりな 諡 157
おく-る 9 送 91
10 送 93
18 贈 243
19 贈 243
おく-れる
9 後 87
12 遅 91
16 遲 94
おけ 桶 265
お-こす 起 196
おこ-す 興 189
おごそ-か 厳 364
嚴 152
おこた-る 怠 217
おこな-う 行 86
おこり 瘧 130
お-こる 起 196
おこ-る 怒 217
興 189
おご-る 12 奢 24
13 傲 17
22 驕 230
お-さえる 押 175
おさ-える 抑 175
おさな-い 幼 53
おさ-める
4 収 181
6 收 185
8 治 326
10 修 22
納 52
納 52
お-しい 惜 220
おし-える 教 185
敎 185
お-しむ 惜 220
お-じる 怖 220
お-す 押 175
推 175
おす 牡 227
雄 239
おそ-い 遅 91
遲 94
おそ-う 襲 40
おそれ 虞 234
おそ-れる
8 怖 220
9 畏 81
10 恐 217
11 惧 220
おそ-ろしい
怖 220
恐 217
おそ-わる 教 185
敎 185
おだ-やか 穏 279
穩 279
おちい-る 陥 311
陷 311
お-ちる 12 落 274
堕 295
15 墜 295
墜 295
墮 295
オツ 乙 358
おっしゃ-る
仰 21
おっと 夫 24
おと 1 乙 358
9 音 162
音 162
おとうと 弟 114
おど-かす 脅 206
嚇 151
おとこ 男 79
おとしい-れる
陥 311
陷 311
お-とす 12 落 274
堕 295
15 墜 295
墜 295
墮 295
おど-す 脅 206
嚇 151
おとず-れる
訪 161
おとり 囮 84
おと-る 劣 110
おど-る 踊 193
躍 193
おとろ-える
衰 40
おどろ-く 愕 219
驚 230
おな-じ 同 155
おに 鬼 34
おの 4 斤 103
6 各 156
8 斧 104
おのおの 各 156
おの-ずから
自 148
おのの-く 戦 105
慄 220
おのれ 己 202
おび 帯 44
帶 45
おび-える 怯 220
おびただ-しい
夥 338
おびや-かす
脅 206
お-びる 帯 44
帶 45
おぼ-える
12 覚 147
16 憶 219
20 覺 147
おぼ-しい 覚 147
おぼ-れる 溺 325
おぼろ 朧 336
おみ 臣 145
おも 5 母 31
主 359
9 面 171
おも-い 重 78
おも-う 9 思 216
13 想 216
16 憶 219
おもかげ 俤 21
おもて 表 39
面 171
おもむき 趣 196
おもむ-く 赴 196
おもむ-ろ 徐 87
おもり 錘 303
おもんぱか-る
慮 216
おや 親 147
おやゆび 拇 173
およ-ぐ 泳 325
およ-そ 凡 331
凡 331
およ-ぶ 及 363
及 180
おり 7 折 175
16 澱 321
18 織 51
19 檻 267
お-りる 下 352
降 311
お-る 7 折 175
8 居 210
18 織 51
おれ 俺 16
お-れる 折 175
おろ-か 愚 216
おろし 卸 201
颪 331
お-ろす 3 下 352
10 降 311
12 堕 295
15 墮 295
おろ-す 卸 201
お-わる 2 了 357
11 終 50
終 50
おん 御 88
オン 9 音 162
音 162
怨 217
10 恩 217
11 陰 310
12 温 324
13 園 83
遠 92
溫 324
14 隠 310
厭 313
15 縕 41
16 穏 279
17 轀 95
隱 310
19 穩 279
おんな 女 28

か

か 4 日 332
5 処 128
乎 363
8 彼 88
9 香 65
10 蚊 246
11 鹿 235
カ 3 下 352
4 戈 104
化 122
化 122

11 掛 174
20 懸 217
かか-る 係 21
罹 134
かか-わる
8 拘 175
14 関 76
19 關 76
かき 9 柿 262
垣 296
17 牆 128
20 蠣 247
かぎ 13 鉤 302
17 鍵 303
25 鑰 303
かぎ-る 限 310
か-く 4 欠 66
6 此 195
9 舁 189
10 缺 118
書 163
11 掻 173
描 177
13 搔 173
カク 6 各 156
7 角 255
8 画 80
拡 178
9 客 72
革 252
10 核 261
格 266
11 郭 82
掴 176
殻 183
12 畫 80
珞 114
覚 147
喀 150
峈 213
13 較 97
貉 236
隔 310
14 廓 70
閣 76
摑 176
赫 343
15 撹 175
膕 207
虢 235
確 300
16 骼 213
獲 225
霍 329
17 嚇 151
馘 169
擱 175
18 擴 178
穫 278
19 嚳 125
20 覺 147
21 鶴 238
23 攫 173
攪 175
か-ぐ 嗅 151
ガク 8 学 33
岳 307
12 愕 219
萼 273
13 楽 266
15 樂 266
16 學 33
諤 159
17 鍔 302
嶽 307
18 額 169
顎 169
20 鰐 242
かく-す 10 匿 124
匿 124
14 隠 310
17 隱 310
かげ 11 陰 310
14 蔭 275
15 影 54
17 翳 256
がけ 崖 307
か-ける 4 欠 66
9 架 268
10 缺 118
11 掛 174
14 駆 229
15 駈 229
16 賭 244
20 懸 217
21 驅 229
かけ-る 翔 256
かご 籃 287
籠 287
かこ-う 囲 83
かこつ-ける
託 158
かこ-む 囲 83
圍 83
かさ 4 仐 16
11 笠 287
12 傘 16
13 嵩 308
暈 334
15 瘡 130
かささぎ 鵲 238
かさ-なる 重 78
累 48
かさね 襲 40
かざ-る 飾 58
飾 60
かし 樫 264
橿 264
かじ 舵 99
梶 264
かじか 鰍 242
かしこ-い 賢 244
かしこ-まる
畏 81
かしま-しい
姦 30
かしら 頭 169
かじ-る 齧 165
齧 166
かしわ 柏 263
か-す 貸 243
かす 粕 281
滓 321
かず 数 185
數 185
かす-か 微 89
かすがい 鎹 302
かずのこ 鯑 241
かすみ 霞 329
かす-める 掠 178
かずら 葛 270
かすり 絣 52
かす-る 擦 176
かせ 枷 266
かぜ 風 330
かせ-ぐ 稼 278
かぞ-える 数 185
數 185
かた 4 方 134
片 137
7 形 54
8 肩 206
9 型 297
15 潟 320
かた-い 8 固 83
12 堅 295
硬 300
18 難 240
19 難 240
かたき 敵 184
かたく-な 頑 170
かたじけな-い
忝 219
辱 112
かたち 形 54
かたつむり
蝸 247
かたな 刀 101
かたまり 塊 294
かたむ-く 傾 19
かたよ-る 偏 19
かた-る 語 157
騙 230
かたわ-ら 傍 20
カチ 褐 41
カッ 甲 80
合 155
か-つ 5 且 353
7 克 23
12 勝 110
勝 110
カツ 8 刮 102
9 括 176
活 320
11 喝 151
渇 325
12 割 102
喝 151
蛞 247
葛 270
筈 288
渴 325
13 褐 41
猾 226
滑 324
14 褐 41
犖 199
17 闊 77
轄 96
豁 314
18 鞨 253
黠 349
19 蠍 247
ガッ 合 155
ガツ 4 歹 211
月 336
月 336
かつお 鰹 241
かつ-ぐ 8 担 174
9 舁 189
16 擔 174
かつ-て 嘗 156
かつら 桂 263
鬘 167
かて 糧 281
かど 7 角 255
8 門 75
13 廉 70
廉 70
かな 矣 112
哉 154
かな-う 叶 155
かなえ 鼎 119
かな-しい 哀 151
悲 216

かな-でる 奏 25
かなめ 要 125
要 126
かなら-ず 必 218
かに 蟹 247
かね 8 金 300
13 鉦 304
20 鐘 304
かね-て 予 357
か-ねる 兼 355
兼 355
かの 彼 88
かのえ 庚 70
かのと 辛 61
かば 椛 264
樺 263
かば-う 庇 70
かばん 鞄 253
かび 黴 348
かぶ 株 267
蕪 271
かぶ-せる 被 42
かぶと 5 甲 80
9 冑 43
11 兜 23
かぶとがに
鱟 242
かぶら 鏑 302
かぶ-る 被 42
かべ 壁 294
かま 10 釜 303
13 蒲 271
15 窯 314
18 鎌 302
鎌 302
がま 蒲 271
蟇 247
かま-える 構 268
かまど 竈 314
かまびす-しい
喧 151
かみ 3 上 352
9 神 36
10 神 37
紙 52
14 髪 166
15 髮 166
かみしも 裃 41
かみなり 雷 329
か-む 9 咬 150
15 噛 150
18 嚙 150
かむ-る 被 42
かめ 11 瓶 118
亀 245
13 甁 118
16 龜 245
18 甕 119
かも 鴨 237
かも-す 醸 64
釀 64
かもめ 鴎 238
鷗 237
かや 茅 271
萱 270
かゆ 粥 280
鬻 120
かゆ-い 痒 130
かよ-う 通 91
から 8 空 315
10 唐 156
唐 156
11 殻 183
18 韓 254
がら 柄 265
から-い 辛 61
からうし 犛 227
から-げる 紮 49
か-らす 枯 262
涸 322
からす 烏 342
鴉 237
からすみ 鱲 241
からだ 7 体 17
12 躰 209
23 體 213
から-む 絡 48
かり 6 仮 17
9 狩 225
11 假 17
12 雁 239
15 鴈 237
か-りる 借 18
か-る 4 刈 102
9 狩 225
14 駆 229
かる-い 軽 96
輕 96
かれ 彼 88
かれい 鰈 241
か-れる 9 枯 262
11 涸 322
13 嗄 152
かろ-うじて
辛 61
かろ-やか 軽 96
輕 96
かわ 3 川 327
5 皮 252
8 河 318
9 革 252
11 側 20
がわ 側 20
かわうそ 獺 226
かわ-く 11 渇 325
乾 358
12 渴 325
17 燥 340
かわごろも
裘 39
か-わす 交 361
かわ-す 躱 209
かわや 厠 313
廁 70
かわら 瓦 118
磧 298
か-わる 5 代 18
9 変 198
12 替 163
換 174
23 變 185
かん 神 36
カン 2 凵 315
3 干 107
4 毌 32
5 甘 60
甲 80
刊 102
6 奸 30
缶 117
汗 326
7 完 73
罕 133
肝 207
旱 334
串 357
8 侃 18
官 72
臽 121
巻 202
坩 297
函 316
9 奐 25
姦 30
冠 42
看 143
咸 156
卷 202
柑 262
竿 286
10 宦 72
悍 220
栞 261
桓 265
莞 271
陥 311
浣 324
11 勘 110
患 216
貫 244
菅 271
陷 311
涵 324
乾 358
12 酣 63
款 67
寒 74
寒 74
閑 76
間 76
閒 76
喚 151
換 174
敢 185
棺 266
堪 298
嵌 308
13 寛 72
幹 107
勧 110
骭 213
感 216
犍 228
鉗 302
漢 318
煥 339
14 寬 72
関 76
慣 219
管 285
箝 314
漢 318
15 緘 49
緩 49
緩 50
歓 67
監 117
澗 319
16 館 58
還 90
盥 116
諫 159
舘 164
憾 221
翰 256
橄 262
燗 340
17 館 59
癇 130
瞰 143
艱 145
韓 147
環 306
18 観 146
韓 254

簡 286
19 闞 76
勸 110
羹 231
檻 267
20 鹹 62
懽 222
灌 325
21 歡 67
艦 98
23 罐 117
鑑 303
24 觀 146
髖 213
26 顴 169
28 鸛 238
ガン 2 厂 312
3 丸 360
4 元 22
7 含 150
8 玩 306
岸 308
岩 308
11 眼 142
12 雁 239
13 頑 170
15 鴈 237
翫 256
16 頷 170
虤 235
17 癌 130
18 顔 169
顏 169
19 願 171
贋 242
20 巖 308
22 龕 250
23 巖 308
かんが-える
考 34
かんが-みる
鑑 303
かんざし 簪 286
かんな 鉋 302
かんぬき 閂 76
かんば-しい
芳 274
かんむり 冠 42

き

き 4 木 260
5 生 290
9 城 296
11 黄 344
12 黃 344
16 樹 261
キ 2 几 127
3 己 202
4 旡 67
气 330
5 卉 356
6 企 15
伎 16
危 202
肌 207
虫 246
机 266
気 330
7 伵 19
希 45
忌 217
杞 262
岐 308
汽 324
8 奇 24
季 33
祈 36
祁 38
歧 182
其 355
9 祈 38
紀 50
軌 96
癸 200
⿱屮舛 269
10 姫 28
姬 28
耆 34
鬼 34
帰 46
飢 58
既 68
記 158
起 196
屓 211
氣 330
11 飢 59
欷 67
旣 68
寄 72
規 147
馗 169
悸 219
亀 245
埼 295
基 296
崎 308
嵜 308
12 幾 53
喜 152
揮 175
揆 177
攲 182
敧 184
貴 243
棋 265
葵 270
稀 278
朞 334
期 336
13 畸 80
詭 159
毀 183
跪 194
愧 221
棄 268
暉 333
煇 340
14 綺 52
旗 135
箕 287
15 嬉 30
畿 80
輝 97
器 156
毅 183
槻 264
麾 289
熙 342
16 器 156
龜 245
機 266
窺 315
17 徽 89
覬 147
諱 157
磯 298
18 歸 195
騎 229
櫃 265
19 麒 235
21 饑 59
饋 59
鰭 240
23 夔 198
24 羈 134
26 驥 228
ギ 6 伎 16
7 妓 29
技 177
8 宜 73
9 祇 37
11 偽 18
12 欺 67
13 義 231
14 僞 18
疑 197
15 儀 20
戯 105
誼 159
16 劓 102
17 戲 105
擬 177
犠 228
18 魏 35
19 艤 98
蟻 246
20 議 160
犧 228
21 巍 308
き-える 消 322
消 322
き-く 7 利 101
8 効 111
10 唎 155
訊 158
14 聞 149
17 聴 149
22 聽 149
キク 8 匊 214
11 掬 179
菊 270
15 麹 282
17 鞠 253
19 麴 282
き-こえる 聞 149
きこり 樵 268
きさき 妃 28
后 153
きざ-す 6 兆 23
11 萌 274
萠 274
きざ-む 刻 101
きし 岸 308
きじ 雉 239
きし-む 軋 96
きす 鱚 241
きず 11 疵 130
12 創 102
13 傷 21
瑕 306
きず-く 築 288
きずな 絆 47
きそ-う 競 26
きた 北 121
きた-える 鍛 301
きた-す 来 268
きたな-い 汚 322
きた-る 来 268
キチ 吉 152
キツ 6 吃 152
吉 152
屹 308
7 迄 94
9 拮 179

浄 322
きら-う 嫌 30
嫌 30
きら-めく 煌 339
きり 10 桐 262
16 錐 302
19 霧 329
き-る 4 切 101
6 伐 17
11 剪 101
斬 104
12 着 232
14 截 106
キログラム
瓩 119
キロメートル
粁 281
キロリットル
竏 26
きわ 際 310
きわ-まる 極 267
窮 315
きわ-める 究 315
キン 3 巾 44
4 今 15
斤 103
7 近 92
忻 222
芹 271
均 295
8 欣 67
金 300
9 衿 41
矜 106
10 衾 40
11 経 47
菫 270
菌 272
12 欽 66
軽 96
勤 110
筋 285
琴 307
13 僅 19
禁 38
勤 110
禽 258
14 輕 96
15 緊 49
槿 264
16 噤 152
擒 178
麇 235
錦 303
17 謹 159
懃 217
18 襟 41
覲 147
謹 159
20 饉 59
24 鑫 304
ギン 7 吟 152
狺 225
14 銀 300
21 齦 166

く

ク 2 九 358
3 工 131
口 149
久 363
4 孔 33
区 124
公 355
5 功 111
句 151
7 吼 153
玖 305
8 供 21
狗 225
苦 273
9 紅 51
枸 262
垢 294
10 庫 69
宮 71
矩 112
11 區 124
區 124
14 駆 229
15 駒 228
駈 229
16 窶 315
17 屨 210
18 瞿 143
軀 209
21 懼 221
驅 229
24 衢 87
グ 7 求 317
8 具 354
具 354
9 紅 51
禺 258
10 俱 18
貢 243
11 惧 220
13 愚 216
虞 234
17 颶 331
くい 杭 265
く-いる 悔 221
悔 221
く-う 9 食 57
食 58
12 喰 150
クウ 空 315
腔 207
グウ 9 禺 258
10 宮 71
11 偶 17
12 寓 71
遇 91
隅 310
くき 茎 273
莖 273
くぎ 釘 302
くく-る 括 176
くぐ-る 潜 325
くさ 艸 269
草 270
くさ-い 臭 148
臭 148
くさび 楔 265
くさむら 叢 180
くさめ 嚏 150
くさり 鎖 303
鎖 303
くさ-る 腐 205
く-し 奇 24
くし 7 串 357
14 髪 166
19 櫛 266
くじ 籤 286
鬮 189
くじ-く 挫 176
くじら 鯨 241
くしろ 釧 303
くず 屑 211
葛 270
くすぐ-る 擽 176
くすのき 楠 263
樟 263
くす-べる 燻 340
くすり 薬 276
藥 276
くず-れる
11 崩 307
崩 307
16 頽 170
くせ 曲 163
癖 131
くそ 屎 210
糞 281
くだ 管 285
くだ-く 砕 300
碎 300
くだ-す 下 352
降 311
くだり 件 19
くだ-る 下 352
降 311
くだん 件 19
くち 口 149
くちなし 梔 263
くちばし 喙 153
嘴 153
くちびる 唇 150
く-ちる 朽 262
くつ 8 沓 317
13 靴 253
19 韈 253
クツ 8 屈 210
11 掘 176
堀 297
13 窟 314
くつがえ-す
覆 125
覆 126
くつろ-ぐ 寛 72
寬 72
くつわ 轡 97
くに 7 邦 82
8 国 83
11 國 83
くぬぎ 櫟 262
くば-る 配 63
くび 首 168
頸 169
くびき 軛 97
くびす 踵 193
くび-れる 括 176
縊 49
くぼ 窪 314
くぼ-む 凹 316
くま 隈 310
熊 342
くみ 組 48
くみ-する 与 353
く-む 7 汲 324
10 酌 63
11 組 48
くめ 粂 281
くも 雲 329
くも-る 曇 334
くや-しい 悔 221
悔 221
く-やむ 悔 221
くゆ-らす 燻 340
くら 10 倉 15
15 鞍 253
蔵 275
18 藏 275
くら-い 杳 269
暗 333

くらい 位 21
く-らう 9 食 57
食 58
12 喰 150
く-らす 暮 332
くら-べる
4 比 215
13 較 97
20 競 26
くら-む 眩 143
くり 栗 262
くりや 厨 313
廚 69
く-る 7 来 268
8 來 14
19 繰 50
くる-う 狂 227
くる-しい 苦 273
くるぶし 踝 193
くるま 車 95
俥 21
くるわ 郭 82
廓 70
く-れ 昏 334
くれ 呉 156
吳 156
くれない 紅 51
く-れる 暮 332
くろ 11 黒 347
12 黑 348
14 緇 51
21 黯 349
くろがね 鉄 300
くわ 桑 263
鍬 302
くわ-える 加 110
くわ-しい 詳 160
精 280
くわだ-てる
企 15
クン 7 君 152
10 訓 160
14 皸 252
15 勲 111
16 勳 111
薫 274
17 薰 274
18 燻 340
グン 9 軍 96
10 郡 82
13 群 231

け

け 毛 251
ケ 4 化 122
化 122
6 仮 17
気 330
7 希 45
快 220
花 273
8 卦 139
怪 219
10 家 71
華 274
氣 330
11 假 17
袈 39
16 懈 221
げ 餉 60
ゲ 3 下 352
4 牙 254
5 外 338
9 悔 221
10 夏 198
悔 221
11 偈 17
13 解 255
碍 298
15 戯 105
17 戲 105
19 礙 298
ケイ 2 冂 43
匸 124
3 彑 232
彐 233
5 兄 22
6 刑 102
圭 298
7 系 48
形 54
8 径 88
茎 273
京 360
9 係 21
契 24
奎 24
勁 110
計 161
荊 272
型 297
炯 340
10 徑 88
恵 217
桂 263
莖 273
珪 306
11 経 47
畦 79
啓 151
頃 170
掲 174
脛 207
蛍 246
硅 299
渓 319
12 軽 96
痙 130
揭 174
敬 185
卿 201
惠 217
景 333
13 傾 19
經 48
継 48
罫 134
罣 144
詣 161
携 173
溪 319
14 禊 38
閨 76
輕 96
境 296
15 慧 216
慶 217
憬 221
稽 279
16 髻 167
頸 169
憩 216
螢 246
薊 270
17 蹊 194
鮭 241
谿 313
18 雞 239
19 繫 48
警 158
鶏 237
20 競 26
繼 48
馨 65
21 鷄 237
23 鼷 236
ゲイ 7 迎 91
芸 275
13 睨 143
18 藝 275
19 麑 235
鯨 241
20 黥 348
けが-れる 汚 322
穢 279
ゲキ 9 逆 90
10 屐 210
12 戟 105
13 隙 311
15 劇 102
撃 172
鴃 238
16 激 320
17 擊 172
檄 265
け-す 消 322
消 322
けず-る 削 101
削 101
けた 桁 267
けだ-し 蓋 276
けだもの 獣 224
獸 224
ケツ 1 亅 357
4 欠 66
5 尻 210
穴 314
6 血 213
7 抉 176
決 321
9 頁 169
10 缺 118
11 訣 159
12 結 49
13 傑 17
歇 66
楔 265
15 獗 227
蕨 271
潔 322
ゲツ 4 月 336
月 336
6 刖 102
15 噛 150
18 嚙 150
齧 165
21 齧 166
けみ-する 閲 76
けむり 烟 339
煙 339
けむ-る 煙 339
けもの 獣 224
けやき 欅 263
け-る 蹴 193
けわ-しい 険 310
險 310
ケン 4 欠 66
犬 224
6 件 19
7 見 146
8 奆 24
券 101
劵 101
呟 154
巻 202

18 濾 324
こずえ 梢 261
梢 261
こす-る 擦 176
こぞ-って 挙 172
擧 172
こた-える
7 応 216
12 答 287
17 應 216
こだま 谺 314
こだわ-る 拘 175
コツ 3 乞 358
8 忽 218
10 骨 212
11 惚 220
13 滑 324
ゴツ 鼿 147
こて 鏝 302
こと 7 言 157
8 事 357
12 琴 307
ごと 毎 32
每 31
ことごと-く
悉 216
ごと-し 如 30
こと-なる 異 81
こと-に 殊 212
ことば 詞 157
ことぶき 寿 187
壽 27
ことわざ 諺 157
ことわ-る 断 104
斷 104
こな 粉 281
こ-ねる 捏 176
こ-の 此 195
斯 104
このしろ 鮗 242
この-む 好 30
こはぜ 鞐 253
こば-む 拒 178
こび 媚 30
こぶ 瘤 130
こぶし 拳 172
拳 172
こま 8 狛 226
15 駒 228
20 齣 166
こま-かい 細 48
こまね-く 拱 177
こま-やか 濃 323
こま-る 困 84
こみち 径 88
徑 88
こ-む 込 90
混 322
こめ 米 280
こ-める 込 90
籠 287
こも 菰 271
薦 276
こ-もる 籠 287
こ-やす 肥 208
こよみ 暦 335
曆 335
こら-える 怺 222
堪 298
こ-らしめる
懲 217
こ-らす 凝 328
こ-りる 懲 217
懲 217
こ-る 凝 328
これ 3 之 360
6 此 195
9 是 335
12 斯 104
ころ 頃 170
ころ-がる 転 96
轉 96
ころ-す 殺 183
殺 183
ころ-ぶ 転 96
轉 96
ころも 衣 39
こわ 強 113
こわ-い 怖 220
恐 217
こわ-す 13 毀 183
16 壊 295
19 壞 295
コン 1 丨 356
4 今 15
7 困 84
近 92
8 坤 294
金 300
昏 334
昆 335
9 很 88
建 95
恨 220
10 根 261
11 婚 29
紺 51
痕 131
梱 268
混 322
12 棍 265
渾 323
焜 340
13 献 225
蒟 272
14 魂 35
褌 41
滾 322
16 墾 295
17 懇 217
20 獻 225
ゴン 6 艮 145
7 言 157
8 欣 67
12 勤 110
13 勤 110
15 権 265
17 厳 364
20 嚴 152
21 權 265

さ

さ 小 55
早 334
サ 3 叉 180
屮 290
5 仨 19
左 131
7 作 18
佐 20
沙 320
8 些 354
9 査 269
茶 271
砂 298
10 紗 51
差 132
唆 151
12 詐 159
惢 216
13 裟 39
嗄 152
嗟 153
蓑 276
嵯 308
14 瑳 306
瑣 306
15 磋 300
16 鮓 241
17 蹉 194
18 鎖 303
鎖 303
25 齹 147
ザ 7 坐 295
10 座 70
挫 176
さい 埼 295
サイ 3 才 179
4 切 101
6 再 44
𢦏 106
西 126
7 災 341
8 妻 28
采 259
采 259
9 哉 154
砕 300
洒 324
10 宰 72
殺 183
豺 237
財 242
柴 267
栽 267
晒 333
11 祭 38
細 48
彩 54
彩 54
採 174
採 174
殺 183
猜 226
菜 270
菜 270
斎 291
砦 299
崔 308
済 325
12 裁 40
最 43
最 163
犀 227
13 催 18
債 20
載 96
歳 195
歲 195
塞 296
碎 300
滓 321
14 際 310
16 鼒 119
17 賽 243
齋 292
濟 325
20 鰓 240
ザイ 6 在 295
7 材 265
10 剤 103
財 242
13 罪 134
16 劑 103
さいな-む 虐 234

さいわ-い 幸 107
倖 20
さえぎ-る 遮 92
さえず-る 囀 153
さ-える 冴 328
さお 竿 286
棹 266
さか 7 坂 294
阪 310
9 逆 90
さが 性 219
さかい 堺 296
境 296
さか-える 栄 261
榮 261
さかき 榊 264
さが-す 10 捜 178
11 探 177
13 搜 178
搜 178
さかずき 8 杯 265
9 盃 116
18 觴 255
さかな 肴 206
魚 240
さかのぼ-る
溯 325
遡 93
さか-らう 逆 90
さか-る 盛 117
さ-がる 下 352
さか-ん 壮 27
盛 117
さき 6 先 23
11 埼 295
崎 308
嵜 308
さぎ 鷺 238
さきがけ 魁 35
さ-く 9 咲 155
咲 155
12 裂 40
割 102
サク 5 冊 44
册 44
7 作 18
9 削 101
削 101
柵 267
昨 335
炸 339
10 索 47
窄 315
朔 336
12 酢 64
策 286
13 搾 174
14 嘖 153
15 醋 64
16 錯 301
17 簀 287
28 鑿 302
さくら 桜 262
櫻 262
さぐ-る 探 177
さけ 酒 63
鮭 241
さげす-む 蔑 277
さけ-ぶ 叫 151
さ-ける 避 90
さ-げる 下 352
提 173
ささ 笹 285
篠 285
ささ-える 支 182
ささ-げる 捧 174
献 225
さざなみ 漣 319
ささや-く 囁 152
さじ 匙 121
さ-す 8 刺 101
9 指 173
10 差 132
挿 176
射 186
12 插 176
さず-ける 授 178
さす-る 擦 176
さそ-う 誘 158
さそり 蠍 247
さだ-か 定 73
さだ-める 定 73
さち 幸 107
サッ 早 334
サツ 5 冊 44
册 44
札 265
8 刹 102
刷 102
9 拶 175
10 殺 183
11 紮 49
殺 183
14 察 73
颯 331
15 撮 173
17 擦 176
薩 276
ザツ 14 雑 240
18 雜 240
さと 7 里 78
11 郷 82
13 鄕 82
さと-い 敏 185
敏 185
さと-す 諭 158
諭 158
さと-る 10 悟 219
12 覚 147
20 覺 147
さなぎ 蛹 246
さば 鯖 241
さば-く 捌 179
裁 40
さび 11 寂 72
15 銹 301
16 錆 301
さび-しい 寂 72
淋 322
さま 様 269
樣 269
さ-ます 7 冷 328
12 覚 147
16 醒 63
20 覺 147
さまた-げる
7 妨 30
13 碍 298
19 礙 298
さみ-しい 寂 72
淋 322
さむ-い 寒 74
寒 74
さむらい 士 27
侍 21
さめ 鮫 241
さ-める 7 冷 328
12 覚 147
16 醒 63
20 覺 147
さや 莢 273
鞘 253
さら 皿 116
更 163
さら-う 浚 326
さら-す 晒 333
曝 333
さ-る 去 364
さる 申 80
猿 226
ざる 笊 287
さわ 沢 319
澤 319
さわ-ぐ 騒 230
騷 230
さわ-やか 爽 46
さわら 鰆 242
さわ-る 13 触 255
14 障 311
20 觸 255
サン 3 彡 54
山 307
三 352
4 仐 16
6 弎 115
7 杉 262
8 衫 41
参 364
9 閂 76
珊 305
10 蚕 246
栈 266
11 惨 220
産 291
產 291
參 364
12 傘 16
喰 150
散 185
跚 194
棧 266
13 蒜 271
14 酸 64
慘 220
算 286
15 撒 175
賛 243
16 餐 57
17 燦 339
19 贊 243
20 纂 49
霰 329
21 驂 229
22 讃 159
攢 174
26 蠶 246
29 爨 340
ザン 10 残 212
11 斬 104
惨 220
12 殘 212
14 慘 220
慚 221
塹 297
15 慙 217
暫 334
18 竄 315
20 懺 221
24 讒 159

し

シ 3 士 27
子 32
巳 203
尸 209

之 360
4 氏 108
支 182
止 194
三 353
5 仕 18
仔 20
示 37
市 45
四 84
矢 112
只 154
司 155
史 156
6 糸 47
次 66
次 66
弛 113
至 114
自 148
此 195
死 211
芝 272
旨 335
7 伺 18
孜 33
志 216
豕 232
私 279
址 297
8 使 18
侈 20
姉 28
始 30
祉 36
祀 38
刺 101
肢 207
枝 261
9 俟 18
姿 29
祉 38
施 135
指 173
屍 209
屎 210
思 216
柿 262
茨 272
10 祠 37
師 46
紙 52
舐 164
脂 208
恣 217
翅 256
砥 299
11 偲 21
耜 109
匙 121
疵 130
眥 142
視 146
趾 194
梔 263
梓 264
豉 283
笥 287
厠 313
12 絲 47
紫 51
廁 70
斯 104
痣 130
視 146
覗 147
詞 157
歯 165
揣 177
胾 205
13 飼 58
肆 136
嗜 150
嗤 152
嗣 153
詩 157
試 161
獅 226
資 242
滓 321
14 緇 51
飼 59
誌 158
屣 210
雌 239
鉹 304
漬 323
15 幟 45
輜 95
嘶 153
齒 165
摯 172
駟 229
賜 243
16 縒 51
嘴 153
諡 157
諮 160
髭 167
鴟 238
篩 287
熾 339
17 鮨 241
18 贄 243
颸 331
21 鰤 241
じ 路 194
ジ 5 示 37
6 字 33
次 66
次 66
自 148
耳 148
而 168
寺 187
地 294
7 似 21
児 23
8 侍 21
兒 23
刵 102
怩 221
治 326
事 357
9 耏 168
持 178
恃 222
峙 308
10 除 312
時 334
11 痔 130
12 滋 321
13 辞 61
慈 217
蒔 275
14 爾 46
磁 299
15 餌 60
18 邇 94
19 辭 61
璽 304
しあわ-せ 幸 107
しい 椎 264
シイ 弑 115
じい 爺 31
しいた-げる
虐 234
虐 234
しいら 鱰 242
し-いる 強 113
強 113
しお 6 汐 319
13 塩 297
15 潮 319
潮 319
25 鹽 62
しおり 栞 261
しお-れる 凋 328
萎 274
しか 鹿 235
ジカ 直 143
しか-して 而 168
しかばね 屍 209
しか-める 顰 170
しか-り 爾 46
しか-る 叱 153
シキ 6 式 115
色 350
9 拭 174
18 織 51
19 識 161
しぎ 鴫 238
ジキ 8 直 143
9 食 57
食 58
しきい 閾 76
しき-りに 頻 170
頻 170
し-く 布 44
敷 185
ジク 7 忸 221
8 竺 288
10 衄 213
11 舳 99
12 軸 96
しげ-る 8 茂 274
16 繁 48
17 繁 48
しこ-うして
而 168
しし 宍 74
鹿 235
じじ 爺 31
しじみ 蜆 247
しず-か 12 閑 76
14 静 345
16 靜 346
しずく 雫 329
滴 321
しず-まる 静 345
しず-む 沈 323
しず-める 鎮 303
鎭 303
した 下 352
舌 164
した-う 慕 219
したが-う
4 从 14
10 従 87
11 從 87
12 随 311
16 隨 311
した-しい 親 147
したた-か 強 113
したた-める

認 161
したた-る 滴 321
シチ 七 352
質 244
シツ 5 失 25
叱 153
6 竹 285
8 虱 246
9 室 71
10 疾 130
桎 266
11 悉 216
執 298
12 蛭 247
湿 324
13 嫉 30
瑟 307
14 漆 326
15 膝 207
質 244
17 蟋 246
濕 324
19 櫛 266
ジッ 十 355
ジツ 4 日 332
8 実 72
9 昵 335
14 實 72
しつけ 躾 209
しとみ 蔀 276
しな 品 155
科 279
しな-やか 靭 252
し-ぬ 死 211
しの 篠 285
しのぎ 鎬 303
しの-ぐ 凌 328
しの-ぶ 7 忍 217
忍 217
11 偲 21
しば 芝 272
柴 267
しばしば 屢 211
しばら-く 暫 334
しば-る 縛 49
しび-れる 痺 130
しぶ-い 渋 321
澁 321
しべ 蕊 273
蘂 273
しぼ-む 凋 328
しぼ-る 絞 49
搾 174
しま 10 島 308
14 嶋 308
嶌 308
16 縞 52
しま-う 了 357
し-まる 11 閉 76
12 絞 49
15 締 49
緊 49
し-みる 7 沁 323
9 染 269
10 凍 328
しめ 標 261
しめ-す 示 37
湿 324
し-める 5 占 139
11 閉 76
12 絞 49
15 締 49
緊 49
しめ-る 湿 324
濕 324
しも 下 352
霜 329
しもべ 僕 16
シャ 5 写 43
7 社 36
車 95
沙 320
8 舎 16
者 34
社 37
舍 164
炙 340
9 者 34
卸 201
柘 262
砂 298
洒 324
10 借 18
娑 31
射 186
11 這 94
斜 122
捨 174
捨 174
赦 344
12 奢 24
煮 342
13 煮 342
14 遮 92
15 寫 73
16 赭 343
17 謝 158
18 瀉 320
ジャ 8 邪 83
11 蛇 247
17 闍 76
21 麝 235
しゃが-れる
嗄 152
シャク 3 勺 214
勺 214
4 尺 211
5 石 298
6 芍 272
7 杓 266
灼 340
赤 343
10 借 18
酌 63
笏 286
11 惜 220
責 244
釈 259
14 綽 50
16 錫 300
錯 301
17 爵 191
爵 191
20 釋 259
21 癪 130
嚼 150
ジャク 8 若 277
昔 335
10 迹 94
弱 113
弱 113
11 寂 72
雀 239
12 惹 217
19 鵲 238
しゃち 鯱 242
しゃべ-る 喋 151
シュ 4 手 172
殳 183
5 主 359
6 守 73
朱 267
8 取 179
9 壴 27
首 168
狩 225
茱 272
10 修 22
酒 63
殊 212
株 267
珠 305
11 娶 29
12 須 170
衆 213
棕 263
13 腫 208
14 種 277
15 諏 160
趣 196
16 麈 235
22 鬚 167
ジュ 2 入 77
6 戍 106
7 寿 187
8 呪 152
受 180
10 従 87
11 從 87
授 178
12 就 204
14 竪 26
壽 27
綬 47
聚 149
需 329
16 儒 16
樹 261
17 濡 324
19 襦 41
23 顬 169
シュウ 4 収 181
5 囚 84
卌 355
6 众 15
舟 98
收 185
州 327
7 秀 277
8 宗 71
周 156
周 156
9 祝 36
酋 64
臭 148
拾 174
柊 264
秋 278
洲 320
10 修 22
祝 38
袖 41
臭 148
11 終 50
終 50
週 90
脩 206
羞 231
習 256
執 298
12 臯 148
啾 153
就 204
衆 213
集 240

新 104
斟 122
慎 219
愼 219
蜃 247
14 寝 72
賑 244
榛 262
滲 323
15 審 73
請 158
請 158
箴 286
震 330
16 臻 114
親 147
薪 276
17 駸 229
鍼 302
20 簪 286
21 襯 41
ジン 2 人 14
3 刃 101
刄 101
4 仁 19
壬 27
6 迅 91
尽 211
忎 216
7 臣 145
9 神 36
甚 60
10 神 37
訊 158
陣 311
12 尋 187
靭 252
13 腎 207
14 盡 117
塵 294
16 儘 20
18 燼 339
しんがり 殿 183

す

す 6 州 327
9 洲 320
11 巣 327
巢 364
12 酢 64
17 簀 287
ス 3 子 32
5 主 359
6 守 73
10 素 51
11 笥 287
12 須 170
15 諏 160
19 蘇 274
ず 不 353
唾 150
ズ 7 図 83
豆 283
8 事 357
10 途 92
12 厨 313
14 圖 83
15 廚 69
16 頭 169
す-い 酸 64
スイ 3 夊 198
4 水 317
5 出 315
6 西 126
7 吹 150
8 隹 239
垂 295
炊 340
9 帥 45
10 祟 38
衰 40
粋 280
11 酔 63
推 175
彗 181
悴 220
萃 274
12 遂 90
13 遂 93
睡 143
14 翠 256
粹 280
15 醉 63
誰 157
膵 207
穂 277
16 錐 302
錘 303
隧 311
17 雖 240
穗 277
18 騅 229
21 歠 140
ズイ 12 随 311
隋 312
13 瑞 306
15 蕊 273
16 隧 311
隨 311
19 髄 213
蘂 273
23 髓 213
す-う 吸 150
スウ 8 枢 267
10 芻 269
11 崇 308
13 数 185
嵩 308
15 數 185
樞 267
17 趨 196
18 雛 239
すえ 末 261
す-える 据 175
饐 60
すが 菅 271
すが-しい 清 322
す-かす 透 91
すがた 姿 29
すが-る 縋 49
すき 6 耒 109
12 犂 228
13 隙 311
15 鋤 302
すぎ 杉 262
椙 264
す-ぎる 過 91
す-く 6 好 30
8 空 315
10 透 91
す-ぐ 直 143
すく-う 掬 179
救 185
すく-ない 少 55
寡 72
すく-む 竦 26
すぐ-れる
12 勝 110
勝 110
17 優 16
すけ 助 110
すげ 菅 271
す-げる 透 91
すご-い 凄 328
すこ-し 少 55
す-ごす 過 91
すこぶ-る 頗 170
すこ-やか 健 17
すさ-ぶ 荒 274
すさ-まじい
凄 328
淒 323
すさ-む 荒 274
すし 鮓 241
鮨 241
すじ 筋 285
すす 煤 339
すず 鈴 304
錫 300
すすき 芒 272
すす-ぐ 濯 324
すず-しい 凉 328
涼 323
すす-む 晋 335
進 90
すずめ 雀 239
すす-める
13 奨 25
勧 110
14 奬 25
16 薦 276
19 勸 110
すずり 硯 299
すす-る 啜 150
すず-ろ 漫 319
すそ 裾 41
すた-る 廃 70
廢 70
すだれ 簾 287
すた-れる 廃 70
廢 70
ずつ 宛 73
す-っぱい 酸 64
すで-に 3 已 203
10 既 68
11 旣 68
す-てる 11 捨 174
捨 174
13 棄 268
すな 沙 320
砂 298
すなわ-ち
2 乃 363
7 即 201
9 則 103
卽 201
即 201
すね 脛 207
す-ねる 拗 176
すばる 昴 333
すべ 術 87
すべ-て 6 全 16
仝 78
す-べる 統 48
すべ-る 滑 324
すぼ-む 窄 315
す-まう 住 18
す-ます 11 済 325
15 澄 322
17 濟 325
すみ 7 角 255
9 炭 341
炭 341

せ

そ

15 憎 220
蔵 275
增 295
18 雜 240
贈 243
藏 275
19 臟 207
贈 243
22 臟 207
そうろう 候 22
そ-える 添 321
ソク 4 仄 14
7 足 192
即 201
束 268
9 促 18
則 103
卽 201
卽 201
10 速 91
捉 175
息 216
11 側 20
12 惻 221
測 319
13 塞 296
14 熄 339
17 燭 340
そ-ぐ 削 101
殺 183
ゾク 9 俗 17
11 族 135
12 属 210
粟 280
13 続 48
賊 244
19 鏃 302
21 續 48
屬 210
そこ 底 70
そこ-なう 損 178
そし-る 誹 159
そそ-ぐ 注 320
そそのか-す
唆 151
そだ-つ 育 208
ソツ 8 卒 355
11 率 349
率 349
そで 袖 41
そと 外 338
そな-える
8 供 21
具 354
具 354
12 備 18
そね-む 妬 30
嫉 30
そ-の 其 355
その 8 苑 274
13 園 83
16 薗 275
そば 側 20
傍 20
そばだ-つ
6 屹 308
9 峙 308
12 攲 182
敧 184
そび-える 聳 148
そま 杣 267
そ-まる 染 269
そむ-く 叛 180
背 206
そ-める 初 101
染 269
そら 空 315
そ-らす 4 反 180
11 逸 91
12 逸 93
そらん-じる
諳 158
そり 16 橇 266
17 艝 98
18 轌 96
そ-る 反 180
剃 101
そ-れ 其 355
それがし 某 262
そ-れる 逸 91
逸 93
そろ-える 揃 176
ソン 6 存 33
7 村 268
10 孫 33
12 尊 186
尊 186
巽 203
巽 203
13 損 178
14 遜 93
15 噂 152
16 樽 265
19 蹲 194
23 鱒 241
ゾン 存 33

た

た 手 172
田 79
タ 4 太 25
5 他 21
6 多 338
7 汰 324
8 侘 18
9 咤 153
10 爹 31
13 詫 159
躱 209
14 駄 229
ダ 5 打 176
6 朶 261
7 妥 30
8 陀 310
沱 322
10 拿 172
茶 273
11 舵 99
唾 150
蛇 247
雫 329
12 惰 221
堕 295
13 楕 269
14 駄 229
15 駝 229
墮 295
16 鴕 238
17 懦 221
20 糯 280
22 驒 229
たい 鯛 241
タイ 3 大 24
4 太 25
5 代 18
台 156
7 体 17
対 187
8 隶 259
苔 272
9 帝 45
待 88
退 90
耐 168
胎 207
殆 212
怠 217
10 帯 44
泰 317
11 袋 40
帶 45
逮 90
堆 295
12 替 163
躰 209
貸 243
鈦 301
隊 311
隊 311
13 碓 299
滞 320
14 臺 114
對 187
腿 207
態 218
蔕 273
滯 320
颱 331
15 褪 42
駘 229
16 頽 170
黛 348
17 戴 106
擡 174
黛 348
23 體 213
ダイ 3 大 24
4 内 43
內 77
5 代 18
奶 29
台 156
7 弟 114
11 第 286
12 提 173
14 臺 114
15 鼐 119
16 醍 64
18 題 169
だいだい 橙 262
たい-ら 平 107
平 107
たえ 妙 29
た-える 9 耐 168
12 絶 49
絕 49
堪 298
たお-す 倒 21
たお-れる 斃 184
たか 鷹 238
た-が 誰 157
たか-い 高 74
髙 156
たが-い 互 353
たか-ぶる 昂 332
たかむら 篁 285
たがや-す 耕 109
たから 8 宝 72
20 寶 72
寶 242
たき 滝 319
瀧 319
たきぎ 薪 276
た-く 炊 340
焚 339

タク 6 宅 71
托 173
7 択 177
沢 319
8 拓 177
卓 355
9 度 71
10 啄 153
託 158
11 啄 153
琢 306
12 飥 60
琢 306
15 磔 300
16 擇 177
澤 319
17 濯 324
18 謫 159
21 鐸 304
だ-く 抱 177
ダク 5 疒 129
15 諾 158
16 濁 322
たぐい 18 類 171
19 類 171
たくま-しい
逞 93
たく-み 巧 132
たくみ 工 131
匠 123
たくら-む 企 15
たくわ-える
貯 243
蓄 275
たけ 3 丈 353
6 竹 285
8 岳 307
9 茸 272
17 嶽 307
だけ 嵩 308
たけなわ 酣 63
たけのこ 筍 285
たこ 5 凧 332
9 胝 208
13 蛸 248
たし-か 確 300
たしな-む 嗜 150
た-す 足 192
だ-す 出 315
たすき 襷 41
たす-ける
7 助 110
扶 178
14 輔 97
たずさ-える
携 173
たず-ねる
10 訊 158
11 訪 161
12 尋 187
ただ 只 154
唯 153
たた-える
10 称 279
12 湛 321
14 稱 279
たたか-う
13 戦 105
16 戰 105
18 闘 77
20 鬪 189
たた-く 叩 154
敲 184
ただ-し 但 18
ただ-しい 正 195
ただ-す 6 匡 123
9 糾 51
15 質 244
たたず-む 佇 18
ただ-ちに 直 143
たたみ 畳 81
疊 81
たた-む 畳 81
疊 81
ただよ-う 漂 323
たた-る 祟 38
ただ-れる 爛 340
たちばな 橘 262
たちま-ち 忽 218
た-つ 5 立 25
9 建 95
発 200
10 起 196
11 経 47
断 104
12 裁 40
絶 49
絕 49
13 經 48
18 斷 104
たつ 7 辰 111
10 竜 249
16 龍 250
タツ 12 達 90
16 撻 176
17 燵 341
ダツ 11 脱 208
脫 208
14 奪 25
19 獺 226
22 韃 253
たっと-い 尊 186
尊 186
貴 243
たつみ 巽 203
巽 203
たて 9 盾 144
13 楯 266
14 竪 26
16 縦 49
舘 164
17 縱 49
たで 蓼 271
たてがみ 鬣 167
たてまつ-る
奉 25
献 225
た-てる 5 立 25
9 建 95
点 342
たと-えば 例 20
たと-える 喩 151
譬 160
たど-る 辿 94
たな 8 店 69
12 棚 266
棚 266
たなごころ
掌 172
たに 谷 313
たぬき 狸 225
貍 237
たね 胤 208
種 277
たの-しい
10 娯 30
12 愉 220
愉 220
13 楽 266
15 樂 266
たの-む 9 恃 222
16 頼 171
賴 244
たば 束 268
たび 度 71
旅 135
たぶ 朶 261
た-べる 食 57
食 58
たま 5 玉 304
10 珠 305
11 球 306
12 弾 113
14 魂 35
15 彈 113
霊 329
たま-う 給 50
賜 243
たまき 環 306
たまご 卵 201
たましい 魂 35
だま-す 欺 67
騙 230
たま-らない
堪 298
だま-る 黙 348
默 348
たまわ-る 賜 243
たみ 民 108
たむろ 屯 290
ため 為 342
爲 191
ため-す 試 161
た-める 12 貯 243
13 溜 320
17 矯 112
たも-つ 保 17
たもと 袂 41
た-やす 絶 49
たよ-り 便 18
たよ-る 頼 171
賴 244
たら 鱈 241
たらい 盥 116
た-らす 垂 295
た-りる 足 192
たる 樽 265
だれ 誰 157
た-れる 垂 295
たわ-む 撓 176
たわむ-れる
戯 105
戲 105
たわら 俵 19
たん 谷 313
タン 4 反 180
丹 360
5 旦 334
丼 359
7 但 18
8 担 174
坦 294
9 眈 143
耑 168
段 183
胆 207
彖 233
彖 233
炭 341
炭 341
単 364
10 站 26
疸 130
耽 148
11 啖 150

ち

糶 281
チョク 8 直 143
9 勅 110
10 捗 176
陟 311
11 敕 185
20 躅 194
ち-らす 散 185
ちり 塵 294
ちりば-める
鏤 301
ち-る 散 185
ちん 狆 225
チン 6 灯 340
7 沈 323
8 枕 266
9 珍 306
亭 360
10 朕 99
砧 299
朕 337
11 陳 311
13 賃 244
椿 264
15 鴆 238
18 闖 77
鎮 303
鎭 303

つ

つ 津 326
ツ 10 通 91
11 都 82
12 都 82
つい 終 50
終 50
ツイ 7 対 187
9 追 90
12 椎 264
14 對 187
槌 265
15 墜 295
墜 295
16 縋 49
18 鎚 302
つい-える 費 243
潰 321
つい-で 序 70
つい-に 遂 90
遂 93
ついば-む 啄 153
啄 153
つい-やす 費 243
ツウ 通 91
痛 130
つえ 杖 265
つか 7 束 268
9 柄 265
12 塚 296
13 塚 296
つか-う 使 18
遣 91
つが-う 番 81
つか-える
4 支 182
5 仕 18
8 事 357
11 閊 76
つかさど-る
司 155
掌 172
つ-かす 尽 211
つか-まえる
捕 173
つか-む 11 掴 176
14 摑 176
23 攫 173
つ-かる 浸 323
漬 323
つか-れる 疲 131
つか-わす 遣 91
つき 4 月 336
月 336
15 槻 264
つぎ 次 66
次 66
つ-きる 尽 211
盡 117
つ-く 5 付 21
6 吐 150
8 附 312
突 315
9 突 315
点 342
12 就 204
着 232
13 搗 176
15 衝 87
撞 176
16 築 288
つ-ぐ 6 次 66
次 66
11 接 176
13 継 48
嗣 153
20 繼 48
つくえ 几 127
机 266
つ-くす 尽 211
盡 117
つくだ 佃 18
つぐな-う 償 20
つぐ-む 噤 152
つくり 旁 135
つく-る 7 作 18
10 造 90
12 創 102
つくろ-う 繕 49
つ-ける 5 付 21
8 附 312
9 点 342
10 浸 323
12 就 204
着 232
14 漬 323
つ-げる 告 151
告 151
つじ 辻 94
つた 蔦 272
つた-う 伝 18
つた-える 伝 18
傳 18
つたな-い 拙 178
つち 3 土 294
14 槌 265
18 鎚 302
つちか-う 培 295
つちのえ 戊 105
つちのと 己 202
つち-ふる 霾 329
つつ 筒 285
つつが 恙 217
つづ-く 続 48
續 48
つつし-む
13 慎 219
愼 219
17 謹 159
18 謹 159
つつま-しい
倹 17
つつみ 堤 296
つづみ 鼓 139
つつ-む 包 214
包 214
つづ-る 綴 49
つて 伝 18
つど-う 集 240
雧 240
つと-に 夙 338
つと-める
7 努 110
9 勉 110
10 勉 110
11 務 110
12 勤 110
13 勤 110
つな 綱 47
つな-ぐ 繫 48
つね 9 恒 222
恆 222
11 常 45
つの 角 255
つの-る 募 110
つば 唾 150
鍔 302
つばき 椿 264
つばさ 翼 256
つばめ 燕 342
つぶ 粒 280
つぶて 礫 298
つぶや-く 呟 154
つぶ-れる 潰 321
つぼ 8 坪 294
坪 294
12 壺 27
つぼね 局 210
つぼみ 蕾 273
つま 妻 28
つま-しい 倹 17
つまず-く 躓 194
つまび-らか
詳 160
審 73
つま-む 摘 173
つ-まる 詰 159
つみ 罪 134
つ-む 13 詰 159
14 摘 173
16 積 279
つむ 錘 303
つむぎ 紬 52
つむ-ぐ 紡 50
つむ-る 瞑 142
つめ 爪 190
つめ-たい 冷 328
つ-める 詰 159
つ-もる 積 279
つや 艶 350
艷 350
つゆ 露 329
つよ-い 9 勁 110
11 強 113
12 强 113
15 毅 183
つら 面 171
つら-い 辛 61
つら-なる 連 92
つらぬ-く 貫 244
つら-ねる 列 102
つ-る 6 吊 157
11 釣 302
23 攣 172
つる 8 弦 113
14 蔓 273

21 鶴 238
つるぎ 剣 101
劍 101
つる-す 吊 157
つ-れる 連 92
つわもの 兵 354
つんざ-く 劈 101

て

て 手 172
デ 弟 114
テイ 2 丁 352
5 汀 320
7 体 17
低 21
廷 95
弟 114
呈 151
8 底 70
定 73
邸 82
抵 178
9 帝 45
酊 63
剃 101
訂 161
牴 228
貞 245
亭 360
10 庭 70
逓 92
挺 175
悌 221
釘 302
涕 326
11 偵 20
停 21
袋 40
逞 93
掟 179
羝 230
梃 266
梯 266
12 啼 153
提 173
鼂 233
觝 255
程 278
堤 296
13 禎 36
艇 98
鼎 119
碇 299
14 禎 38
綴 49
醍 63
遞 94
15 締 49
鄭 83
骶 213
16 諦 161
蹄 193
薙 275
18 嚔 150
デイ 泥 323
テキ 3 彳 87
8 迪 92
的 347
10 剔 102
荻 272
11 笛 287
14 適 90
摘 173
滴 321
15 敵 184
17 擢 177
18 擲 175
19 鏑 302
22 覿 147
躑 194
糴 281
デキ 溺 325
滌 324
てぐるま 輦 96
でこ 凸 316
デシリットル
竕 26
テツ 3 屮 290
8 迭 92
9 姪 28
10 哲 151
11 啜 150
12 耋 34
跌 194
13 畷 79
鉄 300
14 綴 49
15 徹 88
撤 174
19 轍 96
21 鐵 300
64 𪚥 250
てのひら 掌 172
てら 寺 187
てら-う 衒 86
て-らす 照 341
て-る 照 341
で-る 出 315
て-れる 照 341
てん 貂 237
テン 4 天 24
6 伝 18
7 辿 94
8 店 69
忝 219
典 354
9 恬 222
点 342
10 展 210
11 甜 60
転 96
唸 152
添 321
12 貼 244
13 殿 183
塡 295
14 槙 264
槇 264
15 諂 159
篆 286
16 靦 171
17 輾 96
點 348
18 轉 96
19 顚 169
21 纏 50
囀 153
22 巓 307
24 癲 131
デン 5 田 79
6 伝 18
7 佃 18
11 淀 321
13 傳 18
殿 183
鈿 301
電 329
16 鮎 241
澱 321
17 臀 206

と

と 4 戸 74
戶 74
10 砥 299
13 跡 194
ト 3 土 294
4 斗 122
6 吐 150
7 兎 23
図 83
肚 207
杜 261
8 妬 30
9 度 71
10 徒 88
途 92
蚪 247
11 都 82
12 都 82
登 200
屠 209
堵 296
渡 325
13 塗 294
14 圖 83
16 賭 244
17 鍍 301
ド 3 土 294
5 奴 29
7 努 110
8 弩 113
9 度 71
怒 217
15 駑 229
とい 樋 264
と-う 問 151
トウ 2 刀 101
5 冬 199
冬 328
6 当 56
灯 340
7 投 175
豆 283
8 宕 71
到 103
東 268
沓 317
9 逃 90
洞 319
10 倒 21
党 23
套 24
料 51
納 52
納 52
透 91
疼 130
唐 156
唐 156
討 161
鬥 189
桃 262
桐 262
島 308
涛 319
凍 328
11 偸 18
兜 23
梼 37
逗 94
盗 117
掏 174
掉 175
悼 221

桶 265
陶 312
淘 324
12 統 48
道 92
盜 117
痘 130
搭 174
登 200
棹 266
棟 267
董 276
筒 285
等 286
答 287
塔 297
湯 324
13 當 79
罩 133
搗 176
滔 320
14 読 157
骰 213
稲 277
嶋 308
嶌 308
15 鄧 83
鬧 189
踏 193
樋 264
蕩 276
稻 277
16 頭 169
橙 262
糖 281
燈 340
17 謄 158
謄 158
韜 253
薹 274
濤 319
18 襠 41
鬪 77
鼕 140
檮 264
櫂 266
藤 270
藤 270
19 禱 38
鼟 140
蟷 246
20 鬪 189
騰 229
騰 229
韜 254
鐙 303
黨 348
21 讀 157
籐 287
22 讀 157
32 龖 250
48 𪚥 250

ドウ 6 同 155
9 恫 220
洞 319
10 胴 206
11 動 110
萄 272
堂 296
12 童 26
道 92
猱 226
13 働 21
嫐 30
14 慟 220
銅 300
15 撓 176
撞 176
導 186
鬧 189
憧 221
16 瞠 143
17 瞳 142
獰 226
18 檸 262

とうげ 峠 309
とうと-い 尊 186
尊 186
貴 243
とお 十 355
とお-い 遠 92
とお-る 7 亨 360
10 通 91
透 91
15 徹 88
とが 科 279
と-かす 13 解 255
溶 324
16 融 248
とが-める 咎 151
とが-る 尖 55
とき 10 時 334
16 鬨 189
17 鴇 238
とぎ 伽 21
と-く 11 釈 259
13 解 255
溶 324
14 説 160
說 160
20 釋 259
トク 7 禿 279
10 匿 124
匿 124
特 227
11 得 88
13 督 143
14 徳 88
読 157
15 德 88
16 篤 288
18 瀆 322
19 牘 137
犢 227
20 騭 229
22 讀 157
と-ぐ 9 研 300
11 硏 300
ドク 8 毒 32
9 独 227
14 読 157
16 獨 227
22 讀 157
23 髑 212
とげ 刺 101

棘 261
と-ける 13 解 255
溶 324
16 融 248
と-げる 遂 90
遂 93
とこ 床 70
常 45
ところ 5 処 128
8 所 75
11 處 234
と-ざす 閉 76
とし 6 年 107
13 歳 195
歲 195
と-じる 閉 76
とち 栃 264
トツ 5 凸 316
8 咄 155
突 315
9 突 315
11 訥 158
とつ-ぐ 嫁 29
とど-く 届 211
屆 211
とどこお-る
滞 320
滯 320
ととの-える
調 161
整 185
とど-まる 留 80
駐 229
とど-める 留 80
停 21
とどろ-く 轟 96
とな-える
10 称 279
11 唱 152
14 稱 279
となり 鄰 82
隣 311
との 殿 183
とばり 帷 45
帳 45

とび 鳶 238
鵄 238
とびら 扉 75
と-ぶ 9 飛 257
12 翔 256
13 跳 193
どぶ 溝 325
とぼ-しい 乏 363
とま 苫 276
と-まる 4 止 194
8 泊 325
10 留 80
15 駐 229
とみ 富 43
富 72
とみ-に 頓 170
と-む 富 72
とむら-う 弔 114
と-める 4 止 194
8 泊 325
10 留 80
11 停 21
とも 4 友 180
6 共 354
7 伴 16
伴 16
8 供 21
朋 337
朋 337
11 舳 99
12 智 335
22 艫 99
ども 共 354
ともえ 巴 203
ともがら 輩 96
ともしび 灯 340
ともづな 纜 47
ともな-う 伴 16
伴 16
とも-に 倶 18
とも-る 6 灯 340
9 点 342
16 燈 340
とら 虎 234
寅 73

と-らえる 捕 173
とら-える 捉 175
とら-われる
囚 84
とり 7 酉 62
11 鳥 237
19 鶏 237
21 鷄 237
とりこ 12 虜 234
13 虜 234
16 擒 178
とりで 砦 299
と-る 7 把 173
8 取 179
10 捕 173
11 採 174
採 174
執 298
13 摂 174
15 撮 173
16 獲 225
録 301
ドル 弗 114
とろ 瀞 321
どろ 泥 323
トン 4 屯 290
6 団 84
7 沌 322
9 瓲 119
11 惇 221
豚 232
12 敦 184
13 飩 60
遁 93
頓 170
14 團 84
16 噸 154
どん 丼 359
ドン 6 灯 340
7 呑 150
11 貪 243
12 鈍 302
15 緞 51
16 曇 334
19 壜 297
どんぶり 丼 359

な

な 6 名 151
11 菜 270
菜 270
ナ 7 那 83
8 奈 25
呢 154
9 柰 262
南 356
10 納 52
11 梛 263
な-い 无 68
無 342
ナイ 2 乃 363
4 内 43
內 77
ないがし-ろ
蔑 277
なえ 苗 274
な-える 萎 274
なお 尙 56
尚 56
なお-す 直 143
治 326
なか 4 中 357
6 仲 21
13 腹 206
なが-い 永 317
長 167
ながえ 轅 97
なかだち 媒 29
なか-ば 半 356
半 356
なが-める 眺 143
な-かれ 4 毋 32
勿 214
10 莫 275
なが-れ 旒 135
なが-れる 流 320
なぎ 凪 331
梛 263
なぎさ 渚 320
渚 320
な-く 8 泣 326
10 哭 151
12 啼 153
14 鳴 239
な-ぐ 薙 275
なぐさ-める
慰 217
な-くなる 亡 361
亡 361
なぐ-る 8 殴 183
15 撲 176
毆 183
なげう-つ 擲 175
なげ-く 13 嘆 151
14 嘆 151
15 歎 67
な-げる 投 175
なご-やか 和 152
なさ-け 情 219
情 219
なし 梨 262
なじ-む 昵 335
なじ-る 詰 159
な-す 成 105
なずな 薺 270
なず-む 泥 323
なす-る 擦 176
なぞ 謎 161
なぞら-える
擬 177
なだ 灘 319
なだ-める 宥 73
ナッ 納 52
なつ 夏 198
ナツ 捺 176
なつ-かしい
懐 219
懷 219
なつ-く 懐 219
なつめ 棗 262
な-でる 撫 173
など 等 286
なな-つ 七 352
なな-め 斜 122
なに 何 18
なにがし 某 262
なび-く 靡 257
なぶ-る 嬲 30
嬲 30
なべ 鍋 303
なま 生 290
なまぐさ-い
腥 206
なま-ける 怠 217
なます 膾 206
なまず 鯰 241
なまめ-く 艶 350
なま-り 訛 158
なまり 鉛 300
なみ 8 波 319
並 353
10 浪 319
なみだ 8 泪 326
10 涙 326
涕 326
11 淚 326
なめ-らか 滑 324
な-める 舐 164
なや-む 悩 220
惱 220
なら 楢 263
なら-う 倣 20
習 256
な-らす 狎 226
慣 219
なら-びに 并 108
幷 108
なら-ぶ 並 353
竝 26
なら-わし 慣 219
なり 也 359
な-る 成 105
鳴 239
な-れる 8 狎 226
13 馴 229
14 慣 219
なわ 縄 47
繩 47
なわて 畷 79
なん 何 18
ナン 7 男 79
9 南 356
10 納 52
納 52
11 軟 97
13 腩 206
楠 263
16 輭 97
18 難 240
19 難 240
なんじ 汝 318
爾 46

に

に 丹 360
荷 273
ニ 2 二 353
4 仁 19
5 弍 115
尼 210
6 弐 115
7 児 23
8 兒 23
12 貳 243
18 邇 94
にい 新 104
ニイ 你 16
にえ 贄 243
に-える 煮 342
煮 342
にお-う 4 匂 214
9 臭 148
10 臭 148
にが-い 苦 273
に-がす 逃 90
にかわ 膠 208
にきび 皰 171
にぎ-る 握 173
にぎ-わう 賑 244
ニク 肉 205
宍 74
にく-い 憎 220
憎 220
に-げる 逃 90
にご-る 濁 322

にし 西 126
にじ 虹 247
にしき 錦 303
にじ-む 滲 323
にしん 鰊 241
にせ 11 偽 18
14 僞 18
19 贋 242
ニチ 日 332
にな-う 担 174
擔 174
にび 鈍 302
にぶ-い 鈍 302
ニャ 若 277
ニャク 若 277
蒻 272
に-やす 煮 342
ニュウ 2 入 77
8 乳 359
乳 359
9 柔 261
ニョ 女 28
如 30
ニョウ 3 女 28
7 尿 210
18 繞 50
にら 韮 285
韭 284
にら-む 睨 143
に-る 7 似 21
12 煮 342
13 煮 342
にれ 楡 263
にわ 庭 70
にわ-か 俄 20
遽 94
にわとり 18 雞 239
19 鶏 237
21 鷄 237
ニン 2 人 14
3 刃 101
刄 101
4 仁 19
6 任 18
7 妊 29
忍 217
忍 217
14 認 161
認 161

ぬ

ヌ 奴 29
怒 217
ぬ-う 縫 49
ぬえ 鵺 238
鵼 238
ぬか 糠 280
額 169
ぬ-かす 抜 174
ぬ-かる 抜 174
ぬきんでる
抽 176
擢 177
ぬ-く 抜 174
拔 174
ぬ-ぐ 脱 208
脫 208
ぬく-い 温 324
ぬぐ-う 拭 174
ぬ-ける 7 抜 174
8 拔 174
11 脱 208
脫 208
ぬさ 幣 44
幣 44
ぬし 主 359
ぬす-む 11 偸 18
盗 117
12 盜 117
ぬの 布 44
ぬま 沼 319
ぬ-る 塗 294
ぬる-い 温 324
ぬ-れる 濡 324

ね

ね 3 子 32
9 音 162
音 162
10 値 19
根 261
ネ 9 祢 37
10 涅 323
19 禰 37
ネイ 7 佞 19
14 寧 72
寧 72
18 檸 262
ねえ 姉 28
ねが-う 希 45
願 171
ねぎ 葱 271
ねぎら-う 労 110
犒 228
ねこ 猫 225
貓 237
ねじ-る 8 拗 176
11 捻 176
捩 176
ねず 鼠 236
ねずみ 鼠 236
ねた-む 妬 30
嫉 30
ネツ 捏 176
熱 342
ねば-る 粘 280
黏 283
ねむ-る 眠 143
睡 143
ねや 閨 76
ねら-う 狙 226
ね-る 13 寝 72
14 練 51
寢 72
15 練 51
ネン 6 年 107
8 念 216
秊 278
11 捻 176
粘 280
12 然 341
13 稔 278
15 撚 176
16 燃 339
17 黏 283
ねんご-ろ 懇 217

の

の 2 乃 363
3 之 360
11 野 78
埜 295
ノウ 10 納 52
納 52
能 208
悩 220
11 脳 207
12 惱 220
13 農 111
腦 207
瑙 305
16 濃 323
17 膿 208
22 囊 156
のが-す 逃 90
のが-れる 逃 90
のき 軒 95
のぎ 禾 277
のこ 鋸 302
のこ-す 遺 92
のこ-る 残 212
殘 212
の-す 熨 340
の-せる 9 乗 363
10 乘 363
13 載 96
のぞ-く 除 312
覗 147
のぞ-む 7 希 45
11 望 336
18 臨 146
のち 後 87
のっと-る 則 103
のど 咽 150
喉 150
ののし-る 罵 134
の-ばす 7 伸 19
延 94
8 延 94
の-びる 7 伸 19
延 94
8 延 94
14 暢 335
の-べ 延 94
の-べる 伸 19
述 91
のぼ-せる 上 352
のぼり 幟 45
のぼ-る 3 上 352
8 昇 332
10 陞 311
陟 311
12 登 200
20 騰 229
のみ 10 蚤 246
14 爾 46
28 鑿 302
の-む 7 呑 150
12 飲 58
13 飮 59
19 嚥 150
のり 矩 112
糊 280
の-る 9 乗 363
10 乘 363
13 載 96
18 騎 229
のろ-い 鈍 302
のろ-う 呪 152

は

は 3 刃 101
刄 101
6 羽 255
羽 256
12 歯 165
葉 273
14 端 25
15 齒 165
ハ 4 巴 203
5 叭 154
7 把 173
8 爸 31
爬 190
杷 262

波 319
9 玻 306
派 320
10 耙 109
破 300
11 菠 273
14 頗 170
15 播 175
19 覇 125
霸 126
ば 場 295
バ 7 芭 272
10 馬 228
11 婆 28
15 罵 134
16 蟇 247
ばあ 婆 28
はい 灰 339
灰 339
ハイ 7 吠 153
沛 320
8 拝 173
杯 265
9 盃 116
拜 172
背 206
肺 207
胚 207
10 俳 16
配 63
旆 135
悖 222
11 徘 88
排 178
敗 184
12 廃 70
牌 137
琲 306
湃 322
13 稗 277
15 廢 70
輩 96
16 憊 217
20 鞴 254
バイ 7 売 23
貝 242
8 苺 271
10 倍 20
唄 152
狽 226
梅 262
莓 271
11 梅 262
培 295
陪 312
12 媒 29
買 244
焙 340
13 煤 339
15 賠 243
賣 244
22 黴 329
23 黴 348
はい-る 入 77
は-う 這 94
はえ 蠅 246
は-える 5 生 290
9 栄 261
映 333
14 榮 261
はか 墓 297
は-がす 剝 101
ば-かす 化 122
化 122
はかど-る 捗 176
はかな-い 儚 21
はがね 鋼 301
はかま 袴 41
はか-る 7 図 83
9 計 161
12 量 78
測 319
14 圖 83
16 諮 160
謀 160
はぎ 萩 270
は-く 6 吐 150
11 掃 174
14 嘔 150
15 履 210
ハク 5 白 346
6 百 347
7 伯 16
8 佰 19
帛 44
迫 90
拍 173
狛 226
泊 325
9 柏 263
珀 305
10 剝 101
11 舶 98
粕 281
12 博 355
13 鉑 300
雹 329
14 箔 287
16 薄 275
19 餺 60
20 髆 213
は-ぐ 剝 101
バク 7 麦 281
10 畠 79
莫 275
11 麥 282
12 博 355
13 幕 45
寞 72
貘 226
漠 322
14 駁 229
15 暴 333
16 縛 49
17 貘 237
18 瀑 319
19 曝 333
爆 339
20 驀 229
はぐく-む 育 208
はげ-しい 烈 341
激 320
はげ-む 励 110
勵 110
は-げる 禿 279
剝 101
ば-ける 化 122
化 122
はこ 7 匣 123
8 函 316
12 筐 287
13 筥 287
15 箱 287
はこ-ぶ 運 91
はさみ 鋏 302
はさ-む 挟 178
挾 178
はし 14 端 25
15 箸 286
16 橋 266
はじ 恥 217
はじ-く 弾 113
彈 113
はしけ 艀 98
はしご 梯 266
はしばみ 榛 262
はじ-まる 始 30
はじ-め 初 101
甫 138
はじ-める 創 102
肇 136
はしゃ-ぐ 燥 340
はしら 柱 267
はし-る 走 196
奔 24
は-じる 10 恥 217
11 羞 231
14 慚 221
15 慙 217
はす 蓮 270
蓮 270
はず 筈 288
は-ずかしい
恥 217
はずかし-める
辱 112
はず-す 外 338
はず-む 弾 113
彈 113
は-せる 馳 229
は-た 将 186
はた 9 畑 79
10 畠 79
秦 278
12 傍 20
14 端 25
旗 135
15 幡 45
16 機 266
はだ 肌 207
膚 207
はだか 裸 42
はたけ 畑 79
畠 79
は-たす 果 261
はたはた 鰰 241
鱩 241
はたら-く 働 21
はち 蜂 246
ハチ 八 354
鉢 303
バチ 罰 134
撥 173
はちす 蓮 270
ハッ 法 326
はつ 初 101
ハツ 4 叭 19
5 癶 200
9 発 200
10 捌 179
12 發 200
13 鉢 303
14 髪 166
15 髮 166
撥 173
潑 322
19 醱 64
バツ 5 末 261
6 伐 17
7 抜 174
8 拔 174
12 跋 193
筏 287
14 閥 76
罰 134

15 魃 35
はて 涯 320
は-てる 果 261
はと 鳩 237
はな 7 花 273
9 洟 326
10 華 274
14 鼻 147
鼻 147
はなし 8 咄 155
13 話 157
16 噺 155
はな-す 8 放 185
13 話 157
19 離 239
はなだ 縹 51
はな-つ 放 185
はなは-だ 甚 60
はな-やか 華 274
はなわ 塙 295
はに 埴 297
はね 6 羽 255
羽 256
10 翅 256
は-ねる 6 刎 102
13 跳 193
15 撥 173
はは 母 31
はば 巾 44
幅 45
ばば 婆 28
はばか-る 憚 221
はば-む 阻 310
沮 321
はぶ-く 省 143
はべ-る 侍 21
はま 浜 320
濱 320
はまぐり 蛤 247
は-まる 嵌 308
は-める 嵌 308
塡 295
はも 鱧 241
はや-い 6 早 334
10 速 91
17 駿 228
はやし 林 261
は-やす 生 290
はや-す 囃 152
はやぶさ 隼 239
はや-る 逸 91
逸 93
はら 7 肚 207
10 原 312
11 原 312
13 腹 206
はら-う 5 払 174
8 拂 174
10 祓 38
20 攘 178
は-らす 12 晴 334
晴 334
13 腫 208
はら-む 孕 33
はらわた 腸 207
はり 10 針 302
11 梁 267
14 榛 262
15 箴 286
17 鍼 302
はりつけ 磔 300
はりねずみ
蝟 248
は-る 張 113
貼 244
はる 春 335
はる-か 遥 92
遙 94
は-れる 12 晴 334
晴 334
13 腫 208
22 霽 330
ハン 3 凡 331
凡 331
4 反 180
5 犯 226
氾 321
半 356
半 356
6 帆 45
汎 323
7 伴 16
伴 16
判 102
判 102
釆 259
坂 294
阪 310
8 版 137
拌 175
板 265
9 盼 143
叛 180
10 袢 41
畔 79
畔 79
般 98
班 306
11 絆 47
販 244
12 斑 55
飯 58
13 飯 59
頒 171
搬 175
煩 341
14 槃 265
15 幡 45
範 287
16 繁 48
膰 206
17 繁 48
18 繙 50
藩 276
19 攀 172
バン 3 万 353
7 伴 16
伴 16
判 102
判 102
坂 294
8 板 265
10 袢 41
挽 175
11 絆 47
晩 334
12 番 81
蛮 248
萬 277
晩 334
15 盤 116
蕃 274
磐 298
18 旛 135
蹣 194
蟠 248
22 鰻 241
25 蠻 248

ひ

ひ 4 日 332
火 339
5 氷 317
6 灯 340
10 桧 263
12 陽 310
15 樋 264
16 燈 340
17 檜 263
ヒ 2 匕 121
4 比 215
5 皮 252
6 妃 28
7 庇 70
否 151
批 176
屁 210
8 彼 88
披 176
肥 208
狒 226
非 257
泌 321
卑 356
9 毖 215
飛 257
砒 299
朏 336
卑 356
10 祕 37
被 42
疲 131
秘 279
11 婢 29
啤 154
啡 154
12 斐 55
扉 75
脾 207
悲 216
費 243
13 痺 130
蓖 273
碑 299
14 緋 51
鄙 82
蜚 248
翡 256
碑 299
15 罷 134
誹 159
16 避 90
霏 329
17 臂 207
貔 237
18 髀 213
19 羆 134
20 譬 160
21 贔 244
22 轡 97
ビ 7 尾 210
8 弥 113
枇 262
9 眉 142
毘 215
美 231
11 梶 264
12 備 18
媚 30
琵 307
13 微 89
14 鼻 147
鼻 147
16 薇 271
糒 281

17 彌 113
麋 235
19 靡 257
21 瓕 168
ヒー 琲 306
ヒイ 贔 244
ビー 啤 154
ひい-でる 秀 277
ひいらぎ 柊 264
ひえ 稗 277
ひ-える 冷 328
ひか-える 控 174
ひかがみ 膕 207
ひがし 東 268
ひかり 光 23
炛 23
ひか-る 光 23
炛 23
ひき 4 匹 124
匹 125
16 蟇 247
ヒキ 疋 197
ひき-いる 率 349
率 349
ひ-く 4 引 113
6 曳 163
8 抽 176
10 挽 175
11 牽 228
12 弾 113
惹 217
15 彈 113
22 轢 96
ひく-い 低 21
ひぐま 羆 134
ひぐらし 蜩 246
ひげ 14 髯 167
16 髭 167
22 鬚 167
ひこ 彦 54
彥 54
ひざ 膝 207
ひさぎ 楸 264
ひさし 庇 70
廂 70
ひさ-しい 久 363
ひざまず-く
跪 194
ひし 菱 271
ひじ 7 肘 207
8 肱 207
17 臂 207
ひしめ-く 犇 228
ひじり 聖 149
ひそ-か 9 窃 315
10 秘 279
11 密 73
22 竊 315
ひそ-む 潜 325
潛 325
ひそ-める 顰 170
ひだ 襞 39
ひたい 額 169
ひた-す 涵 324
ひだり 左 131
ひた-る 浸 323
漬 323
ヒチ 觱 255
篳 288
ひつ 櫃 265
ヒツ 4 匹 124
匹 125
5 必 218
8 宓 74
泌 321
11 畢 81
12 筆 286
13 逼 93
17 謐 160
20 韠 60
ひつぎ 柩 266
棺 266
ひつじ 未 261
羊 230
ひづめ 蹄 193
ひでり 旱 334
ひと 人 14
ひど-い 酷 63
ひとえ 単 364
ひと-しい 均 295
等 286
ひと-つ 一 352
ひとみ 眸 142
瞳 142
ひと-り 独 227
獨 227
ひな 鄙 82
雛 239
ひね-る 捻 176
撚 176
ひのえ 丙 352
ひのき 桧 263
檜 263
ひのと 丁 352
ひび 罅 118
ひび-く 20 響 162
22 響 162
嚮 162
ひま 閑 76
暇 334
ひめ 姫 28
姬 28
ひ-める 祕 37
秘 279
ひも 紐 47
ひもと-く 繙 50
ひ-やかす 冷 328
ヒャク 百 347
ビャク 白 346
闢 77
ひ-やす 冷 328
ひ-ややか 冷 328
ビュウ 謬 161
ひょう 雹 329
ヒョウ 4 仌 15
5 氷 317
6 冰 328
7 兵 354
8 表 39
凭 128
拍 173
10 俵 19
彪 166
豹 237
秤 279
11 票 38
彪 54
12 評 160
評 160
猋 224
13 剽 102
14 漂 323
15 標 261
16 憑 218
瓢 284
17 縹 51
20 飄 331
22 鰾 240
30 驫 229
ビョウ 5 平 107
平 107
8 苗 274
9 屏 210
秒 278
10 病 130
11 描 177
屛 210
猫 225
12 淼 317
15 廟 69
貓 237
鋲 302
16 錨 303
ヒョク 皕 347
ひら 4 片 137
5 平 107
平 107
ひら-く 8 拓 177
11 啓 151
12 開 77
ひらめ 鮃 241
ひらめ-く 閃 76
ひ-る 干 107
ひる 9 昼 334
11 晝 334
12 蛭 247
13 蒜 271
ひるがえ-る
翻 256
飜 258
ひる-む 怯 220
ひれ 鰭 240
ひろ 尋 187
ひろ-い 5 広 70
7 宏 72
10 浩 319
15 廣 70
ひろ-う 拾 174
ひろ-がる
5 広 70
8 拡 178
10 展 210
15 廣 70
18 擴 178
ひろ-める 弘 113
ヒン 6 牝 227
9 品 155
10 浜 320
11 彬 54
貧 243
12 斌 55
13 稟 279
14 賓 243
15 賓 243
16 頻 170
17 頻 170
濱 320
19 瀕 320
24 顰 170
臏 213
ビン 9 便 18
10 紊 50
罠 134
敏 185
秤 279
11 瓶 118
敏 185
貧 243
13 甁 118
15 憫 221
18 檳 263
19 壜 297
24 鬢 167

ふ

ふ 生 290
斑 55
フ 4 夫 24
父 31
不 353
5 付 21
布 44
7 巫 131
扶 178
歩 195
芙 272
8 府 69
斧 104
歩 195
怖 220
阜 309
附 312
9 俘 17
罘 133
訃 157
赴 196
負 244
10 俯 21
釜 303
浮 323
11 婦 28
冨 43
趺 193
殍 211
符 286
12 富 72
腑 207
普 335
13 艀 98
蜉 247
14 孵 33
腐 205
15 敷 185
膚 207
賦 243
麩 282
16 鮒 241
19 黼 53
譜 158
ブ 4 毋 32
分 101
不 353
7 歩 195
8 侮 19
奉 25
歩 195
武 195
9 侮 19
11 部 82
12 葡 272
無 342
14 誣 159
15 撫 173
舞 199
憮 220
蕪 271
16 錻 301
フィート 呎 154
ふいごう 鞴 254
フウ 9 封 187
風 330
13 楓 264
16 諷 160
ふえ 笛 287
ふ-える 12 殖 212
14 増 295
15 增 295
ふか 鱶 241
ふか-い 深 319
ふ-かす 更 163
ふき 蕗 271
ふ-く 7 吹 150
9 拭 174
12 葺 276
15 噴 150
21 龡 140
フク 6 伏 17
8 宓 74
服 99
服 337
11 副 103
匐 214
12 幅 45
復 87
13 福 36
腹 206
14 福 37
複 42
箙 288
15 蝮 247
蝠 248
16 輻 97
18 馥 65
覆 125
覆 126
ふく-む 含 150
ふく-らむ 膨 208
ふくろ 袋 40
囊 156
ふくろう 梟 269
ふ-ける 老 33
更 163
ふけ-る 耽 148
ふさ 房 75
ふさ-ぐ 塞 296
ふし 節 285
節 285
ふじ 藤 270
藤 270
ふ-す 伏 17
臥 146
ふすま 襖 41
ふせ-ぐ 防 311
ふ-せる 伏 17
臥 146
ふた 蓋 276
ふだ 札 265
ぶた 豚 232
ふたた-び 再 44
ふた-つ 2 二 353
4 双 180
6 弐 115
18 雙 240
ふち 12 淵 319
15 縁 52
緣 52
フツ 1 乀 363
4 仏 16
5 弗 114
払 174
7 佛 16
8 拂 174
沸 324
9 氟 330
10 祓 38
11 艴 350
15 髴 167
17 黻 53
ブツ 4 仏 16
勿 214
7 佛 16
8 物 228
ふで 筆 286
ふと-い 太 25
ふところ 懐 219
懷 219
ふな 鮒 241
ぶな 橅 264
ふね 舟 98
船 98
ふ-まえる 踏 193
ふみ 文 55
ふ-む 踏 193
ふもと 麓 236
ふ-やす 12 殖 212
14 増 295
15 增 295
ふゆ 冬 199
冬 328
ぶよ 蚋 246
ぶり 鰤 241
ふ-る 振 175
降 311
ふる-い 古 156
ふるい 篩 287
ふ-るう 振 175
ふる-う 揮 175
奮 25
ふる-える 慄 220
震 330
ふ-れる 10 振 175
13 触 255
20 觸 255
フン 4 分 101
6 刎 102
7 吻 150
扮 177
芬 274
8 氛 330
10 紛 50
粉 281
12 雰 329
焚 339
15 噴 150
憤 220
墳 296
16 奮 25
17 糞 281
19 鼖 140
ブン 4 文 55
分 101
10 紊 50
蚊 246
14 聞 149
ふんどし 褌 41

へ

へ 屁 210
部 82
べ 5 辺 92
11 部 82
19 邊 94
ヘイ 5 平 107
平 107
丙 352
6 并 108
7 兵 354
8 併 19
幷 108
坪 294
坪 294
並 353
9 屏 210
柄 265
10 併 19
竝 26
病 130
陛 311

ほ

茅 271
9 冒 43
冐 144
虻 246
某 262
茫 275
厖 313
昴 333
10 紡 50
剖 102
旁 135
旄 135
11 眸 142
望 336
12 傍 20
帽 44
貿 244
棒 265
13 滂 322
14 膀 207
貌 237
榜 265
鉾 302
15 儚 21
甍 119
犛 227
暴 333
16 謀 160
膨 208
蟒 247
17 謗 159
麰 282
ほうき 箒 287
ほうむ-る 葬 275
ほう-る 放 185
ほ-える 7 吠 153
吼 153
8 咆 153
ほお 朴 267
頬 169
ほか 他 21
外 338
ほが-らか 朗 336
朗 336
ホク 北 121
ボク 2 卜 139
4 攴 183
攵 184
木 260
5 目 142
6 朴 267
8 牧 228
13 睦 143
14 僕 16
墨 297
15 撲 176
墨 297
16 樸 267
19 蹼 193
20 鶩 238
ぼ-ける 惚 220
ほこ 4 戈 104
5 矛 106
14 鉾 302
ぼこ 凹 316
ほこら 祠 37
ほこり 埃 294
ほこ-る 誇 159
ほころ-びる
綻 50
ほし 星 333
ほ-しい 欲 67
ほしいい 糒 281
ほしいまま
恣 217
擅 177
ほ-す 干 107
ほぞ 臍 207
ほそ-い 細 48
ほだ-される
絆 47
ほたる 蛍 246
螢 246
ボタン 釦 303
ホツ 発 200
發 200
ボツ 7 没 323
沒 323
8 歿 211
9 勃 110
ほっけ 𩸽 241
ほっ-する 欲 67
ほど 程 278
ほとけ 仏 16
佛 16
ほどこ-す 施 135
ほとばし-る
迸 93
ほとり 畔 79
ほとん-ど 殆 212
ほね 骨 212
ほのお 炎 339
ほの-か 仄 14
ほふ-る 屠 209
ほほ 頬 169
ほまれ 13 誉 159
20 譽 159
ほ-める 13 誉 159
15 褒 40
17 襃 40
20 譽 159
ほら 洞 319
ほり 堀 297
濠 325
ほ-る 彫 54
掘 176
ほ-れる 惚 220
ほろ 幌 45
ほろ-びる 滅 325
ホン 4 反 180
5 本 261
8 奔 24
9 叛 180
10 畚 79
12 犇 228
18 翻 256
21 飜 258
ボン 3 凡 331
凡 331
5 犯 226
9 盆 116
11 梵 269
13 煩 341

ま

ま 5 目 142
10 真 144
眞 144
12 間 76
閒 76
マ 8 茉 272
10 馬 228
11 麻 288
痲 289
13 嗎 154
14 麼 289
15 摩 172
16 蟇 247
磨 300
21 魔 35
まい 舞 199
マイ 6 毎 32
米 280
7 売 23
毎 31
8 妹 28
枚 265
9 昧 333
10 埋 295
15 賣 244
16 邁 93
まい-る 参 364
參 364
マイル 哩 154
ま-う 舞 199
まえ 前 103
前 103
まが 勾 214
まが-う 紛 50
まがき 籬 287
ま-かす 負 244
まか-せる 任 18
まかな-う 賄 243
まか-る 罷 134
ま-がる 曲 163
まき 8 巻 202
牧 228
9 卷 202
14 槙 264
槇 264
16 薪 276
まぎ-らわしい
紛 50
まぎ-れる 紛 50
ま-く 8 巻 202
9 卷 202
11 捲 174
13 蒔 275
15 撒 175
播 175
マク 幕 45
膜 207
まぐさ 秣 278
まくら 枕 266
まぐろ 鮪 241
まげ 髷 167
ま-ける 負 244
ま-げる 曲 163
まご 孫 33
まこと 4 允 22
10 真 144
眞 144
13 誠 159
まさ 5 正 195
8 昌 333
9 柾 264
まさき 柾 264
まさ-る 12 勝 110
勝 110
17 優 16
ま-ざる 交 361
混 322
ま-じる 交 361
混 322
まじ-わる 交 361
ま-す 増 295
增 295
ます 4 升 355
8 枡 265
10 益 117
益 117
11 桝 265
23 鱒 241

まず-い 拙 178
まず-しい 貧 243
ま-ぜる 交 361
混 322
また 2 又 179
3 叉 180
6 亦 361
8 股 207
9 俣 18
また-ぐ 跨 193
またた-く 瞬 142
まだら 斑 55
まち 町 79
街 87
ま-つ 俟 18
待 88
まつ 松 263
マツ 5 末 261
8 抹 176
茉 272
沫 322
10 秣 278
14 靺 253
まつげ 睫 142
まった-く 全 16
仝 78
まつ-り 祭 38
まつりごと
政 185
まつ-る 祀 38
祭 38
まで 迄 94
まと 的 347
まど 窓 314
牖 137
まと-う 纏 50
まど-う 惑 216
まな 愛 217
まないた 俎 14
まなこ 眼 142
まなじり 眥 142
まな-ぶ 学 33
學 33
まぬか-れる
免 23
免 23
まね-く 招 178
まばた-く 瞬 142
まぶた 瞼 142
まぼろし 幻 53
まま 儘 20
まみ-れる 塗 294
まむし 蝮 247
まめ 豆 283
まも-る 6 守 73
16 衛 86
20 護 161
まゆ 眉 142
繭 51
まゆずみ 黛 348
黛 348
まゆみ 檀 264
まよ-う 迷 90
まり 毬 251
鞠 253
まる-い 3 丸 360
4 円 43
13 圓 84
まれ 希 45
稀 278
まれ-に 罕 133
まろ 麿 288
麿 289
まわ-り 周 156
周 156
まわ-る 回 84
廻 94
マン 3 万 353
6 卍 356
11 曼 43
曼 163
12 萬 277
満 321
14 慢 221
蔓 273
漫 319
滿 321
15 幡 45
16 瞞 143
18 蹣 194
懣 216
19 鏝 302
20 饅 60
21 鬘 167
まんじ 卍 356

み

み 3 巳 203
4 水 317
7 身 209
8 実 72
11 深 319
12 御 88
14 實 72
箕 287
ミ 5 未 261
8 弥 113
味 150
9 眉 142
美 231
13 微 89
15 魅 35
17 彌 113
み-える 見 146
みお 澪 326
みが-く 研 300
磨 300
みかど 帝 45
みき 幹 107
みぎ 右 156
みぎわ 汀 320
みこと 命 151
尊 186
みことのり
詔 157
みさお 操 177
みさき 岬 308
みささぎ 陵 310
みじか-い 短 112
みじ-め 惨 220
慘 220
みず 水 317
瑞 306
みずうみ 湖 319
みずか-ら 自 148
みずち 蛟 247
彲 54
みずのえ 壬 27
みずのと 癸 200
みせ 店 69
みぞ 溝 325
みそ-ぎ 禊 38
みぞれ 霙 329
み-たす 6 充 23
12 満 321
14 滿 321
みだ-ら 淫 323
猥 227
みだ-りに
6 妄 30
12 猥 227
14 漫 319
18 濫 321
みだ-れる 乱 359
亂 359
みち 8 迪 92
10 途 92
12 道 92
13 路 194
みちび-く 導 186
み-ちる 6 充 23
9 盈 117
12 満 321
14 滿 321
み-つ 三 352
ミツ 11 密 73
14 蜜 246
みつ-ぐ 貢 243
みっ-つ 三 352
みと-める 認 161
認 161
みどり 緑 51
綠 51
翠 256
碧 299
みな 4 水 317
9 咸 156
皆 347
みなぎ-る 漲 321
みなと 港 326
湊 326
みなみ 南 356
みなもと 源 319
みにく-い 醜 63
みね 7 岑 307
10 峰 307
峯 307
17 嶺 307
みの 蓑 276
みの-る 8 実 72
13 稔 278
14 實 72
みは-る 瞠 143
みみ 耳 148
みや 宮 71
ミャク 脈 207
みやこ 都 82
都 82
みやび 雅 239
ミョウ 6 名 151
7 妙 29
8 命 151
苗 274
明 333
9 茗 271
玅 349
10 冥 42
ミリグラム
瓱 119
ミリメートル
粍 281
ミリリットル
竓 26
み-る 7 見 146
9 看 143
11 視 146
12 覗 146
診 161
18 観 146
24 觀 146
ミン 5 民 108
8 明 333
10 眠 143

む

ム 4 无 68
5 矛 106
6 牟 228
8 武 195
9 敄 185
11 務 110
12 無 342
13 夢 337
16 謀 160
19 鵡 238
霧 329
む-かう 向 155
むか-える 迎 91
むかし 昔 335
むぎ 麦 281
麥 282
む-く 向 155
剝 101
むく 椋 263
むく-いる 報 298
酬 63
むぐら 葎 272
むくろ 骸 212
む-ける 向 155
むこ 12 壻 27
婿 29
14 聟 149
むご-い 惨 220
酷 63
む-こう 向 155
むさぼ-る 貪 243
むし 虫 246
蟲 247
むじな 貉 236
むしば-む 蝕 248
むし-る 毟 251
むしろ 蓆 276
筵 287
む-す 蒸 275
むずか-しい
難 240
難 240
むす-ぶ 結 49
むすめ 娘 28
むせ-ぶ 咽 150
むち 笞 286
鞭 253
む-つ 六 355
むっ-つ 六 355
むつ-まじい
睦 143
むながい 鞅 253
むな-しい
8 空 315
11 虚 234
12 虛 234
むね 6 旨 335
8 宗 71
10 胸 206
12 棟 267
むら 邑 81
村 268
むら-がる 群 231
簇 285
むらさき 紫 51
む-らす 蒸 275
む-れ 群 231
む-れる 蒸 275
むろ 室 71

め

め 3 女 28
5 目 142
8 芽 273
11 眼 142
14 雌 239
メ 馬 228
瑪 305
めい 姪 28
メイ 6 名 151
8 命 151
明 333
9 迷 90
茗 271
10 冥 42
13 酩 63
盟 117
14 鳴 239
銘 301
15 瞑 142
17 謎 161
メートル 米 280
めぐ-む 恵 217
惠 217
めぐ-らす 旋 135
めぐ-る 巡 327
繞 50
めし 飯 58
飯 59
め-す 召 151
めす 牝 227
雌 239
めずら-しい
珍 306
メツ 滅 325
めと-る 娶 29
メン 7 免 23
8 免 23
9 面 171
12 棉 263
湎 323
14 綿 51
16 麺 281
20 麵 282

も

も 9 面 171
12 最 43
喪 152
最 163
14 裳 39
19 藻 272
モ 8 茂 274
13 摸 173
14 模 265
モウ 3 亡 361
亡 361
4 毛 251
6 妄 30
网 132
8 孟 33
罔 132
盲 143
10 耄 34
耗 109
11 猛 226
望 336
12 䑃 269
13 毷 249
蒙 275
14 網 52
16 濛 320
17 檬 262
朦 336
18 魍 35
もう-ける 設 161
儲 17
もう-す 申 80
もう-でる 詣 161
も-える 11 萌 274
萠 274
16 燃 339
モク 4 木 260
5 目 142
7 沐 324
8 苜 272
15 黙 348
16 默 348
もぐ-る 潜 325
潛 325
も-しくは 若 277
も-す 燃 339
もだ-える 悶 216
もた-げる 擡 174
もたら-す 齎 292
もた-れる 凭 128
靠 257
もち 11 望 336
15 餅 59
17 餠 59
20 糯 280
23 黐 283
モチ 勿 214
もち-いる 用 138
も-つ 持 178
モツ 物 228
もっこ 畚 79
もっ-て 以 14
もっと-も
4 尤 204
12 最 43
最 163
もっぱ-ら 専 186
專 186
もつ-れる 縺 50
もてあそ-ぶ
7 弄 188
8 玩 306
15 翫 256
もと 3 下 352
4 元 22
5 本 261
10 素 51
11 許 158
基 296
もとい 基 296
もどき 擬 177
もと-づく 基 296
もとどり 髻 167
もと-める 求 317
もと-る 很 88
悖 222
もど-る 戻 75
戾 75
もの 8 者 34
物 228
9 者 34
ものう-い 懶 221
もみ 籾 280
樅 263
もみじ 椛 264
も-む 揉 176
もも 6 百 347
8 股 207
10 桃 262
14 腿 207
もや 靄 329
もや-う 舫 98
も-やす 燃 339
もよお-す 催 18
もら-う 貰 244
も-らす 漏 321
もり 6 守 73

7 杜 261
12 森 261
14 銛 302
も-る 盛 117
漏 321
も-れる 8 泄 321
9 洩 321
14 漏 321
もろ 6 両 353
15 諸 162
16 諸 162
もろ-い 脆 206
もろみ 醪 63
モン 4 文 55
8 門 75
10 紋 52
11 問 151
12 悶 216
14 聞 149
16 錳 301
もんめ 匁 214

や

や 5 矢 112
7 谷 313
8 舎 16
弥 113
舍 164
9 哉 154
屋 210
10 家 71
15 箭 288
17 彌 113
ヤ 3 也 359
7 冶 328
8 夜 337
9 耶 149
11 野 78
埜 295
12 揶 179
13 爺 31
椰 262
19 鵺 238
やいば 刃 101
刄 101
やかた 16 館 58
舘 164
17 館 59
やが-て 軈 209
やから 輩 96
や-く 7 灼 340
8 妬 30
12 焼 340
13 嫉 30
16 燒 340
ヤク 4 厄 312
7 役 88
扼 175
9 約 49
疫 130
10 益 117
益 117
11 軛 97
訳 160
12 葯 273
16 薬 276
17 龠 140
18 藥 276
20 譯 160
21 躍 193
25 鑰 303
やぐら 櫓 266
や-ける 焼 340
燒 340
やさ-しい 易 335
優 16
やしな-う 養 57
やじり 鏃 302
やしろ 社 36
社 37
やす-い 安 72
やす-む 休 17
やす-らか 安 72
やすり 鑢 302
やす-んずる
靖 345
靖 346
や-せる 12 痩 131
15 瘦 131
瘠 131
や-つ 八 354
やつ 奴 29
谷 313
やっこ 奴 29
やっ-つ 八 354
やつ-れる 窶 315
やど 宿 71
やと-う 雇 240
傭 18
やなぎ 柳 263
やに 脂 208
やぶ 藪 275
やぶ-る 破 300
やぶ-れる 敗 184
やま 山 307
やまい 病 130
やま-しい 疚 131
やみ 闇 76
や-む 病 130
や-める 辞 61
やや 稍 278
やり 槍 266
鑓 302
や-る 遣 91
やわ-らかい
9 柔 261
11 軟 97
16 輭 97
やわ-らぐ 和 152

ゆ

ゆ 湯 324
ユ 5 由 80
8 油 326
9 兪 78
柚 262
12 遊 90
喩 151
揄 179
愉 220
愉 220
萸 272
13 愈 216
楡 263
15 蝓 247
16 輸 96
輸 96
覦 147
諭 158
諭 158
諛 159
踰 194
18 癒 130
癒 130
ユイ 5 由 80
11 唯 153
15 遺 92
ゆ-う 結 49
ゆう 夕 337
ユウ 2 又 179
4 友 180
尤 204
5 由 80
右 156
6 有 337
7 佑 20
酉 62
邑 81
8 侑 18
9 祐 36
幽 53
宥 73
囿 83
勇 110
勇 110
疣 130
柚 262
10 祐 38
涌 322
11 郵 82
悠 217
12 裕 42
遊 90
揖 177
猶 227
猶 227
雄 239
釉 259
湧 322
游 325
13 猷 225
麀 235
楢 263
14 誘 158
熊 342
15 牖 137
憂 216
蝣 247
16 融 248
17 優 16
黝 348
18 鼬 236
21 圝 83
42 蘁 275
ゆう-べ 夕 337
ゆえ 故 185
ゆか 床 70
ゆが-む 歪 195
ゆかり 縁 52
ゆき 雪 329
ゆ-く 3 之 360
6 行 86
8 往 87
10 逝 91
ゆ-さぶる 揺 175
搖 175
ゆ-すぶる 揺 175
ゆ-する 揺 175
搖 175
ゆず-る 譲 159
讓 159
ゆた-か 豊 284
豐 284
ゆだ-ねる 委 29
ゆ-でる 茹 275
ゆび 指 173
ゆみ 弓 113
ゆめ 夢 337
ゆ-らぐ 揺 175
搖 175
ゆ-らす 揺 175
搖 175
ゆ-る 揺 175
ゆる-い 緩 49
緩 50

る

れ

16 憐 221
蔆 273
錬 301
17 縺 50
聯 149
斂 185
鍊 301
18 鎌 302
鐮 302
19 蠊 248
簾 287
20 鰊 241
23 攣 172
戀 217
25 臠 205

ろ

ロ 7 呂 156
芦 271
沪 324
8 炉 341
11 鹵 62
13 輅 95
路 194
賂 243
15 魯 242
16 盧 117
蕗 271
18 濾 324
19 廬 70
櫚 263
櫓 266
蘆 271
20 爐 341
21 艪 99
髏 212
露 329
22 艫 99
23 轤 97
24 鷺 238
25 顱 169
26 驢 229
ロウ 6 老 33
7 労 110
弄 188
牢 228
9 郎 83
陋 310
10 郞 83
狼 225
浪 319
朗 336
11 琅 306
朖 336
12 廊 69
勞 110
13 廊 69
楼 266
滝 319
14 蝋 246
榔 263
瑯 306
漏 321
15 樓 266
潦 321
16 瘻 130
螂 246
蔞 277
17 螻 247
18 醪 63
糧 281
19 臘 206
瀧 319
20 瓏 306
朧 336
21 蠟 246
22 聾 149
籠 287
ロク 4 六 355
6 肋 208
8 彔 233
录 233
11 勒 111
鹿 235
12 禄 36
13 祿 38
碌 298
14 緑 51
綠 51
漉 324
16 録 301
錄 301
18 轆 97
19 麓 236
ロン 論 160

わ

わ 6 羽 255
羽 256
15 輪 96
17 環 306
ワ 8 和 152
杷 262
10 倭 17
12 萵 273
琶 307
13 話 157
14 窪 314
18 聶 164
22 龢 140
ワイ 9 歪 195
12 猥 227
隈 310
13 矮 112
賄 243
18 穢 279
わ-が 我 106
わが 吾 152
わか-い 若 277
わかさぎ 鰙 241
わ-かす 沸 324
わ-かつ 分 101
わか-つ 頒 171
わ-かる 分 101
わか-る 7 判 102
判 102
13 解 255
わか-れる 別 102
わき 脇 206
腋 206
わ-く 8 沸 324
10 涌 322
12 湧 322
わく 枠 266
ワク 或 105
惑 216
わけ 訳 160
譯 160
わ-ける 分 101
わけ-る 頒 171
わざ 技 177
業 266
わざわ-い 災 341
わざわい
13 禍 36
猧 68
14 禍 37
わし 鷲 238
わず-か 僅 19
わずら-う 患 216
煩 341
わす-れる 忘 216
わた 12 絮 51
棉 263
14 綿 51
わだかま-る
蟠 248
わたくし 私 279
わたし 私 279
わだち 轍 96
わた-る 6 亘 353
亙 353
10 涉 325
11 渉 325
12 渡 325
わな 罠 134
わに 鰐 242
わび-しい 侘 18
わ-びる 詫 159
わめ-く 喚 151
わら 藁 275
わら-う 笑 288
嗤 152
わらび 蕨 271
わらべ 童 26
わらわ 妾 29
わり 割 102
わ-る 割 102
わる-い 悪 217
惡 217
われ 我 106
吾 152
ワン 9 弯 113
12 腕 207
椀 265
湾 320
13 碗 299
22 彎 113
25 灣 320